उद्यान विज्ञान के मौलिक सिद्धान्त

उद्यान विज्ञान के मौलिक सिद्धान्त

भाग—2 : सब्जी एवं फूल विज्ञान

प्रो0 (डा0) विशाल नाथ

डा0 दिनेश कुमार पाण्डेय

प्रो0 (डा0) दीना नाथ सिंह

डा0 अजय मिश्रा

डा0 मुहम्मद मुस्तफा

SSPH

SATISH SERIAL PUBLISHING HOUSE

403, Express Tower, Commercial Complex, Azadpur, Delhi-110033 (India)

Phone : 011-27672852, Fax : 91-11-27672046

E-mail :info@satishserial.com, hkjain1975@yahoo.com

Website : www.satishserial.com

Published by :

SATISH SERIAL PUBLISHING HOUSE
403, Express Tower, Commercial Complex, Azadpur, Delhi-110033 (INDIA)
Phone : 011-27672852 Fax : 91-11-27672046
E-mail : info@satishserial.com, hkjain1975@yahoo.com

ISBN 978-93-81226-22-3

Typeset at: Harminder Singh Kharb *for* Laxmi Art Creation
Printed at: Salasar Imaging Systems, Delhi-110035

समर्पित

यह पुस्तक श्रृंखला हमारे पूज्यनीय दादा जी

श्रीयुत श्री बृज भूषण पाण्डेय

राष्ट्रपति द्वारा सम्मानित पूर्व प्रवक्ता, श्री गांधी विद्यालय इण्टर कॉलेज, नवाबगंज, गोण्डा (उ०प्र०) के चरण कमलों में सादर समर्पित है जिनके प्रेरणा और आशीर्वाद से मैं आज इस योग्य बन पाया हूँ।

प्रो० विशाल नाथ

डा0 हरिशचन्द्र प्रसाद सिंह
उप–महानिदेशक (बागवानी)
भारतीय कृषि अनुसंधान परिषद्
नई दिल्ली – 110012

प्राक्कथन

बागवानी एक उभरता हुआ क्षेत्र है जो देश के कृषि उत्पाद में एक अहम भूमिका निभाता आ रहा है। बागवानी देश के सकल घरेलू उत्पाद में लगभग 30 प्रतिशत की महत्वपूर्ण भागीदारी है। उद्यानिकी द्वारा ग्रामीण एवं शहरी क्षेत्रों में रोजगार एवं व्यवसाय की अपार सम्भावनाएं विकसित हुई हैं। बागवानी में तकनीक विकास एवं हस्तानान्तरण के लिए सम्भावनाएं विकसित हुई हैं। बागवानी में तकनीक विकास एवं हस्तानान्तरण के लिए अच्छे और योग्य वैज्ञानिकों, तकनीकी कर्मियों, उद्यमियों की आवश्यकता को ध्यान में रखते हुए भारत सरकार ने पिछले दो पंचवर्षीय योजनाओं में इसके शिक्षा एवं आधार भूत सुविधाओं के विकास के लिए काफी धन मुहैया कराया है। बागवानी के स्नातकों एवं विशेषज्ञों की बढ़ती आवश्यकता को ध्यान में रखते हुए देश के विभिन्न क्षेत्रों में बागवानी विषय में स्नातक एवं परास्नातक स्तर की पढ़ाई शुरू की गयी है। पिछले लगभग चार दशकों में उद्यानिकी के क्षेत्र में अनेक नवीनतम् जानकारियाँ एवं तकनीकें विकसित की गयी है परन्तु इसकी नवीनतम् जानकारी को सम्मिलित करते हुए इस की एक सम्पूर्ण पुस्तक की आवश्यकता हमेशा ही महसूस की जा रही है विशेषकर जो सरल भाषा में लिखी हो।

देश के उत्तरी भाग जहाँ की बोल चाल की भाषा हिन्दी है, नवीन पाठ्यक्रम के अनुरूप उद्यान विज्ञान की पुस्तकों की बहुत कमी है। इस समस्या को ध्यान में रखते हुए लेखकों द्वारा प्रस्तुत यह पुस्तक अपने आप में एक अनूठा प्रयास है। हमें आशा है कि यह पुस्तक हिन्दी भाषी क्षेत्रों के विद्यार्थियों को बागवानी विषय का पूरा एवं अद्यतन ज्ञान दे सकेगा। मैं इस प्रयास के लिए लेखकों को बधाई देता हूँ और यह आशा करता हूँ कि विद्यार्थी इस पुस्तक का लाभ लेकर अपने विषय में महारथ हासिल करेगें।

हरिशचन्द्र प्रसाद सिंह

आमुख

उद्यान विज्ञान कृषि की एक महत्वपूर्ण शाखा है जिसकी महत्ता दिन प्रतिदिन बढ़ती जा रही है। देश के सकल घरेलू उत्पाद में इसकी भागीदारी बढ़ती जा रही है परिणाम स्वरूप इसके शिक्षा एवं अध्ययन के नवीनतम् आयाम सृजित होते जा रहे हैं। देश में बागवानी विषय की शिक्षा के क्षेत्र में अभूतपूर्व विकास के परिणाम स्वरूप 6 बागवानी विश्वविद्यालय एवं लगभग 20 उद्यानिकी महाविद्यालय स्थापित किये जा चुके हैं। इसके अतिरिक्त सभी कृषि विश्वविद्यालयों, कृषि महाविद्यालयों द्वारा प्रतिवर्ष लगभग 10000 बच्चे स्नातक स्तर पर और लगभग 2000 बच्चे परास्नातक स्तर पर बागवानी की पढ़ाई करते हैं।

उद्यान विषयक नवीनतम् जानकारी को नई पीढ़ी के छात्रों में सृजित करने के लिए भारतीय कृषि अनुसंधान परिषद् ने इस विषय के पाठ्यक्रम में स्नातक एवं परास्नातक स्तर पर भारी फेरबदल किया है। स्नातक स्तर के नवीनतम् पाठ्यक्रम के आधार पर चूँकि एक सम्पूर्ण पुस्तक का अभाव था अतः इन पुस्तकों के माध्यम से यह प्रयास किया गया कि नये पाठ्यक्रम के अनुसार एक मौलिक रचना की जाय।

इस पुस्तक के संकलन एवं लेखन में मुख्य रूप से डा0 हरिशचन्द्र प्रसाद सिंह, (उपमहानिदेशक, बागवानी), डा0 राम कृपाल पाठक, डा0 अनिल कुमार शुक्ल, डा0 बृजभूषण वशिष्ठ, डा0 नागेन्द्र राय, डा0 हरिशंकर सिंह, डा0 शेषधर पाण्डेय आदि का सहयोग रहा जिसके लिए लेखक मण्डल उनके प्रति आभारी है। इस पुस्तक के लेखन के लिए प्रेरित करने तथा समय–समय पर यथोचित सहयोग के लिए मैं अपने परिवार के सदस्यों विशेषकर श्रीमती कृष्णा पाण्डेय, मित्रों तथा सहकर्मियों का विशेष रूप से आभारी हूँ जिनके सहयोग के अभाव में यह कार्य काफी कठिन था। इस पुस्तक के लेखन में प्रत्यक्ष एवं परोक्ष रूप से सहयोग देने वाले लोगों के प्रति मैं आभार प्रकट करता हूँ।

प्रो0 विशाल नाथ

लेखक मण्डल

प्रो0 (डा0) विशाल नाथ : एक दिसम्बर सन् उन्नीस सौ छासठ में उत्तर प्रदेश के बस्ती जनपद में जन्में प्रो0 विशाल नाथ की प्रारम्भिक शिक्षा श्री गांधी विद्यालय इन्टर कॉलेज, नबाबगंज, गोण्डा एवं स्नातक एवं परास्नातक की शिक्षा नरेन्द्र देव कृषि एवं प्रौद्योगिकी विश्वविद्यालय, फैजाबाद से सम्पन्न हुई। वर्ष 1993 में प्रो0 विशाल नाथ ने कानपुर विश्वविद्यालय से विद्यावाचस्पति की उपाधि प्राप्त करके उसी वर्ष में 'भारतीय कृषि शोध सेवा' की परीक्षा उत्तीर्ण की। प्रारम्भ में हैदराबाद, लखनऊ एवं बीकानेर में अपना योगदान देने के उपरान्त वर्ष 1999 में प्रो0 विशाल नाथ केन्द्रीय बागवानी परीक्षण केन्द्र, रांची में वरीय वैज्ञानिक के रूप में चुने गये। डा0 विशाल नाथ की 2005 में बिरसा कृषि विश्वविद्यालय, रांची में प्राध्यापक के पद पर और वर्ष 2006 में केन्द्रीय बागवानी परीक्षण केन्द्र, भुवनेश्वर के प्रमुख के पद पर सीधी नियुक्ति हुई। प्रो0 विशाल नाथ जुलाई 2010 से राष्ट्रीय लीची अनुसंधान केन्द्र, मुजफ्फरपुर, बिहार के निदेशक के पद पर कार्यरत है। डा0 विशाल नाथ बागवानी के क्षेत्र के एक जाने–माने विशेषज्ञ हैं जिन्होंने लगभग सभी प्रकार की बागवानी फसलों पर शोध कार्य किया है। शुष्क बागवानी, बहुस्तरीय फसल पद्धति, वर्षा आधारित बागवानी, लीची, आम, कटहल, अमरूद, पपीता, सब्जियाँ इत्यादि आपके प्रिय क्षेत्र रहे हैं जिसमें अनेक किस्मों और तकनीकों का विकास आप के माध्यम से हुआ है। आपने 12 किस्मों और 15 तकनीकों का विकास किया है और 10 पुस्तकों का लेखन किया है जिसकी अत्यधिक माँग है। आपने लगभग 200 शोध पत्र पत्रिकाओं का भी प्रकाशन किया है।

डा0 दिनेश कुमार पाण्डेय का जन्म 26 जनवरी, 1968 में गोण्डा जिले में हुआ। प्रारम्भिक शिक्षा श्री गांधी विद्यालय इन्टर कॉलेज, नवाबगंज गोण्डा से पूरी करने के बाद कानपुर विश्वविद्यालय से उच्च शिक्षा प्राप्त की। वर्ष 2005 में आपका

चयन नरेन्द्र देव कृषि विश्वविद्यालय, फैजाबाद में हुआ और वर्तमान समय में कृषि विज्ञान केन्द्र, मसौधा, फैजाबाद में उद्यान विशेषज्ञ के रूप में कार्यरत हैं। आपकी पठन–पाठन में अपार अभिरूचि है और सब्जी फसलों, मसालों, औषधीय पौधों एवं परिरक्षण के क्षेत्र में अपार अनुभव है। आपने अनेक शोध एवं लोकप्रिय लेख लिखे हैं जो किसानोंपयोगी साबित हुए हैं।

डा0 दीना नाथ सिंह उड़ीसा कृषि एवं प्रौद्योगिकी विश्वविद्यालय, भुवनेश्वर में प्राध्यापक के पद पर कार्यरत है। डा0 सिंह, सब्जी विज्ञान के क्षेत्र में एक महत्वपूर्ण व्यक्ति हैं जिन्होंने विभिन्न पदों पर कार्य करते हुए इस विषय की शिक्षा और अनुसंधान से जुड़े रहे हैं। आपने अनेक शोध पत्रिकाओं और पुस्तकों का लेखन भी किया है।

डा0 अजय मिश्रा ने श्री गांधी विद्यालय इन्टर कॉलेज से प्रारम्भिक शिक्षा प्राप्त करने के पश्चात् कानपुर विश्वविद्यालय से बागवानी विषय की उच्च शिक्षा प्राप्त की। वर्तमान समय में डा0 अजय मिश्रा नन्दनी नगर महाविद्यालय नवाबगंज, गोण्डा में सह प्राध्यापक (उद्यान) के पद पर कार्यरत हैं। डा0 अजय मिश्रा की औषधीय पौधों, पुष्प विज्ञान एवं फल परिरक्षण के क्षेत्र में गहरी अभिरूचि है। डा0 मिश्रा ने अनेक शोध एवं लोकप्रिय लेखों की रचना की है।

डा0 मोहम्मद मुस्तफा, का जन्म सन् 1964 में उत्तर प्रदेश के बलिया जनपद में हुआ और यहीं से आपने अपनी प्रारम्भिक शिक्षा ग्रहण की स्नातक (कृषि) व स्नातकोत्तर (सब्जी विज्ञान) की शिक्षा नरेन्द्र देव कृषि एवं प्रौद्योगिकी विश्वविद्यालय (कुमारगंज), फैजाबाद तथा पीएच.डी. (उद्यानिकी) की शिक्षा सी.एस.जे.एम विश्वविद्यालय, कानपुर से प्राप्त करने के पश्चात् डा0 मुस्तफा विषय वस्तु विशेषज्ञ (उद्यानिकी) के पद पर कृषि विज्ञान केन्द्र जावरा, रतलाम (म.प्र.) में कार्यरत हैं। कृषि विज्ञान केन्द्र में व्यवसायिक प्रशिक्षण, सेवाकालीन प्रशिक्षण, कृषक एवं महिला कृषक प्रशिक्षण, प्रक्षेत्र परीक्षण व अग्रिम पंक्ति प्रदर्शन आदि कार्यों के निष्पादन के क्रम में डा0 मुस्तफा ने उद्यान विज्ञान की उन्नत तकनीकों का व्यवहारिक ज्ञान प्राप्त किया।

आपके द्वारा एन.एच.एम. के तहत कृषि विज्ञान केन्द्र में पाली हाऊस, आर्गेनिक फार्मिंग, वर्मी कम्पोस्ट, प्लासिटक मल्च सीट और आई.पी.एम / आई.एन.एम. आदि परियोजनाओं को पूरा किया गया जिनसे बारह शोधपत्र व पच्चीस शोध लेख एवं लोकप्रिय लेख विभिन्न शोध प्रत्रिका एवं पत्र–पत्रिकाओं में प्रकाशित हो चुके हैं।

विषय सूची

1

सब्जी विज्ञान

सब्जी विज्ञान उद्यान विज्ञान की एक प्रमुख शाखा है जिसके अन्तर्गत विभिन्न सब्जियों की उपयोगिता, उनसे मिलने वाले प्रमुख पोषक तत्वों की जानकारी, उनके उत्पादन की नवीनतम् तकनीकों तथा उत्पादन बढ़ाने के विभिन्न तरीकों का विस्तृत अध्ययन किया जाता है। भारत वर्ष में कुल मिलाकर लगभग 100 प्रकार की सब्जियों का उत्पादन किया जाता है जिसमें मुख्य रूप से फल एवं फलीदार सब्जियां, जड़ एवं तने वाली सब्जियां, पत्तेदार सब्जियां इत्यादि आती हैं। वर्तमान समय में देश में लगभग 130 मिलियन मैट्रिक टन सब्जियों का उत्पादन हो रहा है। जिनमें से कुछ भाग विदेशों को निर्यात भी किया जाता है।

1. सब्जियों का महत्व

सब्जियां मानव जीवन में बहुत की महत्वपूर्ण हैं। शायद ही कोई ऐसा व्यक्ति हो जो सब्जियों का सेवन अपने भोजन में करने से वंचित हो। एक स्वस्थ मनुष्य के लिए प्रतिदिन 280–300 ग्रा. सब्जियों की आवश्यकता होती है। सब्जियों के बिन्दुवार महत्व को आगे वर्णित किया गया है।

तालिका 1 : स्वस्थ जीवन के लिए प्रत्येक दिन आवश्यक पोषक तत्वों की मात्रा

व्यक्ति	उम्र (वर्ष)	आवश्यक ऊर्जा (कैलोरी)	प्रोटीन (ग्रा.)	थायमीन (मि.ग्रा.)	राइबोफ्लेबिन (मि.ग्रा.)	नियासीन (मि.ग्रा.)	विटामिन – सी (मि.ग्रा.)
नवजात	एक वर्ष तक	700–1000	12–20	0.0–0.5	0.4–0.6	6–8	35
शिशु	1–10	1300–2400	24–35	0.7–1.2	0.8–1.4	9–16	45
पुरूष	11–18	2700–2800	45–46	1.2–1.4	1.4–1.7	16–18	60
	19–50	2700–2900	50–56	1.4–1.5	1.4–1.7	18–19	60
	50 से अधिक	2400–2500	50–56	1.0–1.2	1.0–1.4	50–60	60
महिला	11–18	2100–2200	40–46	1.0–1.1	1.2–1.3	14–15	60
	19–50	2000–2100	40–44	1.0–1.1	1.2–1.3	13–14	60
	50 से अधिक	1800–2000	40–44	1.0–1.1	1.2–1.3	12–13	60

स्रोतः खाद्य एवं पोषण विज्ञान अकादमी, वाशिंगटन डी.सी.

सब्जियों में जो पोषक तत्व पाये जाते है उनका मानव जीवन एवं उनके क्रिया कलापों से सीधा सम्बन्ध होता है। तालिका–2 में विभिन्न पोषक तत्वों के मानव जीवन में उपयोगिता तथा उसके लिए मुख्य सब्जियों को दर्शाया गया है।

तालिका 2 : मानव जीवन में विभिन्न पोषक तत्वों की उपयोगिता, कमी के लक्षण तथा उपयोगी सब्जियां

क्र. सं.	पोषक तत्व	उपयोगिता/कार्य	कमी के लक्षण	स्रोत वाली सब्जियां
1	**प्रोटीन**	शरीर व मांसपेशियों का निर्माण	शरीर विकास अवरूद्ध होना, झुंझलाहट, दिमाग का विकास बाधित होना	मटर, सेम, फ्रेन्चबीन, वाकला, बोडा, लहसुन, चौलाई, मेथी साग, सहजन की फली एवं पत्ती
2	**कार्बोहाड्रेट**	उर्जा का मुख्य स्रोत्र	विकास अवरूद्ध होना, कमजोरी,	आलू, शकरकन्द, जिमीकन्द, अरवी, बंडा,

			गुस्सा आना	कुम्हड़ा, खरबूजा, चुकन्दर
3	**वसा**	उर्जा प्रदान करना तथा आवश्यक फैटी एसिड बनाना	कमजोरी, दुबलापन, कार्य में मन न लगना	मूली की फली, सरसों का साग, पालक, सहजन फली, मटर की फली, पत्तागोभी, सब्जी वाली सोयाबीन
4	**विटामिन**	अनेक प्रकार के विटामिन शरीर के विभिन्न कार्यो के लिए आवश्यक होते हैं।	शरीर के बायो रसायनिक, प्रक्रियाओं में बाधा पहुँचती है।	सभी सब्जियों में कुछ न कुछ विटामिन पाये जते हैं।
	(क) वसा में घुलने वाले विटामिनस			
	विटामिन 'ए' (रेटीनाल)	दृष्टि के लिए आवश्यक	रतौंधी, तेज रोशनी में दिखाई न देना, पुतली सफेद होना	गाजर, शलजम, पालक चुकन्दर, सरसों चौलाई, कुम्हड़ा, टमाटर, पीली शकरकन्द
	विटामिन 'डी' (कोलेकैसीफेरालल)	हड्डी विकास एवं कैल्शियम उपापचय के लिए जरूरी	सूखा रोग होना, हड्ड्या कमजोर होना एवं टूट जाना	लाल एवं पीली सब्जियों के सेवन तथा सुबह की धूप सेंकने से इनकी क्रियाशीलता बढ़ जाती है।
	विटामिन 'इ' (अल्फा–टोकोफेराल)	एन्टी आक्सीडेन्ट के तौर पर वीटा कैरोटीन एवं विटामिन 'ए' तथा लिपिड के आक्सीकरण को रोकना	चक्कर आना, सिर दर्द, नींद न आना	अंकुरित मटर, मूँग अनाज, खीरा, कच्ची सब्जियां, सलाद
	विटामिन 'के'	यकृत के लिए आवश्यक	यकृत सम्बन्धी बीमारियां उत्पन्न होना	फ्रेंचबीन, लहसुन, लीक, ब्रुसल्सस्प्राउट, ब्रोकली, चाइनीज कैवेज
	(ख) पानी में घुलनशील विटामिन			
	विटामिन 'बी'1 (थायमीन)	शरीर में कार्बोहाइड्रेट एवं शर्करा के उपयोग में सहायक	भूख न लगना और बेरीबेरी रोग	असपरगस, लहसुन, मटर, सेम, अरवी, टमाटर

	विटामिन 'बी' 2 (राइबोफ्लेबिन)	शरीर की कोशिका के अन्दर अनेक आक्सीकरण प्रक्रिया में सहायक	मुँह के कोनों तथा ओठों का फटना, मुँह में घाव होना, जीभ चिकनी होना	मटर, फ्रेंचबीन, एसपरगस, सहजन, सलाद, टमाटर
	विटामिन 'बी' 5 (नियासिन)	शरीर के अन्दर आक्सीकरण प्रक्रिया में सहायक	पलेग्रा रोग जिसमें हाथ, पैर, गर्दन के चमड़ो तथा जीभ का रंग बदलना।	मटर, सेम, टमाटर, सहजन, चुकन्दर
	विटामिन 'बी' 6 (पायरीडाक्सिन)	अमीनो अम्ल के पाचन में सहायक	गलफड़ों में घाव होना तथा खून की कमी का प्रभाव स्पष्ट होना	खीरा, मटर, टमाटर, लहसुन, प्याज
	विटामिन 'बी' 12	शरीर के अन्दर होने वाले बायोरसायनिक प्रक्रिया में सहायक	शरीर में थकान तथा कार्य के प्रति अरूचि	मटर, टमाटर,शलजम, सहजन, करेला
	फोलैसिन	लाल रक्त कोशिकाओं के द्विगुणन एवं परिपक्वता में सहायक	थकान लगना, कमजोर होना	सहजन फली एवं पत्ती, पालक, चौलाई, केरमुआ
	विटामिन 'सी' (एसकार्बिक अम्ल)	हड्डियों एवं दांतो के कैल्शिीकरण में सहायक	स्कर्वी रोग जिसमें मसूड़ों और म्यूकस झिल्ली से खून आना, बार–बार सर्दी जुकाम होना	हरी मिर्च, शलजम, ब्रूसल्स स्प्राउट, सरसो, चौलाई, धनिया
5	**कैल्शियम**	हड्डी एवं दांत निर्माण तथा कोशिका झिल्ली के कार्य में सहायक	हड्डियों का कमजोर होना, औरतों में गर्भावस्था में ओसटोमलेशिया का होना	करी पत्ता, चौलाई, सहजन पत्ती, मेथी, सरसों, धनिया, पालक अरवी, बन्डा, जिमीकन्द, अरवी पत्ता एवं डण्ठल
6	**फास्फोरस**	कैल्शियम के उपयोग तथा नाभिकीय अम्ल के निर्माण में सहायक	शरीर कमजोर होना	बैगन, पत्तागोभी, गांठ गोभी, टमाटर, मूली, गाजर, सहजन, याम
7	**लौह तत्व**	खून के निर्माण तथा हीमोग्लोबिन के बनने में सहायक	'रक्त अल्पता' जिसमें जीभ, होंठ, आँख, चमड़ो नाखून आदि का रंग पीला पड़ना तथा बार–बार थकान लगना	सहजन की पत्ती तथा फली, चौलाई, पालक, मेथी, धनिया, सरसों आदि के साग

8	**पोटैशियम**	कोशिकाओं के आकार के नियंत्रण में सहयोगी	शरीर के सामान्य विकास एवं कार्य गति में कमी आना	सहजन, स्पाइनगार्ड, टीजल गार्ड, चिचिन्डा, साग
9	**आयोडीन**	थायराइड हार्मोन के निर्माण एवं कार्य में सहायक	गले का घेंधा रोग होना तथा शरीर में दर्द तथा जकड़न रहना	हरे पत्तेदार सब्जियां
10	**कापर**	लौह तत्व के अवशोषण में सहायक	सामान्य कार्य प्रभावित होना	साग, चौलाई, सहजन, ब्रोकली,
11	**मोलीबेडनम**	यूरिक एसिड के मेटाबोलिजम में सहायक	युरिक अम्ल का बढ़ जाना तथा शरीर में पानी बढ़ जाना	पत्तेदार सब्जियां, ब्रोकली, फूलगोभी, गांठ गोभी
12	**फ्लूराइड**	हड्डियों की संरचना एवं दातों को बनाये रखने में सहायक	अधिकता की दशा में हड्डियों का टेड़ा होना, अपंगता हो जाना	पत्तेदार एवं फली दार सब्जियां
13	**गन्धक**	चमड़ा, बाल एंव नाखून बनने में सहायक	नाखून का सफेद होना, शरीर खुस्क रहना	प्याज, लहसुन, लीक

1. **मानव पोषण में सब्जियों का महत्व** : एक संतुलित मानव आहार में पर्याप्त मात्रा में ऊर्जा, पोषक तत्व, विटामिन, खनिज तत्व, प्रोटीन आदि देने वाले खाद्य पदार्थ की आवश्यकता होती है। (सारणी 1) ये सभी तत्व सब्जियों के भरपूर सेवन से प्राप्त हो जाते हैं। अतः सब्जियों को **'रक्षात्मक खाद्य''** (Protective food) भी कहा जाता है। सब्जियों के सेवन से भोजन का स्वाद बढ़ता है तथा उनसे आवश्यक मात्रा में रेशा भी शरीर को उपलब्ध होता है। इनके उपयोग से अम्लता व कब्ज की समस्या में कमी होती है और मोटापापन कम होता है।

2. **आर्थिक दशा में सुधार** : सब्जियां अन्य फसलों की तुलना में अधिक मूल्य पर बाजार में बेंची जाती हैं अतः किसानों को सब्जी उत्पादन से अधिक लाभ मिलता है। बेमौसम की सब्जियों के उत्पादन, पाली हाउस में सब्जियों की पैदावार, अगेती सब्जियों के उत्पादन आदि से किसानों को कई गुना अधिक लाभ प्राप्त होता है। सब्जियों के बीज उत्पादन से भी किसानों की आर्थिक दशा में सुधार होता है।

3. **प्रति इकाई क्षेत्रफल से अधिक पैदावर** : सब्जियों का प्रति इकाई क्षेत्रफल से उत्पादन क्षमता बहुत अधिक होता है। खाद्यान्य फसलों का उत्पादन जहाँ 3–5 टन प्रति हेक्टेयर तथा दलहनी व तिलहनी फसलों का उत्पादन 0.9–1.2 टन प्रति हेक्टेयर है वहीं सब्जियों का उत्पादन 15–17 टन प्रति हेक्टेयर है। संरक्षित खेती एवं वैज्ञानिक तरीकों से सुधरी खेती द्वारा कुछ सब्जियों में 40–50 टन प्रति हेक्टेयर की पैदावार भी प्राप्त की जा सकती है। सब्जियों की कुछ फसल अवधि 60–90 दिनों की होती है अतः आज के समय में उन्नत किस्मों एवं वैज्ञानिक तकनीकों से सब्जियों की 2–3 फसलें तक ली जा सकती हैं। मौसम के परिधि को लांघ कर (Due to Breaking of Seasonality Barrier) अब सब्जियों की खेती कई बार की जा सकती है जिससे प्रति इकाई क्षेत्रफल से अधिक पैदावार ली जा सकती है।

4. **सब्जियों से आत्म लगाव** : आजकल के विकास के दौर में लोगों के पास समय के अतिरिक्त बाकी सब कुछ है जो उनके जीवन के सुख–चैन में बाधा पैदा करता है। हर शहरी व्यक्ति यह सोचता है कि कुछ समय के लिए काम काज छोड़कर कहीं ऐसी जगह जाया जाय जहाँ शान्ति मिल सके। कुछ पल लोग पेड़ पौधों के साथ बिताना चाहते हैं फिर यदि उससे कुछ फल मिल जाय तो और अच्छी बात है। इस दिशा में सब्जियों को घर की वाटिका, गमलों, छत इत्यादि पर अथवा हाइड्रोपोनिक्स, आदि के द्वारा पैदा करके उनसे एक विशेष आत्म लगाव पैदा किया जा सकता है। ऐसा करने से लोगों का व्यायाम होता है और वे खुली हवा तथा प्राकृतिक वातावरण के नजदीक आते हैं।

5. **औषधि के रूप में महत्व** : बहुत सी सब्जियों का औषधीय महत्व है जिन्हें डाक्टर और वैद्य अच्छे स्वास्थय के लिए अनुसंशित करते हैं। विभिन्न विटामिन, खनिज, पदार्थ, रेशा, कार्बनिक अम्ल इत्यादि सब्जियों में प्रचुर मात्रा में पाये जाते हैं जिनके प्रयोग से अनेक रोगों से छुटकारा मिलता है। सब्जियों में पाये जाने वाले रेशे से पेट, हृदय, खून सम्बन्धी रोगों से आराम मिलता है और उनमें कमी आती है। कुछ सब्जियों के औषधीय गुण इस प्रकार हैं।

प्याज और लहसुन	:	जीवाणु रोधक क्षमता तथा डायबटीज कम करने में सहायक हैं।
डायसकोरिया याम	:	स्टेरायड के रूप में प्रयुक्त हो सकता है।
लतादार सब्जियां	:	संतृप्त वसा अम्ल का स्रोत्र है।
टमाटर	:	मधुमेह को कम करने में सहायक ।
सहजन	:	फफूँद के विकास को रोकता है।
पालक व हरे पत्तेदार सब्जियां	:	फोलिक अम्ल का प्राकृतिक स्रोत्र है जो हृदय रोग को कम करती है।

6. **सब्जियों का राष्ट्रीय अर्थ व्यवस्था में महत्व** : भारत वर्ष से प्रतिवर्ष लगभग 500 करोड़ रूपये की ताजी सब्जियां एवं 200–300 करोड़ रूपये के सब्जी आधारित परिरक्षित पदार्थ विदेशों को निर्यात किये जाते हैं जिससे देश की अर्थव्यवस्था में सुधार होता है। हमारे देश से मुख्य रूप से प्याज, आलू, भिण्डी, करेला, हरी मिर्च एवं अन्य मौसमी सब्जियों जो मुख्यतः मध्य पूर्व के देशों तथा यूरोप कों निर्यात किया जाता है।

2. सब्जी उत्पादन की सम्भावना

भारत वर्ष में सब्जी उत्पादन की अपार सम्भावना है क्योंकि हमारे देश में अनेक प्रकार की जलवायु एवं मिट्टी की दशाएं उपलब्ध हैं तथा साथ ही साथ हमारे देश के लोग मूलतः शाकाहारी हैं अतः यहाँ सब्जियों की भिन्न–भिन्न प्रकार की जातियों एवं प्रजातियों के उत्पादन की सम्भावना है। सब्जी उत्पादन की बिन्दुवार विवरण निम्नवत् है।

1. प्रकृति ने हमारे देश में शीतोष्ण जलवायु से लेकर आर्द्र उष्ण जलवायु तथा समुद्री से लेकर बर्फीली दशाएं दी हैं जहाँ पर लगभग सभी प्रकार की सब्जियों की खेती की जा सकती है।

2. हमारा देश मूलतः संस्कृति एवं सभ्यता में विश्वास रखता है और यहाँ के लोगों का आचरण सात्विक एवं खानपान शाकाहारी है अतः यहाँ पर सब्जियों की खपत अधिक है।

3. सब्जियां मूलतः एक वर्षीय अथवा मौसमी होती हैं जो 3–4 महीने में तैयार हो जाती हैं अतः एक ही जमीन पर एक वर्ष में एक से ज्यादा फसले पैदा की जा सकती है।
4. सब्जियों की उत्पादन क्षमता अन्य फसलों की तुलना में 5–10 गुना ज्यादा है अतः लोगों को अधिक लाभ प्राप्त होता है और लोग इसकी खेती में ज्यादा रूचि रखते हैं।
5. सब्जियां विभिन्न प्रकार के फसल चक्रों, अन्तरफसलों, मिलवा फसलों, सह फसलों इत्यादि के रूप में उगाई जा सकती हैं जिससे किसानों को ज्यादा लाभ मिलता है।
6. घर के आस–पास की पड़ी जमीन में खाली समय तथा घरेलू अवशेषों का उपयोग करके गृह वाटिका की स्थापना की जा सकती है जिससे पौष्टिक एवं ताजी सब्जियां प्राप्त हो सकती है।
7. पौष्टिकता एवं औषधीय गुणों के हिसाब से सब्जियों मानव जीवन के लिए अत्यन्त उपयुक्त हैं।
8. सब्जियों की खेती बेकार की जमीनों, बाढ़ प्रभावित क्षेत्रों, घरों की छतों आदि पर किया जा सकता है।
9. सब्जियों के उत्पादन से जमीन और घर के सभी सदस्यों का भरपूर उपयोग हो सकता है।
10. सब्जियों के उत्पादन से रोजगार का सृजन होता है क्योंकि इसमें ज्यादा लोगों की जरूरत पड़ती है।

□□□

2

सब्जियों का वर्गीकरण

सब्जियों की अनेक प्रकार एवं प्रजातियां हैं जिनको कई रूप से उपयोग में लाया जाता है। सब्जियों के उपयोग में आने वाले भागों, उपयोग के तरीकों, वानस्पतिक लक्षणों, इत्यादि के आधार पर कई भागों में बांटा जा सकता है। एक ही सब्जी विभिन्न वर्गीकरण के तरीकों से कई स्थानों पर वर्णित हो सकती है जैसे टमाटर को फलदार सब्जियों (वानस्पतिक भागों के आधार पर वर्गीकरण), सलाद वाली सब्जी (उपयोग के आधार पर वर्गीकरण), सोलैनेसियस सब्जी (वानस्पतिक कुल के आधार पर वर्गीकरण) आदि–आदि स्थानों पर उल्लेखित किया जा सकता है परन्तु विद्यार्थियों के समझ के लिए इन्हें निम्नलिखित प्रमुख भागों में वर्गीकृत किया जा सकता है।

1. सब्जियों का वानस्पतिक वर्गीकरण

वानस्पतिक आधार पर सब्जियों के वर्गीकरण से उनके कुल, आपसी सम्बन्ध, पौधों की समरूपता, आदि के बारे में जानकारी मिलती है जिससे उनके वानस्पतिक सम्बन्धों के उपयोग द्वारा वैज्ञानिक उनके नयी किस्मों के विकास, खेती के तौर तरीकों का विकास कर सकें। लगभग सभी सब्जियां को फेनरोगैमस वर्ग

में रखा गया है क्योंकि वे पुष्प पैदा करती हैं। सब्जियों के बीज मूलतः बीज आवरण युक्त होते हैं अतः वे एन्जियोस्पर्मी विभाग से सम्बन्धित हैं। केवल एक सब्जी जुनीपर (Juniper) जिमनोस्पर्मी विभाग से (बिना बीज आवरण वाले बीज) से सम्बन्धित है जिसका वैज्ञानिक नाम *Juniper communis* है और यह Pinaceae कुल का सदस्य है। शेष सभी सब्जियां एनंजियोर्स्पमी विभाग से सम्बन्धित है जिन्हें दो उप वर्गों एक बीजपत्री (Monocotyledone) एवं द्विबीजपत्री (Dicotyledone) में वर्गीकृत किया गया है।

(अ) **एक बीजपत्री सब्जियां (Monocotyledonus Vegetables):** एक बीजपत्री सब्जियों का विवरण निम्न तालिका–3 में दिया जा रहा है। इस वर्ग में मुख्यतः प्रकन्द वाली सब्जियां एवं कुछ नयी सब्जियां ही आती हैं।

तालिका–3 : एक बीजपत्री सब्जियों के कुल एवं वानस्पतिक नाम

कुल	वानास्पतिक नाम
ग्रैमिनी या पोयसी (Graminae or Poiaceae)	स्वीट कार्न *(Zea mays var. rugosa)*, बेबी कार्न
एलियसी या एमारायलिडेयसी (Alliaceae or Amaryllidaceae)	प्याज *(Allium cepa)*, गुच्छेदार प्याज *(Allium cepa* var. *aggregatum)*, शीर्ष प्याज *(Allium cepa* var. *viviparum)*, लीक *(Allium porum)*, लहसुन *(Allium stivum)*, ब्लेच प्याज *(Allium fistulosum)*, सैलोट *(Allium scalouicum)*, चीव *(Allium schoeno prasum)*.
लिलियसी (Liliaceae)	सतावर *(Asparagus officinalis)*
एरेयसी (Araceae)	अरवी *(Colocasia esculenta)*, कैलामस *(Aqcromus calamus)*
डायसकोरेयसी (Dioscoraceae)	याम *(Dioscorea alata)*, जिमीकन्द *(Amorphophalus companulatus)*
आर्किडेयसी (Orichidaceae)	वनीला *(Vanilla fragrans)*
इरीडेयसी (Iridaceae)	केशर *(Crocus sativus)*
जिन्जीबरेसी (Zingiberaceae)	गलानांगल *(Alpinia galanga)*, अदरक *(Zingiber officinale)*, बड़ी इलायची *(Amomum subulatum)*, छोटी इलायची *(Elettaria cardamomum)*, हल्दी *(Curcuma longa)*

(ब) **द्विबीजपत्री सब्जियां (Dicodyledonus Vegetables):** द्विबीजपत्री सब्जियों में फल, फली, पत्तेदार, फूलदार सब्जियां आती हैं जिनका विवरण तालिका–4 में दिया गया है।

तालिका–4 : द्विबीजपत्री सब्जियों के कुल एवं वैज्ञानिक नाम

कुल	वानस्पतिक नाम
एजोयसी (Aizoaceal)	न्यूजीलैंड पालक *(Tetragonia expansa)*
चीनोपोडेयसी (Chenopodiaceae)	बथुआ *(Chenopodium album)*, लाल बथुआ *(Chenopodium regia)*, पालक या बीट रूट *(Beta vulgaris)*, चार्ड *(Beta vulgaris* var. *cicla)*, देशी पालक *(Spinacia oleracea)*
कम्पोजिटी या एसटेरेयसी (Compositae or Asteraceae)	लेटयूस *(Lactusa sativa)*, हेड लेटयूस *(Lactusa sativa* var. *capitata)*, चिकोरी *(Cichorum intybus)*, इन्डीव *(Cichorum endivia)*, अर्टीचोक *(Cynara scalymus)*, टैरागोन *(Artemisia dracuculus)*
कनवोलवुलेयसी (Convolvulaceae)	शकरकन्द *(Ipomoea batata)*, केरमुआ *(Ipomoea aquatica)*
क्रुसीफेरी या ब्रैसिकेयसी (Crucifereae or Brassicaceae)	पत्ता गोभी *(Brassica olerace* var. *capitata)*, फूल गोभी *(Brassica oleracea* var. *botrytis)*, ब्रुसेल्स स्प्राउट *(Brassica oleracea* var. *gemmifera)*, ब्रोकली *(Brassica oleracea* var. *italica)*, केल *(Brassica oleracea* var. *acephala)*, रूतबगा *(Brassica napus* var. *napobrassica)*, रेमन स्कर्ट *(Brassica oleracea* var. *unknown)*, गांठ गोभी *(Brassica caulorapa)*, शलजम *(Brassica compestris* var. *rapa)*, चाइनीज पत्तागोभी *(Brassica pekinensis)*, लाल पत्ता गोभी *(Brassica oleracea* var. *regia)*, अपलैंड क्रेस *(Barbarea vulgaris)*, मूली *(Raphannus sativus)*, घोड़ा मूली *(Armoracia rusticana)*, चायनीज मूली *(Brassica sativus* var. *longipimatus)*, सरसों *(Brassica juncea)*, काली सरसों *(Brassica nigra)*, सफेद सरसों या सुफाई राई *(Brassica alba)*

कुकुरबिटेयसी (Cucurbitaceae),	कुम्हड़ा *(Cucurbita moschata)*, समरस्कवैश *(Cacurbita pepo)*, विन्टर स्क्वैश *(Cucurbita maxima)*, तरबूज *(Citrullus lanatus)*, टिंडा *(Citrullus lanatus* var. *fistulosus)*, तुम्बा *(Citrullus colosynthes)*, खीरा *(Cucumis sativus)*, खरबूजा *(Cucumis melo)*, फ्रूट ककड़ी *(Cucumis callosus)*, सलाद ककड़ी *(Cucumis sp.)*, पन ककड़ी *(Cucumis longa)*, तरोई *(Luffa acutangula)*, नेनुआ *(Luffa cylindrica)*, सतपुतिया *(Luffa acutangula* var. *fruitisence)*, लौकी *(Lagenaria siceraria)*, करेला *(Momordica charantia)*, ककरोल *(Momordica dioica)*, टिजलगार्ड *(Momordica subangulata* var. *renigera)*, स्वीट गार्ड *(Momordica cochinchinesis)*, कुन्दुरू *(Coccinia indica)*, परवल *(Trichosynthes dioeica)*, चिचिंडा *(Trichosanthes anguina)*, चो चो *(Sechium edule)*
इयूफोरबियसी (Euphorbiaceae)	टैपियोका या साबूदाना *(Manihot esculenta)*
लेग्यूमिनेयसी या फैवेयसी (Leguminoceae or Fabaceae)	मटर *(Pisum sativum)*, फ्रेंच बीन *(Phaseolus vulgaris)*, लीमा बीन *(Phaseolus lunatus)*, बाकला या ब्राड बीन *(Vicia faba)*, बोदी *(Vigna unguiculata)*, एसपरगस बीन *(Vigna unguiculata* var. *sesquipedalis)*, ग्वार फली या क्लस्टर बीन *(Cymopsis tetragonolaba)*, सेम *(Dolichos lablab)*, बिंग्डड बीन *(Psophocarpa tetragonolobus)*, सोयाबीन *(Glycine max)*, मेंथी *(Trigonella foenumgracecum)*, अगस्ती *(Sesbania grandiflora)*, राइस बीन *(Phaseolus coccinesus)*.
मालवेयसी (Malvaceae)	सहजन *(Moringa oleifera)*, भिण्डी या ओकरा *(Abelmoschus esculantus)*
पोलीगोनेयसी (Polygonaceae)	रूब्रब *(Rheum rhaponticum)*, सोरेल *(Rumex vesicarius)*
सोलैनेयसी (Solanaceae)	आलू *(Solanum tuberosum)*, बैंगन या एग प्लांट *(Solanum melongena)*, टमाटर *(Lycopersicon esculentum)*, मिर्च *(Capsicum fruitescence)*, शिमला मिर्च *(Capsicum annum)*

अम्बलीफेरी या एपियसी (Umbelliferae or Apeaceae)	गाजर *(Daucus carota)*, पार्सले *(Petroselinum crispum)*, सेलरी *(Apium graveolens)*, पार्सनिप *(Pastinaca sativa)*, चेरविल *(Anthriscus cerefalium)*, अजवाइन *(Trachyspermum ammi)*, Angelica *(Angelica archangelica)*, एनीसीड *(Pimpinella anisum)*, हींग या एसफोटिडा *(Ferula asfoetida)*, करावे *(Carum carvi)*, शहजीरा *(Carum bylboastanum)*, सेलेरियाक *(Apium graveolens* var. *rapaccum)*, धनिया *(Coriandrum sativum)*, जीरा *(Cuminum cyminum)*, मगरैल या काला जीरा *(Nigella sativa)*, देशीसोवा *(Anthum sowa)*, युरोपियन सोवा *(Anthum gravealens)*, सौंफ *(Foeniculum vulgare)*, लोवागे *(Levisticum officinale)*
रूटैसी (Rutaceae)	करी पत्ता *(Murraya koenigii)*
पाइपेरीयसी (Piperaceae)	काली मिर्च *(Piper nigrum)*, पीपली *(Piper longum)*
मैरटियसी (Myrtaceae)	आल स्पाइस *(Pimneta officinalis)*, लौंग *(Eugenia carrgophyllum)*
मैरिस्टीकेयसी (Myristicaceae)	जायफल या नटमेग *(Myristica fragrans)*, जावित्री या मैस *(Myristica fragrans)*
लैवियसी (Labiateae)	वाम *(Mellisso officinalis)*, तुलसी *(Ocimum basilicum)*, हस्सोप *(Hyssopus officinalis)*, मारजोरम *(Majorana hortensis)*, पुदीना *(Mentha arvensis)*, पिपरमिन्ट *(Mentha piperita)*, ओरीगैनम *(Origanum vulgare)*, रोजमैरी *(Rosemarrinus officinalis)*, सैबोय *(Satureia hortensis)*, थायमी *(Thumus vulgaris)*
लौउरेयसी (Lauraceae)	तेजपत्ता या बेलीफ *(Laurus nobilis)*, दालचीनी *(Cinnamomus zeylanicum)*, भारतीय कैसिया *(Cinnamomum aromaticum)*.

2. उपयोग में आने वाले भाग के अनुसार वर्गीकरण

सब्जियों के उपयोग में आने–वाले भागों के अनुसार कई वर्गों में वर्गीकृत किया जा सकता है।

(क) **जड़ वाली सब्जियां (Root vegetables) :** शकरकन्द, अरारोट, याम, मूली, गाजर, शलजम, चुकन्दर, राइस बीन, टैपियोका।

(ख) **रूपान्तरित तने वाली सब्जियों** : आलू, प्याज, लहसुन, ओल, अरवी, अदरक, हल्दी।

(ग) **तने के उपयोग में आने वाली सब्जियां** : चौलाई, गांठगोभी।

(घ) **तने के छाल के उपयोग में आने वाली सब्जियां** : दाल चीनी।

(च) **पत्ती के उपयोग में आने वाली सब्जियां** : बथुआ, पालक, सरसों, केरमुआ, पत्तागोभी, चौलाई, धनिया, पोदीना, स्पीनाच, बीटरूट, लालपत्ता गोभी, चायनीज पत्तागोभी, करीपत्ता।

(छ) **पत्तियों के कोमल भाग के उपयोग वाली सब्जियां** : ब्रुसल्स स्प्राउट, चाइनीज कैवेज, सेलरी, पार्सनिप, पार्सले।

(ज) **पुष्पक्रम के उपयोग में आने वाली सब्जियां** : फूल गोभी, असपरगस, ग्लोब अर्टीचोक, ब्रोकली, रेमनर्स्कट, लौंग, बेबीकार्न।

(झ) **फूल के प्रयोग में आने वाली सब्जियां** : कुम्हड़ा, सहजन, अगस्ती।

(ट) **फल के उपयोग में आने वाली सब्जिया** : टमाटर, मटर, बैगन, भिण्डी, परवल, कुम्हड़ा, लौकी, तरबूज, खरबूजा, सेम, ग्वार फली, बोदी, करेला, तरोई, नेनुआ, ककड़ी, टिण्डा, काकरोल, कुन्दुरू।

(ठ) **बीज के उपयोग में आने वाली सब्जियां** : मटर, सेम, फ्रेंचबीन, बोदी, सोयाबीन,स्वीटकार्न (कच्चा)।

3. मौसम के अनुसार सब्जियों का वर्गीकरण

मौसम के आधार पर तथा उनके प्रकृति के अनुसार सब्जियों को वैसे तो चार भागों में बांटा जा सकता है। परन्तु आज के समय में विकसित किस्मों तथा उत्पादन की तकनीकों के कारण अब किसी भी सब्जी को बेमौसम में भी उगाया जा सकता है। उदाहरण के लिए टमाटर, बैगन, गोभी मूलतः सर्दी के मौसम की सब्जियां है परन्तु इन्हें बेमौसम में गर्मी या वर्षा ऋतु में भी उगाया जा सकता है। मौसम के आधार पर सब्जियों का विभाजन निम्नलिखित है।

(क) **सर्दी के मौसम की सब्जियां** : गोभी कुल की सब्जियां, मटर, आलू, मूली, पालक, टमाटर।

(ख) **गर्मी के मौसम की सब्जियां** : लतादार सब्जियां, अरवी, ओल, याम, चौलाई, स्वीटकार्न, सेम ।

(ग) **जायद के मौसम की सब्जियां** : खीरा, ककड़ी, लौकी, कद्दू, करेला।

(घ) **बहुवर्षीय सब्जियां** : सहजन, अगस्ती, करीपत्ता, कटहल।

□□□

3

पोषण वाटिका या रसोई वाटिका

पोषण वाटिका (Nutritional Garden) का तात्पर्य है ''एक परिवार के सदस्यों के लिए आवश्यक पोषक तत्व देने वाले सब्जियों एवं फलों की खेती इस प्रकार से की जाय कि उन्हें वर्ष भर ताजे एवं पोषक फल तथा सब्जियां मिलती रहें''। अगर यह खेती घर के आस–पास की खाली पड़ी जमीन में की जाती है तो इसे बारी या रसोई वाटिका (Kitchen Garden) भी कहा जाता है। रसोई वाटिका इसे इसलिए कहा जाता है कि इसमें रसोई या घर का अनुपयोगी पानी तथा अन्य अवशेष का उपयोग करके खेती की जाती है तथा रसोई के लिए आवश्यक सब्जी समय पर उपलब्ध हो जाती है। रसोई वाटिका में घर के लोगों का खाली समय भी उपयोग हो जाता है जिससे उनका स्वास्थ्य भी अच्छा रहता है। रसोई वाटिका के निम्नलिखित उद्देश्य होते हैं।

1. प्रत्येक दिन परिवार की आवश्यकतानुसार ताजे फल एवं सब्जियां उपलब्ध करना।
2. खाली पड़े स्थान का सदुपयोग तथा परिवार के लोगों को मनोरंजन तथा व्यायाम में मदद करना।

3. घर के बच्चों को कृषि कार्यों एवं मेहनत तथा लगन का प्रयोगात्मक अभ्यास करना।

4. घर में फल एवं सब्जियों पर होने वाले खर्च में कटौती करना।

5. घर के लोगों के खाली समय का सदुपयोग करना।

1. पोषण वाटिका स्थापना के आवश्यक निर्देश

पोषण वाटिका को वैसे तो कहीं पर भी स्थापित किया जा सकता है परन्तु यह बेहतर होगा कि उसे घर के आस–पास ही स्थापित किया जाय। पोषण या रसोई वाटिका को स्थापित करने के कुछ आवश्यक निर्देश इस प्रकार हैं।

1. रसोई वाटिका को घर के आस–पास या पिछवाड़े में स्थापित करना चाहिए। जहां पर भी इसे स्थापित करें उसके आस–पास पानी का स्रोट जैसे कुँआ, पानी की टोटी इत्यादि अवश्य हो तथा उस जगह पर सूर्य का भरपूर प्रकाश आता हो। छायादार जगह का चुनाव रसोई वाटिका के लिए नहीं करना चाहिए।

2. गृह वाटिका को चारों तरफ से कटीले पौधों या तार की बाड़ से घेर देना चाहिए यदि सम्भव हो तो दीवार की बाउन्ड्री बना लें।

3. वाटिका का रेखांकन इस प्रकार हो कि सभी स्थानों पर पहुँचा जा सके और देखने मे सुन्दर हो। रास्ते तथा पानी की नालियों का विशेष ध्यान रखें।

4. गृह वाटिका आयाताकार होनी चाहिए 1200 वर्ग मीटर की वाटिका प्रतिदिन लगभग 1.5 कि.ग्रा. सब्जी का उत्पादन कर सकती है जो 5 सदस्यों वाले घर के लिए उपयुक्त होता है।

5. गृह वाटिका में उत्तर और पश्चिम दिशा में छोटे और मध्यम ऊँचाई के फलदार पौधों को लगाना चाहिए। ये पौधे वायुरोधक के तौर पर भी कार्य करते हैं और फल भी देते हैं। बहुवर्षीय सब्जी व मसालादार पौधे जैसे सहजन, करी पत्ता, आदि को सीमा पर ही लगायें।

6. तेजी से बढ़ने वाले फलदार पौधों जैसे केला, पपीता, आदि को उत्तर दिशा में तथा लतादार सब्जियों जैसे : सेम, चो चो, तरोई, परवल आदि के पण्डाल को दक्षिण दिशा में लगायें।

7. गृह वाटिका की क्यारियों में कम दिन के अन्तराल पर कई बार बुवाई करें जिससे लगातार और लम्बे समय तक सब्जियां मिलती रहें।

8. क्यारियों के मेड़ों पर जड़ वाली फसलें जैसे मूली, गाजर, शलजम, लहसुन आदि की रोपाई करें।

9. फसल चक्र का पूरा ध्यान रखें और यदि कम समय की फसल के बाद बडे क्षेत्रफल में कोई फसल लगानी है तो उन्हें एक साथ लगायें जिससे क्यारियां एक साथ खाली हो जाय। उदाहरण के लिए यदि गोभी, की क्यारियों में प्याज लगानी है तो उन्हें एक साथ लगायें जिससे खेत एक साथ खाली हो।

10. लम्बे अवधि की सब्जियों जैसे : बैंगन, टमाटर, मिर्च आदि के बीच में कम समय वाली फसल जैसे पालक, सलाद, साग, आदि को लगाया जा सकता है।

11. गृह वाटिका के दूरस्थ कोने में एक या दो कम्पोस्ट का गड़ढ़ा जरूर बनायें जिसमें फसलों के अवशेष व घर का सड़ने योग्य कचरा डाल कर खाद तैयार की जा सके।

2. आदर्श पोषण वाटिका का रेखांकन

आदर्श पोषण वाटिका का रेखांकन एवं मापदण्ड चित्रों में दर्शाया गया है परन्तु उसमें लगाये जाने वाले फल एवं सब्जियों का चुनाव स्थान, आवश्यकता, पसन्द आदि के आधार पर भिन्न हो सकता है । ताजे फलों एवं सब्जियों की समान रूप से आपूर्ति के लिए योजनाबद्ध तरीके से रोपण करना, जलवायु एवं मिट्टी के अनुरूप फसलों का चुनाव करना, घरेलू स्तर पर परिरक्षित हो सकने वाले सब्जियों को लगाना, फलदार पौधों के लिए समुचित दूरी देना, पण्डाल पर उगने वाली सब्जियों को पर्याप्त जगह देना आदि गृह वाटिका के रेखांकन का प्रमुख बिन्दु होता है। फलों का चुनाव करते समय एसी किस्म को चुनें जिनके पौधे छोटे एवं जल्दी फल देने वाले तथा हर साल फल देने वाले हों। इसी प्रकार सब्जियों में भी ऐसी फसलों या फसल चक्र का चुनाव करें कि एक समय में 4–6 प्रकार की सब्जियां गृह वाटिका में उपलब्ध रहें। हर क्यारी के लिए अलग–अलग फसल चक्र बनायें

और एक फसल के खत्म होने से पहले दूसरे फसल के बीज इत्यादि का प्रबंध कर लें। पोषण वाटिका में जगह का अधिकतम् उपयोग निम्नलिखित तरीकों से किया जा सकता है।

1. बाड़ के तीन तरफ गर्मी और बरसात में कद्दू वर्गीय सब्जियों को तथा सर्दी में मटर के पौधों को चढ़ा दें तथा एक तरफ की बाड़ पर बहुवर्षीय सेम को चढ़ायें।
2. सभी क्यारी के लिए उत्तरवर्ती फसलों एवं सह फसलों का फसल चक्र बनायें।
3. क्यारियों की मेड़ों को जड़ वाली फसलों को उगाने के लिए प्रयोग करें।
4. लम्बी अवधि की फसलों में अन्तर फसल लगायें जो 20–25 दिन में तैयार हो जाय।
5. रास्ते के किनारे पर टमाटर के पौधों को सहारे के साथ चढ़ायें तथा दूसरे तरफ चौलाई, पोई, आदि की एक लाइन लगायें।

3. गृह वाटिका के लिए फसल चुनाव

गृह वाटिका में लगाई जाने वाली फसलों का चुनाव क्षेत्र की मिट्टी एवं जलवायु, गृह वाटिका के आकार, परिवार के पसन्द के अनुसार किया जाता है। गृह वाटिका में केवल उन्हीं फसलों को चुनें जो अच्छी तरह से पैदा हो सकें और अच्छा उपज दे सकें। छोटे गृह वाटिका में साधारण तौर पर उगने वाली एवं हर घर में प्रयोग की जाने वाली सब्जियों जैसे टमाटर, सेम, पत्तागोभी, मूली, गाजर, पालक, सरसों साग, धनिया पत्ता, प्याज आदि को जरूर लगाना चाहिए।

4. गृह वाटिका के लिए आदर्श फसल चक्र

गृह वाटिका के लिए कुछ फसल चक्र सुझाये गये हैं जिन्हें अपनाकर अथवा आवश्यकतानुसार थोड़ा फेर बदल कर के गृह वाटिका को सफल बनाया जा सकता है।

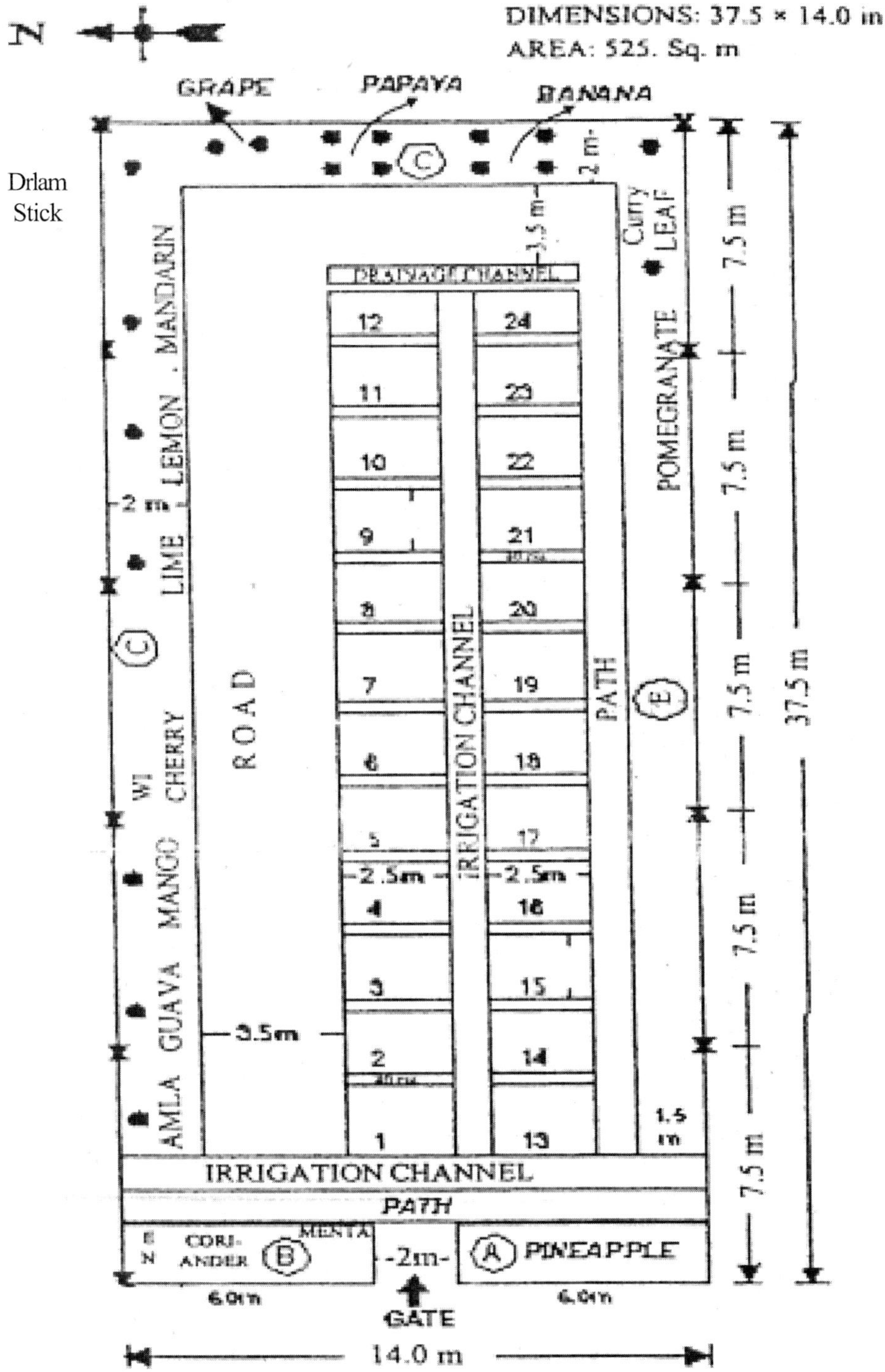
N
DIMENSIONS: 37.5 × 14.0 m
AREA: 525. Sq. m
GRAPE
PAPAYA
BANANA
Drlam
Stick
C
2 m
3.5 m
Curry
LEAF
DRAINAGE CHANNEL
MANDARIN
LEMON
LIME
2 m
WI
CHERRY
MANGO
GUAVA
AMLA
ROAD
IRRIGATION CHANNEL
PATH
POMEGRANATE
E
1 2 3 4 5 6 7 8 9 10 11 12
13 14 15 16 17 18 19 20 21 22 23 24
2.5m
3.5m
1.5 m
7.5 m
37.5 m
IRRIGATION CHANNEL
PATH
E
N
CORI-
ANDER
B
MENTA
-2m-
A
PINEAPPLE
6.0m
GATE
14.0 m

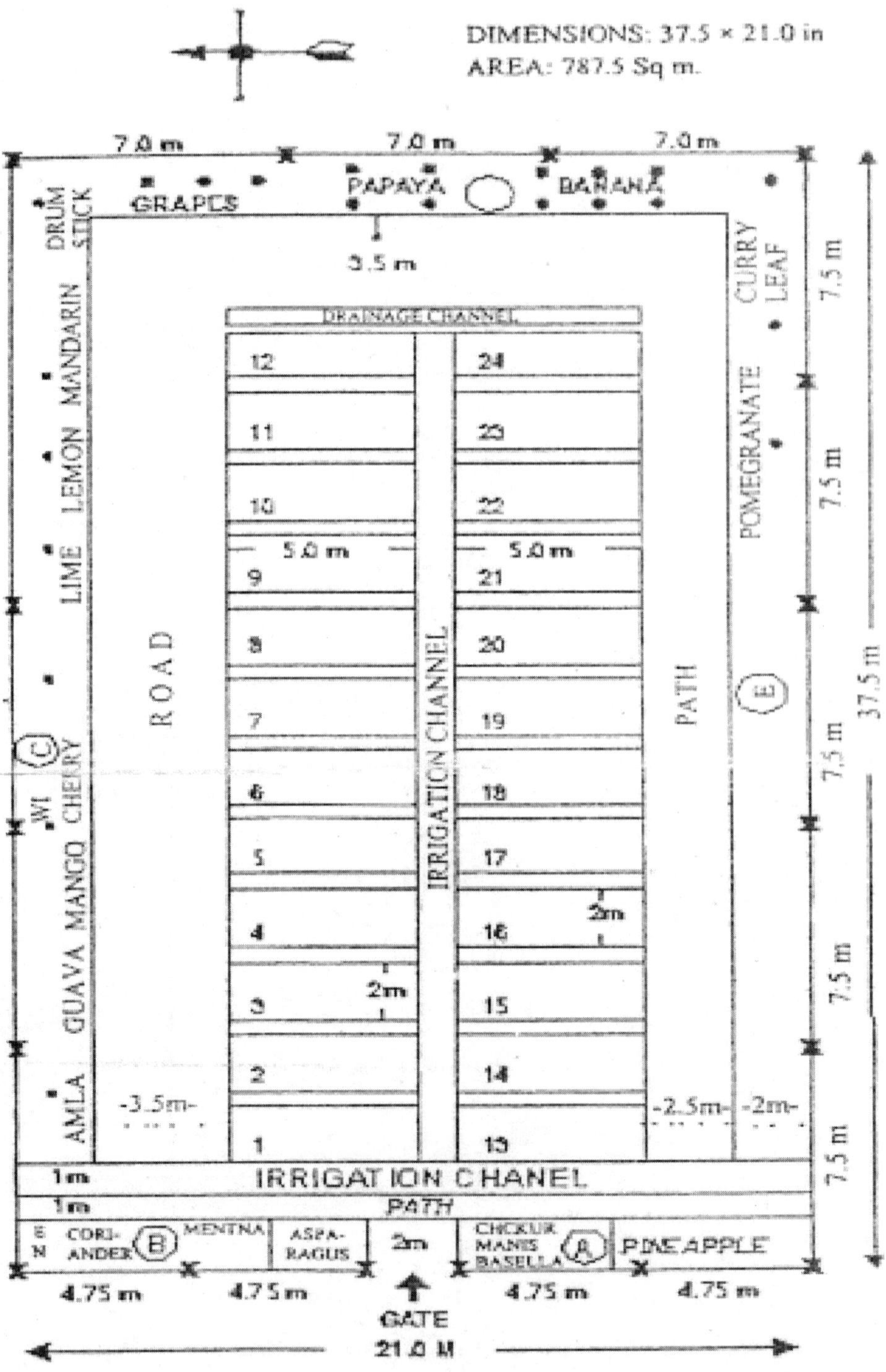
DIMENSIONS: 37.5 × 21.0 in
AREA: 787.5 Sq m.
7.0 m
7.0 m
7.0 m
DRUM STICK
GRAPES
PAPAYA
BANANA
CURRY LEAF
3.5 m
DRAINAGE CHANNEL
MANDARIN
LEMON
LIME
ROAD
CHERRY
MANGO
GUAVA
AMLA
WI
C
IRRIGATION CHANNEL
POMEGRANATE
PATH
E
5.0 m
5.0 m
2m
2m
-3.5m-
-2.5m-
-2m-
7.5 m
7.5 m
7.5 m
7.5 m
7.5 m
37.5 m
1
2
3
4
5
6
7
8
9
10
11
12
13
14
15
16
17
18
19
20
21
22
23
24
1m
IRRIGATION CHANEL
1m
PATH
E
N
CORI-ANDER
B
MENTNA
ASPA-RAGUS
2m
CHCKUR MANIS BASELLA
A
PINEAPPLE
4.75 m
4.75 m
4.75 m
4.75 m
GATE
21.0 M

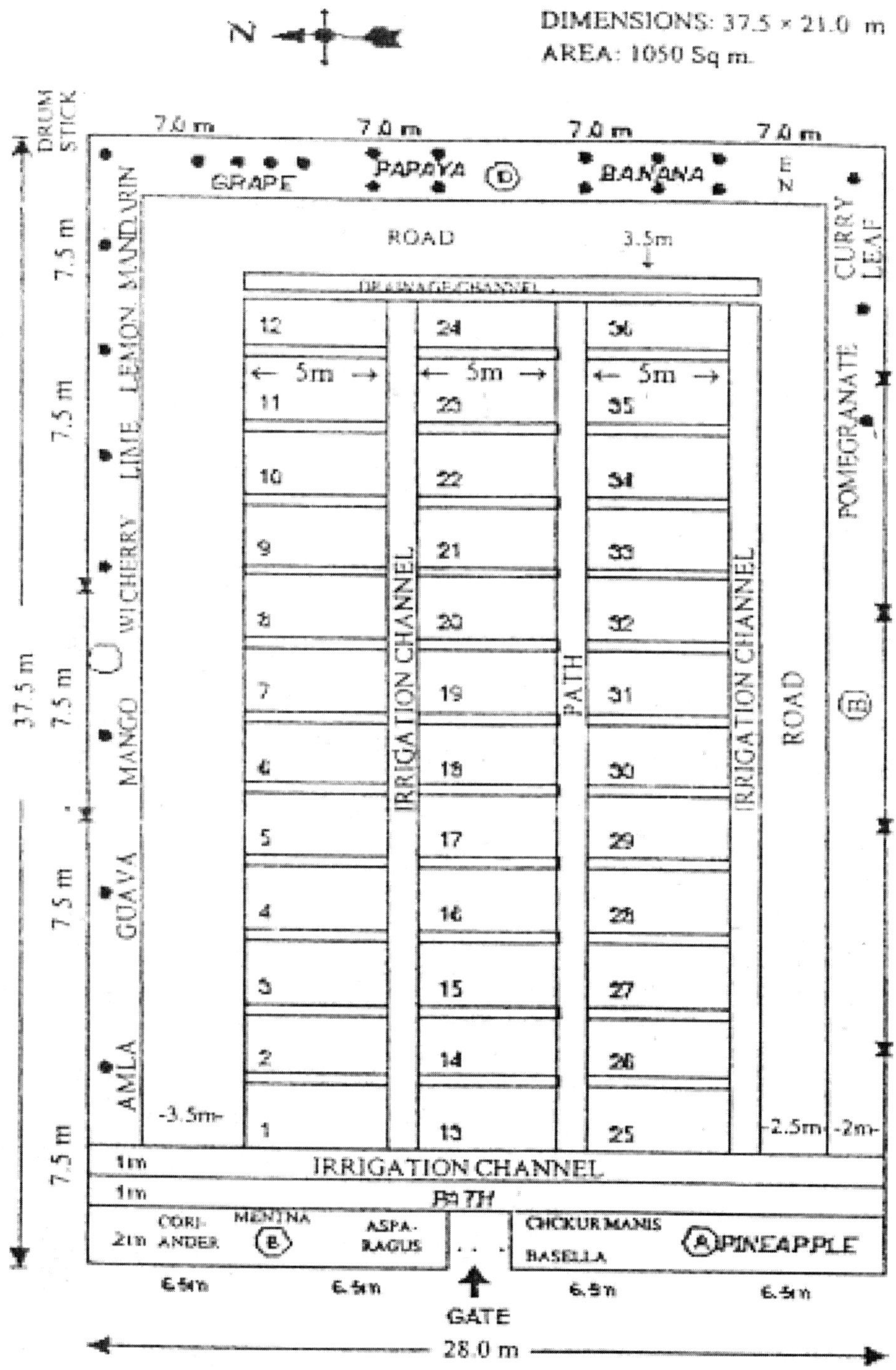

N
DIMENSIONS: 37.5 × 21.0 m
AREA: 1050 Sq m.
DRUM STICK
7.0 m
GRAPE
PAPAYA
BANANA
CURRY LEAF
ROAD
3.5m
DRAINAGE CHANNEL
AMLA
GUAVA
MANGO
WICHERRY
LIME
LEMON
MANDARIN
POMEGRANATE
IRRIGATION CHANNEL
PATH
ROAD
← 5m →
1 2 3 4 5 6 7 8 9 10 11 12
13 14 15 16 17 18 19 20 21 22 23 24
25 26 27 28 29 30 31 32 33 34 35 36
-3.5m-
-2.5m-
-2m-
7.5 m
37.5 m
1m
IRRIGATION CHANNEL
PATH
CORIANDER
2m
MENTHA
ASPARAGUS
CHICKUR MANIS
BASELLA
PINEAPPLE
6.5m
GATE
28.0 m

(क) क्यारियों के लिए फसल चक्र

प्रत्येक क्यारी के लिए एक सम्भावित फसल चक्र बताया गया है जिसमें से गृह वाटिका में मौजूद क्यारियों की संख्या के अनुसार चुनाव किया जा सकता है। छोटे तथा मझोले गृह वाटिका हेतु आवश्यकतानुसार फसल चक्र का चुनाव कर सकते हैं। कुछ आदर्श फसल चक्र निम्नवत् हैं।

क्यारी –1 : पत्तागोभी (अक्टूबर–फरवरी) – बोदी (मार्च–जून) – मेथी (जुलाई–सितम्बर)

क्यारी –2 : भिण्डी (सितम्बर–दिसम्बर) – फ्रेंचबीन (जनवरी–मार्च) – टमाटर (अप्रैल–जुलाई)

क्यारी –3 : गाजर (नवम्बर–जनवरी) – मिर्च (फरवरी–जुलाई) – खीरा (जुलाई–अक्टूबर)

क्यारी –4 : आलू (अगस्त–नवम्बर) – करेला (दिसम्बर–अप्रैल) – चौलाई (मार्च–जुलाई)

क्यारी –5 : मटर (अगस्त–अक्टूबर) – टमाटर (नवम्बर–फरवरी) – भिण्डी (मार्च–जुलाई)

क्यारी –6 : शिमला मिर्च (जून–अक्टूबर) – प्याज (नवम्बर–मार्च) – ककड़ी (अप्रैल–मई)

क्यारी –7 : गाजर (अगस्त–अक्टूबर) – फ्रेंचबीन (नवम्बर–जनवरी) – मूली (फरवरी–मार्च)–खीरा (अप्रैल–जुलाई)

क्यारी –8 : शिमला मिर्च (सितम्बर–दिसम्बर) – ग्वारफली (जनवरी–अप्रैल) – कुम्हड़ा (मई–अगस्त)

क्यारी –9 : चुकन्दर (सितम्बर–नवम्बर) – पत्तागोभी (दिसम्बर – मार्च) – ग्वारफली (अप्रैल–जुलाई)

क्यारी–10 : आलू (नवम्बर–फरवरी) – चौलाई (मार्च–मई) – बोदी (जून–अगस्त) – मूली (सितम्बर–अक्टूबर)

क्यारी–11 : मटर (अक्टूबर–दिसम्बर) – टमाटर (जनवरी–अप्रैल) – करेला (मई–सितम्बर)

क्यारी–12 : पालक (अक्टूबर–दिसम्बर) – भिण्डी (जनवरी–अप्रैल) – शकरकन्द (मई–सितम्बर)

क्यारी–13 : मेथी (नवम्बर–जनवरी) – प्याज (फरवरी–मई) – पोलबीन (जून–अक्टूबर)

क्यारी–14 : देशी पालक (अक्टूबर–जनवरी) – ककड़ी (फरवरी–अप्रैल) – लीमावीन (मई–सितम्बर)

क्यारी–15 : लहसुन (अक्टूबर–फरवरी) – शलजम (मार्च–मई) – फूलगोभी (जून–सितम्बर)

क्यारी–16 : शलजम (नवम्बर–फरवरी) – लीमाबीन (मार्च–जून) – लहसुन (जुलाई–अक्टूबर)

क्यारी–17 : गांठगोभी (अक्टूबर–जनवरी) – गाजर (फरवरी–अप्रैल) – चौलाई (मई–सितम्बर)

क्यारी–18 : फूलगोभी (अगस्त–नवम्बर) – आलू (दिसम्बर–मार्च) – सेम (अप्रैल–जुलाई)

क्यारी–19 : भिण्डी (नवम्बर–फरवरी) – पालक (मार्च–जून) – गांठ गोभी (जुलाई–अक्टूबर)

क्यारी–20 : टमाटर (सितम्बर–दिसम्बर) – शलजम (जून–मार्च) – पत्तागोभी (अप्रैल–अगस्त)

क्यारी–21 : पत्तागोभी (सितम्बर–दिसम्बर) – बैंगन (जनवरी–मई) – खीरा (जून–अगस्त)

क्यारी–22 : पालक (नवम्बर–जनवरी) – शिमला मिर्च (फरवरी–मई) – बोदी (जून–सितम्बर)

क्यारी–23 : फूलगोभी (सितम्बर–दिसम्बर) – मिर्च (जनवरी–अप्रैल) – प्याज (मई–अगस्त)

(ख) मेड़ों के लिए फसल चक्र

क्यारियों के मेड़ों पर कुछ कम समय में तैयार होने वाली अथवा जड़दार सब्जियां लगाई जा सकती है जिसके लिए भी कुछ फसल चक्र संस्तुत किये गये हैं। इनका विवरण निम्नवत् है।

1. गांठ गोभी (अगस्त–अक्टूबर) – गाजर (नवम्बर–जनवरी)–मूली (फरवरी–मार्च) – चौलाई (अप्रैल–मई)

2. शलजम (अगस्त–सितम्बर) – लहसुन (अक्टूबर–दिसम्बर) – गांठ गोभी (जनवरी –मार्च) – मूली (मार्च–अप्रैल)

(ग) बाड़ के लिए फसल चक्र

गृह वाटिका में किनारे पर लगी लकड़ी अथवा कटीले तारों की बाड़ को भी कुछ लतादार सब्जियाँ की खेती के लिए प्रयुक्त किया जा सकता है। इन बाड़ों के लिए भी कुछ फसल चक्र संस्तुत किये गये हैं जो इस प्रकार हैं।

1. करेला (दिसम्बर–मार्च) – खीरा (अप्रैल–जून) – नेनुआ (जुलाई–अक्टूबर)
2. कुम्हड़ा (नवम्बर–फरवरी) – तरोई (मार्च–जून) – करेला (जुलाई–अक्टूबर)
3. परवल (फरवरी–सितम्बर) – सेम (सितम्बर–फरवरी)

गृह वाटिका के लिये उपयुक्त किस्में

गृह वाटिका के लिए उपयुक्त किस्मों की निम्न विशेषताएं होनी चाहिए।

1. ताजे फल के रूप में उपयोग आने वाले फलों के किस्मों की अधिक उपज होनी चाहिए।
2. पौधों का आकार बौना हो, वे जल्दी उपज दें तथा आसानी से उगाये जा सकें।
3. सब्जियों की किस्में अगेती, मध्य और देर से तैयार होने वाली हों जिससे लम्बे समय तक सब्जी मिल सके।
4. किस्मों का चुनाव परिवार की आवश्यकता और पसन्द के हिसाब से करें। कुछ प्रमुख फल एवं सब्जी की किस्मों का विवरण तालिका 5 व 6 में दिया जा रहा है।

तालिका–5 : गृह वाटिका के लिए फल की उपयुक्त किस्में

फल	किस्में
आम	आम्रपाली, दशहरी, तोतापरी, मंजीरा, अर्का नीलाचल केसरी, रसपुरी, अर्का नीलकिरण, बैगन पल्ली, लाट सुन्दरी
केला	ड्र्बाफ काबेन्डिस, ग्रान्ड–9
अमरूद	अर्का मृदुला, इलाहाबाद सफेदा, ललित, हिसार सफेदा
पपीता	पूसा नन्हा, कुर्ग हनीडयू, रेड लेडी, अर्का प्रभात, सूर्या

अंगूर	फ्लेम सीडलेस, बंगलौर ब्लू, अनाव–ए–शाही, सोनाका
सपोटा	पी के एम–1, क्रिकेट बाल, मुरब्बा
संतरा	किन्नो, नागपुर सन्तरा
आंवला	नरेन्द्र आँवला–7, कंचन, लक्ष्मी–52,
नीबू	कागजी, पन्त लेमन, गंन्धराज
सीताफल	बाला नगर, अर्का सहन
अनार	अरक्ता, मृदुला, रूबी, ज्योती, भंगवा
कटहल	स्वर्ण मनोहर, स्वर्ण पूर्ति
अन्नास	क्वीन, क्यू
पैसन फ्रूट	अर्का कावेरी

तालिका–6 : गृह वाटिका के लिए सब्जियों की उपयुक्त किस्में

फल	किस्में
चौलाई	अर्का सुगुणा, अर्का लालिमा
चुकन्दर	क्रिमसन ग्लोब, डेटरोट गहरा लाल
करेला	अर्का हरित, पूसा दो मौसमी
लौकी	अर्का बहार, पूसा मंजरी,
बैगन	स्वर्ण श्यामली, स्वर्ण सुभ्रा, स्वर्ण प्रतिभा, पूसा क्रान्ति, अर्का नवनीत
पत्तागोभी	गोल्डेन एकर, प्राइड आफ इण्डिया
शिमला मिर्च	कैलीफोर्निया वण्डर, हंमरियन बैक्स
गाजर	पूसा केसर, नैन्टस
फूल गोभी	पूसा कतिकी, पूसा दीपाली, स्नोबाल–16
मिर्च	पूसा ज्वाला, अर्का नीलाचल अग्नि,
ग्वारफली	पूसा सदाबहार, दुर्गापुर लोकल, पूसा नवबहार
बोदी	स्वर्ण हरिता, अर्का गरिमा, पूसा फाल्गुनी
खीरा	पूसा संयोग, पोन्सेट, स्वर्ण शीतल
मेथी	पूसा अर्ली बंचिग, कासुरी
फ्रेंचबीन	अर्का कोमल, अर्का सुविधा, स्वर्ण लता, पन्त अनुपमा
गांठ गोभी	हवाइट वियना

लेटयूस	ग्रेट लेक, चायनीज एलो
ककडी	अर्का शीतल
खरबूजा	अर्का जीत, अर्का राजहंस, पूसा सरबती, पंजाब मधु
भिन्डी	अर्का अनामिका, परभाणी क्रान्ति
प्याज	अर्का निकेतन, अर्का कल्याण, नासिक रेड, पूसा रतनार
मटर	आर्केल, बोनबिले, स्वर्ण अजय, आजाद मटर, जवाहर मटर
आलू	कुफरी ज्योति, कुफरी अलंकार, कुफरी सिन्दूरी, कुफरी पुखराज
कुम्हडा	अर्का चन्दन, अर्का सूर्यमुखी
मूली	अर्का निशान्त, काशी स्वेता, काशी गंगा, पूसा चेतकी
पालक	पूसा ज्योती, आल ग्रीन
नेनुआ	पूसा चिकनी
तरोई	पूसा नसदार, स्वर्ण उपहार
टमाटर	स्वर्ण लालिमा, स्वर्ण नवीन, अर्का मेघाली, अर्का अनन्या
शलजम	पूसा स्वेता, परपल टाप हवाइट ग्लोब,
तरबूज	अर्का मानिक, सुगर बेबी

5. गृह वाटिका में की जाने वाली कृषि क्रियाएँ

सामान्य खेती की तरह ही गृह वाटिका में भी खेती की जाती है। गृह वाटिका चूँकि छोटे से स्थान में होती है और घर के सभी सदस्यों के सामने होती है अतः उसमें आवश्यकतानुसार समय–समय पर कृषि कार्य करते रहते हैं और किसी बड़े कार्यदिवस की प्रतीक्षा नहीं करते। गृह वाटिका में कार्य करने के लिए छोटे–छोटे औजारों जैसे खुरपी, कुदाल, फोर्क, हो, रैक आदि की आवश्यकता पड़ती है। गृह वाटिका में निम्न कृषि कार्य सामान्य रूप से एवं समय पर करना चाहिए।

1. खाली होने के तुरन्त बाद खेत की तैयारी एवं क्यारी की तैयारी।
2. पौध रोपण के तुरन्त बाद प्रारम्भिक सिंचाई।
3. खाद एवं उर्वरक का समय–समय पर प्रयोग।
4. पौधों की निराई–गुड़ाई तथा क्यारी से खरपतवार निकालना।
5. समय–समय पर सिंचाई एवं पोषक तत्वों का पर्णीय छिड़काव।
6. कीड़े एवं बीमारियों का समय पर नियंत्रण।

7. फलदार पौधों को गडढा तैयार करके लगाना।
8. फलदार पौधों की देख–रेख एवं काट–छाँट।
9. कम्पोस्ट गडढे की सफाई एवं खाद की तैयारी।
10. जहाँ तक सम्भव हो, गृह वाटिका में रसायनिक पदार्थों का प्रयोग न करें।

उपरोक्त विधि से यदि गृह वाटिका की स्थापना, फसल उत्पादन एवं रख रखाव किया जाय तो घर के सभी सदस्यों को भरपूर एवं मन पसन्द ताजी सब्जी एवं फल प्राप्त हो सकते हैं।

❑❑❑

4

सब्जी उत्पादन के नवीनतम् आयाम

भारत वर्ष ने पिछले लगभग 40 वर्षो में सब्जी उत्पादन में लगभग 2 गुना की वृद्धि किया है। जहाँ हमारे देश में 1970–71 में कुल सब्जी उत्पादन मात्र 65–70 लाख मिट्रीटन था वहीं यह वर्ष 2008–2009 में बढ़कर 130 लाख मिट्रीटन का आकड़ा पार कर गया है। पूर्व काल में सब्जियां एक मौसम में ही उपलब्ध होती थी परन्तु अब पूरे वर्ष लगभग सभी सब्जियां उपलब्ध रहती हैं। टमाटर का ही उदाहरण लें, सन् 1980–85 तक वर्षा ऋतु में टमाटर बिल्कुल नहीं उपलब्ध होता था या होता भी था तो केवल बड़े–बड़े शहरों में। परन्तु अब टमाटर देश के किसी भी कोने में कभी भी खरीदा जा सकता है। इस उपलब्धि का श्रेय हमारे वैज्ञानिकों को जाता है जिन्होंने नये–नये तकनीकों का विकास किया और किसानों को भी जाता है जिन्होंने उन्हें अपनाकर भरपूर उत्पादन किया। इस अध्याय में यह प्रयास किया गया है कि सब्जी उत्पादन के नवीनतम् तकनीकों तथा उनके प्रयोग एवं प्रभाव से सब्जी के उत्पादन में मिलने वाले लाभ की चर्चा की जाय। यह खण्ड हमारे देश के कृषि छात्र–छात्राओं को सब्जी उत्पादन के नवीतनम् तकनीकों की जानकारी देगा।

1. सब्जियों में संकर किस्मों का विकास एवं उपयोग (Development and Use of Hybrids in Vegetables)

दो भिन्न मातृ पौधों के अच्छे गुणों को एक संतान पौधे में लाने की प्रक्रिया को संकर (Hybrids or F_1 Hybrids) कहते हैं। संकर किस्मों के प्रभाव से सब्जी के क्षेत्र में एक क्रान्तिकारी परिवर्तन हुआ है जिसके फलस्वरूप हमारे देश में सब्जी उत्पादन में लगभग 2–3 गुना की वृद्धि हुई है तथा सब्जियों की उपलब्धता पूरे वर्ष भर सुनिश्चित हो सकी है।

सब्जियों में संकर किस्मों के विकास का कार्य लगभग 75–80 वर्ष पहले जापान में सोचा गया जिसके द्वारा वैज्ञानिकों ने वर्ष 1935 में पहला संकर खीरा और 1940 में पहला संकर टमाटर विकसित किया। इसके बाद विश्व के अन्य देशों ने इस तकनीक को अपनाकर, उसमें अवश्यकतानुसार फेर–बदल करके सब्जियों में संकर किस्मों के विकास का कार्य प्रारम्भ किया। वर्तमान समय में गोभी, टमाटर, बैंगन, खीरा, जैसी सब्जियों में 25–35% उत्पादन संकर किस्मों के द्वारा ही होता है। भारत वर्ष में 1971 में पहली संकर किस्म लौकी में (पूसा मेघदूत) भारतीय कृषि अनुसंधान संस्थान के कैटरायन केन्द्र द्वारा विकसित की गयी उसके दो वर्षो के पश्चात् पूसा अलंकार (समर स्क्वैस) तथा पूसा संयोग (खीरा) नामक संकर किस्मों का विकास किया गया।

संकर किस्मों के विकास में सार्वजनिक एवं निजी क्षेत्र के शोध संस्थानों एवं कम्पनियों का प्रमुख रूप से योगदान रहा है। कुछ निजी क्षेत्र की कम्पनियाँ जैसे इण्डो अमेरिकन हाइब्रिड सीड कम्पनी, बंगलौर; माहिको, महाराष्ट्र; सिन्जेन्टा, संयुक्त राज्य अमेरिका, एडवन्टा, पूणे; नामधारी सीडस, बंगलौर; नाथ सीड्स, बंगलौर इत्यादि बड़े पैमाने पर सब्जियों में संकर किस्मों के विकास, बीज उत्पादन तथा शोध एवं विकास के कार्य में जुड़ी हुई हैं। इन्डो अमेरिकन हाइब्रिड सीड कम्पनी ने 1973 में टमाटर की पहली संकर किस्म 'कर्नाटका' और शिमला मिर्च की प्रथम हाइब्रिड 'भारत' का विकास किया और व्यसायिक उत्पादन के लिए पहल किया। भारत वर्ष में हाइब्रिड सीड को 1988 की 'नयी बीज योजना' के माध्यम से बढ़ावा मिला जिसमें किसानों को अच्छी गुणवत्ता के बीज व पौध उपलब्ध कराने हेतु अनुमति (Open general licence) दी गयी।

किसानों को संकर बीज के बारे में जानकारी तथा उनके लाभ के बारे में पूरा–पूरा ज्ञान कम ही है जोकि हमारी प्रसार शिक्षा नीति एवं किसानों को उत्साह

के मिलेजुले कारणों के प्रतिफल है परन्तु कुछ राज्य जैसे कर्नाटक, महाराष्ट्र, गुजरात, आन्ध्रप्रदेश, पंजाब, हरियाणा आदि संकर सब्जियों के उत्पादन में काफी अग्रणी हैं। अभी तक हमारे देश में अखिल भारतीय सब्जी सुधार परियोजना के सौजन्य से लगभग 52 संकर किस्मों को विभिन्न जलवायु क्षेत्रों में उगाने की आधिकारिक अनुसंसा की जा चुकी है परन्तु वास्तव में विभिन्न सब्जियों की 150–200 संकर किस्में उगाई जा रही है। निम्नलिखित सारणी–7 में सब्जियों के संस्तुत संकर किस्मों तथा उनके उत्पादन क्षेत्र की जानकारी दी जा रही है।

तालिका–7 : सार्वजनिक एवं निजी क्षेत्रों द्वारा विकासित सब्जी की अनुसंसित संकर किस्में एवं उनके उत्पादन क्षेत्र।

सब्जी/संकर किस्म	विकसित करने वाली संस्थाएं	अनुसंसित उत्पादन क्षेत्र
(1) बैगन		
पूसा हाइब्रिड–6	भा.कृ.अनु.सं., नई दिल्ली	पंजाब, उत्तर प्रदेश, बिहार
पूसा हाइब्रिड–5	भा.कृ.अनु.सं., नई दिल्ली	पंजाब, उत्तर प्रदेश, मध्य प्रदेश, महाराष्ट्र, कर्नाटक, तमिलनाडु, केरल
ए.आर.बी.एच.–201	अंकुर सीडस	पंजाब, उत्तर प्रदेश, बिहार, छत्तीसगढ़, उड़ीसा, आन्ध्र प्रदेश, मध्य प्रदेश
एम.एच.बी.–10	माहिको	पंजाब, उत्तर प्रदेश, बिहार, राजस्थान, गुजरात, हरियाणा, दिल्ली, महाराष्ट्र, मध्य प्रदेश
एच.डी.वी.एच.–6	नरेन्द्र देव कृषि विश्वविद्यालय	पंजाब, उत्तर प्रदेश, बिहार
पूसा हाईब्रिड–9	भा.कृ.अनु.सं. नई दिल्ली	राजस्थान, गुजरात, हरियाणा, दिल्ली
ए.आर.बी.एच.–541	अंकुर सीडस	सम्पूर्ण भारत वर्ष
पी.बी.एच.–6	पाण्डेय सीडस	सम्पूर्ण भारत वर्ष
जे.बी.एच.–1	जूनागढ़ कृषि विश्वविद्यालय	सम्पूर्ण भारत वर्ष
बी.एच.–1	पंजाब कृषि विश्वविद्यालय	पंजाब, उत्तर प्रदेश, बिहार
बी.एच.–2	पंजाब कृषि विश्वविद्यालय	पंजाब, उत्तर प्रदेश, बिहार
बी.आर.बी.एच.आर.–1	भा.स.अनु.सं. वाराणसी	पंजाब, उत्तर प्रदेश, बिहार, राजस्थान, गुजरात, हरियाणा, दिल्ली

(2) टमाटर

ए.आर.टी.एच.–4	अंकुर सीडस	पंजाब, उत्तर प्रदेश, बिहार, मध्य प्रदेश महाराष्ट्र
ए.आर.टी.एच.–128	अंकुर सीडस	कर्नाटक, तमिलनाडु, केरल
एम.टी.एच.– 6	माहिको	मध्य प्रदेश, महाराष्ट्र, कर्नाटक, तमिलनाडु, केरल
पूसा हाइब्रिड–2	भा.कृ.अनु.सं. नई दिल्ली	जम्मू– कश्मीर, हिमाचल प्रदेश, उत्तराखण्ड, पंजाब, उत्तर प्रदेश, बिहार, राजस्थान, गुजरात, हरियाणा, दिल्ली, मध्य प्रदेश, महाराष्ट्र
एन.ए. 601	नाथ सीडस	राजस्थान, गुजरात, हरियाणा, दिल्ली, महाराष्ट्र, मध्य प्रदेश
डी.टी.एच.–4	भा.कृ.अनु.सं. नई दिल्ली	मध्य प्रदेश, महाराष्ट्र
डी.टी.एच.–8	भा.कृ.अनु.सं. नई दिल्ली	पंजाब उत्तर प्रदेश
अविनाश–2	नोवायटिस	राजस्थान, गुजरात, हरियाणा, दिल्ली, उत्तर पूर्व एवं अण्डमान
एच.ओ.ई.–303	नोवायटिस	पंजाब, उत्तर प्रदेश बिहार
सन–496	सनग्रो सीडस	बंगाल, आसाम, बिहार, उत्तर प्रदेश, पंजाब,
बी.एस.एस.–20	बीजो षीतल	सम्पूर्ण भारत वर्श
के.टी.एच–2	चन्द्रशेखर आजाद कृषि विश्वविद्यालय, कानपुर	पंजाब, उत्तर प्रदेश, बिहार, छत्तीसगढ़, उड़ीसा, आन्ध्र प्रदेश

(3) मिर्च

एच.ओ.ई.–888	सन्डोज	पंजाब, उत्तर प्रदेश, बिहार, कर्नाटक, तमिलनाडु, केरल
ए.आर.सी.एच.–236	अंकुर सीडस	पंजाब, उत्तर प्रदेश, बिहार
ए.आर.सी.एच.–228	अंकुर सीडस	पंजाब, उत्तर प्रदेश, बिहार, छत्तसीगढ़, उड़ीसस, आन्ध्र प्रदेश, राजस्थान, गुजरात, हरियाणा

सन ग्रो–86–235	सन ग्रो सीडस	पंजाब, उत्तर प्रदेश, बिहार, कर्नाटक, तमिलनाडु, केरल

(4) शिमला मिर्च

के.टी.–1	भा.कृ.अनु.सं. कैटरायन	जम्मू कश्मीर, हिमाचल प्रदेश, उत्तराखण्ड
लैरियो	सिन्जेन्टा	जम्मू–कश्मीर, हिमाचल प्रदेश, उत्तराखण्ड,
डी.ए.आर.एल.–202	रक्षा अनु. प्रयोगशाला, अल्मोड़ा	जम्मू–कश्मीर, हिमाचल प्रदेश, उत्तराखंड, पंजाब, उत्तर प्रदेश, बिहार

(5) पत्तागोभी

पूसा सिन्थेटिक	भा.कृ.अनु.सं. कैटरायन	जम्मू–कश्मीर, हिमाचल प्रदेश, उत्तराखण्ड,
श्री गणेश गोल	माहिको	छत्तीसगढ़, उडीसा, आन्ध्र प्रदेश
नाथ–401	नाथ सीडस	लगभग सम्पूर्ण भारत (उत्तर पूर्व एवं अंडमान छोड़कर)
बी.एस.एल.–32	बीजो षीतल	महाराष्ट्र, मध्य प्रदेश
क्यूस्टो	नोवायटिस	पंजाब, उत्तर प्रदेश, बिहार

(6) फूल गोभी

पूसा हाईब्रिड–1	भा.कृ.अनु.सं. नई दिल्ली	आसाम, बंगाल, बिहार, झारखण्ड, उत्तर प्रदेश, पंजाब
डी.सी.एच.–541	भा.कृ. अनु. सं. नई दिल्ली	आसाम, बंगाल, बिहार, झारखण्ड, उत्तर प्रदेश, पंजाब

(7) खरबूजा

एम.–3 हाईब्रिड	भा.कृ. अनु. सं. नई दिल्ली	पंजाब, उत्तर प्रदेश, बिहार
एम.एच.वाई–5	राजस्थान कृषि विश्वविद्यालय, दुर्गापुरा	मध्य प्रदेश, महाराष्ट्र

(8) तरबूज

अर्का ज्योति	भा. बा. अनु. सं. बंगलौर	कर्नाटक, तमिलनाडु, महाराष्ट्र, मध्य प्रदेश

एम.एच.डब्लू–6	माहिको	पंजाब, उत्तर प्रदेश, बिहार, झारखण्ड, छत्तीसगढ़, उड़ीसा, आन्ध्र प्रदेश, कर्नाटक, तमिलनाडु
(9) लौकी		
पी.बी.ओ.जी–2	गोविन्द बल्लभपन्त कृषि विश्वविद्यालय, नैनीताल	माहाराष्ट्र, मध्य प्रदेश, पंजाब, उत्तर प्रदेश, बिहार,
एन.डी.बी.एच.–4	नरेन्द्रदेव कृषि विश्वविद्यालय	सम्पूर्ण भारत वर्ष
(10) भिण्डी		
डी.वी.आर.–1 डी.वी.आर.–2 डी.वी.आर.–3	भारतीय सब्जी अनुसंधान संस्थान, वाराणसी	जम्मू कश्मीर एवं उत्तर पूर्व भारत को छोड़कर लगभग सम्पूर्ण भारत वर्ष
(11) केरला		
पूसा हाइब्रिड–2	भा.कृ.अनु.सं. दिल्ली	उत्तर एवं पूर्वीय भारत के राज्यों

सब्जियों की अनुसंसित संकर किस्मों के अलावा कुछ निजी कम्पनियों के द्वारा विकसित अन्य संकर किस्मों के बीजों का उपयोग करके किसान फसल उत्पादन कर रहे हैं। कुछ अत्यन्त ही लोकप्रिय एवं प्रचलित संकर किस्में तालिका–8 में दी जा रही है।

तालिका–8 : सब्जियों की लोकप्रिय एवं संकर किस्में

फसल	लोकप्रिय संकर किस्में
टमाटर	वैशाली, कर्नाटका, लेरिका, एन.एस.–815, रत्ना
बैगन	सुफल, हो–404
मिर्च	अग्नि, एनएस–1101, हो–808
शिमला मिर्च	इन्दिरा, भारत, लेरियो, हीरा, अर्ली बोन्टी, एनएसस–33
पत्ता गोभी	क्यूस्टो, बन्दागोभी–8 एन एस–22, हरी रानी गोल, कृष्णा, विशेष
लौकी	वरद, कावेरी
तरबूज	मधुर, मिलन, नाथ 101, एम एच डब्लू–4
खरबूजा	अभिजीत, एम सी एच–5, एम एस डब्लू–4
भिन्डी	वर्षा, विजय, विशाल, तुलसी

अधिक उपज एवं गुणवत्तापूर्ण उत्पादन के साथ–साथ संकरण प्रक्रिया द्वारा किस्मों में रोग एवं कीटों, दैहिक विकारों तथा वायुमण्डलीय दुश्वारियों के प्रति रोधक क्षमता का सृजन भी किया जा सकता है। इसी लिए बहुत सी ऐसी संकर किस्में विकसित की गयी हैं जो उत्पादन क्षमता के साथ–साथ रोग एवं कीट रोधी भी हैं। संकर किस्मों के सकारात्मक पहलू को ध्यान में रखते हुए भारतीय कृषि अनुसंधान परिषद् ने सन् 1995–96 सब्जियों में संकर किस्मों को बढ़ावा देने के लिए एक नेटवर्क परियोजना का शुभारम्भ किया। अनेक सार्वजनिक तथा निजी संस्थाओं के प्रयास से देश में सब्जियों में संकर किस्मों का प्रचलन बढ़ रहा है जिससे अच्छे गुणवत्तायुक्त पदार्थों का उत्पादन हो रहा है। परन्तु इनके प्रचार प्रसार में कुछ बाधायें हैं जो निम्नवत् है।

1. किसानों को संकर फसलों के उत्पादन सम्बन्धी ज्ञान की कमी।
2. शुद्ध गुणवत्ता के संकर बीजों की समय पर उपलब्धता।
3. संकर किस्मों के बीजों के अधिक मूल्य।
4. खपत से अधिक उत्पादन होने पर बाजार सम्बन्धी समस्या।
5. तोड़ाई के बाद सब्जियों के रख–रखाव, भण्डारण, विपणन की समस्या।

अतः सब्जियों में संकर किस्मों के विकास एवं प्रचार–प्रसार के बढ़ावा देने की जरूरत है। आने वाले वर्षो में विभिन्न फसलों में रोग एवं व्याधि तथा कीट रोधी संकर किस्मों के विकास पर जोर देने की आवश्यकता है। साथ ही साथ संकर किस्मों के उत्पादन की सही तकनीक के विकास एवं प्रचार, शुद्ध एवं अधिक जमाव क्षमता वाले बीजों को किसानों को उपलब्ध कराने के दिशा में प्रयास होने चाहिए। सामाजिक स्तर पर फैली भ्रान्तियों को दूर करके, तथा उत्पादों के गुणवत्ता में सुधार करके संकर किस्मों से सब्जियों का उत्पादन उत्तरोत्तर गति से बढ़ाया जा सकता है।

2. सब्जी फसलों की स्वस्थ पौधशाला तैयार करना (Preparation of Healthy Vegetable Nursery)

सब्जी फसलें मुख्य रूप से दो प्रकार से लगाई जाती है। प्रथम वे फसलें जो सीधे बीज बोकर तैयार की जाती हैं जैसे मटर, आलू, गाजर, पालक आदि तथा द्वितीय, वे फसलें जिनकी पहले पौध तैयार की जाती है तथा बाद में उनकी रोपाई की जाती है। जैसे गोभी वर्गीय सब्जियों, टमाटर, बैगन, मिर्च, कुम्हडा, लौकी,

खीरा, आदि। अतः इन सब्जियों में उपयुक्त किस्मों एवं अच्छी गुणवत्ता के बीज प्राप्त होने के पश्चात स्वस्थ पौधशाला का तैयार होना अत्यन्त आवश्यक होता है। सब्जियों की पौध तैयार करने के लिए जिस स्थान का प्रयोग किया जाता है उसे ''पौधशाला'' कहते हैं। पौधशाला बीज के जमाव से लेकर नवोदित पौधे के विकास एवं स्वास्थ्य इत्यादि के लिए आवश्यक वातावरण एवं पोषण उपलब्ध कराता है। जैसे कि विदित है, अच्छी सब्जी फसल उगाने के लिए स्वस्थ, रोग रहित एवं विकासशील पौध की अत्यन्त आवश्यकता होती है क्योंकि प्रारम्भ की अवस्था में पौधे नाजुक होने के कारण अनेक रोग एवं वातावरणीय परिस्थितियों से प्रभावित हो सकते हैं और उनसे मिलने वाली फसल कमजोर हो सकती है। वर्तमान समय में बीजों के बढ़ते मूल्य (विशेषकर संकर किस्मों के) इस बात को सोचने पर बाध्य कर देते हैं कि प्रत्येक बीज से एक स्वस्थ पौध कैसे तैयार किए जाय ? अतः आज के समय में सब्जियों के लिए भी मानक पौधशाला स्थापित करके उच्च गुणवत्ता के पौधे तैयार करने की आवश्यकता है।

विकसित देशों में सब्जियों की पौधशाला पाली हाउस या हरित गृह के अन्दर तैयार की जाती है जिसमें तापमान, आर्द्रता, प्रकाश आदि का पूरा ध्यान रखा जाता है और यह प्रयास रहता है कि प्रत्येक बीज को एक स्वस्थ पौध में बदला जा सके। इसके लिए पाली हाउस के भीतर प्लास्टिक की ट्रे के अन्दर बने छिद्रों में कृत्रिम मिश्रण का प्रयोग करके पौध तैयार करते हैं। हमारे देश में सब्जियों की ज्यादातर पौधशालाएं खुले खेतों में होती हैं जहाँ पर वर्षा, तापमान, आदि पर कोई नियंत्रण नहीं रहता। यहाँ पर पौध तैयार करने के लिए प्रयुक्त माध्यम भी साधारण मिट्टी या खाद युक्त मिट्टी होती है जो अनेक रोग एवं कीटों के प्रकोप को बढ़ावा देती है। ऐसी दशा में स्वस्थ एंव बढवार वाले पौधे प्राप्त कर पाना मुश्किल हो जाता है। अतः सब्जियों में पौधशाला प्रबन्ध एक महत्वपूर्ण विषय है जिसके बारे में यहाँ कुछ नवीनतम् जानकारी दी जा रही है।

सब्जियों की पौधशाला क्यों और कैसे?

सब्जी की पौधशाला तैयार करने के निम्नलिखित लाभ हैं।

1. पौधशाला में नवजात पौधों का रखरखाव एवं प्रबन्ध ध्यान पूर्वक एवं समय से किया जा सकता है क्योंकि यहाँ थोड़ी सी जगह में ज्यादा पौधे तैयार किये जाते हैं।

2. कीट एवं रोग प्रबन्ध तथा खरपतवार नियंत्रण आसानी से किया जा सकता है।
3. पौधों के वृद्धि एवं विकास के लिए अच्छी दशाएं जैसे पाली हाउस, पाली टनल, नेट हाउस इत्यादि में उपलब्ध कराई जा सकती हैं।
4. खराब मौसम, अत्यधिक गर्मी या सर्दी की दशा में भी पौधा तैयार किया जा सकता है।
5. बहुत सी फसलों में पौधे तैयार करके ही उगाने से उनसे अच्छी उपज मिलती है अतः उनमे पौधे तैयार करना जरूरी होता है।
6. बीज की बचत होती है क्योंकि अच्छी दशा में जमाव भी अच्छा होता है।
7. कुछ सब्जियों में पौधशाला के अन्दर पौधों को लम्बे समय तक रखने (double planting) और फिर खेत में लगाने से जल्दी उपज मिल जाती है।

सब्जी की पौधशाला स्थापना के लिए मूलभूत आवश्यकताएँ

सब्जी फसलों की अच्छी पौधशाला की स्थापना के लिए निम्न लिखित मूलभूत आवश्यकताएं होती हैं।

1. **स्थान का चुनाव** : पौधशाला के लिए खुले एवं प्रकाश युक्त स्थान का चुनाव करना उचित रहता है। पेड़ की छाँव या ऊँची इमारतों के पास, की जमीन को पौधशाला के लिए नहीं चुना जाता है। जहाँ तक सम्भव हो रोग एवं कीट ग्रसित स्थान, जानवरों द्वारा नुकसान पहुँचाये जाने वाले स्थान, जलभराव वाले स्थानों में पौधशाला न स्थापित करें। पौधशाला के नवजात पौधों को धूप, गर्म हवा, तेज वर्षा से बचाव का प्रबन्ध जरूर रखना चाहिए।
2. **मिट्टी का चुनाव** : पौधशाला के लिए मिट्टी का चुनाव अत्यन्त महत्वपूर्ण होता है। अच्छे जल निकास एवं कार्बनिक तत्वों युक्त बलुई दोमट एवं दोमट मिट्टी जिसका पी एच मान 6–7 के लगभग हो सबसे उपयुक्त होता है। अधिक अम्लीय अथवा क्षारीय व लवणीय मिट्टी में सब्जी पौधशाला का विकास उपयुक्त नहीं होता है।
3. **खेती की तैयारी** : पौधशाला के लिए भी खेत को गहरी जुताई करके रोटावेटर या हैरो करके, पाटा लगाकर अच्छी तरह से तैयार किया जाता है। हरी खाद, गोबर खाद या अन्य रसायनिक खादों का प्रयोग खेत की तैयारी के साथ ही किया जाता है।

4. **पौधशाला के लिए मिट्टी का उपचार** : अच्छी एवं स्वस्थ पौधशाला के लिए क्यारियों की मिट्टी को उपचारित किया जाना चाहिए। इसके लिए कई विधियां अपनाई जा सकती हैं।

   (क) **सूर्य की विकिरण से उपचार** : तेज गर्मी के दिनों में पौधशाला की क्यारियों को सूर्य की उष्मा से उपचारित किया जा सकता है जिसे क्यारियों का सौरीकरण (Solarizationof nursery beds) कहते हैं। इसके लिए मार्च–अप्रैल में क्यारियों में गोबर खाद, खल्ली, तथा वर्मीकम्पोस्ट आदि मिलाकर तैयार कर लेते हैं। उसके बाद क्यारियों की सिंचाई करके उन्हें 100 गेज मोटाई वाली सफेद पालीथीन से अच्छी तरह ढ़क देते हैं। गर्मी के दिनों में तेज धूप के कारण पानी वाष्पीकृत होकर उड़ने का प्रयास करता है लेकिन पालीथीन से टकराकर पानी की बूँद के रूप में वापस क्यारी में आ गिरता है। यह प्रक्रिया प्रतिदिन होती है फलस्वरूप मिट्टी का तापमान सामान्य से 10–12^0 सेन्टीग्रेड अधिक हो जाता है। जिससे मिट्टी के अन्दर मौजूद हानिकारक फॅफूद व कीटों के अण्डे नष्ट हो जाते हैं और पौध अच्छी तैयार होती है।

   (ख) **फार्मलीन द्वारा क्यारी उपचार** : सब्जी की पौधशाला की क्यारियों को फार्मलीन नामक रसायन से भी उपचारित किया जा सकता है। इसके लिए 1% फार्मलीन के घोल की आवश्यकता होती है जिसे 1 किग्रा फार्मेल्डिहाइड को 100 लीटर पानी में घोल कर तैयार किया जाता है। 5 लीटर फार्मलीन घोल प्रति वर्ग मीटर क्यारी की मिट्टी को उपचारित करने के लिए पर्याप्त होता है। फार्मलीन घोल से उपचार के तुरन्त बाद क्यारी को पालीथीन, या टाट या टरपोलीन से एक सप्ताह के लिए ढ़क दिया जाता है। ऐसा करने से मिट्टी के अन्दर के जीवाणु/फफॅूद/कीट आदि नष्ट हो जाते हैं। क्यारी को 7–10 दिन तक खुला रखने से उसके अन्दर मौजूद गैस उत्सर्जित हो जाती है और क्यारी बीज बुवाई के लिए तैयार हो जाती है।

   (ग) **धुयेंदार रसायन से क्यारी उपचार** : कुछ दानेदार रसायन जैसे थिमेट–10 जी, फोरेट–10 जी, सेविन, हेप्टाक्लोर, इत्यादि की 10–15 ग्राम मात्रा प्रति वर्गमीटर क्यारी की दर से मिलाने से पौधशाला की मिट्टी को उपचारित किया जा सकता है।

5. **क्यारी तैयार करना :** क्यारी तैयार करने और उन्हें उपचारित करने से पहले खेत की गहरी जुताई करनी आवश्यक होता है। इससे मिट्टी भुरभुरी हो जाती है और उसमें मौजूद हानिकारक तत्व कम हो जाते हैं। उसके पश्चात् क्यारियों को बनाया जाता है। पौधशाला की क्यारियां कई प्रकार से बनायी जा सकती हैं।

(क) **उभरी हुई क्यारियां :** उभरी हुई क्यारियां 1–2.5 मीटर चौड़ी, 3–6 मीटर लम्बी 15–20 सेंमी. और ऊँची होती हैं। दो क्यारियों के बीच चारों तरफ से 40–50 सेंमी. खाली जगह छोड़ा जाता है जिससे इन क्यारियों में बीज बुवाई, निकाई, गुड़ाई तथा बीचड़ा उखाड़ने का काम आसानी से किया जा सके। चिन्हित करने के बाद क्यारी को तैयार किया जाता है जिसमें ढ़ेले तोड़ना, खरपतवार व फसल का ठूँठ निकालना, गोबर खाद एवं कम्पोस्ट मिलाना और बराबर करना आदि शामिल होता है। उभरी हुई क्यारियों में 5–7 सेंमी. की दूरी पर 2–3 सेमी गहरी कतारें बनाते हैं जिनमें बीज बोया जाता है। बीज को वर्मी कम्पोस्ट एवं बालू के मिश्रण से ढ़क दिया जाता है और हजारे की सहायता से सिंचाई कर दी जाती है। उभरी क्यारियों से अनेक लाभ हैं।

- ❐ वर्षा ऋतु में बीज जमाव अच्छा होता है क्योंकि पानी लगने की समस्या नहीं रहती।
- ❐ उचित जल निकास के कारण पौधों में जड़ों का समुचित विकास होता है।
- ❐ पौधों के सड़ने की समस्या नहीं होती और लाभदायक जीवाणुओं (Denitrifying Bacteria) का विकास होता है। जो पौधे के स्वास्थय में सहायक होते है।
- ❐ पौधों में आवश्यकतानुसार पानी देना आसान होता है।
- ❐ क्यारी की ऊपरी सतह की मिट्टी भुरभुरी रहती है जिससे पौधा उखाड़ने में सहूलियत रहती है।
- ❐ पौधशाला के सभी कार्य सुचारू रूप से कर सकते हैं परन्तु इस विधि में थोड़ा श्रम और पैसा अधिक लगता है।

(ख) **समतल क्यारियां** : वर्षा ऋतु के अतिरिक्त पौधशाला सामान्य रूप से समतल क्यारियों में तैयार की जा सकती है। इसके लिए खेत को आवश्यकतानुसार आकार की क्यारियों में तैयार किया जाता है। क्यारी का आकार सामान्यतः 1X4 मी. का होता है और प्रत्येक क्यारी के चारों तरफ 15–20 सेंमी. ऊँची मेड़ी बना देते हैं जिससे सिंचाई करने में सुविधा हो। सिंचाई के लिए नाली का पर्याप्त प्रबन्ध होना चाहिए। क्यारी की अच्छी तरह गुड़ाई करके समतल कर लिया जाता है। समतल क्यारी को आसानी से एवं कम खर्च में बनाया जा सकता है परन्तु इस विधि में जड़ों के जकड़ जाने के कारण जाने के कारण पौध उखाड़ते समय परेशानी होती है तथा कभी 2 ज्यादा पानी भर जाने से पौधों के गलने या सामान्य रूप से विकास न कर पाने की सम्भावना रहती है।

6. **खाद एवं उर्वरक प्रयोग** : सब्जी की पौध रोपाई 18–25 दिन के अन्दर ही की जाती है अतः उनका समुचित विकास इसी समय में होना जरूरी होता है। इसके लिए पौधशाला में खाद एवं उर्वरक की संतुलित मात्रा का उपयोग जरूरी होता है। पौधशाला के लिए ऐसे उर्वरक का चुनाव करें जिससे पोषक तत्व जल्दी उपलब्ध हो जाँय। उदाहरण के लिए कैल्शियम अमोनियम नाइट्रेट (CAN), यूरिया, डीएपी, म्यूरेट ऑफ पोटाश, जिंक सल्फेट, वर्मीकम्पोस्ट आदि का प्रयोग पौधशाला में किया जाना चाहिए। पानी में घुलनशील उर्वरकों जैसे मल्टीप्लेक्स, पालीफीड (19:19:19NPK), यूरिया इत्यादि के 1–1.5% घोल के पर्णीय छिड़काव से बीचड़ों का अच्छा विकास सुनिश्चित किया जा सकता है। एक आर्दश पौधशाला में प्रति हेक्टेयर के हिसाब से 10–15 टन गोबर की खाद, 5–7 कुन्टल खली की खाद का प्रयोग मिट्टी में करने तथा क्यारियों में 100 ग्रा. नत्रजन, 60 ग्रा. फास्फोरस एवं 50 ग्रा. पोटाश प्रति 10 वर्ग मीटर के दर से (250 ग्रा. यूरिया, 400 ग्रा. सि.सु.फा. एवं 100 ग्रा. म्यूरेट आफ पोटाश) प्रयोग किया जाता है। समस्त खाद एवं उर्वरकों का प्रयोग बीज बुवाई से पहले ही करना उचित होता है।

7. **पौधशाला क्षेत्रफल एवं बीज की गणना** : आजकल सब्जियों के बीज बहुत मंहगे हो गये हैं अतः इस बात का पता लगाना अत्यन्त आवश्यक हो जाता है कि प्रति हेक्टेयर पौध रोपाई के लिए कितने बीज की आवश्यकता

है और उस बीज को कितने क्षेत्रफल में बुवाई करके स्वस्थ पौधशाला तैयार करें। यह मात्रा मुख्यतः सब्जी की किस्म एवं बीज के प्रकार पर निर्भर करता है। संकर किस्मों में बीज की मात्रा मुक्त परागित किस्मों की अपेक्षा बहुत कम लगता है। सारणी–9 में कुछ प्रमुख सब्जियों के लिए बीज की मात्रा एवं पौधशाला क्षेत्र का विवरण दिया गया है।

सारणी–9 : मुक्त परागित प्रजातियों के प्रति हेक्टयर रोपण के लिए बीज की मात्रा तथा पौधशाला क्षेत्रफल की आवश्यकता

फसल	बीज दर (ग्रा.)	पौधशाला क्षेत्रफल (वर्ग मीटर)
टमाटर	400	125
बैगन	400	125
मिर्च	500	100
फूल गोभी	600	150
पत्ता गोभी	400	100
गांठ गोभी	700	150
प्याज	8000	500

स्रोत : चौरसिया (2001)

8. **बीज का चुनाव :** सब्जियों के भरपूर उत्पादन के लिए अच्छे बीज का होना अत्यन्त आवश्यक होता है। अच्छे बीज में निम्नलिखित गुण होते हैं।

- ❐ किस्म के अनुसार शत प्रतिशत शुद्धता
- ❐ रोग मुक्तता एवं स्वस्थ
- ❐ खरपतवार के बीज से मुक्त होना
- ❐ बाहरी मिलावट न होना
- ❐ अंकुरण क्षमता 90–95% तक होना

बीज बुवाई से पहले उसके जमाव क्षमता का परीक्षण करना अत्यन्त आवश्यक होता है। जमाव क्षमता को निम्न विधियों द्वारा परीक्षण किया जा सकता है।

(क) **ब्लाटिंग पेपर विधि** : इस विधि में बीजों को गिनकर भीगे हुए ब्लाटिंग पेपर या सोखता कागज पर पंक्तिबद्ध तरीके से रखकर उसके ऊपर एक दूसरा नम ब्लाटिंग पेपर रख कर गोलाई में मोड़ कर बंडल बना लेते हैं। इस बंडल को सीधा–सीधा उपयुक्त तापमान (20 ± 5^0 सेन्टीग्रेड) एवं आर्द्रता (85–90%) पर रख दिया जाता है।

(ख) **पोषक बक्सा विधि** : इस विधि में बीज को उथले बक्से जिसमें कि अच्छा पोषक माध्यम भरा हो, में गिन कर बुवाई करते हैं। माध्यम में सामान्य तापक्रम एवं आर्द्रता तथा नमी बनाये रखते हैं। इस विधि में जितने बीज जल्दी एवं समान रूप से जम जाते है वही उनका अंकुरण क्षमता माना जाता है।

(ग) **पैट्रीडिस विधि** : प्रयोगशाला में जमाव परीक्षण के लिए गिने हुए बीज को एक पैट्रीडिस जिसमें गीला ब्लाटिंग पेपर बिछा हो रख दिया जाता है। ऊपर से पैट्रीडिस को ढक्कन से ढक देते हैं और सामान्य तापमान पर रख कर जमाव का परीक्षण करते हैं।

बीज की गुणवत्ता एवं शुद्धता को सुनिश्चित करने के लिए बीज को किसी जानी पहचानी या विश्वसनीय स्रोत से ही खरीदना चाहिए। हमेशा किसान द्वारा उत्पादित बीज का प्रयोग सम्भव नहीं होता क्योंकि बीज में परिर्वतन, संकर किस्मों के बीज के लिए विश्वसनीय स्रोत का होना आवश्यक होता है। इसके लिए कृषि विश्वविद्यालय, शोध संस्थानों आदि से उन्नत बीज प्राप्त करना अच्छा रहता है। कुछ सब्जियों जैसेः टमाटर, बैगन, मूली, भिन्डी, कद्दूवर्गीय सब्जियां तथा दलहनी सब्जियों का बीज स्वंय किसान भी पैदा कर सकते हैं परन्तु इनके प्रजनक बीज या आधार बीज किसी मान्यता प्राप्त संस्था से ही प्राप्त करना उचित रहता है।

9. **बीज उपचार** : अच्छे अंकुरण एवं स्वस्थ पौध के लिए बुवाई से पहले बीजों का समुचित उपचार आवश्यक है। आजकल बाजार में उपचारित बीज भी उपलब्ध हैं परन्तु अपने बीज को उपचारित करके ही बोना चाहिए। बीज उपचार से उसके बाहरी सतह पर मौजूद फॅफूद, जीवाणु, वायरस, कीड़ों के अण्डे नष्ट हो जाते हैं। बीज उपचार से पौधशाला की कुछ प्रमुख बीमारियों जैसे तना विगलन (Damping off), बीज का सड़ना (Rotting of seed) आदि

से मुक्ति मिल जाती है और बीज जमाव तथा पौध विकास अच्छा होता है। बीज उपचार की निम्नलिखित विधियां प्रचलित हैं।

(क) **गर्म पानी उपचार** : कुछ बीजों के अन्दर मौजूद जीवाणुओं को नष्ट करने के लिए गर्म पानी उपचार लाभदायक होता है जैसे गोभी वर्गीय फसलों में काला सड़न (Blak Rot) तथा बैंगन में फोमोप्सिस ब्लाइट को नियंत्रित करने के लिए बीज को 50–55^{0} सेन्टीग्रेड तापमान वाले पानी में 20–30 मिनट तक भिगोकर उपचारित करने से अच्छा परिणाम मिलता है।

(ख) **ठण्डा पानी उपचार** : जिन बीजों में बीज आवरण मोटा होता है उन्हें ठण्डे पानी में 18–24 घंटे तक सामान्य तापमान पर भिगोकर रखने से अच्छा परिणाम मिलता है। भीगे हुए बीजों के अन्दर का पानी मिट्टी द्वारा अवशोषित हो जाने के कारण जमाव प्रक्रिया प्रभावित होती है जैसे गाजर तथा धनिया के बीज को बिना भिगोकर बोने पर ज्यादा समय लगता है और पौधा कमजोर उगता है।

(ग) **रासायनिक उपचार** : बीज एवं नवोदित पौधों को रोग से बचाने तथा जमाव क्षमता को बढ़ाने के लिए बीज का रसायनिक उपचार जरूरी होता है। साधरणतयः बीज उपचार फंफूदनाशी रसायनों के घोल से किया जाता है जिसमें थीरम, कैपटान, एग्रोसान जी एन., बाविस्टीन आदि प्रमुख हैं परन्तु कुछ पादप हार्मोन जैसे जिब्रेलिक अम्ल (100–500 पीपीएम) तथा थायोयुरिया (0.5–5.0%) के घोल से बीज उपचार करने पर लाभदायक परिणाम मिले हैं। रसायनों से बीज उपचारित करते समय यह ध्यान रखा जाना चाहिए कि रसायन का एक परत बीज के ऊपर चढ़ गया है, अतिरिक्त रसायन निकाल दिया गया है और बीज को छाया में अच्छी तरह सुखा दिया गया है।

10. **बीज की बुवाई** : बीज की बुवाई पौधशाला में अथवा कुछ फसलों में सीधे खेत में की जाती है। बीज बुवाई करते समय यह ध्यान रखना चाहिए कि बीज को जमीन में उसके आकार से तीन गुना गहराई में ही बोयें अन्यथा जमाव प्रभावित होगा। बीजों की पक्तिबद्ध बुवाई करने से बीज दर कम लगता है, तना विगलन की समस्या कम होती है, खरपतवार नियंत्रण आसानी से होता है, प्रत्येक पौध स्वस्थ होती है तथा कीट एवं बीमारी

नियंत्रण में आसानी होती है। बुवाई के पश्चात् बीज को बालू एवं वर्मीकम्पोस्ट के बराबर अनुपात के मिश्रण से ढ़कना चाहिए।

11. **पौधशाला में पौधों की देखरेख** : बीज बुवाई के पश्चात् क्यारी को घास या पुवाल से (पलवार) ढ़क देते हैं जिससे जमाव समान रूप से और जल्दी हो सके। साधारणतय सब्जी के बीज 5–7 दिनों के अन्दर जम जाते हैं अतः जमाव के तुरन्त बाद पलवार को सावधानी पूर्वक हटा दिया जाता है। पलवार को शाम के समय हटाना उचित होता है जिससे नये पौधे वातावरण के अनुसार ढल सकें। पौधशाला में महीन बूँदों वाले हजारे या मिस्ट से सिंचाई की जाती है और इसे दिन में 3–4 बार करनी चाहिए। क्यारी के ऊपर तेज धूप के समय आंशिक छाया देने से पौधों का विकास अच्छा होता है। अगर पौधशाला में बीजों का जमाव ज्यादा हो गया है तो आवश्यकतानुसार उनका विरलीकरण करने से पौध स्वस्थ होती है। खरपतवार एवं रोग तथा कीट का नियंत्रण समय–समय करते रहने से सब्जी पौध अच्छी होती है।

विशेष प्रयोजन के लिए सब्जी पौधशाला तैयार करना

1. **वायरस मुक्त पौधशाला** : सब्जियों के अनेक रोग विषाणु यानी वायरस के कारण होते हैं। ये रोग कीटों द्वारा एक स्थान पर उग रहे रोग ग्रसित पौधों से दूसरे स्थान पर स्वस्थ पौधों में फैलाये जाते हैं। उदाहरण के लिए टमाटर या मिर्च का लीफ कर्ल रोग सफेद मक्खी द्वारा फैलाया जाता है जो पौधशाला अवस्था में ही प्रारम्भ हो जाता है और पूरी फसल को प्रभावित कर देता है। इसलिए यदि इस प्रकार के विषाणुओं से मुक्त पौधशाला तैयार करनी है तो क्यारियों को बीज उगने के साथ ही साथ महीन जाली या नायलान वाली मच्छरदानी से इस प्रकार ढ़क दिया जाय कि रोग वाहक कीट उसके अन्दर प्रवेश न कर सकें। इसके अतिरिक्त पौधों पर 7 दिनों के अन्तराल पर 0.5% मेटासिस्टाक्स या मोनोक्रोटोफास या इमिडाक्लोरप्रिड (0.5 मि.ली. / ली. पानी) का दो–तीन छिड़काव इस प्रकार करें कि अन्तिम छिड़काव बीचड़ा उखाड़ने के दो दिन पहले हो।

2. **सीधी बुवाई वाली फसलों की पौधशाला** : कुछ सब्जी फसलें ऐसी हैं जिन्हें सीधे खेत में बोया जाता है जैसे कद्दू वर्गीय सब्जियां इन्हें साधारण तरीके से पौधशाला में तैयार करके एवं उखाड़ कर नहीं लगाया जा सकता क्योंकि इनके जड़ों के ऊपर सतह पर 'सबरिन' (Suberine) नामक एक

ऊतक सतह होती है जो पानी के आवागमन को रोककर (Impervious to Water) रखती है और इसके भंगुर हो जाने से पौध स्थापना नहीं होती। इसके साथ ही साथ अनेक प्रजातियों में जड़ का अगला नुकीला भाग टूट जाने, द्वितीयक एवं तृतीयक जड़ का समुचित विशेष प्रकार से पौधशाला तैयार करने की आवश्यकता पड़ती है। इन फसलों के पौधों को क्यारी में न तैयार करके छोटे–छोटे पालीथीन की थैलियों या प्लास्टिक के कप के अन्दर जिसमें अच्छा मिश्रण भरा हो तैयार किया जाता है और जब पौधे 2–4 पत्ती की अवस्था में आ जायं तब उन्हें खेत में पिण्डी समेत प्रतिस्थापित कर दिया जाता है। यह विधि बेमौसम के सब्जी उत्पादन में भी सहायक है क्योंकि पौधों को पाली हाउस या सुरक्षित जगह पर उगा कर मुख्य मौसम से पहले पौध रोपण कर सकते हैं इससे फसल को 40–45 दिन पहले प्राप्त किया जा सकता है। एक सफल प्रयोग में यह पाया गया कि लौकी एवं करेला के पौधों को पाली बैग में नवम्बर–दिसम्बर के महीने में पाली हाउस में उगाया गया और उन्हें जनवरी–फरवरी में तापमान बढ़ने के साथ मुख्य खेत में लगाया गया। इस प्रयोग में यह पाया गया कि लौकी और करेला लगभग 45–60 दिन पहले तोड़ाई के लिए तैयार हो गये और किसानों को अच्छा मुनाफा हुआ।

3. **वानस्पतिक विधि से पौधशाला तैयार करना** : कुछ सब्जियां ऐसी भी हैं जो वानस्पतिक भागों विशेषकर तने के टुकड़ों या जड़ के टुकड़ों या कन्दों से प्रसारित की जा सकती हैं। इनके लिए पालीथीन की थैलियों को बालू : मिट्टीः खाद (1:1:1) के मिश्रण से भरकर उसमें उनकी कलमें लगाकर पौधे तैयार कर सकते हैं। परवल में दो गांठ वाली कलमें, '8' (अंग्रेजी के आठ) आकार वाली कलमें, कुन्दुरू में अर्ध कठोर कलमें, ककरोल में मुलायम कलमें तथा जड़ कन्दों के टुकड़ों तथा टीजल गार्ड में तने एवं जड़ की कलमों को लगाकर पौध तैयार किये जा सकते हैं। वर्तमान समय में कुछ सब्जियों में ग्राफ्टिंग विधि द्वारा भी पौधे तैयार किये गये हैं। उदाहरण के लिए टमाटर में उकठा रोग नियंत्रण के लिए बैंगन की उकठा रोग रोधी किस्म स्वर्ण श्यामली एवं स्वर्ण प्रतिभा के मूलवृत पर टमाटर की उन्नत किस्म का शीर्ष प्रत्यारोपण करके पौधा तैयार किया जा सकता है। थैलियों को छायादार स्थान या नेट हाउस में रखकर, उसमें नियमित पानी देकर एवं रखरखाव करके वानस्पतिक विधि से सब्जियों की पौधशाला पौधे तैयार किये जा सकते हैं।

4. **पालीहाउस के भीतर पौधशाला तैयार करना** : पालीहाउस का प्रयोग पौधशाला तैयार करने के लिए बढ़ता जा रहा है। इसके अनेक कारण है जिनमें से कुछ नीचे वर्णित हैं।

   1. बीजों का महंगा होना और प्रत्येक बीज से एक पौधा तैयार करने की चाहत।
   2. बदलते मौसम में जोखिम न उठाने की इच्छा।
   3. नयी–नयी तकनीकों के पाली हाउस का उपलब्ध होना।
   4. वर्ष भर सब्जी पैदा करने की चाहत।

   अब इन परिस्थितियों में हर किसान यह चाहता है कि वह अच्छी गुणवत्ता के बीज से उत्तम कोटि का पौध तैयार करे और अच्छी फसल उगाये। पाली हाउस में पौध कभी भी और कहीं भी तैयार कर सकते हैं। इसके अन्दर पाली बैग, प्लास्टिक ट्रे एवं कप, गमले, क्यारियों इत्यादि में उपयुक्त मिश्रण भर कर पौधा तैयार कर सकते हैं। इन पौधों को जमीन की सतह या पाली हाउस के अन्दर ही बने लोहे के प्लेटफार्म पर तैयार कर सकते हैं। विदेशों में तो छोटे–छोटे कप में बीज को बो देते हैं और जैसे ही पौधे उगते हैं उन्हे ट्रे समेत ही निर्धारित तापमान एवं आर्द्रता वाले वाहन में रखकर लम्बी दूरी तक भेज देते हैं जिससे जब तक पौधे अपने गनतव्य तक पहुँचते हैं रोपाई के लिए तैयार हो जाते हैं। पाली हाउस के अन्दर कीट एवं रोगों का समुचित नियंत्रण एवं पौधों की रखरखाव भी सम्भव होती है।

5. **सब्जियों में ग्राफिंटग विधि से पौधा तैयार करना** : कुछ सब्जियों जैसे टमाटर, बैगन, लौकी आदि में ग्राफिंटग प्रक्रिया सफल पाई गयी है। सामान्य प्रक्रिया की तरह सर्वप्रथम मूलवृन्त तैयार किया जाता है और उस पर मन चाही किस्म, जिसका ग्राफिंटग सम्भव हो का पौधा तैयार किया जा सकता है। इसमें रोग रोधी मूलवृन्त का प्रयोग (टमाटर व बैगन में जीवाणु मुरझा रोधी किस्म) करके तथा टाप ग्राफिंटग की प्रक्रिया 10–12 दिन के पौधों में की जाती है। चूँकि इस समय पौधे मुलायम होते हैं अतः उसमे सावधानी पूर्वक विशेष विधि के प्रयोग से सफलता मिलती है। जब ग्राफ्टिंग पक्की हो जाय तब पौधों को मुख्य खेत में लगाते है। यह प्रक्रिया पाली हाउस में की जानी चाहिए।

सब्जी फसलों के रोपण एवं प्रतिरोपण के कुछ गुर

जब सब्जी फसलों के उत्पादन के लिए उस की बीज सामग्री को सीधे खेत में लगाया जाता है तो उसे रोपण (Planting) कहते हैं जैसे आलू की रोपाई, कन्दीय फसलों की रोपाई, लहसुन के जवों की रोपाई, शकरकन्द, परवल, कुन्दुरू के तनों की रोपाई आदि। परन्तु जब किसी सब्जी फसल के बीजों की पौधशाला तैयार की जाती है और उसके बाद उसे मुख्य खेत में लगाया जाता है तो इसे प्रतिरोपण (Transplanting) कहते हैं। ज्यादातर सब्जियों (टमाटर, बैगन, मिर्च, गोभी आदि), फूलों और फलों की फसलें प्रतिरोपण द्वारा ही तैयार की जाती हैं। इसके अतिरिक्त यदि बीज को सीधे मुख्य खेत में बुवाई करके फसल तैयार की जाती है तो उसे 'बुवाई' (Sowing) कहते हैं। जैसे मूली, गाजर, मटर, सेम, फ्रेंचवीन, साग, बाकला, भिन्डी आदि। अतः फसल तैयार करने के लिए बीज/बीचड़ों/कन्दों के लगाने के आधार पर सब्जियों को तीन वर्गो में विभक्त कर सकते है।

1. **सीधी बुवाई वाली फसलें** : भिन्डी और दलहनी, जड़दार, पत्तेदार, सब्जियां,
2. **रोपाई वाली सब्जियां** : आलू, लहसुन, कन्दीय फसलें, परवल, कुन्दुरू आदि
3. **प्रतिरोपण वाली सब्जियां** : टमाटर, बैगन, मिर्च, प्याज, गोभी, आदि

प्रतिरोपण से प्रमुख लाभ

सब्जियों का बीचड़ा (पौध) तैयार करके फिर मुख्य खेत में रोपाई के अनेक लाभ हैं जो इस प्रकार हैं।

1. बीज बोने के लिए पूरे खेत की तैयारी नहीं करनी पड़ती जिससे लागत में कमी आती है।
2. बीज से बीचड़ा बनाकर पौधों को निर्धारित दूरी पर प्रतिरोपण करने से कम बीज में ज्यादा क्षेत्रफल लगाया जा सकता है।
3. थोड़े से स्थान पर बीचड़ा/पौधशाला तैयार करना आसान होता है।
4. बीचडे को आवश्यकता अनुसार संरक्षित जगह में उगा सकते हैं जबकि अन्य विधि में पूरे खेत को सुरक्षित करना पड़ता है।

5. बीचडों की अच्छी देखरेख एवं प्रबन्ध सम्भव होता है।
6. समान आकार एवं बढ़वार वाले बीचड़ों को चुन कर प्रतिरोपण करके अच्छी फसल पैदा की जा सकती है।
7. प्रतिरोपण करने से पौधों में ज्यादा शाखाएं निकलती हैं जिससे उपज पर अनुकूल प्रभाव पड़ता है।
8. सीधी बुवाई की अपेक्षा प्रतिरोपण करने पर प्रति इकाई क्षेत्रफल से अधिक पैदावार मिलती है।

प्रतिरोपण के लिए बीचड़ों का चुनाव

जब किसी फसल की रोपाई करनी हो तो बीचड़ों में निम्नलिखित गुण होने चाहिए तभी उससे अच्छी फसल तैयार होगी।

1. बीचड़ों को स्वस्थ एवं मजबूत होना चाहिए।
2. बीचड़ो की उम्र सही होनी चाहिए। कम या ज्यादा उम्र की बीचड़ों को लगाने से फसल उत्पादन प्रभावित होता है।
3. बीचड़ों का जड़ तन्त्र मजबूत एवं पूर्ण विकसित होना चाहिए।
4. बीचड़ों का तना पतला एवं कमजोर नहीं होना चाहिए एवं उनकी उँचाई 15–20 सेंमी. से अधिक नहीं होनी चाहिए।
5. बीचड़ों पर कीडे एवं रोग का प्रकोप तथा जड़ों में सूत्रकृमियों का प्रकोप नहीं होना चाहिए।
6. बीचड़ों की उम्र 3–5 सप्ताह के मध्य होनी चाहिए। केवल प्याज के बीचड़ों की उम्र 6–8 सप्ताह की होनी चाहिए।

प्रतिरोपण के समय कुछ सावधानियाँ

1. बीचड़ा उखाड़ने के 24 घंटा पहले क्यारी को सींच दें।
2. प्रतिरोपण का कार्य दोपहर के बाद करें।
3. रोपण के समय खेत में प्र्याप्त नमी रहनी चाहिए।
4. रोपण के समय जड़ों को सीधा रखें। उसी हिसाब से गड़ढे की गहराई बनायें।

5. रोपाई के बाद बीचड़ों को चारों तरफ से दबा दें जिससे वे सीधे रहें और उनके जड़ों के पास की मिट्टी बैठ जाय।
6. अगर जरूरत हो तो बीचड़ों की अतिरिक्त पत्तियों व जड़ों को काट कर हटा दें।
7. प्रत्येक बीचड़े के जड़ को पानी/बाविस्टीन के घोल में डुबोकर लगायें
8. लगाने के बाद यदि जरूरत समझें तो सहारा दें और पौधों को थोड़ा पानी जरूर दें।
9. प्याज के बीचड़ों (पौध) को ऊपर से काट देने तथा जड़ों को थोडा काट देने से स्थापना अच्छी होती है। क्योंकि पत्ती काटने से वाष्पोत्सर्जन द्वारा बीचड़ों से पानी का नुकसान कम होता है और पौधे सीधे खड़े रह सकते हैं। जड़ों को काटने से शोषक जड़ों का तेजी से विकास होता है।

3. सब्जियों की संरक्षित खेती (Protected Cultivation of Vegetables)

सब्जी उत्पादन के नये तकनीकों में संरक्षित खेती (Protected Cultivation) का विशेष महत्व है। इस विधि द्वारा बेमौसम में सब्जी उत्पादन सम्भव हुआ है साथ ही साथ सब्जी की उत्पादन क्षमता खुले खेत की अपेक्षा 8–10 गुना ज्यादा और गुणवत्ता काफी अच्छी होती है। संरक्षित सब्जी उत्पादन भारत वर्ष में अपेक्षाकृत नयी तकनीक है परन्तु विदेशों विशेषकर विपरीत जलवायु वाले क्षेत्रों में इस विधि का विकास काफी पहले हो चुका था।

यदि इतिहास के पन्नों में झाँके तो पता चलता है कि प्रथम शताब्दी में डाक्टरों ने रोमन बादशाह 'टिबनेस सीजर' को प्रतिदिन एक ताजा खीरा खाने की सलाह दी और तब उसे पैदा करने के लिए पारदर्शी पत्थरों के नीचे चलने वाले क्यारियों (खेतों) को बनाया गया। जिसमें खीरा उगाया गया और दिन के समय खेतों को पत्थर के घर से बाहर निकाल कर धूप में तथा रात में पत्थर के घर के अन्दर कर दिया जाता था। आधुनिक संरक्षित खेती का आविष्कार 16 वीं सदी के आस पास हुआ जब फसलों को ठण्ड से बचाने के लिए शीशा, लालटेनों, जार, कोल्ड, फ्रेम, गर्म क्यारियों आदि का प्रयोग किया गया। 17 वीं सदी में लकड़ी के ढ़ाचों को तैलीय अपारदर्शी कागज से ढ़क कर विपरीत परिस्थितियों में पौधों को उगाने की चेष्ठा की गयी जिसका स्थान आज कल प्लास्टिक ने ले लिया है। धीरे–धीरे विकास होता गया और लकड़ी की जगह लोहे के फ्रेम काम में लाये गये और ऊपर से तरह–तरह के ढ़कने वाले पदार्थों का प्रयोग किया गया। पहले एक तरफ शीशा

तथा दूसरी तरफ कागज या अन्य पदार्थ, फिर दोनों तरफ शीशा तत्पश्चात् प्लास्टिक फिर अल्ट्रावायलेट संतृप्त प्लास्टिक और अंततः पूर्ण वातावरण नियंत्रित पालीहाऊस, पाली कार्बोनेट हाऊस, इत्यादि का विकास हुआ। द्वितीय विश्वयुद्ध के बाद पालीथीन चद्दरों के प्रयोग से कम खर्चीले पाली हाऊस का निर्माण हुआ और सर्वप्रथम सन् 1948 में केंचुकी विश्वविद्यालय के प्रो0 इमरी मेर इमेट ने एसे पालीहाउस का प्रयोग सब्जियों के उत्पादन के लिए किया।

वर्तमान समय में हालैण्ड, स्पेन, इटली, कनाडा, टर्की, चीन, जापान, कोरिया समेत विश्व के अनेक देशों में सब्जियों, फूलों, कुछ फलों आदि की खेती पाली हाऊस के अन्दर की जा रही है और उच्च गुणवत्ता के उत्पाद तैयार हो रहें हैं। भारत वर्ष में संरक्षित खेती का कार्यक्रम इण्डो–इजरायली परियोजना के अन्तर्गत भारतीय कृषि अनुसंधान संस्थान, नई दिल्ली में शुरू हुआ। इस समय देश में लगभग 2000 हेक्टेयर क्षेत्रफल में ऐसी खेती की जा रही है।

संरक्षित खेती का अर्थ

संरक्षित खेती का तात्पर्य है कि मौजूदा वातावरण में कुछ नियंत्रण करके वातावरण को फसल उत्पादन के लिए अनुकुल बनाया जाय जिससे पौधा प्रतिकूल परिस्थितियों में भी अच्छा उत्पादन दे सके। वातावरण की दशाओं में तापमान, प्रकाश, हवा, इत्यादि प्रमुख हैं जिसका नियंत्रण एवं फेर बदल करके उसे फसल के अनुरूप बनाया जाता है। संरक्षित खेती के मुख्य तरीकों में पलवार बिछाना, पालीथीन की सुरंग या पूरी पक्तिं को ढकना, फ्लोटिंग रो कवर, क्लचेज या छप्पर तथा पाली हाउस खेती आदि प्रमुखता से प्रयोग किये जाते हैं जिसका संक्षिप्त विवरण नीचे दिया गया है।

1. **पलवार** : पौधे के पास की मिट्टी ढ़कने के लिए पलवार का प्रयोग करते हैं इससे जड़ें सुरक्षित रहती हैं, फसल उत्पादन अच्छा रहता है तथा सिंचाई जल का संरक्षण होता है। खरतपतवार के नियंत्रण में पलवार का विशेष योगदान है। यह विधि आलू की खेती, टमाटर की खेती आदि में अधिक सफल पायी गयी है।

2. **सुरंग अथवा रो कवर** : इसे छोटा ग्रीन हाउस भी कहते हैं चूँकि प्लास्टिक सुरंग फसल की एक कतार को ढ़कती है अतः इसे 'रो कवर' भी कहते हैं। इस विधि में प्लास्टिक या नेट को 1 मी. की ऊँचाई पर फ्रेम के ऊपर पूरी लाइन पर लगा देते हैं जिससे अन्दर के पौधे पाले, हवा कीड़े के प्रकोप से बच जाते हैं। फ्रेम को लोहे की तारों या बांस की पट्टियों द्वारा

बनाया जाता है और ढ़कने के लिए 50 माइक्रोन की पालीथीन का प्रयोग करते हैं। इसके अन्दर खीरा, टमाटर, स्ट्राबेरी, सेम, शिमलामिर्च, स्क्वैश, स्वीट कार्न आदि की खेती की जा सकती है।

3. **वाक थ्रू टनेल** : जब सुरंग की ऊँचाई लगभग 2 मी. तथा चौडाई 2–2. 5 मी. कर दी जाती है तो उसे 'वाक थ्रू टनेल' (Walk through tunnel) कहते हैं क्योंकि उसके अन्दर आदमी जाकर कुछ कृषि कार्य भी कर सकता हैं। इसमें फसल की 2–5 कतारें लगाई जा सकती है ढ़ाचा तैयार करने के लिए ऊपर ग्लवनाइज लोहे की पाइप या पट्टियों का फ्रेम बनाया जाता है और उसे 100 माइक्रान के पालीथीन या 75% छाया वाले एग्रो सेड नेट से ढ़क सकते हैं। इसके अन्दर तरबूज, खरबूजा, खीरा, गोभी, टमाटर, आदि की सफल खेती की जा सकती है।

4. **क्लाचेज** : क्लाचेज (Cloches) एक प्रकार के चल बन्द संरचनाएं (Moveable closed structures) होती हैं जो एक तरफ (नीचे की ओर) खुली होती हैं और 5 तरफ से पारदर्शी पालीथीन से बन्द होती है। इसका प्रयोग नये फलदार या जंगल के पौधों को लगाने के बाद किया जाता है जिससे पौधे जानवारों, कीड़ों, तेज धूप एंव ठंड से बचाये जा सके। इन्हें एक स्थान से दूसरे स्थान पर आवश्यकतानुसार लगाया जा सकता है।

5. **फ्लोटिंग रो कवर** : जब प्लास्टिक फिल्म को बिना किसी सहारे के फसल की कतार के ऊपर फैला दिया जाता है तो उसे 'फ्लोटिंग रो कवर' (Floating Row cover) कहते हैं। इससे फसल को कीड़ों, वेक्टर कीड़ों आदि से बचाव तथा फसल सुरक्षा के लिए प्रयोग किया जाता है। बैगन, टमाटर आदि में इसका प्रयोग सफल पाया गया है। इसके लिए हल्के वजन वाले कवर (10–15 ग्रा./वर्ग मी.) का प्रयोग करते हैं।

6. **ग्रीन हाउस** : ग्रीन हाउस या पाली हाउस का तात्पर्य एक एसे घर से है जिसमें किसी भी सब्जी फसल के लिए आवश्यक वातावरण कृत्रिम तरीके से उपलब्ध कराया जा सकता है। ग्रीन हाउस में चार मुख्य बातें होनी आवश्यक हैं।

- ❒ ग्रीन हाउस का एक निश्चित ढ़ाचा या फ्रेम होना चाहिए।
- ❒ ढ़ाचे के ढ़कने के लिए पारदर्शी या अपारदर्शी पदार्थ हो।
- ❒ फसल के अनुसार वातावरण को परिवर्तित करने की व्यवस्था हो।
- ❒ ग्रीन हाउस के अन्दर कार्य करने की प्रर्याप्त जगह हो।

ग्रीन हाउस का सिद्धान्त

ग्रीन हाउस का मुख्य सिद्धान्त है कि यह सौर ऊर्जा को संरक्षित करके मनचाही फसल को मन चाहे मौसम में उगाने में मदद करता है। दर असल, ग्रीन हाऊस एक पारदर्शी पदार्थ से ढ़का होता है जिसे क्लैडिंग मैटेरियल (Clading material) कहते हैं जैसे पालीथीन, ग्लास, पालीकार्बेनेट की चद्दरें या कोरूगेटेड फाइबर की चद्दरें आदि जिसका यह काम होता है कि सूर्य की गर्मी को घर के अन्दर लगे पौधों तक पहुँचने दें। अब पौधे 'लम्बे तरंग वाली विकिरण ऊर्जा' का उत्सर्जन करते हैं जो क्लैडिंग मैटेरियल के माध्यम से वातावरण में जाता है जिसे 'ग्रीनहाउस इफेक्ट (Green House Effect) कहते हैं। इसी कारण से ठण्डे इलाकों में सर्दियों में ग्रीन हाउस के अन्दर सब्जियां उगाई जा सकती हैं। गर्मी के दिनों में इन घरों के अन्दर तापमान, आर्द्रता, कार्बनडाईआक्साइड, प्रकाश अवधि, मृदा तापमान एवं पादप पोषण तथा सिंचाई व्यवस्था करके मनचाही सब्जी का उत्पादन किया जा सकता है।

ग्रीन हाउस के लाभ

1. सब्जियों की खेती उस मौसम में भी की जा सकती है जब खुले खेत में उत्पादन सम्भव न हो।
2. कुछ सब्जियां वर्ष भर उगाई जा सकती हैं।
3. चूँकि ग्रीन हाउस के अन्दर सब कुछ नियंत्रित होता है अतः उसमें निर्यात गुणवत्ता की सब्जियां उगाई जा सकती हैं।
4. ग्रीन हाउस के अन्दर सब्जी की उत्पादकता 8–10 गुना ज्यादा होता है।
5. ग्रीन हाउस सब्जियों की पौध तैयार करने के लिए अधिक उपयुक्त होते हैं।
6. ग्रीन हाउस के अन्दर रोग एवं कीट तथा खरपतवार का नियंत्रण बहुत आसानी से किया जा सकता है।
7. कम जोत वाले किसानों के लिए ग्रीन हाउस सबसे अच्छा है। वे कम जगह में ज्यादा उत्पादन कर सकते हैं।
8. ग्रीन हाउस में बिना रासायनिक पदार्थो के खेती सम्भव होती है।
9. सूक्ष्म ऊतक प्रवर्धित सब्जी की किस्में एवं संकर किस्मों का भरपूर उत्पादन ग्रीन हाउस के अन्दर लिया जा सकता हैं।

भारत वर्ष में प्रयोग किये जाने वाले ग्रीन हाउस : भारत वर्ष में सब्जी उत्पादन के लिए निम्नलिखित प्रकार के ग्रीन हाउस प्रयोग किये जा रहे हैं।

1. एक स्पैन वाला ग्रीन हाउस : आकार – 24 X 9 मीटर
2. चार स्पैन वाला ग्रीन हाउस : आकार – 42 X 20 मीटर
3. आरी के दाँत के आकार वाला : आकार – 36 X 24 मीटर
4. कच्ची ईंट वाला ग्रीन हाउस (लेह टाइप) : आकार – 25 X 4 मीटर
5. लकडी के ढ़ाचे वाला ग्रीन हाउस (IPCL Design) आकार – आवश्यकतानुसार
6. बांस के ढ़ाचे वाला ग्रीन हाउस (गौरीहाटी डिजाइन) : मनचाहा आकार
7. अन्य प्रकार के स्थानीय ग्रीन हाउस : आकार आवश्यकतानुसार

संरक्षित सब्जी की खेती की समस्याएं

संरक्षित खेती के अनेकानेक फायदे के साथ–साथ कुछ समस्याएं भी हैं जो इस प्रकार हैं।

1. हर जलवायु के लिए निर्धारित ग्रीन हाउस का न होना।
2. ढ़कने वाले पदार्थों (Cladding Material) की कीमत अधिक होना तथा उनकी उपलब्धता कम होना।
3. ग्रीन हाउस बनाने वाले लोगों का हर जगह उपलब्ध न होना।
4. वातावरण नियंत्रित करने वाले उपकरणों का बार–बार खराब होना और उनका ठीक ढ़ग से कार्य न करना।
5. संरक्षित खेती पर अनुसंधान की कमी।
6. किसान को संरक्षित खेती के बारे में जानकारी की कमी।

इस प्रकार से यह स्पष्ट होता है कि तकनीक तथा संरक्षित सब्जी उत्पादन हमारे देश में नई जरूर है परन्तु इसके लाभदायक परिणाम को देखते हुए आने वाले समय में किसान इसका ज्यादा से ज्यादा उपयोग करके अच्छा सब्जी उत्पादन कर सकेंगे।

4. पादप वृद्धि नियामकों के प्रयोग (Use of Plant Growth Harmones)

''पादप वृद्धि नियामक एक कार्बनिक पदार्थ या तत्व होते हैं जो पोषक तत्वों से भिन्न हैं तथा जिनकी थोड़ी सी मात्रा पौधों के कार्यिकी सम्बन्धी कार्यों को बढ़ा या घटा या रूपान्तरित कर सकती है।''

पौधों के विभिन्न भागों के लिए भिन्न–भिन्न प्रकार के पादप वृद्धि नियामक काम में आते हैं जैसे पत्ती बनाने वाले वृद्धि नियामक, जड़ बनाने वाले, फूल बनाने वाले, फल बनाने वाले वृद्धि नियामक आदि। इस प्रकार कुल वृद्धि नियामकों को निम्नलिखित वर्गों में बाँटा जा सकता है।

क्र. स.	वृद्धि नियामक	प्रकार	कार्य
1	आक्सीन	इन्डोल एसिटिक अम्ल (IAA)– प्राकृतिक इन्डोल ब्यूटायरिक अम्ल (IBA)– कृत्रिम नेफ्थलीन एसिटिक अम्ल (NAA)– कृत्रिम इण्डोल प्रोपियोनिक अम्ल (IPA)– कृत्रिम	कोशा वृद्धि, द्वितीयक वृद्धि जड़ निकलने में सहायक, फल झड़ने से रोकना, फल को बढ़ने में मदद करना, पारथेनोकार्पी फल बनने में सहायक।
2	जिब्रेलीन (जिब्रेलिक अम्ल)	जिब्रेलिक अम्ल 3 (GA_3)	फल को कम करना, सुषुप्तावस्था को तोड़ना, फूल पैदा करना, मादा फूल की संख्या बढ़ाना।
3	साइटोकाइनिन	जियाटिन – प्राकृतिक जियाटिन राइबोसाइड – प्राकृतिक आइसोपेन्टाइल एलानिन – प्रकृतिक काइनेटिन – कृत्रिम बेंजाइल एडानिन – कृत्रिम	बीज जमाव, पौधा विकास पत्तियों में हरा रंग लाना, कोषा विभाजन, अंग प्रभेदन पत्तियों को बूढ़ा होने से बचाना, जड़ व तने के विकास में सामन्जस्य बनाना।
4	इथेलीन (Ripening hormone)	इथेफोन	मादा फूलों को बढ़ाना, नर बंध्यता को बढ़ाना, जमाव प्रक्रिया को बढ़ाना, पौधा के वृद्धि को रोकना, फलों को पकाना।

5	एबसीसिक अम्ल (Groth inhibitor)	एबसीसिक अम्ल (ABA)	वृद्धि को रोकना, ज्यादा सान्द्रता पर फूल एवं फल गिराना, आक्सीन के प्रभाव को रोकना।
6	वृद्धि रोधक	पैक्लोब्यूट्राजाल (P_{333}) साइकोसील (CCC) बी – 9 (B-9) मैलिक हाइड्राजाइड (MH)	जिब्रेलिक अम्ल के प्रभाव को कम करना, फूल आने की प्रक्रिया को बढ़ाना।

सब्जी उत्पादन में अनेक पादप वृद्धि नियामकों का प्रयोग हो रहा है जिसका विवरण निम्न तालिका में दिया जा रहा है।

वृद्धि नियामकों का नाम	**रासायनिक नाम**	**प्रमुख उपयोग**
ABA	एबसीसिक अम्ल	पत्ती गिराने के लिए।
CCC (साइकोसील / क्लोरमेक्वाट)	2– क्लोरोमिथाइल–ट्राई मिथाइल अमोनियम क्लोराइड	फसल को गिरने से रोकता है।
4 CPA	4– क्लोरोफिनाक्सी एसिटिक अम्ल	फल कम करने के लिए।
2, 4-D	2,4–डाइक्लोरोफिनाक्सी एसिटिक अम्ल	खरपतवार नाशी के रूप में।
Daminozide (B-9/एलार)	एक्सीनिक अम्ल 2,2, डाईमेथाइल हाइड्राजाइन	वृद्धि रोधक के रूप में। वृद्धि रोधक के रूप में।
इथेफोन	2– क्लोरोइथाइल फास्फोरिक अम्ल	फल पकाने के लिए।
GA_3	जिब्रेलिक अम्ल	फल का आकार बढ़ाने के लिए।
काइनेटिन	6– फुरफुराइल अमीनो प्यूरीन	सुषुप्तावस्था को तोड़ने के लिए।
IAA	इन्डोल 3, एसिटिक अम्ल	कोषा विभाजन एवं बढ़ोत्तरी।
IBA	इन्डोल 3, ब्यूटायरिक अम्ल	जड़ विकास, कोशा बढ़ोत्तरी।
MH (मैलिक हाइड्राजाइड)	1,2 – डाइहाइड्रो – 3,6 – पाइराडाजिनेडाइन	खरपतावार नाशक व वृद्धि रोधक।
MC (मेपीक्वाट क्लोराइड)	एन,एन डाइमेथाइल पिपरीडीनियम क्लोराइड	वृद्धि रोधक।
NAA	1– नेफ्थालीन एसिटिक अम्ल	फल रोकने, वृद्धि वर्धक।

NOA	2– नेफ्थाक्सी एसिटिक अम्ल	वृद्धि वर्धक।
Paclobutrazole	पैक्लोब्यूट्राजाल	वृद्धि रोधक।
2,4,5,-T	2,4,5, ट्राइक्लोरोफिनाक्सी एसिटिक अम्ल	खरपतवार नाशी।
TIBA	2,3,5 ट्राइआइडोबेन्जोइक अम्ल	वृद्धि रोधक।
Uniconazol	युनीकोनाजल	वृद्धि रोधक।

पादप वृद्धि नियामकों के उपयोग के तरीके

विभिन्न प्रकार के पादप वृद्धि नियामक सब्जी फसलों में बीज उपचार से लेकर सब्जी तोड़ाई एवं भंडारण तक प्रयोग किये जाते हैं। इन्हे मुख्य रूप से छिड़काव विधि द्वारा फसल पर प्रयोग किया जाता है परन्तु इनके उपयोग के अन्य कुछ तरीके नीचे वर्णित हैं।

1. **लैनोलीन पेस्ट तकनीक** : इस विधि में हार्मोन को एक मुलायम वसा में फेंट कर पेस्ट बनाते हैं जिसका प्रयोग गूटी तथा कलमों के उपचार के लिए किया जाता है। इसमें विशेषकर आक्सीन हार्मोन को मिलाते हैं जो गूटी तथा कलमों में जड़ निकालने में सहायक होता है।
2. **छिड़काव विधि** : इस विधि में ज्यादातर वृद्धि नियामकों को प्रयोग किया जाता है। सान्द्रता के अनुसार जलीय घोल बनाया जाता है और फसलों पर स्प्रेयर के द्वारा छिड़का जाता है। हार्मोन छिड़काव में कुछ सावधानियां रखनी चाहिए जो इस प्रकार हैं। 1. हार्मोन का छिड़काव शाम को करते हैं। 2. साफ मौसम में करते हैं। 3. फूल या फल के सही अवस्था पर करते हैं 4. सावधानी पूर्वक करते हैं।
3. **भुरकाव विधि** : इस विधि से कुछ चुने हुए वृद्धि नियामकों का प्रयोग किया जाता है। प्रमुख रूप से इस विधि को खरपतावार नाशी रसायनों के लिए प्रयोग करते हैं।
4. **भाप विधि** : इस विधि से वृद्धि नियामक मुख्य रूप से ग्रीन हाउस के अन्दर प्रयोग किये जाते हैं।
5. **मिट्टी में मिलाने की विधि** : कुछ वृद्धि नियामकों जैसे पैक्लाब्यूट्राजाल, खरपतवार नाशी, आदि को खेत की मिट्टी में मिलाने से ज्यादा लाभ मिलता है।

6. **भिगोने की विधि :** इस विधि में बीजों या बीचड़ों को वृद्धि नियामकों से उपचारित किया जाता है।

सब्जी उत्पादन में कुछ प्रमुख वृद्धि नियामक

वर्तमान समय में सब्जी उत्पादन में वृद्धि नियामकों की मुख्य भूमिका है। कुछ वृद्धि नियामकों के उपयोग का विवरण निम्नलिखित है।

1. टमाटर, बैगन, मूली में ऑक्सीन और जिब्रेलिन से बीज उपचार करने पर जमाव, पौधों की वृद्धि, तथा उपज में बढ़ोत्तरी होती है।
2. जिब्रेलिन के प्रयोग से देर में फूलने वाले पौधों में जल्दी फूल आ जाते हैं।
3. ऑक्सीन, जिब्रेलीन, वृद्धि रोधक तथा इथेलीन के प्रयोग से लतेदार सब्जियों में मादा फूलों की संख्या बढ़ाई जा सकती है।
4. खीरे की फसल में 1000 पीपीएम जिब्रेलिक अम्ल का छिड़काव 2 पत्ती की अवस्था में करने से लाभदायक परिणाम मिले हैं।
5. खरबूजे में 2–4 पत्ती की अवस्था में इथरेल (50–100 पीपीएम) का छिड़काव करने से मादा एवं उभयलिंगी फूल बढ़ते है और उपज अधिक होती है।
6. पी सी पी ए (100 पीपीएम) और साइकोसील (500 पीपीएम) घोल को टमाटर लगाने के एक सप्ताह पहले और लगाने के 4 सप्ताह बाद छिड़काव करने से उसमें पत्र कुंचन वायरस रोग कम लगता है।
7. प्याज खोदाई के 2–3 सप्ताह पहले 2500 पीपीएम मैलिक हाइड्राइजाइड के छिड़काव से उसमें भण्डारण के समय अंकुरण नहीं होता।
8. साइकोसील के छिड़काव से भिन्डी में लवणरोधी क्षमता में वृद्धि होती है।
9. टमाटर, लौकी, खीरा, करेला, फ्रेंचबीन में पौक्लोब्यूट्राजाल के प्रयोग से वानस्पतिक वृद्धि में कमी तथा फूलों एवं फलों की संख्या में वृद्धि देखी गयी है।
10. टीबा के प्रयोग से खीरे में नर बन्ध्यता देखा गया है जिससे उसके उपज में वृद्धि होती है।

इस प्रकार से आधुनिक सब्जी उत्पादन में अनेक पादप वृद्धि नियामकों के प्रयोग से उत्पादन को बढ़ाया जा सका है और इनके उपयोग के अनेक लाभकारी परिणाम दिखाई दिये हैं।

5. सूक्ष्म पोषक तत्वों के प्रयोग (Use of Micronutrients)

वे पोषक तत्व जो बहुत थोड़ी सी मात्रा में पौधों के लिए आवश्यक हैं परन्तु इनकी कमी से उत्पादन एवं उत्पाद गुणवत्ता में भारी प्रभाव परिलक्षित होता है, सूक्ष्म पोषक तत्व कहलाते हैं। कुल सूक्ष्म पोषक तत्वों की संख्या लगभग 10 है जिनकी सब्जी उत्पादन में अहम भूमिका है। कुछ सूक्षम पोषक तत्वों का विवरण, उनकी कमी से उत्पन्न होने वाली समस्याएं एवं उनका निराकरण नीचे दिया जा रहा है।

मैंगनीज

मैंगनीज का सीधा सम्बन्ध प्रकाश संस्लेशण की प्रक्रिया से है। इसका मुख्य कार्य प्रकाश संस्लेषण प्रक्रिया में आक्सीजन पैदा करना है। यह पानी से इलेक्ट्रान को क्लोरोफिल में स्थानान्तरण में मदद करता है। जिन मिट्टीयों का पी. एच. मान 6–8 से अधिक होता है उनमें इसकी कमी होती है। इसकी कमी की दशा में पौधों में प्रकाश के प्रति संवेदनशीलता बढ़ जाती है और पत्तियों में क्लोरोसिस यानी पीलापन आ जाता है।

कमी के लक्षण : इसकी कमी से पहले क्लोरोसिस और बाद में नेक्रोसिस के लक्षण होते हैं। कमी के लक्षण पहले नई पत्तियों पर दिखाई पड़ते हैं। बैंगन में पाँच वीं और छठीं पत्तियां पीली पड़ने लगती हैं। सेम में नई पत्तियां पीली पड़ कर सूख जाती हैं। टमाटर का पौधा छोटा हो जाता है और पत्तियां छोटी होकर पीली पड़ने लगती हैं।

दूर करने के उपाय : मैंगनीज की कमी को दूर करने के लिए मिट्टी में अम्लीय उर्वरकों और गंधक के पाउडर का प्रयोग करते हैं जिससे मृदा पी एच मान कम हो जाता है। पौधों पर 0.1–0.2% मैगनीज सल्फेट के घोल के छिड़काव से लाभदायक परिणाम मिले हैं।

जिंक

जिंक मुख्य रूप से पादप वृद्धि नियामकों जैसे प्राकृतिक ऑक्सीन (IAA) के संस्लेशण (Biosynthesis) में सहायक होता है। यह ट्रिपटोफेन (Tryptophane) जो ऑक्सीन का प्रीकर्षर (Precursor) है, के संस्लेशण में मदद्गार होता है। जिंक

अनेक इंजाइम जैसे कार्बोनिक एनहाइड्रेज, पाइरीडीन न्यूकिलियो टाइड डिहाइड्रोजिनेज आदि को बढ़ावा देता है। जिंक प्रोटीन संस्लेशण में महत्वपूर्ण भूमिका निभाता है।

कमी के लक्षण : जिंक की कमी लगभग सभी मिट्टियों में होती है। इसकी कमी से तने की गांठों के बीच की दूरी कम हो जाती है और पुरानी पत्तियों पर पीलापन हो जाता है। ऐसा मुख्य रूप से आँक्सीन की अनुपलब्धता के कारण होता है। पत्ती में 20 पीपीएम जिंक का होना जरूरी होता है जब इसकी मात्रा इससे कम होती है तो नई पत्तियां भी पीली या सफेद या भूरी हो जाती हैं। टमाटर के पौधों में जिंक की कमी से पौधे बौने, पत्तियां छोटी, पीली तथा अन्दर की ओर मुड़ी होती हैं। प्याज में इसकी कमी से पत्तियां पीली पड़ जाती हैं। लहसुन में पूरा पौधा पीला होकर गुच्छेदार हो जाता है। सेम के पौधे इसकी कमी के प्रति अत्यधिक सहिष्णु होते हैं। जबकि मटर और गाजर इसके प्रति असहिष्णु होते हैं।

दूर करने के उपाय : जिंक की कमी दूर करने के लिए 'चिलेटेड जिंक कम्पाउन्ड' को मिट्टी में मिलाते हैं या पर्णीय छिड़काव करते हैं। जिंक सल्फेट या जिंक आधारित पदार्थों के 0.2% घोल के पर्णीय छिड़काव से इसे कुछ हद तक नियंत्रित किया जा सकता है।

बोरान

बोरान नत्रजन के अवशोषण एवं उपापचय प्रक्रिया में मुख्य भूमिका निभाता है। इसकी कमी की दशा में पत्तियों में प्रोटीन तत्व कम हो जाता है तथा नाइट्रेट का इकत्रीकरण अधिक हो जाता है। सरसों के पौधों में नत्रजन के साथ बोरान मिलाकर प्रयोग करने पर उसका प्रभाव बढ़ जाता है।

कमी के लक्षण : अम्लीय मिट्टी में उगाई जाने वाली उन सब्जियों, जिनमें कि बोरान की ज्यादा आवश्यकता होती है जैसेः गोभी वर्गीय सब्जियां में इसके कमी के स्पष्ट लक्षण दिखाई देते हैं। अगर पत्तियों में 30 पीपीएम से कम बोरान की मात्रा पाई जाती है तो अनेक सब्जियों में इनके कमी के लक्षण देखे जाते हैं। बोरान की कमी से फूलगोभी, पत्तागोभी, ब्रोकली के तने खोखले हो जाते हैं। शलजम और चुकन्दर का केन्द्रीय भाग भूरा या काला होना बोरान की कमी के कारण होता है। टमाटर में बोरान की कमी से फलों में आन्तरिक भूरापन, तने को छोटा होना आदि देखा गया है। बोरान का स्तर 30 पीपीएम से कम होने पर लगभग सभी सब्जियों में इसकी कमी के लक्षण प्रकट होते है परन्तु जड़दार फसलों जैसे– मूली, गाजर, चुकन्दर, शलजम आदि में जड़ों का खोखला होना, केन्द्रीय भाग का भूरा होना या सड़ जाना आदि ज्यादा स्पष्ट तौर पर दिखाई देता है।

दूर करने के उपाय : बोरान की कमी को दूर करने के लिए खेत की तैयारी के समय मिट्टी में 10–15 कि.ग्रा./है. की दर से बोरेक्स का प्रयोग किया जाता है। खड़ी फसलों में बोरान या बोरिक अम्ल के 0.4% घोल (4 ग्रा./ली.) का दो बार पर्णीय छिड़काव करने से फसल में सुधार होता है। अनेक सब्जी फसलों में बोरान की आवश्यकता भिन्न–भिन्न होती है और उसी हिसाब से उनकी सहिष्णुता व रोधक क्षमता भी आंकी जाती है। उदाहरण के लिए फ्रेंचबीन, लोबिया, गोभी, मूली, टमाटर में बोरान की ज्यादा आवश्यकता होती है जबकि सतावर, मिर्च आदि में इसकी कम आवश्यकता होती है।

ताँबा

ताँबा प्रकाश संस्लेषण की दिशा में मदद करता है जहां वह फिनोलेज, लैकेज व एसकार्बिक एसिड आक्सीडेज एंजाइम के घटक के रूप में कार्य करता है। यह हरित लवक (Chloroplast) में ज्यादा मात्रा में पाया जाता है। तांबा पौधों की ऊंचाई, पत्तियों का हरापन, तथा पौधों के कुल शुष्क भार (Dry Weight) को बढ़ाने में मदद करता है।

कमी के लक्षण : ताँबा की कमी मुख्य रूप से अम्लीय, बलुई, क्षारीय तथा कार्बनिक मिट्टियों में प्राकृतिक ताँबे के तत्त्वों में कमी के कारण होती है। जब पत्तियों में कुल तांबे की मात्रा 6 पीपीएम से कम हो जाता है तब इसके कमी के लक्षण आते हैं। इसकी कमी से नई पत्तियों का मुरझाना, पीला पड़ना, मुड़ जाना, फूलों की कलियों के बनने में कमी आना आदि लक्षण होता है। प्याज में कन्द के ऊपर पतले हल्के रंग के शल्क पत्तों का विकसित होना ताँबें की कमी के कारण होता है। टमाटर खीरा, तथा पत्तेदार सलाद में इसकी कमी से उपज में भारी कमी होती है।

दूर करने के उपाय : तांबे की कमी को दूर करने के लिए मिट्टी में संतुलित खाद एवं उर्वरक का प्रयोग करना उचित होता है। साथ ही साथ प्रभावित फसल पर कापर सल्फेट 0.2% (2 ग्रा./ली.) के घोल का पर्णीय छिड़काव लाभकारी होता है।

मालीबेडनम

मालीबेडनम पौधों में नाइट्रेट तथा बोरान के उपयोग में मदद करता है। यह सर्वप्रथम नाइट्रेट को अमोनिया में बदलता है और फिर अमीनों अम्लों के निर्माण में मद्दगार होता है। यह वायुमंडीय नत्रजन के स्थिरीकरण में सहायक होता है

तथा लोहा एवं अन्य धनात्मक आयन (Cations) के अवशोषण में मदद करता है कम पी.एच. मान वाली मिट्टियों में मालीबेडनम की कमी होती है।

कमी के लक्षण : एक सामान्य पौधे में 3 मि.ग्रा./कि.ग्रा. शुष्क भार के दर से मालीबेडनम होना चाहिए। इससे कम सान्द्रता होने पर इनकी कमी दिखाई पड़ती है। सामान्य रूप से अम्लीय मिट्टी या अधिक जल निकास वाली क्षारीय मिट्टी में मालीबेडनम अनेक सब्जियों के पौधों को उपलब्ध नहीं हो पाते। इसकी कमी से फूलगोभी में 'हवीपटेल' नामक बीमारी हो जाती है जिसमें पत्तियां मुड़ करके छोटी और मोटी हो जाती है और उपज प्रभावित होती है। इसके अतिरिक्त फ्रेंचबीन, टमाटर, गाजर, प्याज, मिर्च आदि में मालीबेडनम की कमी से पत्तियां पीली पड़ जाती हैं।

दूर करने के उपाय : फसल चक्र अपनाने, खेत में संतुलित खाद एवं उर्वरक प्रयोग करने तथा हरी खाद का प्रयोग करने से मालीबेडनम की कमी दूर की जा सकती है। प्रभावित पौधों पर अमोनियम मालीबडेट 0.2% (2 ग्रा./ली.) का पर्णीय छिड़काव करने से लाभ होता है।

सोडियम

यह सूक्ष्म पोष्क तत्व नही है परन्तु कुछ फसलों जैसे चुकन्दर, पत्तागोभी, गांठगोभी, मूली, शलजम, आदि में घुलनशील सोडियम लवण विशेषकर उन मिट्टियों में जहां पोटाश की कमी है लाभदायक परिणाम मिले हैं। सोडियम पोटैशियम के निस्तारण में मदद करता है।

सूक्ष्म पोषक तत्वों की आवश्यक मात्रा एवं प्रयोग का तरीका

साधारणतयः सूक्ष्म पोषक तत्वों की सान्द्रता तथा छिड़काव की बारम्बारता फसल पर निर्भर होती है लेकिन सामान्य परिस्थिति में इनके 0.2–0.4% घोल के 2–3 बार के छिड़काव करने से सब्जी फसलों को लाभ होता है। बोरान के लिए बोरेक्स (4.5 कि.ग्रा./है.) जिंक के लिए जिंक सल्फेट (0.5 कि.ग्रा./है.), मैगनीज के लिए मैगनीज सल्फेट (6.8 कि.ग्रा./है.), मालीबेडनम के लिए सोडियम मालीवडेट (0.3 कि.ग्रा./है.), लोहा के लिए फेरस सल्फेट (0.5 कि.ग्रा./है.) तथा कापर के लिए कापर सल्फेट (0.5 कि.ग्रा./है.) का पर्णीय छिड़काव किया जा सकता है।

कुछ प्रमुख सब्जियों में सूक्ष्म पोषक तत्वों का प्रभाव

सूक्ष्म पोषक तत्व प्रत्यक्ष व अप्रत्यक्ष रूप से विभिन्न सब्जियों के उत्पादन एवं उत्पादकता को प्रभावति करते हैं। कुछ प्रमुख सब्जियों में इनके प्रभाव का विवरण निम्नवत् है।

टमाटर

1. जिंक की 500 पीपीएम मात्रा टमाटर में उपज एवं विटामिन 'सी' की मात्रा बढ़ाता है।
2. मैंगनीज 10 पीपीएम टमाटर में शर्करा:अम्लता अनुपात को बढ़ाता है।
3. मालीवेडनम 75 पीपीएम टमाटर की उपज लगभग 75 कुन्तल/है. तक बढ़ा सकता है।
4. विभिन्न सूक्ष्म पोषक तत्वों के मिश्रण (टोल्सटोई) के 100 पीपीएम पर्णीय छिड़काव से टमाटर की संकर किस्मों में 827 कुन्टल/है. तक उपज होती है।
5. बोरेक्स के 100 पीपीएम घोल के 3 छिड़काव से टमाटर के उपज में वृद्धि होती है।

बैगन

1. जिंक के प्रयोग से बैंगन में फूल, फल एवं उपज में वृद्धि होती हैं।
2. बैंगन में पोटैशियम नाइट्रेट, बोरान तथा जिंक के मिश्रण का पर्णीय छिड़काव करने से उपज में वृद्धि होती है।

प्याज

1. मिट्टी में 50 कि.ग्रा./है. के दर से जिंक सल्फेट या फासफोरस सल्फेट मिलाने से प्याज में कन्दों की उपज बढ़ जाती है।
2. जिंक सल्फेट के 3 पीपीएम घोल मे 2–3 पर्णीय छिड़काव से प्याज के उपज में वृद्धि होती है।
3. जिंक सल्फेट (0.5%) तथा बोरान (0.2%) के मिश्रित घोल के पर्णीय छिड़काव से प्याज की उपज में वृद्धि होती है।

4. कापर (13.4 कि.ग्रा./है.) तथा बोरान (1.8 कि.ग्रा./है.) के दर से मिट्टी में मिलाने से उपज बढ़ती है।
5. सल्फर (25 कि.ग्रा./है.) के दर से मिट्टी में मिलाने से प्याज की उपज में वृद्धि होती है।

शिमला मिर्च : मालीबेडनम के 50 पीपीएम घोल के 3 पर्णीय छिड़काव से 255 कुन्तल/है. तक उपज प्राप्त हो सकती है।

खरबूजा : खरबूजे में बोरान (4 पीपीएम) या मालीबेडनम (3 पीपीएम) के घोल के 2 और 4 पत्ती की अवस्था में पर्णीय छिड़काव करने से फलों की संख्या और कुल उपज में वृद्धि होती है।

खीरा : सामान्य खाद एव।उर्वरक की मात्रा के साथ–साथ 0.5% बोरान के दो पर्णीय छिड़काव से खीरे की अच्छी उपज होती है।

करेला : करेले के बीज को 3–4 पीपीएम बोरान के घोल से उपचारित करने तथा पौधों पर 3–4 पीपीएम घोल के पर्णीय छिड़काव से उपज में वृद्धि होती है।

लहसुन : लहसुन में बोरान के 5 कि.ग्रा./है. की दर से मिट्टी में मिलाने तथा/3 पीपीएम घोल के पर्णीय छिड़काव से जवों की संख्या में वृद्धि तथा एलाइल प्रोपाइल डाइसल्फाइड की मात्रा में वृद्धि होती है।

मूली : सोडियम टेट्राबोरेट (बोरान) की 25 कि.ग्रा. मात्रा प्रति हेक्टेयर के दर से खेत में मिलाने से जौनपुरी मूली में अच्छी उपज मिलती है।

पत्ता गोभी : सूक्ष्म पोषक तत्वों के मिश्रण (मल्टी प्लेक्स–100 पीपीएम) के 3 पर्णीय छिड़काव से पत्तागोभी के उपज में वृद्धि होती है।

फूल गोभी : खेत तैयारी के समय 15–20 कि.ग्रा. बोरेक्स खेत में मिलाने तथा बोरैक्स और अमोनियम मालीबडेट के मिश्रण के 5 पीपीएम घोल के पर्णीय छिड़काव से फूलगोभी के आकार, वजन और विटामिन 'सी' की मात्रा में बढ़ोत्तरी होती है।

भिन्डीः जिंक तथा मालीबेडनम के 20 पीपीएम घोल का पर्णीय छिड़काव करने से भिन्डी की उपज में वृद्धि होती है।

अतः विभिन्न प्रकार के सूक्ष्म पोषक तत्व अकेले अथवा मिश्रित रूप में, खेत की तैयारी अथवा पौधों पर पर्णीय छिड़काव अथवा दोनों रूप से सब्जी फसलों में लाभ पहुँचाते हैं। मिट्टी एवं जलवायु की दशा तथा फसल की आवश्यकतानुसार इनका विवेकपूर्ण प्रयोग करके सब्जियों की भरपूर पैदावार ली जा सकती है।

6. सिंचाई की नवीनतम् विधियों का प्रयोग (Use of Advanced Irrigation & Fertigation Techniques)

सब्जी उत्पादन के नवीनतम् आयामों में सिंचाई की सुधरी हुई पद्धतियों की प्रमुख भूमिका है। हमारे सिंचाई जल के परम्परागत स्रोत जैसे तालाब, पोखर आदि घटते जा रहे हैं वहीं दूसरी तरफ सब्जी की माँग और आवश्यकता बढ़ती जा रही है। इस परिस्थिति में सिंचाई के पुराने तरीके जैसे : भारव विधि, क्यारी विधि, नाली विधि आदि जिनमें की ज्यादा पानी लगता था अब अधिक प्रासंगिक नहीं रह गये हैं। अतः नवीतम् तकनीकों जेसे फौब्बारा तथा बूँद–बूँद और साथ ही फर्टीगेशन प्रणाली जिसे माइक्रो इरीगेशन (सूक्ष्म सिंचाई) प्रणाली भी कहा जाता है का अधिक से अधिक उपयोग किया जाने लगा है। इससे एक तरफ कम पानी में ज्यादा फसल उगाई जा सकती है और दूसरी तरफ प्राकृतिक संसाधनों का टिकाऊ उपयोग भी हो रहा है। इन प्रणालियों को विभिन्न योजनाओं और कार्यक्रमों द्वारा आम जनता तक पहुँचाने का प्रयास भी जारी है। नवीनतम् सिंचाई प्रणाली सम्बन्धी जानकारी निम्नवत् है।

1. **फौव्वारा सिंचाई :** जैसा कि नाम से स्पष्ट है, इस विधि में ''पानी को पाइप के द्वारा स्रोत से खेत तक पहुँचाते हैं और फिर वितरक पाइपों पर लगे राइजर और नोजिल के द्वारा फौव्वारे के रूप में पानी को खड़ी फसल पर छिड़का जाता हैं।'' यह विधि पत्तेदार, जड़दार, फलीदार सब्जियों जो पूरे खेत में फैली होती हैं में ज्यादा लाभकारी होता है। इस विधि से 25–30% पानी की बचत होती है।

2. **बूँद–बूँद सिंचाई :** इस विधि में पानी को पौधों के जड़ों के पास ड्रिपर के माध्यम से बूँद–बूँद करके दिया जाता है। चूँकि इसमें पानी की बूँदें पौधों के जड़ों के पास टपकती हैं अतः इस 'टपक सिंचाई' विधि भी कहते हैं। यह प्रणाली दूर–दूर लगाई जाने वाली सब्जियों जैसे– टमाटर, बैंगन, मिर्च, भिन्डी, करेला, खरबूज, लौंकी, आलू, प्याज आदि में ज्यादा कारगर साबित हुई है। इस विधि से 50–60% पानी की बचत होती है।

3. **फर्टीगेशन प्रणाली** : फर्टीगेशन प्रणाली बूँद–बूँद सिंचाई प्रणाली ही है जिसमें पानी के साथ–साथ, पानी में घुलनशील उर्वरकों जैसे– यूरिया (नत्रजन के लिए), आर्थोफास्फोरिक अम्ल (फास्फोरस के लिए) तथा म्यूरेट आफ पोटाश या पोटैशियम सल्फेट (पोटाश के लिए) एक टंकी में घोल दिया जाता है और उसे वेंचुरी के माध्यम से पानी में प्रवाहित करने वाली मुख्य पाइप से जोड़ दिया जाता है। इससे सिंचाई जल के साथ–साथ आवश्यक मात्रा में उर्वरक भी सीधे पौधों के जड़ों के पास पहुँच जाता है। यह प्रणाली उन सभी फसलों में प्रयोग की जा सकती है जिससे बूँद–बूँद सिंचाई की जाती है परन्तु उर्वरकों की गणना और उनके समान रूप से वितरण की व्यवस्था सुनिश्चित करनी पड़ती है। फर्टीगेशन से पानी के साथ–साथ उर्वरकों की भी बचत होती है।

फर्टीगेशन सिस्टम के अंग एवं उपयोग

1. **फर्टीलाइजर टैंक**: यह प्लास्टिक या मेटल टैंक होता है जो पानी की पाइप के समान्तर इस प्रकार जोड़ा जाता है कि उसमें घोला गया उर्वरक पानी के साथ ड्रिप लाइन में जा सके।

2. **फर्टीलाइजर वेंचुरी**: यह एक जोड़ का यन्त्र है जो फर्टीलाइजर टैंक और पानी के पाइप के बीच में लगाया जाता है। इसे फर्टीलाइजर पम्प के साथ भी जोड़ा जा सकता है जो टंकी अथवा बाहर से दिये जाने वाले उर्वरक घोल को पाइप में बहने वाले पानी के साथ मिलाता है।

फर्टीगेशन के लिए उर्वरक स्रोत

नत्रजन: यूरिया, अमोनियम सल्फेट, अमोनियम नाइट्रेट द्रव, पोटैशियम नाइट्रेट।

फास्फोरस : फास्फोरिक अम्ल, डाइ अमोनियम फास्फेट (बहुत सीमित)।

पोटाश : पोटैशियम क्लोराइड, पोटैशियम सल्फेट, पोटैशियम नाइट्रेट।

द्रव उर्वरक : अनेक निजी कम्पनियों जैसे नार्गाजुना फर्टीलाइजर (19:19:19), जैन केमिकल एन एन.पी.के. मिश्रण (12:0:12,6:6:12) आदि।

माइक्रोइरीगेशन प्रणाली के लाभ

माइक्रो सिंचाई प्रणाली के प्रमुख लाभ इस प्रकार हैं –

1. कम पानी में अधिक पैदावार।
2. पानी की बचत।
3. आवश्यकतानुसार पानी देने से पौधों की बढ़वार तेज होती है।
4. जड़ों में पानी देने से जड़ों का विकास समुचित रूप से होता है।
5. पानी के साथ–साथ उर्वरक का भी प्रयोग सम्भव।
6. बूँद–बूँद सिंचाई द्वारा पानी में 53%, श्रमिकों की संख्या में 63%, तथा ऊर्जा में 358 किलोवाट/हे. की बचत होती है और उपज में 30–60% तक वृद्धि होती है।
7. फर्टीगेशन से उर्वरकों की उपयोग क्षमता 300% तक तथा कीटनाशियों की क्षमता 10% तक बढ़ जाती है।
8. खरपतवार की समस्या में कमी आती है।
9. लाभ और लागत का अनुपात बढ़ जाता है जिससे ड्रिप सिस्टम की लागत 1–4 वर्षों में अदा हो जाती है।
10. खराब पानी विशेषकर लवणीय जल का प्रयोग भी किया जा सकता है।

माइक्रो इरीगेशन की सीमाएं

अनेक लाभ के साथ–साथ मइक्रो सिंचाई प्रणाली की कुछ सीमायें भी हैं जो इस प्रकार हैं।

1. अच्छाई के बावजूद भी विस्तार में धीमी गति।
2. उपयोग के तरीकों, रखखाव, इत्यादि के बारे में तकनीकी ज्ञान की कमी।
3. लोगों के पास मौजूद संसाधनों का पुराने तरीके से उपयोग करने की आदत।
4. शुरूआती समय में अधिक लागत का लगना।
5. बिजली की पर्याप्त एवं लगातार आपूर्ति का न होना।
6. कल पुर्जो की अनुपलब्धता।
7. घुलनशील उर्वरकों की अनुपलब्धता।

माइक्रो इरीगेशन तथा सामान्य सिंचाई विधि का तुलनात्मक लाभ का विवरण

घटक/बिन्दु	माइक्रोइरीगेशन	सामान्य सिंचाई विधि
1. पानी की बचत	40–80%	वाष्पोत्सर्जन सोखने एवं बहाव के कारण कोई बचत नहीं
2. सिंचाई क्षमता	80–90%	30–50% मात्र
3. खेती की कुल लागत	कम श्रमिक, खाद, दवा की जरूरत	ज्यादा श्रमिक, खाद, दवा इत्यादि की जरूरत
4. खरपतवार समस्या	लगभग नहीं	बहुत ज्यादा
5. पानी की गुणवत्ता	लवणीय पानी का उपयोग सम्भव	केवल सामान्य पानी का ही प्रयोग कर सकते हैं।
6. रोग कीट समस्या	बहुत कम	ज्यादा
7. जल जमाव	नहीं	ज्यादा
8. सिचाई जल पर नियंत्रण	शत प्रतिशत एवं आसान	बहुत कम और मुश्किल
9. उर्वरक उपयोग क्षमता	बहुत अधिक	उपयोग बहुत कम और नुकसान ज्यादा
10. उपयोग क्षमता	हर प्रकार की मिट्टी में	बलुई मिट्टी या ऊबड़–खाबड़ जमीन में नहीं
11. उपज	20–100% अधिक	सामान्य या कम

7. समन्वित रोग प्रबन्ध (Integrated Disease Management)

सब्जियों में जीवाणु, कवक, माइकोप्लाजमा, विषाणु आदि के संक्रमण से अनेक प्रकार के मृदा जनित एवं पादप जनित रोग पैदा होते हैं। कालान्तर से इनके नियंत्रण के अलग–अलग प्रयास किये जा रहे हैं और सफलता भी मिल रही है परन्तु सब्जी उत्पादन के नये तरीकों में विभिन्न रोग को समेकित रूप से रोकथाम का प्रयास किया गया है। "समेकित रोग प्रबन्ध के अन्तर्गत रोग कारक (Pathogen), रोग लगने वाला पौधा (Host) तथा वायुमंडल (Environment) जिसमें पौधा उगता है तीनों का ध्यान रखा जाता है"। रोग कारक प्रबन्ध में उनके संख्या में कमी करना, उनको समूल नष्ट करना तथा उन्हें संक्रमण करने से रोकने के उपाय शामिल हैं जबकि पौधा प्रबन्ध के अन्तर्गत पौधों के विकास को बढ़ावा देने, पौधों में प्रतिरोधक क्षमता पैदा करने तथा रसायनों द्वारा पौधों को संक्रमण से बचाने

के प्रयास सम्मिलित होते हैं। वायुमण्डलीय कारकों के प्रबन्ध में मृदा प्रबन्ध, सिंचाई जल की गुणवत्ता में सुधार तथा फसल उगाने की दशा में सुधार जैसे प्रयास किये जाते हैं। समन्वित रोग प्रबन्ध के सिद्धान्तों में सर्वप्रथम उनसे बचना (Avoidance), उनसे पौधों को बचाना (Protection) एवं उनके प्रति पौधों में प्रतिरोधक क्षमता पैदा करना (Resistance) आदि शामिल हैं जिनका विवरण निम्नलिखित है।

1. **बचाना** : इसका मुख्य उद्देश्य उस समय या जगह का चुनाव न करना जब और जहाँ रोग लगने की ज्यादा सम्भावना हो। बीज का उपचार, खेत का उपचार, रोग रहित बीज एवं किस्म का प्रयोग, खेती के तरीके में बदलाव इत्यादि बचाव के अनेक तरीके हैं। जैसे भिन्डी को जून में लगाने से पत्ता झुलस रोग से बच जाता है।

2. **दूर रखना** : इसका मुख्य उद्देश्य है कि रोग के बीजाणुओं को नये क्षेत्रों में फैलने से बचाना है। इसमें बीज प्रमाणीकरण, बीज उपचार, पौधा जांच एवं रोग वाहक कीटों को नष्ट करने (Plant Quarantine and Eradication of Insect Vectors) जैसे उपाय शामिल हैं।

3. **समूल नष्ट करना** : उपरोक्त वर्णित सावधानियों एवं प्रयासों के बावजूद भी अगर कोई रोग किसी क्षेत्र में फैल जाता है तो उसे समूल नष्ट करने के लिए नाशक जीवों के प्रयोग, फसल चक्र, अपनाना तथा उनके प्रतिपालक पौधों को नष्ट करने जैसे उपाय शामिल हैं।

4. **पौध सुरक्षा** : इस विधि में पौधे और रोग के कारकों के बीच जहरीले रसायनों की एक अवरोध परत तैयार कर दी जाती है जिससे रोग का उत्तरोत्तर फैलाव रूक जाता है। इसके अन्तर्गत रासायनिक दवाओं का छिड़काव, रोग फैलाने वाले कीटों का नियंत्रण, अवरोध फसलें लगाना तथा लुभाने वाली फसलें लगाना आदि शामिल है।

5. **पौधों में प्रतिरोधक क्षमता पैदा करना** : यह रोग प्रबन्ध का सबसे अच्छा और सबसे मुश्किल लेकिन सम्भव तरीका है। इसके अन्तर्गत रोग किस्मों का विकास करना या उनके अन्दर रोग को रोकने की क्षमता पैदा करने की तकनीकें शामिल हैं।

समेकित रोग प्रबन्ध के प्रयास : अनेक सब्जियों में समेकित रोग प्रबन्ध के सफल प्रयास किये गये हैं जिनका संक्षिप्त विवरण निम्नवत् है।

1. **रोग रोधी किस्मों का प्रयोग** : अनेक सब्जियों में रोग रोधी किस्मों का विकास हुआ है जो निम्न तालिका में दिया गया है।

फसल	रोग	किस्म का नाम	कहां से विकसित हुआ
टमाटर	जीवाणु उकठा रोग	अर्का, आलोक, अर्का आभा वर्षा, उपहार, हिसार बरसाती, उत्कल गौरव, बीटी–10, स्वर्ण, लालिमा, स्वर्ण नवीन	भा.बा. अनु. सं. बंगलौर हरियाणा कृषि वि. हिसार उड़ीसा कृषि वि. भुवनेश्वर आई सी. ए. आर केन्द्र रांची
मिर्च	पर्ण कुंचन रोग *(Leaf curl virus)*	पूसा, ज्वाला, पूसा सदाबहार, पंजाब लाल, पंजाब सुर्या, उत्कल रश्मि, पन्त–सी–4	भा.कृ.अनु. सं. दिल्ली हरियाणा कृषि वि. हिसार उड़ीसा कृषि वि. भुवनेश्वर आई. सी. ए. आर. केन्द्र, राँची
शिमला मिर्च	जीवाणु उकठा रोग *(Ralstonia solanicerum)*	अर्का गौरव	भा. बा. अनु सं., बंगलौर
खरबूजा	मृदुला आसिता *(Pseudoperensos pora cubensis)*	पंजाब रसीला	पंजाब कृषि वि., लुधियाना
तरबूज	चूर्णिला आसिता व एन्थ्रेक्नोज *(Erysiphe and Colletotirchum)*	अर्का मानिक	भा. बा. अनु. सं., बंगलौर
मटर	चूर्णिला आसिता (Erysiphe polygoni)	रचना, अर्का अजित	सब्जी अनु. केन्द्र, कानपुर भा. बा. अनु. सं., बंगलौर

2. **कृषि क्रियाएं** : समेकित रोग प्रबन्ध में कृषि क्रियाओं का विशेष महत्व एवं उपयोगिता है। यह सीधे तौर पर मृदा में सूक्ष्म जीवों की जैव विविधता, फसल स्वास्थ्य एवं टिकाऊ खेती से जुड़ा होता है। इसके अन्तर्गत फसल चक्र अपने से कई रोग नष्ट होते हैं, खेत को कुछ समय तक खाली छोड़ने, गर्मी में गहरी जुताई करने, मिलवा फसल लगाने जैसे कृषि क्रियाओं से अनेक रोग या तो नष्ट हो जाते हैं या प्रभावहीन हो जाते हैं। दरअसल में हमारी पुरानी खेती प्रणाली इन्हीं सिद्धान्तों पर आधारित थी और हम फिर घूम–फिर कर उसी तरीके से समेकित रोग प्रबन्ध कर सकते हैं।

3. **मृदा सौर्यीकरण** : गर्मी के दिनों में खेतों को पारदर्शी पालीथीन से ढ़क कर रखने से मिट्टी का तापमान 20–25^0 सेन्टीग्रेड तक बढ़ जाता है जिससे अनेक रोगों के बीजाणु, सूत्र कृमियों के बच्चे, कीड़ों के अण्डे, खरपतवार के बीज आदि नष्ट हो जाते हैं। साथ ही साथ यदि मिट्टी में शोधक रसायनों का भी प्रयोग किया जाय तो ज्यादा लाभ मिलता है।

4. **नाशी जीव द्वारा नियंत्रण** : अनेक नाशीजीव पहचाने जा चुके हैं जिनके प्रयोग से अनेक रोगों का सुरक्षित नियन्त्रण सम्भव है। इनमें कवक, जीवाणु और एक्टिनोमाइसीज शामिल हैं। कवक की श्रेणी में ट्राकोडर्मा, एसपर्जिलस, फ्यूजेरिम, बर्टीसीलियम, जीवाणुओं में सूडोमोनास, एग्रोबैक्टेरियम, बैसिलस, एजटोबैक्टर तथा एक्टीनोमाइसीज में स्ट्रेटोमाइसीज प्रमुख हैं।

सब्जी उत्पादन को टिकाऊ और वायुमंडल के सुरक्षा के साथ–साथ रसायनिक अवशेषों से मुक्त रखने के लिए समेकित रोग प्रबन्ध अत्यन्त ही महत्वपूर्ण एवं कारगर तकनीक साबित हुई है और आजकल के जागरूक समाज में इस विधि से तैयार सब्जियों के अधिक मूल्य भी मिल रहे हैं।

8. समन्वित कीट प्रबन्ध (Integrated Pest Management)

कीट–पतंगे सब्जी के उत्पादन को बहुत बुरी तरह से प्रभावित करते है और औसतन 40% नुकसान करते हैं। कभी–कभी तो ये पूरी फसल को ही चौपट कर देते है। इन्हें नियंत्रित करने के लिए अनेक प्रयास किये गये हैं जिनसे कुछ हद तक सफलता मिली है परन्तु उनसे जुड़े अनेक समस्यायें भी हैं। रासायनिक कीट नाशी दवाईयों जैसे हाइड्रोक्लोरीन, आर्गेनोफास्फोरस तथा कार्बामेट जैसे रसायन अत्यन्त ही जहरीले एवं वायुमंडल को प्रदूषित करने वाले होते हैं जिससे मनुष्य को नुकसान होता है। इनके प्रयोग से अनेक लाभदायक जीवों की भी मौत हो जाती है जिससे वातावरण का संतुलन बिगड़ जाता है। एक ही दवा के प्रयोग से कीड़े उनके प्रति प्रतिरोधक क्षमता विकसित कर लेते हैं और उनका नियंत्रण असम्भव हो जाता है। इन सभी समस्याओं के निकारण के लिए समेकित कीट प्रबन्ध ही एक मात्र उपाय प्रतीत होता है।

समेकित कीट प्रबन्ध क्या है?

समेकित कीट प्रबन्ध के बारे में लोगों के अनेक मत हैं परन्तु जो सर्वमान्य एवं व्यापक है वह इस प्रकार है। "समेकित कीट प्रबन्ध कीट नियंत्रण की वह पद्धति

है जिसमें सभी तकनीकों को एक सामान्जस्य पूर्ण तरीके से समायोजित करके कीड़े के जनसंख्या स्तर को इतना नीचे लाया जाय कि वे नुकसान न कर सकें और वातावरण तथा अन्य लाभकारी जीवों की संख्या पर प्रतिकूल प्रभाव न पड़े"।

हमारे देश में सब्जियों में कीट प्रबन्ध कृषि क्रियाओं (Cultural), जीवनाशी तरीकों (Biological) तथा कीटनाशी दवाओं (Pesticide) द्वारा अलग–अलग किया जाता है परन्तु इन सभी तरीकों को एक साथ मिलाकर यदि प्रयास किया जाय तो समेकित कीट प्रबन्ध सम्भव है। यद्यपि कुछ विशेष कीटों के लिए ऐसा प्रयास किया गया है परन्तु उनकी संख्या बहुत कम है। वर्तमान समय में कीटों के बारे में जानकारी, खेती के तरीकों, अवरोधी किस्मों, कीट नाशीजीवों, वनस्पति आधारित कीट नाशियों तथा फेरोमोन के समन्वित प्रयोग द्वारा टमाटर, बैंगन भिन्डी, सेम, मटर आदि में समेकित कीट प्रबन्ध के तरीके विकसति किये गये हैं।

समेकित कीट प्रबन्ध के तरीके

1. **नाशी जीवों द्वारा** : इसमें एक कीट को नियंत्रित करने के लिए उनके शत्रु कीटों की संख्या में बढ़ोत्तरी की जाती है जिससे शत्रु कीट हानिकारक कीट पर हावी होकर उन्हें नष्ट कर देते हैं।
2. **वनस्पति आधारित कीट नाशी द्वारा** : इस विधि में विभिन्न पौधों के रसों के एकल प्रयोग अथवा उनके मिश्रण से तैयार कीटनाशी का प्रयोग करके हानिकारक कीटों को नियंत्रित किया जाता हैं।
3. **खेती के तरीकों द्वारा** : इस विधि में कीट के विकास तथा उनके नुकसान करने वाले वातावरण को बदल कर, अथवा पौधों की प्रजातियों को बदल कर अथवा खेती के तरीकों को बदल कर यह प्रयास किया जाता है कि उस कीट के प्राकृतिक शत्रुओं की संख्या ज्यादा हो सके जिससे हानिकारक कीट अपेक्षित नुकसान न कर सकें।
4. **किस्म विकास द्वारा** : इसमें किसी कीट विशेष के प्रतिरोधी किस्म का विकास एवं उपयोग करके कीट प्रबन्ध किया जाता है।

सब्जियों की कीट रोधी किस्में

वैसे तो कोई भी किस्म कीड़ों के प्रति शत% रोधी नहीं होती परन्तु कुछ किस्मों में इनका प्रकोप कम होता है। कुछ कीड़ों के लिए अवरोधी किस्मों का विवरण नीचे दिया जा रहा है।

फसल	कीड़ा	किस्में
बैंगन	फल एवं तना बेधक	ढ़ोली–5, पंजाब जामुनी गोला, पंजाब सदाबहार, पंजाब बरसाती, पूसा परबल गोल, पंजाब नीलम, पंजाब चमकीला, ब्लैक ब्यूटी, राम नगर जायंट, विजय
	जैसिड सूत्र कृमि	पूसा परबल कलस्टर, पन्त ऋतुराज, अर्का निधि, अर्का केशव, अर्का नीलकान्त
मिर्च	थ्रिप्स	भास्कर
पत्तागोभी	एफिड	आल सीजन, रेड ड्रेम हेड, एक्सप्रेस मेल,
भिन्डी	जैसिड	पंजाब पद्मिनी
प्याज	थ्रिप्स	अर्का निकेतन, पूसा रतनार, पी बी आर– 2,4,5,6,
टिन्डा	फल मक्खी	अर्का टिण्डा,
कद्दू	फल मक्खी	अर्का सूर्यमुखी,
करेला	फल मक्खी	हिसार–दो

पौध रोपण के समय में परिर्वतन के लाभ : किसी भी सब्जी में कीड़ों के आक्रमण एवं नुकसान का एक विशेष समय होता है साथ ही साथ फसल की एक अवस्था होती है जब उसमें ज्यादा नुकसान होता है। यदि इन दोनों के बारे में जानकारी हो तो फसल लगाने के समय में परिर्वतन करके कीटों से बचाव किया जा सकता है। जैसे लतादार सब्जियों को नवम्बर में लगाने से 'रेड पम्पकिन बीटिल' कीड़ा नहीं लगता तथा करेले में यदि फूल अक्टूबर के बाद आता है तो उसमें फल मक्खी कम लगती है। भिन्डी को मध्य जून में लगाने से फल बेधक कम लगते हैं तथा जुलाई में लगाये गये बैंगन में फल एवं तना बेधक ज्यादा लगता है।

गर्मी की जुताई के लाभ : गर्मी के दिनों में खेत की गहरी जुताई करने से कीड़ों के अण्डे व नवजात नष्ट हो जाते हैं। फसल कटाई के बाद खेत की गहरी जुताई से फल मक्खी, रेड पंपकिन बीटिल, कटुआ कीट, आदि के नवजात एवं कोकून नष्ट हो जाते हैं।

अन्तःफसल से लाभ : अन्तःफसल लगाने से कीड़ों को उन पर अण्डे देने में परेशानी होती है तथा कुछ पौधों से हानिकारक रसायन उत्सर्जित होने के कारण कीड़ों के वंश विस्तार के लिए अनुकूल वातावरण नहीं मिल पाता है। उदाहरण के लिए पत्तागोभी+गाजर या टमाटर लगाने से डायमण्ड बैक माथ, भिन्डी + लोबिया

लगाने से–एलो वेन मोजैक, पत्तागोभी + फ्रेंचवीन लगाने से फल मक्खी का प्रकोप कम हो जाता है।

ट्रैप फसल लगाने के लाभ : फन्दा फसलें (Trapcrops) मुख्य सब्जी फसल से ज्यादा लुभावनी होती हैं अतः कीट इसमें ही आक्रमण करते हैं, नुकसान पहुँचाते हैं और अण्डे देते हैं जिससे मुख्य फसल सुरक्षित रहती है। कभी–कभी ट्रैप फसलें कीटों को मुख्य फसल तक पहुँचने नहीं देती हैं। उदाहरण के लिए गोभी में डायमण्ड बैक माथ एवं माँहू के नियंत्रण के लिए सरसों की ट्रैप लगाते हैं। टमाटर के साथ गेंदा फूल की ट्रैप फसल लगाने से फल बेधक कीट कम लगते हैं तथा करेला के चारों तरफ मक्का की ट्रैप फसल लगाने और उस पर दवा के छिड़काव करने से मक्खी के प्रकोप में कमी आती है।

प्राकृतिक शत्रुओं से लाभ : सब्जी फसलों के कीटों के अनेक दुश्मन कीट वातावरण में मौजूद हैं जो उनके अण्डे, नवजात व वयस्क को नष्ट करने की क्षमता रखते हैं। जैसे टमाटर के फल बेधक कीट नियंत्रण के लिए ट्राइकोग्रामा का प्रयोग, क्रोसेरा के अण्डों द्वारा फल बेधक का नियंत्रण, अपेन्टेलिस द्वारा डायमण्ड बैक माथ, काक्सीनेला द्वारा मॉहू आदि का नियंत्रण।

इसके अतिरिक्त सूक्ष्म जीवों जैसे ट्राइकोडर्मा, बैसिलस थुराजेन्सिस (BT), क्राइसोपरला इत्यादि के द्वारा कीटों का नियंत्रण सम्भव है।

आज के समय में कीट नाशकों के प्रयोग से होने वाले हानिकारक प्रभावों से निपटने में समेकित कीट प्रबन्ध के तरीकों का बहुत ही योगदान है। कुछ मुख्य सब्जी फसलों में समेकिट कीट प्रबन्ध की तकनीक का विवरण नीचे दिया गया है।

1. बैगन में फल एवं तना छेदक के लिए

(क) अवरोधी किस्म जैसे अर्का कुसमाकर, पूसा परपल कलस्टर लगाना।

(ख) कार्बोफ्यूरान (20 कि.ग्रा./है.) का प्रयोग पौधा लगाते समय तथा गाउचो (2.5 कि.ग्रा.) का प्रयोग बीज उपचार के लिए करना।

(ग) ग्रसित टहनियों को 15 दिनों के अन्तराल पर काट कर नष्ट करना।

(घ) समय–समय पर सूखी पत्तियों को हटाना एवं नष्ट करना।

(च) नर कीट को फंसाने के लिए फेरोमोन का ट्रेप लगाना।

(छ) 15 दिनों के अन्तराल पर कीटनाशी का छिड़काव करना।

2. टमाटर में फल बेधक के लिए

(क) गाउचो (2.5 ग्रा./कि.ग्रा.) से बीज उपचार करना।

(ख) टमाटर की 16 लाइन के बाद अफ्रीकन गेंदा के 30 दिन पुरानी पौध की एक लाइन लगाना (16:1)।

(ग) इन्डोसल्फान (700 ग्रा./है.) अथवा नीम आधारित कीट नाशी का 2–3 छिड़काव पौधा लगाने के 27–30 दिन बाद से 15 दिनों के अन्तराल पर करना।

(घ) एन.पी.वी. के अण्डों (250 लाख अंडे/है.) को गुड में मिलाकर छिड़कना।

(च) ट्राइकोग्रामा के 2.5 लाख अण्डे/है. के दर से खेत में छोड़ना।

4. लतेदार सब्जियों की फल मक्खी के लिए

(क) 2–3 पत्ती की अवस्था में पौधों पर कार्बेरिल (2 ग्रा./ली.) का छिड़काव।

(ख) ग्रसित फलों तथा संक्रमित पत्तियों को इकट्ठा करके जलाना।

(ग) फसल लगाने से पहले खेत की गहरी जुताई करना।

(घ) नर मक्खी को फंसाने के लिए ट्रैप लगाना।

(च) खड़ी फसल में कार्बेरिल के 0.3% घोल का छिड़काव करना।

(छ) मैलाथियान (200 मि.ली.)+यीस्ट हाइड्रोलाइजेट (10 ग्रा.)+शीरा (500 ग्रा.) + 20 लीटर पानी के बेट का छिड़काव करना।

समेकित कीट प्रबन्ध अपनाने की परेशानियां

समेकित कीट प्रबन्ध के अनेक फायदे के साथ ही साथ कुछ परेशानियां अथवा सीमायें भी हैं जो इसके प्रयोग एवं अपनाने में परेशानी पैदा करती हैं। कुछ परेशानियां नीचे वर्णित हैं।

1. नाशीजीव कीटों की उपलब्धता बहुत कम है।
2. सभी कीटों के लिए तथा पर्याप्त संख्या में नाशीजीवों का न होना।
3. समेकित कीट नियंत्रण में प्रशिक्षण की कमी।
4. लोगों का तुरन्त कीट नियंत्रण की लालसा।
5. प्रचार–प्रसार तथा तकनीक के प्रति अनभिज्ञयता।

अतः समेकित कीट प्रबन्ध सुरक्षित जीवन एवं स्वच्छ वातावरण के लिए अत्यन्त आवश्यक है जिसको पूर्णतः अपना कर सब्जी उत्पादन को बढ़ाया जा सकता है।

9. समेकित खरपतवार नियंत्रण (Ingergrated Weed Management)

वैज्ञानिक तरीके से व्यवसायिक सब्जी उत्पादन में खरपतवार एक प्रमुख समस्या होती है। चूँकि सब्जियाँ अधिक खाद एवं पानी के प्रयोग से पैदा की जाती है अतः उनमें उतने ही अधिक मात्रा में खरपतवार उगते हैं जो सब्जियों के उत्पादन एवं उत्पादकता को बुरी तरह से प्रभावित करते हैं। गोबर की खाद खरपतवार के बीजों की मुख्य स्रोत होती है क्योंकि ये विभिन्न मवेशियों द्वारा खाये गये परिपक्व खरपतवारों के बीजों द्वारा होता है। जैसा कि हम जानते हैं खरपतवार सब्जी फसलों से नमी, पोषण, प्रकाश तथा विकास के लिए स्थान हेतु प्रतिस्पर्धा करते हैं और फसल के बढ़वार और उपज को प्रभावित करते हैं। साथ ही साथ बहुत से खरपतवार कीड़ों और रोगों के शरणस्थली के रूप में काम करते हैं जहाँ से निकलकर वे सब्जी फसलों को प्रभावित करते हैं। खरपतवारों की संख्या और सघनता के ऊपर जलवायु, मृदा तथा अन्य वातावरणीय परिस्थितियों के साथ–साथ मौसम, फसल उगाने के तरीके, मृदा उर्वरता, नमी प्रबंध आदि का प्रभाव पड़ता है। एक शोध के अनुसार खरपतवारों से आलू में 10–18%, मटर में 25–35%, तथा फूलगोभी में 50–60% तक नुकसान होता है।

खरपतवार से नुकसान तथा क्रान्तिक अवस्था

खरपतवार सब्जी फसलों के हानिकारक कीटों तथा रोगों के लिए शरणस्थली का कार्य करते हैं जिससे पौध सुरक्षा काफी मँहगी और मुश्किल हो जाती है। उदाहरण के लिए बेच (*Vicia sativa*) फल बेधक कीट, केंवइया (*Solanum nigrum*) बैंगन के फल एवं तना बेधक, बथुआ (*Chenopodium album*) माँहू तथा पुटुस (*Lantana camera*) सफेद मक्खी के लिए शरण स्थली या प्रतिपूरक आहार के रूप में कार्य करता है।

साधारणतः सभी सब्जियां शुरूआत में धीरे–धीरे वृद्धि करती है तब उनमें खरपतवारों से कोई खास प्रतिस्पर्धा नहीं होती क्योकि उनकी आवश्यकता बहुत कम होती है। परन्तु धीरे–धीरे मिट्टी में मौजूद पोषक तत्वों का बड़ा हिस्सा खरपतवार ले लेते हैं और वे सब्जी फसलों को आच्छादित करके उन्हें बढ़ने से

रोकते हैं। इसलिए शुरू के 3–4 सप्ताह तक कोई खरपतवार नहीं बढ़ने दिया जाना चाहिए। खरपतवारों की मुख्य प्रतिस्पर्धा सब्जी फसल के प्रथम एक तिहाई फसल अवधि में सबसे ज्यादा होती है जब उसमें मुख्य उत्पादक अंगों का विकास होना प्रारम्भ होता है क्योंकि इसी समय खरपतवार भी अपने वंश विस्तार का प्रयास करते हैं। परन्तु विशेष स्पर्धा का समय फसल के प्रकार, रोपण दूरी, विकास के स्तर आदि पर भी निर्भर करता है। वैज्ञानिकों के मतानुसार खरपतवार नियंत्रण तब तक जारी रखना चाहिए जब तक सब्जी फसल उनसे प्रतिस्पर्धा करने में पूर्णतः सक्षम न हो जाय। कुछ सब्जियों में खरपतवार प्रतिस्पर्धा की क्रान्तिक अवस्था (Critical stage) निम्न सारणी में दिया गया है।

सारणी : सब्जी फसलों एवं खरपतवारों के बीच क्रान्तिक अवस्था

क्र.सं.	फसल	क्रान्तिक अवस्था (बोने/लगाने के दिन बाद)	फसलों के विकास की अवस्था
1	**लहसुन/प्याज**	30–75	जब कन्दों (Bulb) का विकास शुरू होता है।
2	**गोभी वर्गीय सब्जी**	30–45	जब फूल/बन्धा (Head) बनना शुरू होता है।
3	**भिण्डी**	15–30	जब पौधा 10–15 सेंमी. ऊँचा हो जाता है।
4	**टमाटर/मिर्च**	30–45	जब पौधा 20–30 सेंमी. ऊँचा हो जाता है और फूल आने शुरू होते हैं।
5	**बैगन**	20–60	जब पौधों में फूल और फल बनना शुरू होता है।
6	**फ्रेंच बीन**	20–60	जब पौधों में छत्रक विकास एवं फूल आते हैं।
7	**आलू/मूली**	25–30	जब कन्द बनना शुरू होता है।
8	**गाजर**	15–20	जब पौधा 7–10 सेंमी. ऊँचा हो जाता है।
9	**खीरा**	20–25	जब पौधा डाली बनाता है और फूल आते हैं।

सब्जियों में उगने वाले प्रमुख खरपतवार

अन्य फसलों की भाँति ही कुछ मुख्य खरपतवार सब्जियों में उगते हैं। ये मुख्य रूप से दो भागों में बांटे जा सकते है। खरीफ मौसम के खरपतवार इनमें

मुख्य रूप से पार्चुलाका *(Trianthema protulacasturim)*, सिंवई *(Echinochloa colna)*, मोथा *(Cyperus rotundus)*, जंगली चौलाई *(Amaranthus viridis)*, दूब घास *(Cynodon dactylon)*, आदि।

रबी मौसम के खरपतवार : बथुआ *(Chenopodium album)*, पीली सेंजी *(Mililotus indica)*, सफेद सेंजी *(Mililotus alba)*, खेसारी *(Lathyrusaphaca)*, जंगली बाकला *(Vicia sativa)*, हिरनखुरी *(Convolvulus arvensis)*, भरभण्डा *(Argimon maxicana)*, दूब *(Cynodon dactylon)*, मोथा *(Cyperus rotundus)*, ओरोबैंकी *(Orobanche spp)*, आदि।

खरपतवार नियंत्रण समस्याएं : पुराने तरीके से खरपतवार नियंत्रण जैसे निकाई करना, गुड़ाई करना, खुरपी या हैंड हो से निकाई करना आज कल बहुत मंहगा हो गया है तथा इसे बार–बार करने की जरूरत पड़ती है। बढ़ती हुई मजदूरी, श्रमिकों की अनुपलब्धता तथा बार–बार निकाई–गुड़ाई की आवश्यकता से सब्जियों का उत्पादन अत्यन्त खर्चीला हो गया है। अतः समेकित खरपतवार नियंत्रण आज कल की जरूरत होती जा रही है। इसमें सामान्य तरीकों के साथ–साथ खरपतवार नाशक रसायनों के प्रयोग से इन्हें नियंत्रित किया जाता है ऐसा इसलिए भी जरूरी हो जाता है क्योंकि कुछ खरपतवार ऐसे होते हैं जो एक विधि से पूरी तरह से नियंत्रित नहीं किये जा सकते जैसे– जड़दार सब्जियों में जड़ बनते समय निराई नहीं की जा सकती अतः उसमें रसायनों का प्रयोग होना चाहिए। मोथा को नष्ट करने के लिए सौरीकरण या रसायनों के साथ–साथ गहरी निकाई करके गांठे निकालनी चाहिए। ओरोबैंकी को खत्म करने के लिए रसायनों के साथ–साथ फसल चक्र अपनाने की जरूरत होती है। अतः खरपतवार की तमाम समस्याओं को देखते हुए समेकित नियंत्रण का प्रयास अधिक कारगर होता है।

समेकित खरपतवार नियंत्रण के तरीके

1. **खरपतवार के आगमन एवं विस्तार को रोकना** : ज्यादातर खरपतवार गोबर की खाद, सब्जी के बीज, आदमियों, जानवरों, कृषि यन्त्रों, वायु एवं जल के स्रोतों आदि के द्वारा एक स्थान से दूसरे स्थान पर पहुँचते हैं। समेकित नियंत्रण के लिए खरपतवार के बीजों का आगमन विस्तार को रोकने या कम करने का भरसक प्रयास करना जरूरी होता है। यह समेकित खरपतवार नियंत्रण का प्रथम पायदान है।

2. **कृषि क्रियाओं द्वारा खरपतवार नियंत्रण** : अनेक खेती के तरीकों से खरपतवारों को कम किया जा सकता है यह सफलता की दूसरी पायदान है, कुछ तरीके निम्नवत् हैं।

(क) *स्टेल क्यारी :* इस विधि में क्यारी बनाकर 7–10 दिनों के लिए छोड़ देते हैं जिसमें उपयुक्त दशा मिलने पर खरपतवार उग आते हैं और तब उन पर सर्व नाशक रसायनों जैसे ग्लाइफोसेट या पैराक्वाट (2ली./हे) के दर से छिड़काव करके मार देते हैं और बाद में फसल लगते हैं।

(ख) *जमीन की अच्छी तैयारी करके :* खेत की 20–25 दिनों के अन्तराल 4–5 बार जुताई करने तथा गर्मी में गहरी जुताई करने से खरपतवार की समस्या कम की जा सकती है।

(ग) *फसल चक्र अपनाकर :* एक ही फसल को बार–बार एक खेत में लगाने से उनके खरपतवार अपना जड़ जमा लेते हैं और हर फसल के साथ तेजी से आते हैं। अतः एक फसल के बाद दूसरी ऐसी फसल चुनें जिनके खरपतवार अलग हों।

(घ) *लाइनों में सब्जियों को उगाना :* सब्जियों में हाथ से निकाई करना बहुत मुश्किल काम है। इसमें एक बार निकाई करने के लिए 20–30 आदमी प्रति हेक्टयर की दर से लगते हैं। किन्हीं–किन्हीं सब्जियों में तो 2–3 बार निकाई करनी पड़ जाती है जिससे खर्च बहुत हो जाता है। इसीलिए यदि सब्जियां लाइन में लगी हो तो उनके बीच में कुदाली या 'रोटरी हो' से निकाई करना लाभदायक होता है।

(च) *सिंचाई के तरीके अपनाकर :* सब्जियों में ड्रिप विधि से सिंचाई करने से कम खरपतवार उगते हैं जबकि अन्य विधि से सिंचाई करने पर ज्यादा खरपतवार आते हैं।

(छ) *पलवार बिछाना :* सब्जियों की क्यारियों अथवा पौधों के जड़ों के पास सूखी घास या पालीथीन की पलवार बिछाने से खरपतवार कम उगते हैं। मोथा जैसे खरपतवार पालीथीन या घास के ऊपर भी आ जाते हैं अतः इन्हें विशेष ध्यान देने की आवश्यकता होती है।

(ज) *जलाना :* खरपतवार को जलाकर भी नियंत्रित किया जा सकता है परन्तु यह विधि खड़ी फसल में सम्भव नहीं है।

(झ) *मृदा सौरीकरण :* खाली खेत में मृदा सौरीकरण करने से कुछ खरपतवारों के बीज नष्ट हो जाते है या उनकी अंकुरण क्षमता खत्म हो जाती है जिससे वे उग नहीं पाते।

3. **रसायनों द्वारा खरपतवार नियंत्रण :** खरपतवार नियंत्रण के लिए अनेक रसायन प्रयोग किये जाते हैं जो इस प्रकार है।

(क) *मृदा में धुँआ करने वाले रसायन :* गैस या धुँआ पैदा करने वाले रसायनों जैसे मेथाइयल ब्रोमाइड, एलाइल एल्कोहल को पौध लगाने के 3–4 सप्ताह पहले प्रयोग करने से खरपतवार के बीज नष्ट हो जाते हैं। परन्तु इन्हें बहुत सावधानी पूर्वक इस्तेमाल करने की जरूरत होती है।

(ख) *खरपतवार नाशक रसायन :* सब्जियों के लिए कोई विशेष खरपतवार नाशक नहीं विकसित किये गये हैं परन्तु खरपतवार नाशकों की क्रिया शीलता एवं मारक क्षमता के अनुसार सब्जियों में इनका प्रयोग करके खर–पतवार नियंत्रण किया जा सकता है। सब्जी फसलों में अनेक प्रकार के खर पतवार उग सकते हैं अतः इसमें कई रसायनों को मिलाकर भी व्यवाहारिक नियंत्रण किया जा सकता है। कुछ खरपतवार नाशिकों का विवरण निम्न सारणी में दिया गया है।

सारणी : सब्जियों में प्रयोग होने वाले खरपतवार नाशक

क्र. सं.	खरपतवार नाशी	आवश्यक मात्रा कि.ग्रा./है.	प्रयोग का समय	प्रमुख सब्जियां
1	**पेंडीमेथालीन**	0.7–1.0	खरपतवार उगने के पहले	शिमला मिर्च, लहसुन, प्याज, पालक गाजर, मटर, आलू
2	**फ्लूक्लोरालिन**	1.0–1.5	पौधा रोपने तथा बीज बोने से पहले मिट्टी में मिलाना	टमाटर, शिमला मिर्च, बैगन, आलू, भिन्डी, सरसों, मटर, लहसुन, गाजर,
3	**आक्सीफ्लोरफेन**	0.25–0.50	खरपतवार निकलने के तुरन्त बाद	प्याज और आलू
4	**ब्यूटाक्लोर**	2.0	खरपतवार निकलने से पहले	टमाटर, कुम्हड़ा कुल की लतेदार सब्जियां
5	**मेट्रोबुजिन**	0.25–0.45	खरपतवार निकलने के पहले या तुरन्त बाद	टमाटर और आलू

4. **जीवनाशी तरीके से खरपतवार नियंत्रण** : घास या खरपतवार खाने वाले कीड़ों, मछलियों, अन्य जानवरों, फँफूदों, आदि के प्रयोग से भी खरपतवार नियंत्रण किया जा सकता है। एक सफल नाशीजीव को किसी विशेष पौधे पर आक्रमण करना चाहिए (Host specific), वातावरण में ढ़लने की क्षमता होनी चाहिए (Adjustable to new environment), खरपतवार को जल्दी खत्म करने की क्षमता होनी चाहिए (Rapid destroyer of target weed), आसानी से संख्या बढ़ाई जा सके (Easy to multiply)। भारत वर्ष में पारथेनियम घास (कांग्रेस घास) को खत्म करने के लिए जायगोग्रामा (*Zygogramma bicolorata*) नाम कीट का विकास हुआ है।

5. **पौधों से तैयार खरपतवार नाशी (Bioherbicide):** ये रोग पैदा करने वाले रोग कारक (Pathegen) फँफूद होते हैं जो कृत्रिम तरीके से तैयार किये जाते हैं और छिड़काव के लिए उपयुक्त होते हैं। इसमें चुने जाने वाले रोग कारक उसी खरपतवार से सम्बन्धित होते हैं। इन्हें माइकोहर्बीसाइड (Mycoherbicide) भी कहते है। उदाहरण : डी.वाइन।
   (क) *डी वाइन (De-vine):* यह *Phytophthora* का स्पोर होता है जो सिट्रस में छिड़का जाता है।
   (ख) *कोलेगो (Collego):* यह *Collectotrichum* का स्पोर होता है जो खरपतवार में तना एवं पत्ती में झुलसा रोग पैदा करता है।
   (ग) *बाइपोलरिसा (Biolophos) :* इसमें *Bipolaris* का स्पोर होता है। जो जानसन घास को नष्ट करता है।
   (घ) *बापोलोफोस (Biolophos):* इसमें *Streptogyces* द्वारा विषैला पदार्थ पैदा किया जाता है जो सभी घासों को नष्ट करने की क्षमता रखता है।

6. **खरपतवार नियंत्रण के लिए किस्म विकास** : अनेक प्रजनकों ने कीड़ा, रोग आदि की अवरोधी किस्में विकसित की हैं उन्हें खरपतवारों के अनुसार भी किस्मों का विकास करना चाहिए। इस दिशा में अनेक जननद्रव्यों, जीन इत्यादि का प्रयोग सम्भव है। यदि सब्जियों में पूर्ण रूप से एवं वातावरण के दृष्टि से सुरक्षित खरपतवार नियंत्रण की तकनीक विकसित करनी है तो हमें समेकित खरपतवार नियंत्रण जिसमें खेती के तरीके से लेकर बायोहर्बीसाइड तक के सभी तरीकों का समुचित समावेश करना होगा।

❑❑❑

5

प्रमुख सब्जियों की वैज्ञानिक खेती

1. टमाटर

वानस्पतिक नाम : *लाइकोपर्सिकान इस्कुलेन्टम लि.*

कुल : सोलेनेसी

गुणसूत्र संख्या : 2 एन = 24

उत्पत्ति

टमाटर एक अत्यन्त लोकप्रिय फल सब्जी है। इसके फलों को विभिन्न प्रकार से प्रयोग में लाया जाता है। ताजी अवस्था में इसे सलाद के रूप में और पकाकर सब्जी व परिरक्षित करके चटनी, जूस, अचार, सास, कैचप, प्यूरी इत्यादि रूप में प्रयोग में लाया जाता है। इसके पके फलों की डिब्बाबन्दी भी की जाती है। टमाटर में कार्बोहाइड्रेट, विटामिन, कैल्शियम, लोहा तथा अन्य खनिज पदार्थ प्रचुर मात्रा में पाये जाते हैं।

उन्नतशील किस्में

अ. मुक्त परागित किस्में

सीमित बढ़वार वाली मुक्त परागित किस्में

हिसार अरूण (सेलेक्शन–7) : यह एक अगेती किस्म है। इस किस्म के पौधे अधिक प्रभावशाली, मध्यम ऊँचाई के, सीमित बढ़वार वाले, घने व अनेक शाखाओं वाले होते हैं। फल गोलाकार चपटे, मध्यम से बड़े आकार के, 4–6 प्रकोष्ठ वाले होते हैं। इसकी औसत उपज लगभग 300 कुन्तल/हेक्टेयर होती है। यह उत्तर भारत के मैदानी क्षेत्रों में उगाने के लिए उपयुक्त किस्म है।

डी.वी.आर.टी.–1 : इस किस्म के पौधे मध्यम ऊँचाई के जमीन की सतह पर फैलने वाले होते हैं। फल आकर में बड़े, कड़े व 4–6 प्रकोष्ठ वाले होते हैं। प्रत्येक फल का औसत वजन 80–100 ग्रा. तक होता है। इसकी औसत पैदावार प्रति हेक्टेयर लगभग 500 कुन्तल है।

डी.वी.आर.टी.–2 : इस किस्म के पौधे, मध्यम ऊँचाई तथा कम शाखाओं वाले होते हैं। फल आकार में मध्यम से बड़े, 4–6 प्रकोष्ठ वाले, पकने पर एक समान लाल रंग के, 80–100 ग्रा. औसत वजन के होते हैं। इसकी औसत पैदावार प्रति हेक्टेयर लगभग 500 कुन्तल है।

असीमित बढ़वार वाली मुक्त परागित किस्में

पूसा रूबी : यह एक प्रचलित किस्म है जिसे सम्पूर्ण भारत के मैदानी क्षेत्रों में उगाया जाता है। इस किस्म के पौधे असीमित बढ़वार वाले, 80–84 सेंमी. लम्बे तथा फल अपेक्षाकृत अधिक खटास वाले होते हैं। यह किस्म रबी, खरीफ तथा बसन्त तीनों मौसमों में उगायी जा सकती है।

पन्त बहार : इस किस्म के पौधे अधिक शाखाओं वाले, झाड़ीनुमा तथा लगभग 1 मीटर ऊँचाई के होते हैं। फल गोल आकार के, 5–6 प्रकोष्ठ वाले होते हैं। भण्डारण तथा सब्जी संरक्षण के लिए यह किस्म उपयुक्त है। इस किस्म में वर्टिसीलियम तथा फ्यूजेरियम मुर्झान रोग का प्रकोप कम होता है।

ब. संकर किस्में

सीमित बढ़वार वाली संकर किस्में

अविनाश–2 : इसके पौधे मध्यम ऊँचाई के, सुनियोजित व सुविकसित होते हैं जो रोपाई के 50–55 दिन में फल देने लगते हैं। फल आकर्षक गोल, चमकीले,

गहरे लाल रंग व मोटे छिलके वाले होते हैं। प्रत्येक फल का औसत वजन 80–100 ग्रा. होता है जो तुड़ाई के 8–10 दिन बाद तक विक्रय योग्य बनें रहते हैं। औसत पैदावार लगभग 800 कुन्तल/हेक्टेयर है।

एस.टी.एच.–537 : इस किस्म के पौधे सीमित बढ़वार वाले, कम शाखाओं वाले तथा पत्तियाँ छोटी व अन्दर की तरफ मुड़ी हुई एवं हलके हरे रंग की होती हैं। फल 3–4 प्रकोष्ठ वाले, गोलाकार, मध्यम आकार के तथा गुच्छों में लगते हैं। फलों का छिलका कड़ा होने के कारण फल तुड़ाई के एक सप्ताह बाद तक विक्रय योग्य बने रहते हैं। इसकी औसत पैदावार लगभग 800 कुन्तल/हेक्टेयर है।

पूसा हाइब्रिड–2 : इस किस्म के पौधे मध्यम बढ़वार लिए हुए घने होते हैं। फल मध्यम आकार के गोल (40–50 ग्रा.), चिकने व आकर्षक होते हैं। फल 4–6 प्रकोष्ठ में विभक्त होते हैं। फल गोलाकर तथा गुच्छों में लगते हैं।

ए.आर.टी.यच. 3 : पौधे मध्यम बढ़वार वाले, अनेकों शाखाओं युक्त तथा हल्के रंग के होते हैं। फल गोल, ऊपरी भाग कुछ चपटा, 80–100 ग्रा. के होते हैं। पकने पर फल एक समान सुर्ख लाल, आकर्षक तथा थोड़ा खटास लिए हुए स्वादिष्ट होते हैं। रोपण के 80–85 दिन बाद फल तुड़ाई योग्य तैयार हो जाते हैं तथा 160–180 दिन तक लगातार फलत देते रहते हैं। औसत उपज 500 कुन्तल/हेक्टेयर है।

गोट्या : इस किस्म के पौधे मध्यम ऊँचाई के, कम फैलने वाले तथा हल्की हरी, चौड़ी पत्तियों वाले तथा फल 3–4 प्रकोष्ठ वाले बड़े, अण्डाकार होते हैं। रोपण के 70–75 दिन बाद ही फल निकलना प्रारम्भ हो जाता है तथा सभी फल एक साथ तैयार होकर शीघ्र ही फसल समाप्त हो जाती है। अगेती फसल के लिए यह किस्म उपयुक्त पायी गयी है। इसकी औसत उपज 600–800 कुन्तल/हेक्टेयर है।

असीमित बढ़वार वाली संकर किस्में

बी.एस.एस–11 : इस किस्म के पौधे सीधे खड़े, ऊपर की तरफ बढ़ने वाले तथा घनी शाखाओं वाले गहरे हरे रंग के होते हैं। फल मध्यम से बड़े आकार के चमकदार गोल तथा दोनों शिराओं पर दबे हुए होते हैं। इनका छिलका काफी मोटा होता है जिसके कारण इनके शीघ्र खराब होने की सम्भावना कम होती है। फल 4 के गुच्छो में लगते हैं। इस किस्म की औसत पैदावार लगभग 800 कुन्तल/हेक्टेयर है।

जलवायु

टमाटर की फसल के लिए 21–23^0 सेन्टीग्रेड का औसत तापक्रम अधिक उपयुक्त होता है परन्तु इसकी खेती 18 से 27^0 सेन्टीग्रेड तापक्रप में भी सफलतापूर्वक की जा सकती है। तापक्रम का फल की संख्या, खट्टापन, रंग तथा पौष्टिक गुणों पर काफी प्रभाव पड़ता है। 21–24^0 सेन्टीग्रेड तापक्रम पर टमाटर में लाल रंग सबसे अच्छा विकसित होता है। यदि औसत तापक्रम 15^0 से कम और 30^0 सेन्टीग्रेड से ज्यादा हो तो फल पर प्रतिकूल प्रभाव पड़ता हैं।

भूमि और भूमि की तैयारी

टमाटर की खेती लगभग सभी प्रकार की भूमि में की जा सकती है परन्तु उचित जल निकास वाली रेतीली दोमट या दोमट भूमि जिसमें पर्याप्त मात्रा में जीवांश उपलब्ध हों, इसकी खेती के लिए उपयुक्त होती है। साधारणतः इसकी खेती 6–7 पी. एच. मान वली मृदा में अच्छी होती है। रोपण के लिए खेत की अच्छी तरह 3–4 जुताईयाँ करके तैयार कर लेते हैं। अंतिम जुताई के बाद पाटा अवश्य चला दें जिससे खेत की मिट्टी भुरभुरी हो जाय। यदि जमीन समतल न हो तो उसे अवश्य समतल करें।

बुआई

पौधशाला में बीज की बुआई

टमाटर के बीज को सर्वप्रथम पौधशाला में बुआई करके पौधे तैयार कर लेते हैं। तत्पश्चात् इनका रोपण मुख्य खेत में करते हैं। बीज शैय्या के लिए जीवांशयुक्त मिट्टी काफी उपयुक्त होती है। अतः मिट्टी में गोबर या कम्पोस्ट की खाद डालकर अच्छी प्रकार मिला दें। अच्छे, सख्त व मजबूत पौधे तैयार करने के लिए प्रति वर्ग मीटर की दर से 10 ग्रा. डाई अमोनियम फास्फेट और 1 किलो सड़ी हुई गोबर की खाद मिला दिया जाता है। नवम्बर–दिसम्बर में नर्सरी समतल भूमि में डाली जा सकती है, परन्तु वर्षा ऋतु में ऊँची उठी हुई क्यारियाँ बनाना उचित होता है। ऊँची क्यारियाँ जमीन की सतह से 20–25 सेंमी. उठी हुई होती हैं। क्यारियों की लम्बाई लगभग 3 मीटर तथा चौड़ाई 1 मीटर रखते हैं। साधारणतया यह देखा गया है कि बीज चाहे पंक्ति में बोये गये हों या छिटककर, यदि घने रहते हैं तो आर्द्रगलन बीमारी का प्रकोप अधिक होता है। अतः बुआई अधिक घनी नहीं करनी चाहिए। पंक्ति में बुआई के लिए, एक पंक्ति से दूसरे पंक्ति की दूरी क्यारी की लम्बाई के लम्बवत या चौड़ाई के समानान्तर 4–6 सेंमी. पर रखें व इन्हीं पंक्तियों

में आधी सें.मी. की गहराई पर बीज की बुआई करें। बीज बुआई के बाद क्यारियों को सड़ी हुई गोबर की खाद या पत्ती की खाद (कम्पोस्ट खाद) से ढ़क दें जिससे ऊपर की मिट्टी बैठने न पाये। तत्पश्चात फुहारे से हल्की सिंचाई करें। अब इन क्यारियों को धूप व ठण्ड से बचाने के लिए घास–फूँस की छप्पर या सरकण्डे से ढ़क दें। जब बीज पूर्णतया जम जाय/जमकर दिखाई देने लगे तो घास–फूँस हटा लें तथा आवश्यकतानुसार फुहारे से सिंचाई करतें रहें। एक सप्ताह के अन्तराल पर बीज शैय्या में पौधों को डायथेन एम–45/जिरम बविस्टीन के 0.2% (2 ग्रा. दवा प्रति लीटर पानी) से उपचारित करें। लीफ मानइर (सुरंग बनाने वाले कीट) का आक्रमण होने पर नुवाक्रान या रोगर या थायोडान इत्यादि में से किसी दवा की 2 मि.ली. मात्रा को प्रति लीटर पानी की दर से मिलाकर अच्छी प्रकार छिड़काव करें। बीज शैय्या में बीज की बुआई करने के 25–30 दिन के बाद पौध रोपण योग्य तैयार हो जाती है।

बीज की मात्रा

एक हेक्टेयर खेत की रोपाई के लिए मुक्त परागित किस्मों की 350 से 400 ग्रा. और संकर किस्मों की 150–200 ग्रा. बीज की आवश्यकता पड़ती है।

बुआई का समय

पौधशाला में टमाटर के बीज की बुआई, स्थान और किस्म के अनुसार भिन्न–भिन्न स्थानों पर अलग अलग समय में की जाती है। शरद कालीन फसल के लिए जुलाई–सितम्बर में, बसन्त–ग्रीष्म ऋतु की फसल के लिए नवम्बर से दिसम्बर तक तथा पहाड़ी क्षेत्रों में खेती के लिए इसके बीजों की बुआई मार्च से अप्रैल तक करते हैं। इस प्रकार इसकी खेती पूरे वर्ष भर की जा सकती है।

पौध रोपण

साधारणतया 4–6 पत्तियों वाली तैयार पौध जिसकी ऊँचाई 15–20 सेंमी. (6''–8'') हो, रोपण के लिए उपयुक्त होती हैं। गर्मी के मौसम में वातावरण में अधिक गर्मी होने से पौधे जल्दी मुरझाना शुरू कर देते हैं अतः इस समय छोटे पौधों का भी रोपण किया जा सकता है।

पंक्ति से पंक्ति व पौध से पौध की दूरी, किस्म, भूमि की उर्वरता, रोपण के समय के अनुसार कम या ज्यादा की जा सकती है। यह ध्यान रखना चाहिए कि रोपण के 3–4 दिन पूर्व ही नर्सरी (पौधशाला) में सिंचाई बन्द कर दें। जाड़े की ऋतु में यदि पाला पड़ने का भय हो तो क्यारियों को थोड़ा ऊपर से अल्काथीन की चादर से ढ़क दें। निम्नलिखित सारणी में टमाटर के पौध रोपण की दूरी तथा समय का विवरण दिया गया है।

सारिणी : मैदानी एवं पहाड़ी क्षेत्रों में टमाटर के पौधों के रोपण का समय तथा दूरी

क्षेत्र एवं फसल	पौधशाला में बीज की बुआई का समय	पौध रोपण का उचित समय	पौध रोपण की दूरी (सेमी.) सीमित बढ़वार वाले	असीमित बढ़वार वाले
मैदानी क्षेत्र				
शरद ऋतु (जाड़े की फसल)	जुलाई–सितम्बर	अगस्त–अक्टूबर	60x60	75x60 - 90x60
बसन्त ऋतु (ग्रीष्म फसल)	नवम्बर–दिसम्बर	दिसम्बर–जनवरी	60x45	60x45
पहाड़ी क्षेत्र	मार्च–अप्रैल	अप्रैल–मई	60x45	90x60 - 60x60

खाद एवं उर्वरक

खाद एवं उर्वरक की मात्रा भूमि की उर्वरता पर निर्भर करती है। टमाटर की अच्छी फसल प्राप्त करने के लिए भूमि में पर्याप्त मात्रा में खाद एवं उर्वरकों का प्रयोग आवश्यक है। अतः प्रति हेक्टेयर की दर से 20–25 टन सड़ी हुई गोबर की खाद या कम्पोस्ट खाद और तत्व के रूप में 100–150 कि.ग्रा. नाइट्रोजन, 50 कि.ग्रा. फास्फोरस व 60–80 कि.ग्रा. पोटाश डालें। असीमित वृद्धि वाली किस्मों (इन्डिटर्मिनेट) के लिए नाइट्रोजन की मात्रा 200 कि.ग्रा. प्रति हेक्टेयर की दर से देनी चाहिए। गोबर की खाद रोपण से 3–4 सप्ताह पूर्व खेत में सर्वत्र एक समान डालकर मिट्टी में अच्छी प्रकार मिला दें। फास्फोरस व पोटाश की पूरी मात्रा व नत्रजन की एक तिहाई मात्रा रोपण से पूर्व खेत में डालें। नत्रजन की शेष मात्रा दो बराबर भागों में बाँटकर रोपण के 25–30 व 45–50 दिन बाद फसल में टाप ड्रेसिंग करें।

खरपतवार नियंत्रण

अच्छी फसल के लिए खरपतवार का नियंत्रण करना अत्यन्त आवश्यक है। छोटे एवं मध्यम वर्गीय किसान अपने खेतों में खरपतवार नियंत्रण खुरपी या कुदाल द्वारा स्वयं ही कर लेते हैं परन्तु वर्तमान समय में कृषि मजदूरों के अभाव में निकाई करना अत्यन्त कठिन हो गया है। अतः रसायनिक दवाओं का छिड़काव करके हम कम लागत से ज्यादा क्षेत्र में खरपतवार का नियंत्रण कर सकते हैं। टमाटर की फसल में प्रयुक्त होने वाले खरपतवार नाशी रसायनों का विवरण निम्न सारणी में दिया गया है।

सारिणी : टमाटर में प्रयोग होने वाले खरपतवारनाशी रसायन

क्र. सं.	खरपतवार नाशी का नाम	मात्रा (सक्रिय तत्व कि.ग्रा./हे.)	दवा प्रयोग करने की अवस्था	प्रभावी खरपतवार
1	**स्टाम्प**	1.0	रोपण के 2 दिन पश्चात्	चौड़ी पत्ती वाले खरपतवार व घास
2	**गोल**	0.25	रोपण के 2 दिन पश्चात्	चौड़ी पत्ती वाले खरपतवार व घास
3	**सिन्कोर**	1.0	रोपण के 2 दिन पश्चात्	चौड़ी पत्ती वाले खरपतवार

सिंचाई

पौध रोपण के बाद दो तीन दिन तक फुआरे से हल्की सिंचाई करें या रोपण के पश्चात् हल्की सिंचाई इस प्रकार करें जिससे पौधे अच्छी प्रकार से वृद्धि कर सकें। गर्म मौसम में 7–8 दिन तथा सर्दियों में 10 से 15 दिन के अन्तराल पर सिंचाई करते हैं। यह ध्यान रखना चाहिए कि खेत में अधिक पानी न लगने पाये। अधिक पानी देने से पौधों में मुर्झाना तथा पत्तीमोड़ विषाणु रोग लगने की सम्भावना बढ़ जाती है।

अन्तः शस्य क्रियायें

अच्छी पैदावार प्राप्त करने के लिए टमाटर में हल्की निकाई–गुड़ाई करें, व पौधों की जड़ों के पास मिट्टी चढ़ावें। यदि टमाटर की किस्म असीमित वृद्धि वाली हो तो सहारा प्रदान करें। असीमित ऊँचाई वाली किस्मों में सहारा न प्रदान करने से पौधों की वृद्धि अच्छी प्रकार नहीं हो पाती है और फल भी मिट्टी के सम्पर्क में आने से कई रोगों के प्रभाव में नष्ट हो जाते हैं।

टमाटर में वृद्धि नियामकों का प्रयोग

वृद्धि नियामक पदार्थ खाद एवम् उर्वरक के अतिरिक्त ऐसे पदार्थ हैं, जिनकी सूक्ष्म मात्रा में प्रयोग से ही पौधों के भौतिक बनावट व क्रियाओं में परिवर्तन लाया जा सकता है। टमाटर में अधिक व कम तापक्रम पर फलों का न लगना व पत्ती मोड़ विषाणु की काफी समस्या है। वृद्धि नियामक पदार्थ जैसे पी.सी.पी.ए. (पैरा क्लोरोफिनाक्सी एसिटिक एसिड) के 50 पीपीएम का (50 मि.ग्रा. प्रति लीटर पानी में) फूल लगने तथा साइकोसिल के 500 पीपीएम का प्रयोग रोपण से 3–4 दिन पूर्व नर्सरी में व रोपण के 25–30 दिन बाद पौधों के ऊपर छिड़काव करने से पत्ती मोड़

विषाणु का प्रकोप कम हो जाता है और पैदावार में बढ़ोत्तरी होती है। इथ्रेल के 1000 पीपीएम के घोल का छिड़काव फलों के पकने के समय करने से फल शीघ्र व एक समान पकते हैं। इसी प्रकार इथ्रेल के 250 पीपीएम (250 मि.ग्रा./लीटर पानी) की दर से छिड़काव करने से पौधे मजबूत होते हैं तथा पैदावार भी अच्छी प्राप्त होती है।

टमाटर के फल में रंग विकसित होने के लिए तापमान का महत्व

लाइकोपीन नामक वर्णक जिसकी वजह से टमाटर का रंग लाल होता है $20–25^0$ सेल्सियस के बीच सर्वाधिक होता है। 26^0 सेल्सियस से ऊपर तापमान पर इस वर्णक का निर्माण कम होने लगता है तथा 30^0 सेल्सियस के ऊपर होने पर इस वर्णक का निर्माण बन्द हो जाता है। टमाटर में पीले रंग वाली कुछ प्रजातियाँ निकली हैं जिनमें कैरोटीन होता है। अगर फल सीधे सूर्य के सम्पर्क में आते हैं तथा वातावरण में तापमान अधिक होता है तो फल झुलसने लगते हैं इसे 'सन स्केल्ड' कहते हैं।

टमाटर के प्रमुख रोग एवं कीट प्रबन्धन

अ. प्रमुख रोग

पिछेती झुलसा : इस रोग से प्रभावित पौधों की पत्तियों, टहनियों व फलों पर विभिन्न प्रकार के बड़े–बड़े सूखे हल्के रंग के धब्बे दिखाई पड़ते हैं जो बाद में भूरे रंग के हो जाते हैं और थोड़े समय में यह बीमारी बहुत तेजी से पूरे खेत में फैल जाती है।

नियंत्रण : रोग रहित पौध तैयार करके उनका रोपण करें। लक्षण दिखाई देते ही रिडोमिल एम. जेड की 2.5 ग्रा. मात्रा प्रति लीटर पानी में घोलकर छिड़काव करें या जिनेब या कापर आक्सीक्लोराइड की तीन ग्रा. मात्रा प्रति लीटर पानी की दर से घोल बनाकर छिड़काव करें।

अगेती झुलसा : इस रोग का लक्षण पहले पुरानी पत्तियों पर दिखाई देता है। प्रभावित पत्तियों पर छोटे–छोटे, गोल एवं काले रंग के धब्बे दिखाई देते हैं। कई धब्बे एक साथ मिलने पर पत्तियाँ पीले रंग की होकर मुरझा जाती हैं। पौधों के जड़ों के पास इसका प्रभाव होने पर पौधे से जुड़े भाग के पास काले या भूरे रंग के गोल धब्बे दिखाई देते हैं। तने पर लम्बवत धब्बा तथा पौधे का वह भाग जो वाह्य दलपुंज से जुड़ा रहता है वहाँ धब्बा बनता है।

नियंत्रण : बीज को थीरम या कैप्टान से (3 ग्रा. दवा प्रति किलो बीज की दर से) उपचारित करके बोयें। कवच 2 ग्रा./लीटर या इण्डोफिल एम.–45 या कापर आक्सीक्लोराइड की 3 ग्रा./लीटर की दर से घोल बनाकर छिड़काव करें।

टमाटर का पत्तीमोड़ा विषाणु (लीफ कर्ल) : टमाटर की यह प्रमुख बीमारी है जिससे पूरी की पूरी उपज प्रभावित होती है। यह बीमारी सफेद मक्खी (हवाइट फ्लाई) से फैलती है। प्रभावित पौधों के दो गाँठो के बीच की दूरी कम हो जाती है, पत्तियाँ छोटी, पौधा झाड़ीनुमा, अविकसित, शाखाएं छोटी, पत्तियाँ विभिन्न प्रकार से मुड़ी, सिकुड़ी व टेढ़ी–मेढ़ी हो जाती है।

नियंत्रण : बीज को पौधशाला में बुआई के पहले गाउचो (इमिडाक्लोरोप्रिड) दवा के 2.4 से 3 ग्रा. प्रति किलो बीज की दर से उपचारित करें। यदि खेत में बीमारी कुछ पौधों में ही लगी हो तो उन्हें सावधानी से उखाड़ कर कपड़े में लपेट कर खेत से बाहर जला दें या जमीन में गाड़ दें। जिस समय इस रोग का प्रकोप अधिक मात्रा में होता है उस समय रोपण न करें। रोग रहित पौधों का रोपण करें। सफेद मक्खी के लिए कोनफिडोर 200 एस एल (0.3 मि.ली.) या रोगर या मैलाथियान दवा का 1.0 से 1.5 मि.ली. मात्रा प्रति लीटर पानी में घोल कर छिड़काव करें।

आर्द्रगलन : यह रोग पिथियम, फाइटोफ्थोरा या राइजोक्टोनिया नामक कवक से होता है। इस रोग का प्रकोप पौधशाला अवस्था में अधिक होता है। प्रभावित पौधों के तने सड़ जाते हैं और पौधा मर जाता है।

नियंत्रण: कैप्टान से बीजोपचार करना चाहिए। बीज शैय्या (नर्सरी) को 0.2% कैप्टान के घोल से उपचारित करें। यदि बीज जमने के बाद इस रोग का प्रकोप हो तो 0.2% कैप्टान के घोल का छिड़काव करें।

मोजैक : इसे मुख्य रूप से टमाटर के विषाणु रोग के नाम से जानते हैं। प्रभावित पत्तियों की पर्णहरितमा खत्म हो जाती है और पत्तियाँ पीली पड़ जाती हैं। मध्य सिरा (मिडरिव) को छोड़ कर अन्य सभी भाग समाप्त हो जाते हैं।

नियंत्रण : यह बीमारी माहू कीट से फैलती है। इसके नियंत्रण के लिए नुवाक्रान या रोगर दवा को 1.5 मि.ली. प्रति लीटर पानी में घोलकर छिड़काव करें। स्वस्थ पौधों से प्राप्त बीज का ही प्रयोग करें। खेत में औजार, पशुओं, मनुष्यों द्वारा प्रभावित पौधों से स्वस्थ पौधों का सम्पर्क न होने दें।

ब. प्रमुख कीट

सफेद मक्खी : यह टमाटर का एक प्रमुख कीट है। इससे फल दो प्रकार से प्रभावित होते हैं। प्रथम यह कीट पौधों की पत्तियों से रस चूसते हैं, व दूसरा इनके द्वारा विषाणु रोग फैलता है, जिससे पत्तियों में गुड़चापन आने लगता है।

नियंत्रण : सफेद मक्खी का नियंत्रण कोनफीडोर 200 एस.एल (0.3 मि.ली./ली.) इवा के छिड़काव द्वारा कर सकते हैं। विस्तृत रूप से टमाटर के पत्ती मोड़ विषाणु (लीफ कर्ल) में इसके नियंत्रण का वर्णन दिया गया है।

फल छेदक कीट : इस कीट से टमाटर की फसल को काफी क्षति होती है। यह कीट पुष्पपुंज, पुष्पकली व फलों को नष्ट करता है।

नियंत्रण : खेत को खरपतवार इत्यादि से साफ सुथरा रखें तथा थायोडान 35 ई.सी. के 2 ली. या डेसिस 2.8 ई.सी. के 300 मि.ली./हेक्टेयर की दर से 600 लीटर पानी में मिलाकर 15 दिन के अन्तराल पर आवश्यकतानुसार छिड़काव करते रहना चाहिए।

जैसिड (हरा तेला) : इस कीट के शिशु एवं प्रौढ़ दोनों ही पत्तियों व तनों से रस चूसकर फसल को क्षति पहुँचाते हैं।

नियंत्रण : नियंत्रण के लिए मैलाथियान 50 ई. सी. 1.5 मि.ली. या कवीनालफास 20 ई.सी. 2 मि.ली. प्रति लीटर की दर से घोल बनाकर छिड़काव करें।

सुरंग बनाने वाली कीट (लीफ माइनर) : यह कीट टमाटर की फसल को पौधशाला में ही काफी क्षति पहुँचाता है। मुख्य खेत में भी इसका प्रकोप होता है। इसका प्रभाव पहले पुरानी पत्तियों पर दिखाई देता है, तथा धीरे–धीरे नयी पत्तियों पर सुरंगनुमा आकार बन जाता है।

नियंत्रण : नियंत्रण के लिए नीमगोल्ड (2 मि.ली./लीटर) या इमिडा क्लोप्रिड (0.5 मि.ली./लीटर पानी में) का छिड़काव लाभदायक होता है।

स. सूत्रकृमि

बलुई व बलुई दोमट मिट्टी में यह टमाटर के लिए एक अत्यन्त जटिल समस्या हैं। इसका प्रभाव, किस्म, खेत में नमी की मात्रा, तापमान इत्यादि पर निर्भर करता है। इसका प्रभाव पौध शैय्या से ही पौधों पर शुरू हो जाता है। प्रभावित पौधों की पत्तियाँ छोटी रह जाती हैं, तथा जड़ों में गाँठे बनने से पौधे पीले पड़ने लगते हैं।

नियंत्रण : सूत्रकृमि अवरोधी किस्म जैसे– सेलेक्सन–120 या एन.टी. 8 को उगायें। धान के साथ फसल चक्र अपनाएँ। मई–जून में खेत की गहरी जुताई करें। बलुई मिट्टी में बुआई न करें।

द. कार्यिकी विकृत्ति

धूप से फलों का सफेद होना (सन बर्न) : उत्तर भारत के मैदानी भागों में अप्रैल–मई के महीनों में टमाटर के फल सूर्य के प्रकाश के सीधे सम्पर्क में आने से सफेद होने लगते हैं। इससे न सिर्फ बाजार भाव कम हो जाता है बल्कि फलत भी मारी जाती है।

नियंत्रण : ऐसी किस्मों का चयन करें जिनमें पत्तियाँ अधिक निकलती हों। सिंचाई की अच्छी व्यवस्था रखें। टमाटर की दो तीन कतारों के बीच सनई या ढ़ैंचा लगायें ताकि छाये से फल खराब न हों।

फलों की तुड़ाई

टमाटर के फलों की तुड़ाई उसके उपयोग पर निर्भर करती है। यदि टमाटर को पास के बाजार में बेंचना है तो फल पकने के बाद तुड़ाई करें और यदि फलों को बेचने के लिए दूर के बाजार में भेजना हो तो जैसे ही उनके रंग में परिवर्तन होना प्रारम्भ हो तुरन्त तुड़ाई करना चाहिए।

श्रेणीकरण

खेत में टमाटर तोड़ने के पश्चात रोग ग्रसित सड़े, गले, इत्यादि फलों को सर्वप्रथम छाँटकर अलग कर देना चाहिए। तत्पश्चात् उन्हें 4 वर्गों में आकार के अनुसार वर्गीकृत कर देते हैं जैसे–ए,बी,सी, व डी। आकार के अनुसार अलग–अलग छांटकर बाजार में भेजने पर अच्छा बाजार भाव मिलता है। भारतीय मानक संस्थान (आइ.एस.आई) के अनुसार टमाटर को मुख्य रूप से चार वर्गों में आकार के अनुसार सुपर ''ए'', सुपर फैन्सी, फैन्सी व्यापारिक (कामर्शियल) में बांटा गया है।

भण्डारण

यदि बाजार में माँग न हो तो टमाटर को कुछ दिनों के लिए भण्डारित किया जा सकता है। जैसे परिपक्व हरे टमाटर को 0–5^0 सेन्टीग्रेड तापमान पर 30 दिन और पके टमाटर को 4–5^0 सेन्टीग्रेड पर 10 दिन तक रखा जा सकता है। उपरोक्त भण्डारण के समय आर्द्रता 85 से 90% होनी चाहिए।

उपज

टमाटर की उपज किस्म, बुआई की विधि, खाद व उर्वरक की मात्रा, मौसम, आदि पर निर्भर करती है। टमाटर की प्रति हेक्टेयर औसत उपज 300–340 कुन्तल होती है।

2. बैंगन

वानस्पतिक नाम : *सोलेनम मेलोनजेना*

कुल : सोलेनेसी

गुणसूत्र संख्या : 2 एन = 24

बैंगन सब्जी का एक मुख्य फसल है। इसकी खेती वर्ष में तीन बार वर्षा, शरद व ग्रीष्म ऋतु की फसल के रूप में की जाती है। अभी तक देखा जा रहा है कि कृषक इसकी वास्तविक आमदनी व पैदावार नहीं ले पा रहे हैं क्योंकि वे अभी भी पुरानी कार्यविधियां व जातियाँ ही अपनाते आ रहे हैं। अधिक उपज व आमदनी के लिये यह आवश्यक है कि किसान उन्नतशील किस्मों और सुधरी कार्यविधियों को अपनाएँ।

उन्नतशील किस्में

बैंगन की लम्बे और गोल फल देने वाली अनेक किस्में प्रचलित हैं जिनके रंग, आकार व पैदावार में भिन्नता पायी जाती है।

अ. मुक्त परागित किस्में

लम्बे फल वाली किस्में

पंजाब सदाबहार : इस किस्म के पौधे सीधे खड़े (50–60 सेंमी.) बढ़ने वाले, हरी शाखाओं, पत्तियों तथा उपर नीली धारी वाले होते हैं। फल चमकदार, गहरे बैगनी रंग के होते हैं जो देखने में काले रंग के प्रतीत होते हैं। फलों की लम्बाई 18 से 22 सेंमी. तथा चौड़ाई 3.5 से 4.0 सेंमी. होती है। समय से तुड़ाई करते रहने पर रोग व फल छेदक कीट का प्रकोप कम होता है। औसतन एक हेक्टयर खेत से 450–550 कुन्तल पैदावार प्राप्त होती है।

पंजाब बरसाती : पौधे मध्यम ऊँचाई के (80–90 सेंमी.) तना हरा तथा पत्तियाँ हल्की हरी होती हैं। फल मध्यम आकार के बैगनी रंग लिए हुए लम्बोत्तर, 12.5 से 14 सेंमी. लम्बे 4.0–6.0 सेंमी. व्यास के साथ औसतन 145 ग्रा. वजन के होते हैं।

प्रत्येक पौधे से 15–22 फलों की प्राप्ति हो जाती है। इसकी पैदावार 300–350 कुन्तल/हेक्टेयर है।

पूसा परपल लॉंग : इसके पौधे 40–50 सेंमी. लम्बे, पत्तियाँ व तने हरे रंग के होते हैं। पत्तियों के मध्य शिरा विन्यास पर काँटे पाये जाते हैं। रोपण के लगभग 75 दिन बाद फलत मिलने लगती है। फल 20–25 सेंमी. लम्बे, बैगनी रंग के चमकदार व मुलायम होते है। फलों का औसत वजन 100–150 ग्रा. होता है। इसकी पैदावार 250–300 कुन्तल/हेक्टेयर है।

पंत सम्राट : पौधे 80–120 से. लम्बे, जिनके फल लम्बे, मध्यम आकार के गहरे बैगनी रंग के आकर्षक होते हैं। यह किस्म फोमोप्सिस झुलसा व जीवाणु म्लानि के प्रति सहिष्णु है। रोपण के लगभग 70 दिनों बाद फल तुड़ाई योग्य हो जाते हैं। इनके फलों पर तना छेदक कीट का असर कम पड़ता है। वर्षा ऋतु में बुआई के लिए यह किस्म उपयुक्त है। प्रति हेक्टेयर औसतन 300 कुन्तल पैदावार प्राप्त होती है।

एच. 7 : इनके पौधे मध्यम ऊँचाई के, काँटे रहित, हरा रंग लिए हुए होते हैं। फल गहरे बैगनी रंग के हरे डन्ठल वाले, 18–20 सेंमी. लम्बे, आकर्षक व चमकदार होते हैं। प्रति हेक्टेयर उपज 300–400 कुन्तल है।

गोल फल वाली किस्में

हिसार श्यामल (एच–8) : इस किस्म के पौधे कम ऊँचाई के (50 सेंमी.) ज्यादा फैलाव लिए हुए, पत्तियाँ गहरे बैगनी रंग की काँटे युक्त, फल गोलाकार, 10–15 सेंमी. व्यास के गहरे बैगनी रंग के मोटी त्वचा वाले तथा मुलायम होते हैं। फल, पौधे रोपण के 70 दिन बाद से निकलने प्रारम्भ हो जाते हैं। फल का औसत वजन 300–400 ग्रा. होता है। प्रति हेक्टेयर 300–400 कुन्तल पैदावार प्राप्त होती है।

पंत ऋतुराज : इस किस्म के पौधे 60–70 सेंमी. ऊँचे, तना सीधा खड़ा, थोड़ा झुकाव लिए हुए, फल मुलायम, आकर्षक, कम बीज वाले, गोलाकार तथा अच्छे स्वाद वाले होते हैं। यह किस्म रोपण के 60 दिन बाद तुड़ाई के योग्य तैयार हो जाती है। यह किस्म जीवाणु उकठा रोग के प्रति सहिष्णु है तथा दोनो ऋतुओं (वर्षा व ग्रीष्म) में खेती योग्य है। इसकी औसत पैदावार 400 कुन्तल/हेक्टेयर है।

के.एस. 224 : इसके पौधे 60–70 सेंमी. लम्बे, पत्तियाँ हरी व फल गोलाकार (लगभग 6.3 सेंमी. लम्बे व 7.8 सेंमी. व्यास के) चमकदार, आकर्षक बैगनी रंग लिए हुए होते हैं। औसतन फल का वजन 250–300 ग्रा. होता है तथा उपज 350–400 कुन्तल/हेक्टेयर होती है।

रामनगर जाइण्ट (बनारस जाइण्ट) : वाराणसी और आस पास के क्षेत्रो में काफी प्रचलित इस किस्म के पौधे हल्के रंग की शाखाओं व पत्तियों वाले, काफी मजबूत ढांचे वाले होते है। फल हरे रंग के औसतन 15–20 सेंमी. लम्बे व 1–2 कि. ग्रा. वजन के होते हैं। बैगन का भर्ता बनाने के लिए यह किस्म बहुत उपयुक्त है। इसकी औसत उपज 500 कुन्तल/हेक्टेयर होती है।

ब. संकर किस्में

लम्बे फल वाली संकर किस्में

पूसा संकर –5 : इसके पौधे अच्छे बढ़वार वाले, स्वस्थ, काँटे रहित, अर्ध खड़े शाखाओं वाले, हरी पत्ती वाले होते हैं। जिसकी नयी पत्तियाँ गहरे बैगनी रंग की होती हैं। फल गहरे बैगनी रंग के, लम्बे, चमकदार व आकर्षक तथा औसतन 100 ग्रा. वजन के होते हैं। फल रोपण के 80–85 दिनों बाद तुड़ाई योग्य हो जाते है। इसकी औसत पैदावार लगभग 500 कुन्तल/हेक्टेयर है।

ए.आर.बी.एच.–541 : इसके पौधे 70–80 सेंमी. ऊँचाई के, गहरे बैगनी रंग के होते हैं। फल लम्बे (12–18 सेंमी.), 4.0 सेंमी. व्यास के बैगनी रंग के होते हैं। इसकी औसत पैदावार प्रति हेक्टेयर 600 कुन्तल है।

गोल फल वाली संकर किस्में

पूसा संकर–6 : इस किस्म के पौधे काँटे रहित तथा नवविकसित पत्तियाँ बैगनी रंग लिए हुए होती है। फल गोलाकार, चिकनी सतह वाले, नीले से बैगनी रंग लिए हुए, औसतन 200–250 ग्रा. वजन के होते हैं। रोपण के पश्चात् 85–90 दिनो में फल तुड़ाई योग्य हो जाते हैं। इसकी औसत पैदावार 500 कुन्तल/हेक्टेयर है।

पूसा संकर–9 : इसके पौधे हरे, काँटे रहित, मजबूत व सीधे खड़े शाखाओं वाले, नवविकसित पत्तियों पर बैगनी रंग लिए हुए होते हैं। फल गोल परन्तु कुछ लम्बाई लिए हुए, गाढ़े बैगनी रंग के, चमकदार व आकर्षक होते हैं। यह किस्म रोपण के 90 दिनों बाद तुड़ाई योग्य तैयार होती है। इसकी औसत पैदावार 600 कुन्तल/हेक्टेयर है।

जलवायु

बैगन गरम जलवायु का पौधा है। इसके पौधों में पाला सहन करने की शक्ति कम होती है। अतः बैगन की अच्छी पैदावार के लिए लम्बे समय तक पाला रहित मौसम उपयुक्त होता है। बैगन के फल सर्दियों के अतिरिक्त वर्षा ऋतु तथा जायद में भी उपलब्ध रहते है। प्रायः बैगन की पौध की वर्ष में दो बार रोपाई की जाती है जिसकी फसल से बैगन के फल क्वार (अक्टूबर) से मिलने लगते हैं। यह जाड़े के मौसम की मुख्य फसल होती है। दूसरी रोपाई पौष–फाल्गुन (दिस्मबर–फरवरी) में करते हैं। इसकी पौध के लिए बीज को क्वार–कार्तिक (अक्टूबर–नवम्बर) में बोते हैं। इस फसल के फल फाल्गुन–चैत्र (मार्च–अप्रैल) से बैसाख–जेष्ठ (मई–जून) तक मिलते हैं। तीसरी रोपाई फाल्गुन–चैत्र (मार्च–अप्रैल) में करते हैं। इसके लिए पौधशाला में बैगन के बीज माघ–फाल्गुन (फरवरी–मार्च) में बोते हैं। इस फसल के फल वर्षा ऋतु में उपलब्ध होते हैं।

भूमि और भूमि की तैयारी

इसकी खेती सभी प्रकार की भूमि में की जा सकती है, लेकिन अच्छी उपज के लिए दोमट भूमि, जिसमें जीवांश की पर्याप्त मात्रा हो, सिंचाई और जलनिकास के उचित साधन हों और भूमि में किसी तरह की कड़ी सतह न हो सबसे अच्छी समझी जाती है। बलुई दोमट भूमि में फलत तो शीघ्र मिलती है, लेकिन वानस्पतिक वृद्धि कम होती है, जिसके फलस्वरूप पैदावार कम मिलती है। साथ ही चिकनी भूमि में फलत देर से मिलती है, परन्तु वानस्पतिक वृद्धि अधिक हो जाती है व पैदावार मध्यम होती है। इसलिए दोमट भूमि का चुनाव अति आवश्यक है। बैगन के लिए 5.5 से 6.5 पी.एच. की भूमि उपयुक्त होती है। भूमि की तैयारी के लिए अच्छी तरह 3–4 जुताईयाँ करके पाटा लगा देते हैं। खेत की तैयारी के समय पुरानी फसल के अवशेषो को इकट्ठा करके जला दें अन्यथा कीड़े व बीमारियों के अवशेष खेत में रह जाते हैं।

खाद एवं उर्वरक

बैगन में खाद एवं उर्वरक की मात्रा इसकी किस्म, स्थानीय जलवायु व मिट्टी के प्रकार पर निर्भर करती है। अच्छी फसल के लिए 20–25 टन सड़ी हुई गोबर की खाद अंतिम जुताई के समय खेत में मिला दें। इसके अलावा तत्व के रूप में नाइट्रोजन, फास्फोरस व पोटाश क्रमशः 150:50:50 कि.ग्रा./हेक्टेयर की दर से डालें। नाइट्रोजन की एक तिहाई व फास्फोरस तथा पोटाश की सम्पूर्ण मात्रा अंतिम

जुताई के समय खेत मे डालें व शेष नाइट्रोजन की मात्रा को दो बराबर भागों में बाट कर 30 व 45 दिन बाद (खरपतवार नियंत्रण के पश्चात्) खड़ी फसल में पौध के पास छिड़क दें।

पौधशाला में बीज की बुआई

बीज पौधशाला में बुआई कर बैंगन की पौध तैयार की जाती है।

बीज की मात्रा

बीज की मात्रा उसके अंकुरण प्रतिशत पर निर्भर करती है। एक हेक्टेयर में फसल रोपण के लिए 250 से 300 ग्रा. बीज की आवश्यकता होती है।

बुआई का समय

बैंगन के बीज की बुआई फसल के अनुसार की जाती है। साधारणतः इसे जुलाई–अगस्त में बोया जाता है। गर्मी की फसल के लिए बीजों की बुवाई नवम्बर–दिसम्बर में किया जा सकता है। निम्न सारणी में बीज बोने और पौधा रोपने का समय दिया गया है।

फसल	बीज की बुआई का समय	पौध रोपण का समय
शरद कालीन	जून–जुलाई	जुलाई–अगस्त
ग्रीष्म कालीन	दिसम्बर–जनवरी	फरवरी–मार्च
वर्षा कालीन	मार्च अप्रैल	अप्रैल–मई

रोपण जहाँ तक हो सके सायंकाल करें। यदि आसमान में बादल छाये हों तो रोपण के लिए अच्छा होता है और ऐसे समय में पौध रोपण पूरे दिन कर सकते हैं।

रोपण एवं दूरी

अच्छी प्रकार से तैयार खेत में सिंचाई के साधन के अनुसार क्यारियाँ बना लें। क्यारियों में लम्बे फल वाली जातियों के लिए 75 सेंमी. और गोल फल वाली किस्मों के लिए 90 सेंमी. के अंतराल पर रस्सी की सहायता से कतार बना लें। कतार में 75 सेंमी. के अन्तराल पर रोपण करें। वर्षा के अनुसार रोपण मेढ़ों या समतल क्यारियों में करें। रोपण के तुरन्त बाद हल्की सिंचाई करें। रोपण के समय यह ध्यान रखें कि पौधे कीट तथा रोग रहित हों।

सिंचाई

रोपण के पश्चात् एक हल्की सिंचाई करें या फुहारे की सहायता से पौधो के थालों में 2–3 दिन तक, सुबह और सायंकाल पानी डालें, इसके बाद हल्की सिंचाई करें। ताकि पौधे जमीन में अच्छी तरह पकड़ लें। बाद में आवश्यकता अनुसार सिंचाई करते रहें। साधारणतया गर्मी के मौसम में 7–10 दिन और सर्दी के मौसम में 10–15 दिन के अन्तराल पर सिंचाई करें।

अन्तःसस्य क्रियायें

बैंगन का पौधा काफी वृद्धि करता है। अतः फल लगने के बाद यह जमीन पर न गिर जाय या टूट न जाये इससे बचाव के लिए रोपण के 25–30 दिन बाद खेत की गुड़ाई करके जड़ों के पास मिट्टी चढ़ाना अत्यन्त आवश्यक होता है। साथ ही साथ मिट्टी चढ़ाने से पानी देने के पश्चात् ऊपर की मिट्टी सख्त नहीं हो पाती और वायु का संचार बना रहता है। गुड़ाई करते समय यह ध्यान रहे कि पौधो की जड़ो को नुकसान न पहुँचे अन्यथा पौधे सूख जायेगें।

रोपड़ के 40–50 दिन बाद तक बैंगन की फसल को खरपतवार से मुक्त रखना चाहिये क्योकि यह पौधों को विकसित होने का उपयुक्त समय होता है। खरपतवार उग आने से पौधे अच्छा विकास नहीं कर पाते हैं। यदि कृषि मजदूरों का अभाव हो तो रासायनिक दवाओं से खरपतवार नियंत्रण करना चाहिए। स्टाम्प 3.3 लीटर दवा का 1000 लीटर पानी में घोल बनाकर रोपण से पूर्व तैयार खेत में सर्वत्र एक समान छिड़क दें। इससे खरपतवार नष्ट हो जाते हैं।

प्रमुख रोग एवं कीट प्रबन्धन

अ. प्रमुख रोग

आर्द्र गलन : यह बीमारी पौधशाला में अधिक लगती है। प्रभावित पौधे जड़ो के पास से सड़ने लगते हैं और सूख जाते हैं।

नियन्त्रण : थिरम 2.5 से 3 ग्रा. दवा प्रति किलो बीज की दर से बीज का शोधन करें। रोग रहित बीज का बुआई करें। फसल चक्र अपनायें। रोग से बचाव के लिए जमाव के दूसरे दिन से ही फफूँद नाशक इण्डोफिल एम.–45 या कैप्टान 2 ग्रा. दवा को प्रति लीटर पानी में घोल कर 7–10 दिन के अन्तराल पर एक या दो बार शैय्या को तर करें।

फोमोप्सिस झुलसा

यह बैगन की प्रमुख बीमारी है, जिसका प्रभाव पौधे के प्रत्येक भाग पर होता है। प्रभावित फल सड़ने लगते हैं, और धीरे धीरे सम्पूर्ण फसल नष्ट हो जाती है।

नियन्त्रण : रोगरहित बीज की बुआई करें, बीजों को बाविस्टिन या बेनलेट से एक ग्रा. दवा प्रति कि.ग्रा. बीज की दर से उपचारित करके बुआई करें। रोग अवरोधी किस्मों का चयन करें। उचित फसल चक्र अपनायें।

जीवाणु उकठा रोग : इसका प्रकोप पहले निचली पत्तियों से प्रारम्भ होता है और धीरे धीरे पूरी की पूरी पत्तियाँ पीली पड़कर सूखने लगती हैं। तना को काट कर देखने पर भूरे रंग का जमा हुआ पदार्थ दिखाई देता है।

नियन्त्रण : रोग रोधी किस्मों का चयन करें। लम्बी अवधि का फसल चक्र अपनायें। पौधो की जड़ों को रोपण से पूर्व स्ट्रप्टोसाइक्लिन नामक दवा के 100 पीपीएम (100 मि.ग्रा./लीटर पानी) के घोल में आधे मिनट तक डुबोने के पश्चात् रोपाई करें।

ब. प्रमुख कीट

तना एवं फल छेदक : इस कीट की इल्ली अण्डे से निकलने के बाद फूल तथा कोमल पत्तियों को खाती हैं। कीटग्रस्त तने मुरझाकर लटक जाते हैं। और बाद में सूख जाते हैं। छोटे पौधो में प्रकोप होने पर प्रायः पौधे मर जाते हैं। बड़ी अवस्था में प्रकोप से पौधो की वृद्धि पर कुप्रभाव पड़ता है। फल कम लगता है तथा उपज में भारी कमी आ जाती है। इसकी इल्ली गुलाबी लाल रंग की होती हैं। इसके पीठ पर बैगनी रंग की धारियाँ होती है।

नियन्त्रण : नर्सरी डालने से पहले 5–6 ग्रा. फ्यूराडान प्रति वर्ग मीटर की दर से पौधशाला की मिट्टी में अच्छी तरह मिला दें। मार्सल (कार्बोसल्फान 20 ई.सी) 2 मि.ली. प्रति लीटर पानी में घोल बनाकर 15 दिन के अन्तराल पर छिड़काव करें। या पदान (कार्टेपहाइड्रोक्लोराइड) 2 ग्रा./लीटर पानी में घोल बनाकर छिड़कने से अच्छा नियंत्रण होता है। या ट्राइकोग्रा.ा किलोनीस परजीवी के 50,000 अण्डें सात दिन के अन्तराल पर पाँच बार छोड़ने से इसका प्रकोप कम हो जाता है। बैंगन की फसल समाप्त होने के बाद खेत की जुताई कर दें जिससे मिट्टी में उपस्थित सभी प्यूपा नष्ट हो जायें।

हुड्डा विटिल : इस कीट के बच्चे प्रौढ़ प्रत्तियों से रस चूसते हैं, प्रभावित पत्तियाँ सूखकर गिर जाती हैं। इस कीट के बचाव के लिए कार्बरिल 0.2% (200 ग्रा. सेबिन 50 डब्लू. पी. को 100 लीटर पानी में) घोल कर छिड़काव करें।

जैसिड (हरा तेला) : इसके बच्चे एवं प्रौढ़ दोनो पत्तियों से रस चूसते हैं, प्रभावित पत्तियाँ ऊपर की तरफ मुड़ जाती हैं तथा उनके किनारे सूख जाते हैं। इससे बचाव के लिए मैलाथियान 50 ई.सी. का 2 मि.ली. मात्रा प्रति लीटर की दर से घोल बनाकर पत्तियों की दोनो सतह पर छिड़काव करना चाहिए।

फलों की तुड़ाई

जब फलों की पूरी बढ़वार हो जाए लेकिन उनका रंग फीका न पड़े और उनमें बीज न बने हों, तुड़ाई करनी चाहिए।

उपज

बैगन की पैदावार उसकी किस्म, मिट्टी के प्रकार एवं मौसम के ऊपर निर्भर करती है। एक हेक्टेयर खेत से लगभग 250–300 कुन्तल उपज प्राप्त हो जाती है।

3. मिर्च

वानस्पतिक नाम	:	*कैप्सिकम एनम*
कुल	:	सोलेनेसी
गुणसूत्र संख्यां	:	2 एन = 24

मिर्च की व्यवसायिक खेती करने से अधिक लाभ कमाया जा सकता है। प्रायः सभी लोग कम या ज्यादा मात्रा में मिर्च का प्रयोग अवश्य करते हैं। अधिक तीखी (चरपरी), हरी या लाल मिर्च मसालों के रूप में, तथा मध्यम चरपरी लाल मोटी मिर्च अचार बनाने में प्रयोग की जाती हैं।

उन्नतशील किस्में

अ. मुक्त परागित किस्में

एल. सी. ए.– 235 : इस किस्म के पौधे सघन, छोटी–छोटी पत्तियों वाले छाता नुमा आकार के होते हैं। पत्तियाँ छोटी, फल 5–6 सेंमी. लम्बे, नुकीले, गहरे हरे रंग के, काफी चरपरे होते हैं। हरी सब्जियों के साथ प्रयोग करने के लिए यह उपयुक्त किस्म है। अचार बनाने व निर्यात के लिए भी यह उपयुक्त किस्म है। इसके हरे फलों की पैदावार 75–100 कुन्तल तथा सूखे फलों की 37 कुन्तल/हेक्टेयर है।

पूसा ज्वाला : इस किस्म के पौधे छोटे, झाड़ीनुमा, पत्तियाँ तथा फल हरे रंग के, फल 10–12 सेंमी. लम्बे, पतले तथा अधिक चरपरे होते हैं। फल पकने के बाद लाल रंग के जो सूखने पर टेढ़े–मेढ़े हो जाते हैं। इसके हरे फलों की पैदावार लगभग 100 कुन्तल/हेक्टेयर है।

पूसा सदाबहार : इसके पौधे सीधे 60–80 सेंमी. लम्बे, पत्तियाँ सामान्य किस्मों की अपेक्षा लम्बी व चौड़ी होती हैं। फल 6–14 के गुच्छों में लगते हैं तथा फल का निचला हिस्सा उपर की तरफ मुड़ा होता है। फल आकार में 6–8 सेंमी. लम्बे तथा 3.0 से 4.0 मि.मी. मोटाई के होते हैं। इस किस्म की मुख्य विशेषता यह है कि एक बार पौधा लगा देने पर 2–3 वर्षों तक फल मिलते रहते हैं।

जवाहर मिर्च 218 : इसके फलों में अधिक चरपराहट होती है। फल 10–12 सेंमी. लम्बे होते हैं। यह मसाले के लिए उपयुक्त किस्म है।

ब. संकर किस्में

तेजस्वनी : इसकी फलियाँ मध्यम आकार की तथा हरे रंग की होती हैं। यह एक अच्छी उपज देने वाली किस्म है।

जलवायु

मिर्च गर्म और आर्द्र जलवायु में भली–भाँति उगती है पर इनके फलों के पकने के समय शुष्क मौसम का होना बहुत जरूरी है। बीजों का अच्छा अंकुरण 18–30^0 सेल्सियस मृदा तापमान पर होता है। सामान्यतः मिर्च के गुणवत्तायुक्त उत्पादन के लिए 20–30^0 सेल्सियस औसत तापमान उपयुक्त होता है। मिर्च अधिक तापमान को भी सह लेता है।

भूमि और भूमि की तैयारी

इसकी अधिक उपज के लिए बलुई दोमट या दोमट भूमि अच्छी पायी गई है। ऐसी मिट्टी जिसका पी.एच.मान 6 से 7.5 के बीच हो, खेती के लिए उपयुक्त होती है। खेत की दो–तीन जुताई करके पाटा लगा देते हैं ताकि खेत की मिट्टी भुरभुरी हो जाये।

पोधशाला में बीज की बुआई

मिर्च के बीज को सर्वप्रथम पौधशाला में बुआई करके पौध तैयार कर लेते हैं। पौध तैयार होने पर इनका रोपण मुख्य खेत में करते हैं। बीज शैय्या के लिए

जीवांशयुक्त मिट्टी काफी उपयुक्त होती है। अतः मिट्टी में गोबर या कम्पोस्ट की खाद डालकर अच्छी प्रकार मिला दें। अच्छी पौध तैयार करने के लिए प्रति वर्ग मीटर की दर से 10 ग्रा. डाई अमोनियम फास्फेट और 1 किलो ग्रा. सड़ी हुई गोबर की खाद मिला दें। वर्षा ऋतु में नर्सरी ऊँची उठी हुई क्यारियों में डालना उचित होता है। ऊँची क्यारियाँ जमीन की सतह से 20–25 सेंमी. ऊपर बनायी जाती हैं। क्यारियों की लम्बाई 3 मीटर तथा चौड़ाई 1 मीटर रखते हैं। साधारणतया यह देखा गया है कि बीज चाहे पंक्ति में बोये गये हो या छिटककर यदि घने रहते हैं तो आर्द्रगलन बीमारी का प्रकोप अधिक होता है। अतः बुआई अधिक घनी नहीं करनी चाहिए। पंक्ति में बुआई के लिए, एक पंक्ति से दूसरे पंक्ति की दूरी क्यारी की लम्बाई के लम्बवत या चौड़ाई के समानान्तर 5–6 सेंमी. रखें व इन्हीं पक्तियों में बीज की बुआई करें। बीज बुआई के बाद क्यारियों को सड़ी हुई गोबर की खाद या पत्ती की खाद (कम्पोस्ट खाद) से ढक दें जिससे उपर की मिट्टी बैठने न पाये। तत्पश्चात् फुहारे से हल्की सिंचाई करें। अब इन क्यारियों को धूप व ठंढ से बचाने के लिए घास–फूँस की छप्पर या सरकण्डे से ढक दें। जब बीज जम कर दिखाई देने लगे तो घास–फूँस हटा लें तथा आवश्यकतानुसार फुहारे से सिंचाई करते रहें, एक सप्ताह के अन्तराल पर बीज शैय्या में पौधों को इण्डोफिल एम.–45 या थिरम के 0.2% घोल (2 ग्रा. दवा प्रति लीटर पानी) से उपचारित करें। लगभग 4 सप्ताह में पौध रोपण योग्य तैयार हो जाती है।

बीज की मात्रा

एक हेक्टेयर खेत में मिर्च की रोपाई के लिए 600–700 ग्रा. मुक्तपरागित किस्मों तथा 200–250 ग्रा. संकर किस्मों के बीज की आवश्यकता होती है।

बुआई का समय

अच्छी पैदावार प्राप्त करने के लिए आवश्यक है कि मिर्च की बुआई उपयुक्त समय से करें। उत्तर भारत के मैदानी क्षेत्रों में पौधशाला में बीज की बुआई का उपयुक्त समय जुलाई–अगस्त तथा रोपण का उचित समय अगस्त–सितम्बर होता है।

पौध रोपण

जहाँ तक संभव हो सके मिर्च के पौधों का रोपण शाम के समय करना चाहिए। साफ मौसम या तेज धूप के समय रोपण करने से पौधे अच्छी प्रकार अपनी वृद्धि

नहीं कर पाते। रोपण के बाद पौधो को फुहारे की सहायता से दो–तीन दिनों तक सुबह शाम सिंचाई करें। मिर्च में रोपण के लिए उचित दूरी ऋतुओं और किस्मों के अनुसार अलग–अलग होती है। साधारण तौर पर मिर्च की रोपाई पंक्ति से पंक्ति 60–75 सेंमी. व पौध से पौध 30–45 सेंमी. रखनी चाहिए।

खाद एवं उर्वरक

मिर्च की पैदावार उसमें प्रयुक्त खाद एवं उर्वरकों की मात्रा व किस्म पर निर्भर करती है। अच्छी उपज के लिए 25–30 टन प्रति हेक्टेयर सड़ी खाद गोबर की खेत की तैयारी के समय मिट्टी में मिलावें तथा तत्व के रूप में 100–120 कि.ग्रा. नाइट्रोजन, 40–60 कि.ग्रा. फास्फोरस, 40–50 कि.ग्रा. पोटाश प्रति हेक्टेयर की दर से प्रयोग करना चाहिए। नाइट्रोजन की आधी व फास्फोरस व पोटाश की पूरी मात्रा रोपण से पहले दें तथा शेष नाइट्रोजन को दो भागों में बाँटकर रोपण से 25 व 45 दिनों बाद खड़ी फसल में डालें।

सिंचाई

पौधे रोपण के तुरन्त बाद हल्की सिंचाई करना अत्यन्त आवश्यक है। उसके बाद आवश्यकता अनुसार सिंचाई करना चाहिए। मिर्च में पानी की मात्रा मिट्टी की किस्म, क्षेत्र में होने वाली वर्षा की मात्रा और उगाई जाने वाली किस्म पर निर्भर करती है। यदि वर्षा कम हो रही है तो 10–15 दिनों के अन्तराल पर सिंचाई करनी चिाहिए। गर्मी के महीनों में सिचाई एक सप्ताह के अन्तराल पर करें। ध्यान दें कि वर्षा का पानी खेत में ज्यादा समय तक न रहे अन्यथा पौधे मर जाते हैं।

अंतः सस्य क्रियायें

सिंचाई करने के बाद मिर्च के खेत में अनेकों प्रकार के खरपतवार उग आते हैं। अतः समय समय पर सिंचाई करने के बाद मिर्च की खेत में हवा का आवागमन सुचारू रूप से होता रहे इसके लिए सिंचाई के बाद हल्की गुड़ाई करके पौधों की जड़ों के पास मिट्टी चढ़ा दे। जिससे सिंचाई के दौरान पानी जड़ों के पास न पहुँचे तथा पूरी मिट्टी बैठने न पाये। स्टाम्प 3.3 लीटर 1000 लीटर पानी में घोलकर प्रति हेक्टेयर रोपण से पूर्व खेत में छिड़काव करने से खरपतवार नहीं उगते हैं व अच्छी उपज प्राप्त होती है।

प्रमुख रोग एवं कीट प्रबन्धन

अ. प्रमुख रोग

मोजैक : इस बीमारी से प्रभावित पौधों की पत्तियाँ अनियमित रूप से सिकुड़ कर पीली पड़ जाती हैं जिससे पौधों का विकास रूक जाता है और साथ ही साथ फलों का आना कम हो जाता है।

नियंत्रण : रोगी पौधों को उखाड़ कर नष्ट कर देना चाहिए तथा रोग फैलाने वाले कीड़े के रोकथाम के लिए रोगर 1.5 मि.ली./लीटर पानी में घोल बनाकर दस दिन के अन्तराल पर 3–4 बार छिड़काव करना चाहिए।

आर्द्रगलन : यह रोग *पिथियम, फाइटोफ्थोरा* या *राइजोक्टोनिया* नामक कवक से होता है। प्रभावित पौधो के तने सड़ जाते हैं और पौधे मर जाते हैं।

नियंत्रण : बीज को 3 ग्रा. कैप्टान या थिरम प्रति किलो की दर से शोधित करें। यदि बीज जमने के बाद इस रोग का प्रकोप हो तो पौध शैय्या की मिट्टी को 0.2% कैप्टान के घोल से उपचारित करें।

शीर्षमरण रोग (डाइबैक) या फल सड़न : इसमें पौधे शीर्ष भाग से सूखना प्रारम्भ करते हैं और नीचे तक सूख जाते हैं। रोगग्रसित पौधों की टहनियाँ सूखने लगती हैं और फल सड़ने लगता है। पूरे पौधे बौने होकर सूख जाते हैं।

नियंत्रण : इससे बचाव के लिए बाविस्टीन के 2.5 ग्रा. दवा प्रति किलो ग्रा. बीज की दर से बीज उपचारित करके बोयें। डाइफोल्टान (2 ग्रा. दवा प्रति लीटर पानी) तथा बाविस्टीन 0.1% (1 ग्रा. दवा प्रति) एकान्तरित छिड़काव करें।

चूर्णिल आसिता (पाउडरी मिल्ड्यू) : यह वायु जनित रोग है। इस रोग में पत्तियों पर सफेद चूर्ण जम जाती है। जिससे प्रभावित पौधे मुर्झाने लगते है।

नियंत्रण : इसकी रोकथाम के लिए रोगरोधी किस्मों का चयन करना चहिए। रोग का प्रकोप होने पर कैलिक्सीन 0.1% या टोपास 0.05% या कैराथेन 0.1% के घोल का 10 दिन के अन्तराल पर 2–3 बार छिड़काव करें।

गुरचा या पत्ती मरोड़ रोग : यह बीमारी विषाणु के कारण होती है जो सफेद मक्खी द्वारा एक पौधे से दूसरे पौधे पर पहुँचायी जाती है। इस रोग के प्रकोप से पत्तियाँ सिकुड़ कर कुरूप हो जाती हैं। प्रभावित पौधों में फल कम या नहीं लगते हैं।

नियंत्रण : इस रोग से बचाव के लिए सफेद मक्खी का नियंत्रण करना चहिए तथा रोगी पौधों को खेत से तत्काल निकालकर नष्ट कर देना चाहिए। सफेद मक्खी से बचाव के लिए रोगर या मेटासिस्टाक्स 1.5 मि.ली. दवा को प्रति लीटर पानी में घोलकर छिड़काव करनी चाहिए।

ब. प्रमुख कीट

थ्रिप्स : ये कीड़े पत्तियों का रस चूसते हैं जिससे पत्तियाँ सिकुड़ जाती हैं या एकदम छोटी रह जाती हैं। यह विषाणु रोग फैलाने में भी मदद करता है। इस कीट का आक्रमण नर्सरी से ही शुरू हो जाता है। इसका वयस्क कीट 1 मि.मी. से कम लम्बा व हल्के पीले रंग का होता है तथा इनका पंख झालरदार होता है। इसमे नियंत्रण के लिए डायक्लोरोवास या इमिडाक्लोप्रिड 0.4 मि.ली. प्रति लीटर की दर से पानी में घोलकर छिड़काव किया जाता है।

माइट : यह पीले रंग का छोटा अष्टपदी जीव है इसके पृष्ठ भाग पर सफेद धारियाँ होती हैं। यह मिर्च में पर्ण कुंचन रोग फैलाता है। यह प्रायः शाखाओं की अन्तिम पत्तियों पर पहले आक्रमण करती हैं। इसके प्रकोप से पत्तियाँ आकार में छोटी होकर आपस में गुच्छा सा बना लेती हैं। इसके प्रकोप के कारण पौधो में फूल कम लगते हैं और जो लगते भी हैं, वे झड़ जाते हैं। फलस्वरूप मिर्च में फलत नहीं हो पाती है। इसके नियंत्रण के लिए डायकोफाल (18.5 ई.सी.) का 2.75 मि.ली. प्रति लीटर पानी में घोल बनाकर छिड़काव किया जाना चाहिए अथवा घुलनशील गंधक के 2.5 से 3.0 ग्रा. दवा को प्रति लीटर पानी में घोलकर 15 दिन के अन्तराल पर छिड़काव करना चाहिए।

तुड़ाई

हरी मिर्च के लिए तुड़ाई फल लगने के 15–20 दिन बाद कर सकते हैं। परन्तु यदि सूखी लाल मिर्च के लिए तुड़ाई करनी हो तो एक या दो बार हरी मिर्च की तुड़ाई करके मिर्च पौध पर ही पकने के लिए छोड़ दी जाती हैं। इससे फूल बहुलता से आते हैं और पैदावार भी ज्यादा मिलती है। एक तुड़ाई से दूसरे तुड़ाई का अन्तराल 15–20 दिन का रखते हैं। फलों की तुड़ाई उनके पूर्ण विकसित होने पर ही करनी चाहिए।

उपज

कुशल प्रबन्धन और उत्तम तकनीक द्वारा खेती करने पर हरी मिर्च की 100–200 कुन्तल प्रति हेक्टेयर तक गुणवत्तायुक्त उपज ली जा सकती है।

4. शिमला मिर्च

वानस्पतिक नाम	:	*कैप्सिकम एनम* वेरायटी फ्रूटेसेन्स
कुल	:	सोलेनसी
गुणसूत्र संख्या	:	2 एन = 24

भारत में शिमला मिर्च की व्यवसायिक खेती हिमाचल प्रदेश, कर्नाटक, तमिलनाडु और उत्तर प्रदेश के कुछ भागों में की जाती है। इसे मीठी मिर्च, घंटीनुमा मिर्च तथा शिमला मिर्च के नाम से जाना जाता है। पौष्टिकता की दृष्टि से यह विटामिन तथा खनिज लवणों की अच्छी स्रोत है। इसमें विटामिन ''ए'', ''बी'' एवं ''सी'' टमाटर से अधिक पायी जाती है। चरपराहट रहित होने के कारण इसे विटामिन ''सी'' की प्राप्ति हेतु कच्चा या सलाद के रूप में भी खाया जा सकता है।

उन्नतशील किस्में

कैलीफोर्निया वण्डर : पौधे मध्यम ऊँचाई के सीधे बढ़ने वाले होते हैं। फल चिकने, गहरे हरे रंग के, छिलका मोटा तथा 3–4 प्रकोष्ट वाले होते हैं। इसकी उपज औसतन 120–140 कुन्तल/हेक्टेयर है।

संकर किस्में

भारत : इसके पौधे उपर की तरफ बढ़ने वाले घने व मजबूत होते हैं पत्तियां गहरी हरी होती है। फल मोटे, कड़े, 3–4 भागो में बढे, गहरे हरे व चिकनी सतह वाले होते हैं औसत वजन 150 ग्रा. होता है। यह किस्म टोबैको मोजेक वायरस से अवरोधी है। इसकी औसत पैदावार 200 कुन्तल/हेक्टेयर है।

इन्द्रा : पौधे मध्यम ऊँचाई के सीधे खड़े व छातानुमा शक्ल के, पत्तियाँ चौड़ी व गहरे हरे रंग की होती है। फल चौड़ाई के अनुपात में थोड़ा लम्बे, मोटे गूदेवाले गहरे रंग के होते हैं। इनका औसत वजन 100–150 ग्रा. होता है। इसकी औसत पैदावार 200 कुन्तल/हेक्टेयर है।

जलवायु

शिमला मिर्च सेल्सियस की गुणवत्तायुक्त उत्पादन ठंठी जलवायु में होती है। इसके लिए 18–22^0 सेल्सियस का औसत तापमान उपयुक्त होता है। उच्चतर और निम्नतर तापमान शिमला मिर्च के लिए नुकसानदायी होता है।

भूमि और भूमि की तैयारी

इसकी अधिक उपज के लिए बलुई दोमट या दोमट भूमि अच्छी पायी गई है। ऐसी मिट्टी जिसका पी.एच.मान. 6 से 7.5 के बीच हो, खेती के लिए उपयुक्त होती है। खेत की दो–तीन जुताई करके पाटा लगा देते हैं ताकि खेत की मिट्टी भुर भुरी हो जाय।

पौधशाला में बीज की बुआई

शिमला मिर्च के पौधों को सर्वप्रथम पौधशाला में तैयार करते हैं तत्पश्चात उसे मुख्य खेत में लगाया जाता है। पौधशाला की अच्छी तैयारी से पौध स्वस्थ एवं उच्चगुणवत्ता के होते हैं।

बीज की मात्रा

एक हेक्टयेर खेत के लिए सामान्य किस्मों की 500 ग्रा. तथा संकर किस्मों की 250 ग्रा. बीज की आवश्यकता पड़ती है। बीज को पौधशाला में बुआई करके पौधे तैयार करते हैं।

बुआई का समय

उत्तर भारत के मैदानी क्षेत्रो में इसकी शरद ऋतु की फसल के लिए नर्सरी में बीज की बुआई अगस्त माह में करते हैं।

पौध रोपण

नर्सरी में जब पौधे 30 दिन के हो जाए या उनमें 4–5 पत्तियाँ आ जाएँ तो वे रोपण के लिए तैयार हो जाती हैं। नर्सरी से पौधे उखाड़ने के पहले हल्की सिंचाई कर देनी चाहिए। ऐसा करने से पौधे आसानी से निकाले जा सकते हैं तथा जड़ तन्त्रों को कम क्षति पहुँचती है। पौधों को अच्छी प्रकार से तैयार किये हुए खेत में लगाने के लिए समतल क्यारियों में पंक्ति से पंक्ति की दूरी 50–60 सेंमी. तथा पौधे से पौधे की दूरी 40 सेंमी. रखते हैं। पौध रोपण 60–70 सेंमी. की दूरी पर बनाई

गयी नालियों के दोनों तरफ 5–10 सेंमी. किनारे से अन्दर की तरफ 30 सेंमी. की दूरी पर कर सकते हैं। पौध लगाने से पहले मिट्टी में फ्यूराडान (एक ग्रा. प्रति पौधा) पौध लगाने वाले स्थान पर डाल देना चाहिए या 8–10 कि.ग्रा./हेक्टेयर की दर से अंतिम जुताई के समय प्रयोग करना चाहिए। इससे फसल दीमक के प्रकोप से बच जाती है।

खाद एवं उर्वरक

खेत की तैयारी के समय ही 20–25 टन गोबर की सड़ी खाद या कम्पोस्ट प्रति हेक्टेयर खेत में अच्छी तरह मिला देनी चाहिए। इसके अतिरिक्त 150 कि.ग्रा. नाइट्रोजन, 60 कि.ग्रा. फास्फोरस और 60 कि.ग्रा. पोटाश प्रति हेक्टेयर का प्रयोग करते हैं। फास्फोरस व पोटाश की पूरी मात्रा और नाइट्रोजन की तिहाई मात्रा पौध रोपण के समय पंक्तियों में देनी चाहिए। शेष नाइट्रोजन की एक तिहाई मात्रा बराबर भागों में पौध रोपण के बाद क्रमश 20 दिन 40 दिन एवं 60 दिन बाद देनी चाहिए। इससे पैदावार अच्छी होती है।

सिंचाई

पौध रोपण के तुरन्त बाद फुहारे से हल्की सिंचाई करनी चाहिए। अच्छी फसल के लिए यह आवश्यक है कि भूमि में पर्याप्त नमी हो। इसके लिए 10–15 दिन के अन्तराल पर हल्की सिंचाई करते रहना चाहिए।

अंतःसस्य क्रियायें

खरपतवार नियंत्रण के लिए आवश्यकता अनुसार दो या तीन बार निकाई करें जिससे फसल खरपतवार से कुप्रभावित न हो। रासायनिक विधि द्वारा भी खरपतवार नियंत्रण किया जा सकता है। इसके लिए रोपण से पूर्व स्टाम्प के 3.3 ली. मात्रा 1000 लीटर पानी में घोलकर छिड़काव करने से खरपतवार की रोकथाम हो जाती है। पौध रोपण के तीस दिन बाद जड़ों पर मिट्टी चढ़ा देनी चाहिए ताकि पौधों की जड़ों के पास की मिट्टी पानी से बैठने न पाये और वायु संचार बराबर बना रहे।

फलों की तुड़ाई

पूर्ण विकसित और बड़े आकार के स्वस्थ हरे फल बिक्री के लिए उत्तम रहते हैं। फलों के तुड़ाई, पौध रोपण के लगभग 110–115 दिन बाद शुरू हो जाती है और 15 दिन के अन्तर में 4–5 बार तुड़ाई की जाती है।

उपज

शिमला मिर्च की औसत उपज लगभग 100–150 कुन्तल प्रति हेक्टेयर होती है। कुशल प्रबंध और उत्तम तकनीक द्वारा उपज को 400 से 500 कुन्तल प्रति हेक्टेयर तक बढ़ाया जा सकता है।

प्रमुख रोग एवं कीट प्रबंधन

अ. प्रमुख रोग

एन्थ्रेक्नोज : इसका प्रभाव छोटे और पके फलों, पत्तियों तथा तनों पर भूरे धब्बे के रूप में दिखाई देता है।

नियंत्रण : इसके लिए बेनलेट 0.1% या जीरम 0.2% का छिड़काव पन्द्रह दिन के अंतर से दो बार करें। बाविस्टिन के 0.1% घोल का छिड़काव भी काफी लाभकारी पाया गया है। वाविस्टीन या बेनलेट के 2.5 ग्रा. दवा को प्रति किलो बीज की दर से उपचारित करके बुआई करें।

पत्तियों का जीवाणु धब्बा रोग : नई पत्तियों पर पीले हरे और पुरानी पत्तियों पर जलीय काले धब्बे पाये जाते हैं। इससे फलों पर फफोले जैसे धब्बे उत्पत्र हो जाते हैं।

नियंत्रण : बचाव के लिए बीज का उपचार स्ट्रेप्टोसाइक्लीन 100 पीपीएम से करना चाहिए तथा कापर आक्सीक्लोराइड की 3 ग्रा. मात्रा प्रति लीटर पानी में घोल बनाकर 2–3 बार 8–10 दिन के अन्तराल पर छिड़काव करना चाहिए।

ब. प्रमुख कीट

मकड़ी : यह अष्टपरी जीव पत्तियों का रस चूसता है तथा फूल निकलते समय अधिक हानि पहुँचाता है। प्रभावित पत्तियाँ मुड़ कर टेढ़ी मेढ़ी हो जाती हैं। इसके प्रभाव से उपज में 25 से 50% की कमी आ जाती है।

नियंत्रण : डाइकोफाल का 1.5 मि.ली. मात्रा प्रति लीटर पानी में घोलकर छिड़काव करने पर इस कीट का नियंत्रण हो जाता है।

मॉहू : ये कीड़े भी पौधे का रस चूसते हैं तथा विषाणु रोग फैलाते हैं।

नियंत्रण : नुआक्रान या रोगर की 1 लीटर मात्रा 650–700 लीटर पानी में घोलकर प्रति हेक्टेयर छिड़काव करें।

सूत्रकृमि : ये पौधों की जड़ों में छोटी–छोटी गाँठ या ग्रंथियाँ उत्पत्र करते हैं, जिनके कारण पौधो में पोषक तत्वों की आपूर्ति बंद हो जाती है और पौधे मर जाते हैं।

नियंत्रण : कार्बोफ्यूरान या फीनेमीफास का 1–2 कि.ग्रा. (सक्रिय तत्व) प्रति हेक्टर की दर से मिट्टी में मिलायें।

थ्रिप्स : यह कीड़ा पत्तियों का रस चूसता है जिससे हरिमाहीन व विरूपित हो जाती है।

नियंत्रण : इमिडाक्लोप्रिड 0.5 मि.ली. प्रति ली. पानी के घोल का छिड़काव करें।

5. मटर

वानस्पतिक नाम : *पाइसम सेटाइवम*
कुल : लेग्यूमिनोसी
गुणसूत्र संख्यां : 2 एन् = 14

दाल वाली सब्जियों में मटर एक प्रमुख फसल है। दलहनी फसल होने के कारण यह भूमि की उर्वरा शक्ति को बढ़ाती है। इसकी हरी फलियों का प्रयोग सब्जियों के लिए, हरे बीजों को परिरक्षण के द्वारा डिब्बा बंदी (कैनिंग) करके बे–मौसम में खाने के लिए प्रयोग किया जाता है। यह प्रोटीन, कार्बोहाइड्रेट, विटामिन तथा खनिज तत्वों से भरपूर सब्जी है। इसके पौधों का हरे चारे के रूप में भी प्रयोग किया जाता है।

भारत मे इसकी खेती पूरे उत्तर भारत में मैदानी क्षेत्रों में सर्दियों में तथा पहाड़ी क्षेत्रों में गर्मी में की जाती है। उत्तर प्रदेश, बिहार, मध्य प्रदेश, पंजाब, हरियाणा आदि राज्यों में इसकी खेती हरी फलियों के लिये की जाती है। इसकी खेती भारत के दक्षिण राज्यों में भी की जाती है।

उन्नतशील किस्में

अ. अगेती किस्में

अर्कल : यह 60–65 दिन में तैयार होनी वाली किस्म है। इसके पौधे छोटे, फलियाँ अच्छी तरह से भरी हुई, लम्बी, हरी होती हैं। इसकी औसत उपज 40–60 कुन्तल प्रति हेक्टेयर है।

आजाद मटर 3 : इसके पौधे मध्यम ऊँचाई वाले, फलियाँ मध्यम आकार की और बुआई के लगभग 65 दिन बाद तुड़ाई के लिए तैयार हो जाती है। इसकी औसत उपज लगभग 50 कुन्तल प्रति हेक्टेयर है।

वी. एल. 6 : यह शीघ्र तैयार होने वाली किस्म है। फलियाँ मध्यम आकार की और बुआई के लगभग 65 दिन बाद तुड़ाई के लिए तैयार हो जाती है। प्रत्येक पौधे पर 12–15 फलियाँ तथा प्रत्येक फली में 5–6 दाने होते हैं। इसकी उपज 60 कुन्तल/हेक्टेयर है।

मटर अगेता : इसके पौधे छोटे, सीधे, हरे रंग के तथा जल्दी बुआई के लिए उपयुक्त है। यह लगभग 8 सप्ताह में तुड़ाई के लिए तैयार हो जाती है। प्रत्येक पौधे पर 12–15 फलियाँ तथा प्रत्येक फली में 5–6 दाने होते हैं। इसकी औसत उपज 60 कुन्तल/हेक्टेयर है।

ब. मध्यम अवधि वाली किस्में

आजाद मटर 1 : इसके पौधे मध्यम ऊँचाई वाले होते हैं। पौधो में फलियाँ जोड़ों में लगती हैं। बुआई के लगभग 75–80 दिन बाद फलियाँ तुड़ाई लायक हो जाती हैं। इसकी औसत उपज लगभग 75–80 कुन्तल प्रति हेक्टेयर है।

स. पछेती किस्में

इस वर्ग में बोनबिले, पन्त उपहार, इत्यादि प्रमुख किस्में हैं।

जलवायु

मटर के लिए ठण्डी जलवायु की आवश्यकता होती है। बीज के जमाव के लिए 22^0 सेन्टीग्रेड का तापमान सबसे उपयुक्त है। इसका जमाव 5^0 सेन्टीग्रेड से कम तापमान तक भी हो जाता है परन्तु धीमी गति से उपयुक्त से अधिक तापमान पर जमाव तेज होता है किन्तु सड़न के कारण पौधे कम हो जाते हैं। मटर की अच्छी फसल लेने के लिए 13 से 18^0 सेन्टीग्रेड का तापमान उपयुक्त होता है। तापमान के बढ़ने से मटर में परिपक्ता तो जल्दी हो जाती है किन्तु उपज घट जाती है। सिकुड़े बीज वाली मटर की प्रजातियाँ अधिक तापमान के प्रति ज्यादा संवेदनशील हैं और 30^0 सेन्टीग्रेड के ऊपर का तापमान फली की गुणवत्ता को प्रभावित करता है।

भूमि और भूमि की तैयारी

इसकी खेती सभी प्रकार की भूमि में की जा सकती है, परन्तु अच्छे जल निकास वाली बलुई दोमट या दोमट भूमि जिसका पी.एच.मान 6.0–7.5 के बीच हो, उपयुक्त मानी जाती है। यदि नमी की कमी हो तो बोने से पहले पलेवा कर देना चाहिए। भूमि की अच्छी जुताई द्वारा मिट्टी भुरभुरी करके खेत को समतल कर लेना चाहिये।

फसल की बुआई

बीज की बुआई सीडड्रिल से या देशी हल के कतारों में की जाती है। जल्दी पकने वाली जातियों के लिए पंक्ति से पंक्ति की दूरी 30 सेंमी. व पौधे से पौधे की दूरी 5 से 7 सेंमी. रखनी चाहिए। बीज की बुआई 5–7 सेंमी. की गहराई पर करें। बुआई के समय खेत में पर्याप्त नमी का होना आवश्यक है। बुआई से पहले बीज थिरम (3 ग्रा./कि.ग्रा.) या वेनलेट या बविस्टीन (2 ग्रा./कि.ग्रा.) से उपचारित कर लेना चाहिए। बीज को बुआई से पूर्व यदि राइजोबियम जीवाणु कल्चर से उपचारित कर लिया जाय तो फसल बढ़वार और उपज पर अनुकूल प्रभाव पड़ता है। इसके लिए 1.5 कि.ग्रा. राइजोबियम कल्चर को 10% गुड़ के घोल में मिलाकर प्रति हेक्टेयर बीज को अच्छी तरह उपचारित करके छाया में सुखा लेना चाहिए। इसके बाद उसी दिन बुआई कर देनी चाहिए।

बीज की मात्रा

अगेती किस्मों के लिए 120–150 कि.ग्रा. तथा मध्यम किस्मों के लिए 80–100 कि.ग्रा./हेक्टेयर बीज की आवश्यकता होती है।

बुआई का समय

इसकी बुआई अक्टूबर के प्रथम सप्ताह के शुरू करके नवम्बर के अंत तक की जाती है।

खाद एवं उर्वरक

मटर के खेत की अंतिम जुताई के साथ 20 टन सड़ी हुई गोबर की खाद खेत में मिला देनी चाहिए। इसकी अच्छी फसल के लिए 50 कि.ग्रा. नत्रजन 50–70 कि.ग्रा. फास्फोरस तथा 30–40 कि.ग्रा. पोटाश प्रति हेक्टेयर की दर से तत्व के रूप में देना आवश्यक होता है। नत्रजन की आधी मात्रा तथा फास्फोरस व

पोटाश की पूरी मात्रा बुआई के पहले मिट्टी में अच्छी तरह मिला देनी चाहिए। बची हुई नत्रजन की मात्रा बुआई से लगभग 25–30 दिन बाद टापड्रेसिंग के रूप देनी चाहिए।

सिंचाई

बुआई के बाद पहली सिंचाई फूल आते समय करनी चाहिए। आवश्यकता पड़ने पर दूसरी सिंचाई फलियाँ बनते समय करनी चाहिए। अधिक मात्रा में पानी लगने से मटर के पौधों में श्वसन क्रिया प्रभावित होती हैं और म्लानि रोग का प्रकोप हो जाता है।

अंतः सस्य क्रियायें

मटर के लिए 1 से 2 निकाई की आवश्यकता होती है। इसके लिए खुर्पी या कुदाल का उपयोग कर सकते हैं। इसके अलावा रासायनिक खर–पतवार नियंत्रण का प्रयोग करके भी, इनकी रोकथाम कर सकते हैं। बुआई से 2–3 दिन पूर्व 2 से 2.5 लीटर वासालीन प्रति हेक्टेयर की दर से 1000 ली. पानी में घोलकर छिड़काव करें और मिट्टी में मिला दें या बुआई के एक दिन बाद 3 लीटर स्टाम्प (पेन्डीमेथिलीन) 1000 लीटर पानी में घोल बनाकर छिड़काव करें।

प्रमुख रोग एवं कीट प्रबंधन

अ. प्रमुख रोग

चूर्णिल आसिता : यह बीमारी पत्ती, तना तथा फलियों को प्रभावित करती है। इस बीमारी में पत्तियों पर हल्के चिन्ह बन जाते हैं। जो बाद में सफेद पाउडर (चूर्ण) के रूप में बढ़कर एक दूसरे से मिल जाते हैं। इस प्रकार ये पूरी पत्ती को ढँक देते हैं जिसके बाद सभी पत्तियाँ गिर जाती हैं।

नियंत्रण : इसके नियंत्रण के लिये 2–2.5 कि.ग्रा. घुलनशील गंधक का चूर्ण 600 से 700 लीटर पानी में घोलकर प्रति हेक्टेयर की दर से छिड़काव करें अथवा कैराथेन (0.2%) के घोल का छिड़काव करें अथवा टोपाज 10 ई.सी. की 0.5 मि.ली. प्रति लीटर पानी में घोलकर छिड़काव करें।

फ्यूजेरियम मुरझान : यह फफूँद जनित रोग है। जिससे प्रभावित पत्तियाँ पीली तथा नीचे की तरफ मुड़ जाती हैं तथा फलियाँ पूरी तरह भरती नहीं हैं। यदि बीमारी का प्रकोप अधिक हो जाय तो फलियों में बीज नहीं बनते और तने के नीचे के भाग का रंग बदल जाता है।

नियंत्रण : उचित फसल चक्र अपनाना चाहिए। बुआई से पूर्व बीज को थिरम 3 ग्रा. या बविस्टीन या वेनलेट 2 ग्रा./कि.ग्रा. बीज की दर से उपचारित कर लेना चहिए। अधिक प्रकोप वाले खेतों में मटर की बुआई नहीं करनी चाहिए।

गेरूई : यह बीमारी अधिक आर्द्रता वाले क्षेत्रों में पाई जाती है। इसके प्रकोप से पौधे जल्दी सुख जाते हैं, तथा उपज कम हो जाती है। यह रोग भी फफूँद द्वारा फैलता है। प्रारम्भ में पत्तियों की निचली सतह पर छोटे सफेद रंग के उठे हुए धब्बे बनते हैं। धीरे धीरे इन धब्बों का रंग भूरा तथा काला पड़ने लगता है। कई धब्बों के आपस में मिलने से पत्तियाँ पीली होकर सूख जाती हैं।

नियंत्रण : रोग से प्रभावित पौधों के अवषेषों को नष्ट कर देना चाहिए तथा लम्बे समय का फसल चक्र अपनाना चाहिए। रोग का प्रकोप होने पर इण्डोफिल एम.–45 का 2 कि.ग्रा. 650–700 लीटर पानी में घोल बनाकर प्रति हेक्टेयर छिड़काव करें। पहला छिड़काव रोग के लक्षण दिखाई देने पर तथा इसके बाद 10 दिन के अन्तराल पर 3–4 छिड़काव करना चाहिए।

जड़–सड़न : पौधों की जड़ें सड़ जाती हैं और निचली पत्तियाँ पीली पड़ने लगती हैं। इससे पौधा सूख जाता है।

नियंत्रण : बीज को बुआई से पूर्व थीरम या बाविस्टिन 2 ग्रा. प्रति कि.ग्रा. बीज की दर से उपचारित करना चाहिए।

ब. प्रमुख कीट

मॉहू (चेपा) : इस कीड़े का प्रकोप जनवरी के महीने में आरम्भ हो जाता है। यह कीड़ा पत्तियों और कोमल टहनियों का रस चूसता है।

नियंत्रण : मैलाथियान 50 ई.सी. कीटनाशक दवा को 1.5 मि.ली. प्रति लीटर पानी की दर से घोल बनाकर 10 दिन के अंतराल पर छिड़काव करें।

लीफ माईनर (पत्ती में सुरंग बनाने वाला कीड़ा) : यह कीड़ा पौधे की पत्तियों में सफेद धागे की तरह बारीक सुरंग बनाता है। इसके अधिक प्रकोप से पत्तियाँ सूख जाती हैं।

नियंत्रण : इस कीट से बचाव के लिए नीमगोल्ड 2 मि. ली. या इमिडाक्लोप्रिड 0.5 मि.ली. प्रति लीटर पानी की दर से पौधों पर घोल बनाकर छिड़काव करें। दो छिड़काव 15 दिन के अन्तराल पर करें।

फली छेदक कीड़ा : इस कीड़े की सड़ी फलियों में छेद करके हानि पहुँचाती है।

नियंत्रण : नीम गोल्ड 2 मि.ली. प्रति लीटर पानी का घोल बनाकर छिड़काव करना चाहिए।

तुड़ाई एवं तुड़ाई उपरांत प्रबंधन

मटर की फसल से अधिक तथा पर्याप्त आय लेने के लिए समय से तुड़ाई करना आवश्यक है। मटर की तुड़ाई हाथ से की जाती है। तुड़ाई के समय पौधों को हानि नहीं पहुँचनी चाहिए, तथा फलियाँ भरी हुई, नरम, हरी, ताजी होनी चाहिए। फलियों की तुड़ाई सुबह या शाम के समय की जानी चाहिए। सामान्यतः 7–10 दिन के अंतर पर कुल 3–4 तुड़ाई की जाती है।

उपज

अगेती किस्मों से औसतन 40–60 कुन्तल/हेक्टेयर और मध्यम तथा पिछेती किस्मों से लगभग 80–100 कुन्तल प्रति हेक्टेयर की दर से उपज मिलती है।

6. फराश बीन (फ्रेन्च बीन)

वानस्पतिक नाम : *फेजियोलस वुल्गैरिस*

कुल : लेग्यूमिनोसी

गुणसूत्र संख्या : 2 एन = 22

फराश बीन (राजमा) की खेती भारत वर्ष में अन्य सब्जियों की अपेक्षा नयी है। इसकी कच्ची फलियों को सब्जी के लिये प्रयोग किया जाता है। इसमें प्रचुर मात्रा में प्रोटीन, विटामिन तथा खनिज तत्व पाये जाते हैं। यह एक अल्प अवधि की फसल है, इससे किसान को कम समय में अधिक आय मिलती है। इसकी खेती पूरे देश में की जाती है। दक्षिण भारत में इसकी खेती पूरे साल की जाती है।

भारत में इसकी खेती पहाड़ी क्षेत्रों में गर्मियों में की जाती है तथा मैदानी क्षेत्रों में जहाँ तापक्रप 15^0 सेन्टीग्रेड से कम नहीं होता सर्दियों में की जाती है। अभी तक इसकी खेती हिमाँचल प्रदेश तथा उत्तर पूर्व पहाड़ी राज्यों तक ही सीमित थी लेकिन अब यह बिहार, पश्चिम बंगाल, पूर्वी उत्तर प्रदेश तथा दक्षिण भारत में कर्नाटक तथा तमिलनाडु में की जाती है।

उन्नतशील किस्में

कन्टेन्डर : इस किस्म की फलियाँ गोल और हरी होती है। बुआई के बाद पहली तुड़ाई 50–55 दिन में की जाती है। फलियों की औसत उपज 85–90 कुन्तल हेक्टेयर है।

अर्का कोमल : इसकी फलियाँ गोल और हरी होती हैं। यह जाति दूरस्थ स्थानों में भेजने के लिए तथा लम्बे समय तक रखने के लिए उपयुक्त है। पहली तुड़ाई बुआई के 70–80 दिन में की जाती हैं। इसकी औसत उपज 90 कुन्तल प्रति हेक्टेयर है।

पूसा पार्वती : यह अगेती किस्म है। इसके पौधे झाड़ीनुमा, फलियाँ हल्के हरे रंग की, गोल तथा आकर्षक होती हैं। यह 40–45 दिन में पहली तुड़ाई के लिये तैयार हो जाती है। इसकी औसत उपज 80–85 कुन्तल प्रति हेक्टयर है।

पंत अनुपमा : इसके पौधे झाड़ीदार, मध्यम ऊँचाई के, सीधे होते है। फली गोल, चिकनी, नरम, घुमावदार, हरे रंग की जल्दी पकने वाली होती है। पहली तुड़ाई बुआई से 55–65 दिन बाद मिलती है। इसकी औसत उपज 80 कुन्तल प्रति हेक्टेयर है। यह जाति कोणीय धब्बे नामक बीमारी तथा सामान्य विषाणु रोग प्रतिरोधी है।

जलवायु

फराश बीन मूलतः गर्म जलवायु की फसल है। बीज बुआई के समय 22^0 सेन्टीग्रेड तापमान उपयुक्त पाया गया है। जिन क्षेत्रों में औसत तापमान $18–20^0$ सेन्टीग्रेड हो, इसकी खेती सफलता पूर्वक की जा सकती है। 16^0 सेन्टीग्रेड से कम और 22^0 सेन्टीग्रेड से ऊँचे तापक्रम का फसल पर प्रतिकूल प्रभाव पड़ता है।

भूमि और भूमि की तैयारी

फराशबीन की सफल खेती के लिए ओमट या बलुई रोमट भूमि उपयुक्त होती है एक बार मिट्टी पलट हल से जुलाई करके 2–3 बार कल्टीवेटर से तुलाई करके भूमि भुर–भुरी कर लेना चाहिए।

सिंचाई

सिंचाई की मात्रा भूमि व जलवायु पर निर्भर करती है। पहली सिंचाई फूल आने के ठीक पहले तथा दूसरी सिंचाई फली बनने के समय करनी चाहिए, इसके

बाद जब कभी भूमि में नमी की मात्रा कम हो तो हल्की सिंचाई करें। इसकी सफल खेती के लिए मृदा में पर्याप्त नमी बनाये रखना चाहिए।

अन्तः शस्य क्रियायें

एक से दो निराई व गुड़ाई खुर्पी या कुदाल द्वारा पर्याप्त होती है। निराई गुड़ाई अधिक गहराई तक नहीं करनी चाहिए। इसकी खेती में खरपतवार नियंत्रण के लिये स्टाम्प नामक रसायन की 3.3 कि.ग्रा. मात्रा को 1000 लीटर पानी में मिलाकर बुआई के 48 घण्टे के अन्दर छिड़काव करें।

फसल की बुआई

फरासबीन के बीज को राइजोबियम जीवाणु कल्चर से उपचारित करके बुआई करना चाहिए। बीज की बुआई के लिए 80–100 कि.ग्रा. बीज 1 हेक्टेयर प्रर्याप्त होता है।

खाद एवं उर्वरक

फराशबीन दलहनी फसल के अन्तर्गत आती है इसलिए नत्रजन की कम मात्रा की आवश्यकता होती है इसकी अच्छी खेती के लिए 40–45 कि.ग्रा. नत्रजन, 50–60 कि.ग्रा. फास्फोरस तथा 40–45 कि.ग्रा. पोटाश देना उपयुक्त होता है। नत्रजन की आधी मात्रा, फास्फोरस व पोटाश की पूरी मात्रा बुआई के समय दे तथा नत्रजन की आधी मात्रा बुआई के 30–35 दिन बाद आपड्रेसिंग के रूप में दें।

प्रमुख रोग एवं कीट प्रबंध

प्रमुख रोग

एन्थ्रेक्नोज : इस बीमारी में पत्तियों के ऊपर पीले से काले रंग से सिकुड़े हुए धब्बे बन जाते हैं जो बाद में पूरी पत्ती को ढँक लेते हैं। छोटे फलों पर काले रंग के धब्बे आने लगते हैं, तथा रोगी फलियाँ सिकुड़ कर मर जाती हैं। यह बीमारी बीज के माध्यम से एक मौसम से दूसरे मौसम में स्थानान्तरित होती रहती है।

नियंत्रण : बुआई से पहले बीज को थिरम 3 ग्रा./कि.ग्रा. या बविस्टीन या वेनलेट 2 ग्रा. प्रति कि.ग्रा. बीज की दर से उपचारित करना चाहिए। मैकोजेव 45 या कापर ऑक्सीक्लोराईड के 0.25% घोल का छिड़काव करें। रोग रोधी किस्मों का प्रयोग करें।

चूर्णिल आसिता : यह बीमारी पत्ती, तना, फलियों को प्रभावित करती है। इस बीमारी में पत्तियों पर हल्के चिन्ह बन जाते हैं। जो बाद में सफेद पाउडर (चूर्ण) के रूप में बढ़कर एक दूसरे से मिल जाते हैं। इस प्रकार ये पूरी पत्ती को ढँक देते हैं। जिससे बाद में सभी पत्तियाँ गिर जाती है।

नियंत्रण : इसके नियंत्रण के लिये 2–2.5 कि.ग्रा. घुलनशील गंधक का चूर्ण 600 से 700 लीटर पानी में घोलकर प्रति हेक्टेयर की दर से छिड़काव करें या कैराथेन (0.2%) के घोल का छिड़काव करें।

किट्ट (रस्ट) : शुरू में पत्ती की निचली सतह पर छोटे छोटे सफेद रंग के उभरे धब्बे बन जाते हैं। ये धब्बे 2 मि.मी. व्यास तक पाये जाते हैं। इन धब्बों का रंग धीरे धीरे भूरा हो जाता है। बाद में इन धब्बों के आपस में मिलने से पत्ती का रंग पीला पड़ जाता है। और पत्ती सूख जाती है।

नियंत्रण : रोग से प्रभावित पौधों को उखाड़ कर नष्ट कर दें। इसकी फसल एक ही खेत में बार–बार न लें तथा उपयुक्त फसल चक्र अपनायें। इण्डोफिल एम.–45 या इण्डोफिल जेड–78 का 0.2% का छिड़काव करें। यह छिड़काव 10 दिन के अंतराल पर करना चाहिए।

सर्कोस्पोरा (पर्ण दाग) : पुरानी पत्तियों में कोणीय भूरे रंग के धब्बे बन जाते हैं। धब्बे के बीच का रंग धूसर रंग का तथा किनारे का भाग लाल रंग का होता है। रोगी भाग सूख कर गिर जाता है। जिससे पत्तियों में छेद बन जाते हैं।

नियंत्रण : नियंत्रण के लिए उचित फसल चक्र अपनायें तथा खेतों के फसल अवशेष को नष्ट कर दें। इण्डोफिल एम–45 या जेड–78 का 2 कि.ग्रा. मात्रा 625 लीटर पानी में घोल कर प्रति हेक्टेयर की दर से छिड़काव करना चाहिए।

विषाणु (पीला मोजेक) : इस रोग के प्रभाव से पत्तियों का आकार बिगड़ कर पीला तथा सिकुड़ा हुआ हो जाता है। जिससे बढ़वार रूक जाती है व पैदावार मारी जाती है।

नियंत्रण : रोग मुक्त बीज की बुआई करें। प्रभावित पौधों को उखाड़कर फेंक दें। माहू जो इस रोग को फैलाता है कीटनाशी मेटासिस्टाक्स या रोगर 1.5 मि.ली. प्रति लीटर पानी में घोल कर छिड़काव करें।

प्रमुख कीट

माहू (चेपा या एफिड): ये कीड़े पत्तियों तथा कोमल तने का रस चूसते हैं। जिससे पौधे कमजोर हो जाते हैं। प्रभावित भाग मे मीठा द्रव्य निकलता है।

नियंत्रण : बचाव के लिए मैलाथियान 50 ई.सी. के 1.5 मि.ली./लीटर पानी में घोलकर छिड़काव करना चाहिए। सब्जी के लिए फलियों की तुड़ाई छिड़काव के 8–10 दिन बाद ही करनी चाहिए।

लीफ माईनर : इस कीट की सूड़ी पत्तियों के अन्दर सफेद रंग की पतली सुरंगे बनाकर पत्तियों को प्रभावित करती है।

नियंत्रण : मेटासिटॉक्स या नुआक्रान 1.5 से 2.0 मि.ली. प्रति लीटर पानी में घोल कर छिड़काव करें।

फली छेदक : इनके शिशु फलियों के अंदर छेद करके फलियों को हानि पहुँचाता है।

नियंत्रण : क्वीनालफास या मैलाथिपान नामक कीटनाशी को 2 मि.ली./लीटर पानी में घोलकर छिड़काव करें।

तुड़ाई

बाजार में फलियों की अच्छी कीमत प्राप्त करने के लिए फलियों का मुलायम होना बहुत आवश्यक हैं। कुछ किस्मों में फलियों की पहली तुड़ाई बुआई के 40 दिन बाद की जा सकती है। फूल आने के 2–3 सप्ताह बाद फलियाँ तैयार हो जाती हैं। यदि तुड़ाई में देर हो जाए तो कुल उपज कम हो जाती है। फलियों की तुड़ाई सामान्यतः हाँथों द्वारा ही की जाती है। झाड़ीदार किस्मों से 3–4 तुड़ाई मिलती है। जबकि बेलदार किस्मों से लम्बे समय तक फलियाँ मिलती हैं।

उपज

फराशवीन की झाड़ीदार जातियों से हरी फलियों की औसत उपज 60–80 कुन्तल प्रति हेक्टेयर तथा बेलदार जातियों की लगभग 100 कुन्तल प्रति हेक्टेयर होती हैं।

7. लोबिया

वानस्पतिक नाम : *विग्ना अंग्यूकुलेटा*
कुल : लेग्यूमिनोसी
गुणसूत्र संख्या : 2 एन = 22

लोबिया एक दलहनी सब्जी है। इसकी लम्बी, हरी तथा मुलायम फलियों को सब्जी बनाने के लिए प्रयोग किया जाता है। यह एक पौष्टिक तथा स्वादिष्ट सब्जी

है, जिससे प्रचुर मात्रा में प्रोटीन व कार्बोहाइड्रेट की प्राप्ति होती है। इसके पौधे वायुमण्डल से नत्रजन लेकर उसे जीवाणुओं की सहायता से भूमि में संचित करते हैं जिससे भूमि की उर्वरा शक्ति कायम रहती है।

उन्नतशील किस्में

अ. झाड़ीनुमा किस्में

पूसा दो फसली : यह किस्में गर्मी तथा बरसात दोनों मौसमों के लिए उपयुक्त है। इसके पौधे झाड़ीनुमा तथा फलियाँ लगभग 18 सेंमी. लम्बी होती हैं। यह जाति मैदानी तथा पहाड़ी दोनों क्षेत्रों के लिए उपयुक्त है। इसकी औसत उपज 100 कुन्तल प्रति हेक्टेयर है।

लोबिया 263 : यह किस्में गर्मी तथा बरसात दोनों मौसमों के लिए उपयुक्त है। इसके पौधे छोटे, फलियॉ मध्यम हरी, चपटी तथा मुलायम होती हैं। फलियों की लम्बाई 20 सेंमी. के लगभग होती है। यह एक अगेती किस्म है, तथा गोल्डेन मोजैक प्रतिरोधी है। इसकी उपज 80 कुन्तल प्रति हेक्टेयर है।

पूसा कोमल : यह किस्म खरीफ मौसम के लिए उपयुक्त है। इसके पौधे छोटे, फलियाँ मध्यम तथा हल्के हरे रंग की, 15–20 सेंमी. लम्बी तथा फलियों की उपज 70 कुन्तल प्रति हेक्टेयर होती है।

सेलेक्शन 2–1 : यह अगेती किस्म है जो बरसात के मौसम में खेती के लिए उपयुक्त है। इसकी फलियाँ 30 सेंमी. लम्बी व हरी होती हैं। इनकी औसत उपज 80 कुन्तल प्रति हेक्टेयर है।

ब. फैलने तथा चढ़ने वाली किस्में

अर्का गरिमा : यह किस्म वर्षा ऋतु के लिए उपयुक्त है। गर्मी के मौसम में पौधों की बढ़वार, फलियों की संख्या प्रभावित होती है। तथा इसकी उपज कम होती है और फलियों में बीज नहीं बनते। इसके पौधे 2.50 से 3.0 मीटर लम्बे होते हैं। यह जाति विषाणु रोग प्रतिरोधी है। इसकी फलियों की उपज 80–85 कुन्तल प्रति हेक्टेयर है।

स. लम्बी फलियों वाली किस्में

ये किस्में सामान्यतः उत्तर प्रदेश के पूर्वी भागों में उगाई जाती हैं। इनकी खेती, गर्मी तथा बरसात दोनों मौसमों में की जा सकती है। बीज के आधार पर लाल और

काले रंग के धब्बे होते हैं तथा पौधों की लम्बाई 2–3 मीटर और उपज 100–110 कुन्तल प्रति हेक्टेयर है।

जलवायु

लोबिया ग्रीष्म कालीन फसल है। इसलिए इसे हमारे देश में गर्मी तथा वर्षा दोनों मौसमों में मैदानी क्षेत्रों में सफलतापूर्वक उगाया जा सकता है। इसकी खेती 25 से 30^0 सेल्सीयस तापक्रम पर सफलता पूर्वक की जा सकती है।

भूमि और भूमि की तैयारी

लोबिया की खेती सभी प्रकार की भूमि में की जा सकती है, लेकिन इसकी खेती के लिए बलुई दोमट से लेकर दोमट भूमि अच्छी होती है। एक जुताई मिट्टी पलटने वाले हल से करने के बाद 2 जुताई कल्टीवेटर या हैरो से करते हैं। प्रत्येक जुताई के बाद पाटा लगाकर भूमि को समतल कर लेना चाहिए। इससे मिट्टी भुरभुरी हो जाती है, और बीज का अंकुरण अच्छा होता है। बुआई के समय भूमि में पर्याप्त नमी का होना भी आवश्यक है। बरसात की फसल के लिए खेत में जल निकास का समुचित प्रबन्ध होना चाहिए।

फसल की बुआई

लोबिया की बुआई नाली तथा मेड़ बनाकर की जाती है। इससे बीज का अंकुरण तथा जल निकास अच्छा होता है। इसकी बुआई डिबलिंग विधि से करना अच्छा होता है। झाड़ीदार जातियों के लिए पंक्ति से पंक्ति की दूरी 40–50 सेंमी. तथा पौधे से पौधे के बीच की दूरी 10–15 सेंमी. रखनी चाहिए। फैलने तथा चढ़ने वाली जातियों के लिए कतार से कतार की दूरी 20–25 सेंमी. तथा पौधे से पौधे की दूरी 10 सेंमी. रखी जाती है।

बीज का मात्रा

एक हेक्टेयर खेत के लिए 20–25 कि.ग्रा. झाड़ीनुमा और 10–15 कि.ग्रा. फैलने तथा चढ़ने वाली जातियों के लिये पर्याप्त होता है।

बुआई का समय

उत्तरी भारत में लोबिया की बुआई दो मौसम में की जाती है। बसन्त ऋतु में फरवरी से मार्च तथा वर्षा ऋतु में जून से जुलाई तक इसकी बुआई का उत्तम समय है।

खाद तथा उर्वरक

लोबिया एक दलहनी फसल है, जिसके कारण इसके लिए नत्रजन की आवश्यकता कम होती है। इसकी अच्छी फसल के लिए 20–25 टन गोबर की खाद तथा 40 कि.ग्रा. नत्रजन, 50–60 कि.ग्रा. फास्फोरस व 50 कि.ग्रा. पोटाश प्रति हेक्टेयर की दर से देना पर्याप्त होता है। फास्फोरस, पोटाश की पूरी मात्रा और नाइट्रोजन की आधी मात्रा बीज बोने से पहले या बुआई के समय दें और नाइट्रोजन की आधी मात्रा बुआई के 30–35 दिन बाद टापड्रेसिंग के रूप में दें।

सिंचाई

लोबिया की बुआई के समय, पर्याप्त मात्रा में नमी होना आवश्यक है। सिंचाई की मात्रा तथा संख्या भूमि व मौसम पर निर्भर करती है। वर्षा ऋतु में सामान्यतः सिंचाई की आवश्यकता नहीं होती है। लेकिन गर्मी की ऋतु में 7–10 दिन के अन्तराल पर सिंचाई करना आवश्यक है।

अन्तः शस्य क्रियायें

लोबिया की फसल में बुआई के लगभग एक माह बाद खुर्पी या कुदाल से निराई–गुड़ाई करना पर्याप्त होता है। मजदूरों के अभाव में सम्भव न होने पर रासायनिक खरपतवार नियंत्रण करना चाहिए। इसके लिए स्टाम्प 3.3 लीटर 1000 लीटर पानी में घोल कर एक हेक्टेयर खेत में बुआई के 48 घंटे के अन्दर समान रूप से मिट्टी के उपर छिड़काव करें।

प्रमुख रोग एवं कीट प्रबंधन

अ. प्रमुख रोग

पीला विषाणु रोग : यह रोग विषाणु जनित बीमारी है जिससे लोबिया की फसल को काफी नुकसान होता है। शुरू में नवविकसित पत्तियों पर लक्षण दिखलायी पड़ता है जो धीरे–धीरे पूरे पौधे पर फैल जाता है। सफेद मक्खी तथा माहू कीट, बीमारी को फैलाने में मदद करता है।

नियंत्रण : बुआई के लिए रोग रहित पौधों से बीज प्राप्त करें। सफेद मक्खी की रोकथाम के लिये मैलाथियान नामक दवा का (1.5 मि.ली. दवा प्रति लीटर पानी के हिसाब से) छिड़काव करें। रोगी पौधे उखाड़ कर नष्ट कर दें या जला दें।

चूर्णिल असिता : इस बीमारी में पत्ती, फलियों तथा अन्य भागों पर छोटे–छोटे चूर्ण लिए हुए धब्बे बन जाते हैं। ये सफेद धब्बे धीरे–धीरे बढ़कर पूरी पत्ती की सतह को ढक लेते हैं। रोगी पत्तियाँ पीली पड़कर गिर जाती हैं।

नियंत्रण : सल्फेक्स के 2.5 कि.ग्रा. मात्रा को 700 लीटर पानी में घोलकर प्रति हेक्टेयर छिड़काव करें या कैलेक्सिन 0.1% या टोपास 0.5% का छिड़काव करें। कुल 2–3 छिड़काव 10 दिन के अंतर पर करें।

किट्ट (रस्ट) : इस रोग के लक्षण पत्तियों पर स्पष्ट दिखाई पड़ते हैं। प्रभावित पत्तियों की निचली सतह पर छोटे–छोटे सफेद रंग के उभरे हुए धब्बे बनते हैं। धीरे–धीरे इन धब्बों का रंग पीला पड़ने लगता है। और प्रभावित पत्तियाँ गिर जाती हैं।

नियंत्रण : लम्बे समय तक फसल चक्र अपनाएं। दो कि.ग्रा. इण्डोफिल एम. 45 को 700 लीटर पानी में घोलकर प्रति हेक्टेयर के हिसाब से छिड़काव करना चाहिए। कैप्टाफ 0.5% के घोल का छिड़काव भी अधिक प्रभावी होता है। 7–10 दिन के अन्तराल पर 3–4 छिड़काव करना पर्याप्त होता है।

सर्कोस्पोरा (पर्णदाग) : इस रोग का लक्षण पुरानी पत्तियों पर कोणीय भूरे रंग के धब्बे के रूप में उत्पन्न होता है। धब्बे के बीच का भाग धूसर रंग का तथा किनारे का भाग लाल भूरे या लाल रंग का होता है और गहरे भूरे या काले रंग की परत बन जाती है। रोग ग्रसित भाग सूख कर गिर जाता है।

नियंत्रण : बचाव के लिए लम्बी अवधि का फसल चक्र अपनायें तथा खेतों की सफाई करें। टापसिन एम 1000 ग्रा. को 800 लीटर पानी में घोलकर छिड़काव करें। कैप्टाफ 0.5% का घोल सबसे अधिक प्रभावशाली है। पहला छिड़काव बुआई के एक माह बाद करें तथा इसके बाद का छिड़काव 15 दिन के अन्तर पर करते रहें।

कीट

ब. प्रमुख

माहू कीट (एफिड) : यह कीट नर्म पत्तियों तथा शाखाओं का रस चूसता है। जिससे पौधों की बढ़वार रूक जाती है।

नियंत्रण : बचाव के लिए मैलाथियान 50 ई.सी. का 1.5 मि.ली./लीटर पानी में घोलकर छिड़काव करें।

लीफ माईनर (पत्ती में सुरंग बनाने वाला कीड़ा): यह कीड़ा पौधे की पत्तियों में सुरंग बना कर हानि पहुँचता है।

नियंत्रण : नुआक्रान 1 लीटर या थायोडान 1.2 लीटर को 625 लीटर पानी में घोलकर प्रति हेक्टेयर की दर से छिड़काव करें।

फली छेदक : यह कीट फलियों में छेद करके उन्हे नष्ट कर देता है।

नियंत्रण : क्वीनालफास नामक कीटनाशक दवा 2 मि.ली. प्रति लीटर पानी में घोल बनाकर छिड़काव करें।

तुड़ाई

लोबिया की अगेती जातियाँ लगभग 40–45 दिन में तुड़ाई के लिए तैयार हो जाती हैं। अच्छी उपज के लिए हरी व मुलायम अवस्था में ही तुड़ाई करना आवश्यक है। देर से तुड़ाई करने पर उनमें रेशे हो जाते हैं और इससे बाजार में कम कीमत मिलती है। झाड़ीदार जातियों से 5–6 तुड़ाई मिल जाती है।

उपज

झाड़ीदार जतियों से हरी फलियों की 60–80 कुन्तल प्रति हेक्टेयर तथा चढ़ने वाली जातियों से लगभग 100 कुन्तल प्रति हेक्टेयर प्राप्त हो जाती है।

8. फूलगोभी

वानस्पतिक नाम : *ब्रैसिका ओलेरेसिया* किस्म बोट्राइटिस

कुल : क्रूसीफेरी

गुणसूत्र संख्या : 2 एन = 18

गोभी वर्गीय सब्जियों में फूलगोभी, पत्तागोभी, गाँठगोभी, बटनगोभी (ब्रूसेल्स स्प्राउट), चीनी गोभी, सेवाय पत्ता गोभी, और स्प्राउटिंग ब्रोकोली या ब्रोकोली इत्यादि आती हैं। ये सभी मुख्यता शीतोष्ण (ठण्डे) प्रदेश की फसलें हैं। इनकी खेती अब उष्ण एवं उपोष्ण (ट्रापिकल व सब ट्रापिकल) स्थानों पर भी सफलतापूर्वक की जा रही है। भारतवर्ष के मैदानी क्षेत्रों में ये शरद ऋतु की मुख्य एवं लोकप्रिय सब्जियाँ हैं। परन्तु अगेती फूलगोभी को छोड़कर अन्य सभी के बीज ठण्डे प्रदेशों जैसे कश्मीर, हिमाचल प्रदेश, उत्तराखण्ड तथा नीलगिरी के पहाड़ी क्षेत्रों में पैदा किये जाते हैं। व्यवसायिक दृष्टि से फूलगोभी और पत्तागोभी काफी लोकप्रिय है।

परन्तु गाँठ गोभी की खेती कुछ ही क्षेत्रों तक सीमित है जबकि ब्रूसेल्स स्प्राउट तथा ब्रोकोली की खेती मुख्यतः पहाड़ी क्षेत्रो में ही की जाती है। क्षेत्रफल एवं उत्पादन की दृष्टि से गोभी वर्गीय सब्जियों का आलू और प्याज के बाद तीसरा स्थान है। गोभी वर्गीय सब्जियों के निर्यात की मध्य पूर्व के देशों में काफी सम्भावना है, और हमारे देश की जलवायु भी इन फसलों के लिए अनुकूल है। गोभीवर्गीय सब्जियाँ एक प्रकार की नगदी फसलें हैं, जो अधिक आय और रोजगार के अवसर प्रदान करती हैं। गोभी वर्गीय सब्जियों में कैंसर रोधी क्षमता पाई जाती है।

गोभी वर्गीय सब्जियों में फूलगोभी सबसे महत्वपूर्ण हैं इसकी खेती मुख्य रूप से श्वेत, अविकसित व गठे हुए पुष्प पुंज (कर्ड) के लिए की जाती है। जिसका प्रयोग सब्जी, सूप, अचार, सलाद, बिरयानी, पकौड़ा इत्यादि बनाने में किया जाता है। आयुर्वेदिक चिकित्सा में भी इसका विविध महत्व है। पाचन शक्ति बढ़ाने के साथ–साथ मधुमेह रोग के निदान में यह अत्यन्त लाभदायक है। यह प्रोटीन, कैल्सियम, विटामिन ''ए'' कैल्शियम तथा विटामिन ''सी'' का भी अच्छा स्रोत है।

उन्नतशील किस्में

अ. अगेती किस्में

पूसा दीपाली : इसके पौधे सीधे खड़े, पत्तियाँ लम्बी, हरी तथा चिकनी होती हैं। फूल का रंग सफेद, तथा मध्यम आकार का होता है। इसके फूल मध्य अक्टूबर में तैयार हो जाते हैं। पौधशाला में बीज की बुआई जुलाई माह में तथा रोपड़ अगस्त महीने में करते हैं। इससे प्रति हेक्टेयर 100–150 कुन्तल तक पैदावार प्राप्त की जा सकती हैं।

समर किंग : यह संकर प्रजाति है जो रोपाई के 60 से 65 दिन बाद तैयार हो जाती है। पौधशाला में बीज की बुआई जून माह और रोपड़ जुलाई में करते हैं। इसका फूल औसतन 500 ग्रा. का होता है। खेतो में इसके फूल अप्रैल महीने तक बन सकते है। इसकी औसत उपज 124 कुन्तल प्रति हेक्टेयर है।

पावस : यह भी संकर प्रजाति है जो रोपाई के 60 से 65 दिन बाद तैयार हो जाती है। इसका फूल औसतन 700–800 ग्रा. का जमा हुआ सफेद गुम्बदाकार होता है। पौधशाला में बीज की बुआई जून माह में और रोपड़ जुलाई में करते हैं। इसकी औसत उपज 125 कुन्तल प्रति हेक्टेयर है।

ब. मध्यम वर्गीय किस्में

इम्प्रूब्ड जापानी : पौध सीधे तथा पत्तियाँ आसमानी रंग की होती हैं। यह किस्म अधिक तापमान सहन नहीं कर सकती है। इसके बीजों को पौधशाला में बोने का उचित समय अगस्त व रोपण का उचित समय सितम्बर है। इसके फूल ठोस, आकार, में बड़े तथा सफेद रंग के होते हैं। इसकी फसल नवम्बर के अन्त से दिसम्बर तक तैयार हो जाती है। इसकी औसत उपज 150 कुन्तल प्रति हेक्टेयर होती है।

सैरानो : रोपाई के 80–85 दिन में तैयार होने वाली यह एक अच्छी संकर प्रजाति है। पौधशाला में बीज बोने का समय अगस्त और पौध रोपड़ का समय सितम्बर है। इसका फूल औसतन 1.00 कि.ग्रा. तक होता है। इसका फूल बँधा हुआ, सुगठित एवं सफेद रंग का होता है। इसकी औसत उपज 150 से 175 कुन्तल प्रति हेक्टेयर होती है।

स. पछेती किस्में

पूसा स्नोबाल–1 : साधारणतया इनकी पत्तियाँ सीधी खड़ी तथा अन्दर की पत्तियाँ भीतर की तरफ मुड़ी हुई होती हैं, जो फूल को ढँक कर उसे सुरक्षित रखती हैं। फूल सफेद, गँठे, ठोस एवं आकर्षक होते हैं। पौधशाला में इसके बीज के बोने का उचित समय अक्टूबर तथा रोपण नवम्बर माह में किया जाता है। फसल तैयार होने का समय जनवरी से मार्च तक होता है। इसकी उपज लगभग 150–200 कुन्तल प्रति हेक्टेयर है।

पूसा स्नोबाल –2 : इसकी बाहर की पत्तियाँ सीधी उपर की ओर तथा भीतरी पत्तियाँ आरम्भ में गोभी को ढककर सुरक्षित रखती हैं। इसके बीज की बुआई पौधशाला में सितम्बर के अन्त से अक्टूबर तक कर सकते हैं तथा रोपण का उचित समय मध्य अक्टूबर से नवम्बर तक है। फसल मध्य जनवरी से मार्च तक तैयार होती रहती है। औसत उपज 200 कुन्तल प्रति हेक्टेयर है।

स्नोबाल–16 : फूल मध्यम आकार के ठोस एवं बर्फ के समान श्वेत रंग के होते हैं। इसकी फसल रोपण के बाद 100–110 दिन में तैयार होती है। इसके बीज की बुआई पौधशाला में अक्टूबर के प्रारम्भ में करते हैं तथा रोपण मध्य नवम्बर तक करते हैं। इसकी फसल जनवरी से मध्य मार्च तक उपलब्ध रहती है। इसकी प्रति हेक्टेयर उपज 200 कुन्तल है।

पूसा स्नोबाल के–1 : इसकी बाहरी पत्तियाँ तथा भीतरी पत्तियाँ फूल को ढँककर सुरक्षित रखती हैं। फूल के बीच का भाग ऊँचा उभार लिए होता है। इसके बीज को पौधशाला में बोने का उचित समय उत्तर भारत के मैदानी क्षेत्रों में सितम्बर के अन्त से अक्टूबर तक है और रोपण नवम्बर में करते हैं। फसल रोपड़ के 110–115 दिन बाद उपलब्ध हो जाती है। इसकी औसत उपज 200–250 कुन्तल प्रति हेक्टेयर है।

जलवायु

फूलगोभी की खेती के लिए उचित तापमान व प्रकाश अवधि का होना अत्यन्त आवश्यक है। इसी कारण विभिन्न ऋतुओं के लिए अलग–अलग किस्में विकसित की गई हैं। ठण्डी एवं आर्द्र जलवायु में फूलगोभी अच्छी होती है। यदि दिन की प्रकाश अवधि अपेक्षाकृत छोटी हो और तापमान कम हो तो फूलगोभी की बढ़ोत्तरी अधिक होती है। फूल तैयार होने के समय तापमान अधिक होने से फूल छितरे, पत्तेदार व पीले रंग के हो जाते हैं। यदि अगेती किस्मों की देर से तथा पिछेती किस्मों को जल्दी उगायी गयी तो गोभी अच्छी नहीं बनेगी, बल्कि वह छोटी बटन की तरह, रोयेंदार छितरी या पत्तेदार बन जायेगी। फूल बनने के लिए उपयुक्त तापमान 15–20^0 सेन्टीग्रेड होता है। अगेती प्रजातियों के लिए कुछ उच्च तापमान व लम्बे दिन की आवश्यकता होती है। उष्ण कटिबंधीय किस्मों में 20–25^0 सेन्टीग्रेड तापमान तक फूल (कर्ड) बनता है। जबकि शीतोष्ण किस्मों में 10–16^0 सेन्टीग्रेड तापक्रम फूल बनने के लिए अनुकूल होता है।

भूमि एवं भूमि की तैयारी

फूलगोभी की खेती सभी प्रकार की भूमि में की जा सकती है। परन्तु अच्छे जल निकास वाली दोमट या बलुई दोमट भूमि जिसमें जीवांश प्रचुर मात्रा में उपलब्ध हो, इसकी खेती के लिए अच्छी होती है। ऐसी मिट्टी जिसका पी.एच.मान. 5.5 से 6.5 के मध्य होता हो फूलगोभी की खेती के लिए काफी उपयुक्त होती है परन्तु क्षारीय भूमि (लवणयुक्त) में इसकी खेती करने की सिफारिस नहीं की जाती है। रेतीली भूमि में खेती करने के लिए प्रचुर मात्रा में कार्बनिक पदार्थ, सड़ी गोबर की खाद, हरी खाद इत्यादि डालना अत्यन्त आवश्यक होती है। फूल गोभी की अच्छी उपज प्राप्त करने के लिए खेत की मिट्टी अच्छी प्रकार से तैयार करनी चाहिए। इसके लिए 3–4 जुताईयाँ करके पाटा लगा देते हैं।

पौधशाला की तैयारी एवं बीज की बुआई

एक हेक्टेयर फसल लगाने के लिए 3 मीटर लम्बी, 1 मीटर चौड़ी व 20–25 सेंमी. ऊपर उठी हुई, 20–25 क्यारियाँ तैयार करें। प्रत्येक क्यारी में 40 ग्रा. डाइ अमोनियम फास्फेट, 25 ग्रा. यूरिया, 30 ग्रा. म्यूरेट आफ पोटाश एवं 10 ग्रा. प्रति लीटर की दर से घोलकर क्यारी की सिचाई कर दें। थीरम या कैप्टाफ 2 ग्रा. प्रति लीटर की दर से घोलकर क्यारी को उपचारित कर दें। थीरम या कैप्टाफ की 2.5 ग्रा. मात्रा प्रति कि.ग्रा. बीज की दर से बीज उपचारित करें। इन क्यारियों में लगभग 5 सेंमी. की दूरी पर पंक्तियाँ बना लें व इन पंक्तियों में 0.5 सेंमी. की गहराई तक बीज इस प्रकार बोयें की एक जगह पर एक ही बीज पड़े। बीज को सड़ी हुई गोबर की भुरभुरी खाद एवं बालू की समान मात्रा मिलाकर ढक दें। फुहारे से आवश्यकता अनुसार सिंचाई करें और खरपतवार निकालें। लगभग 4 सप्ताह में पौधे रोपाई योग्य तैयार हो जाते हैं। पौधों को खेत मे रोपण करने से पूर्व 1 ग्रा. स्ट्रेप्टोसाइक्लिन को 8 लीटर पानी में घोलकर 30 मिनट तक पौधो के जड़ों को डुबोने के बाद लगाना चाहिए।

बीज की मात्रा

फूलगोभी की खेती के लिए बीज दर विभित्र वर्गो के लिए अलग–अलग है। साधारणतया अगेती किस्मों का बीज दर 600–700 ग्रा. प्रति हेक्टेयर और मध्यम व पिछेती किस्मों का बीज दर 350–400 ग्रा. प्रति हेक्टेयर है।

पौध रोपण

अगेती फूलगोभी के पौधों की वृद्धि ज्यादा नहीं होती अतः इनका रोपण कतार से कतार 40 सेंमी. व पौध से पौध 30 सेंमी. की दूरी पर करते हैं। परन्तु मध्यम व पछेती किस्मों में कतार से कतार 45–60 सेंमी. व पौध से पौध की दूरी 45 सेंमी. रखते हैं। जहाँ तक हो सके रोपण शाम को करें और जब ठंड पड़ने लगे तो रोपड़ दिन में भी कर सकते हैं रोपण के तुरन्त बाद पौधों की सिंचाइ करें। यदि खेत में पानी रूकने की सम्भावना हो तो अगेती फूल गोभी का रोपड़ मेड़ों पर करें।

खाद एवं उर्वरक

फूल गोभी की अच्छी फसल के लिए खेत मे पर्याप्त मात्रा में जीवांश का होना अत्यन्त आवश्यक है। अतः 20–25 टन सड़ी हुई गोबर की खाद या कम्पोस्ट खाद रोपाई के 3–4 सप्ताह पूर्व खेत में अच्छी तरह मिला देना चाहिए। इसके अलावा 120 कि.ग्रा. नाइट्रोजन, 60 कि.ग्रा. फास्फोरस व 40 कि.ग्रा. पोटाश प्रति हेक्टेयर की दर से देना चाहिए। नाइट्रोजन की एक तिहाई मात्रा व फास्फोरस तथा पोटाश

की पूरी मात्रा अंतिम जुताई या रोपण से पूर्व खेत में अच्छी प्रकार मिला देना चाहिए तथा शेष दो तिहाई नाइट्रोजन की मात्रा को दो बराबर भागों में बाँटकर खड़ी फसल में 30 व 45 दिन बाद टाप ड्रेसिंग के रूप में देनी चाहिए।

सिंचाई

पौधों की अच्छी वृद्धि के लिए मिट्टी में पर्याप्त मात्रा में नमी का होना अत्यन्त आवश्यक है। वर्षा ऋतु में यदि खेत में पर्याप्त नमी हो तो सिंचाई की आवश्यकता नहीं पड़ती परन्तु यदि वर्षा न हो तो आवश्यकतानुसार सिंचाई करते रहना चाहिए। सितम्बर के बाद 10 या 15 दिन के अन्तराल पर आवश्यकतानुसार सिंचाई करते रहना चाहिए। ग्रीष्म ऋतु में 5 से 7 दिन के अन्तर पर सिंचाई करें।

अंतः शस्य क्रियायें

फूल गोभी के पौध रोपण से लेकर फूल (कई) तैयार होने तक के बीच कई प्रकार के खर पतवार उगते रहते हैं। दो या तीन निकाई–गुड़ाई से खर पतवार की रोकथाम हो जाती है। परन्तु व्यवसायिक स्तर पर खेती करने पर यह सम्भव नहीं है। खरपतवार नाशी का प्रयोग काफी लाभप्रद होता है। स्टाम्प 3.3 लीटर को 1000 लीटर पानी में घोलकर प्रति हेक्टेयर का छिड़काव रोपाई से पूर्व काफी लाभप्रद होता है। निराई–गुड़ाई पौधों की जड़ से 5–6 सेंमी. की दूरी पर करना उपयुक्त रहता है। वर्षा ऋतु में यदि पौधों की जड़ों के पास मिट्टी हट गयी हो तो चारों तरफ से हल्की मिट्टी चढ़ा देनी चाहिए।

फसल की कटाई

जब गोभी का खाने वाला भाग (कर्ड) जातीय गुण के अनुरूप पूर्ण आकृति व रंग ग्रहण कर ले, तब पौधों की कटाई करें। देर से कटाई करने पर रंग पीला पड़ने लगता है और फूल ढीले पड़ने लगते हैं जिससे बाजार भाव घट जाता है। गोभी को उखाड़ने की अपेक्षा तेज चाकू से जमीन की सतह से थोड़ा उपर से काट लेना अच्छा रहता है।

उपज

विभिन्न वर्गो एवं किस्मों की फसलों की पैदावार अलग–अलग होती है जो निम्न है।

- अगेती किस्में : 10–15 टन/हे.
- मध्यम देर किस्में : 15–20 टन/हे.
- मध्यम किस्में : 12–18 टन/हे.
- देर वाली किस्में : 20–30 टन/हे.

कटाई के बाद फूलों (कर्ड) की देख भाल

जहाँ तक सम्भव हो सके कटाई सदैव शाम के समय ही करें। कटाई के पश्चात् बाहरी, रोगी व पुरानी पत्तियों को तोड़ कर अलग–अलग श्रेणियों में छाँट लें तथा शीघ्र बाजार भेजने की व्यवस्था करनी चाहिए।

9. पत्तागोभी

वानस्पतिक नाम : *ब्रैसिका ओलेरेसिया* किस्म कैपीटाटा

कुल : क्रूसीफेरी

गुणसूत्र संख्या : 2 एन = 18

पत्तागोभी का शरद कालीन सब्जियों में फूलगोभी के बाद दूसरा स्थान है। इसे लोग बन्दगोभी या करमकल्ला के नाम से भी जानते हैं। बन्दगोभी का प्रयोग सलाद, अचार, सब्जी, कढ़ी इत्यादि के लिए किया जाता है। यह पाचन शक्ति को बढ़ाती है। इसका सेवन मधुमेह रोगियों के लिए लाभदायक होता है। इसमें प्रोटीन, कार्बोहाइड्रेट, विटामिन ''ए'', विटामिन ''सी'' व अन्य खनिज पदार्थ प्रचुर मात्रा में पाये जाते हैं। इन्ही सब गुणों के कारण अब इसकी खेती पूरे वर्ष भर की जा रही है।

जलवायु

बन्दगोभी की अच्छी वृद्धि और विकास के लिए (15–20^0 सेंटीग्रेड तापमान) ठण्डी और आर्द जलवायु की आवश्यकता होती है। इसमें पाले व अधिक तापमान सहन करने की क्षमता होती है। यदि अगेती किस्में देर से लगायी जायँ या पिछेती किस्में जल्दी लगाई जायँ तो गोभीका खाने योग्य मात्रा (नाब) ठोस बनने के बजाय ढीली रह जाती है। इसके पौधे के उचित बढ़वार के लिए 15–20^0 सेंटीग्रेड तापक्रम बहुत ही उपयुक्त होता है जबकि बहुत सी किस्में 25^0 सेंटीग्रेड तापक्रम पर अपनी वृद्धि रोक देती है। जब मौसम सूखा और गर्म होता है। तब इसके बाद स्वाद मे कमी आ जाती है।

उन्नतशील किस्में

अ. मुक्त परागित किस्में

गोल्डेन एकर : यह एक अगेती किस्म है, जिसके शीर्ष गोल, ठोस, पौधे छोटे, बाहरी पत्तियाँ लगभग 10–11, आकार में छोटी तथा बड़े प्याले की तरह होती हैं।

शीर्ष का रंग बाहर से हल्का हरा तथा अन्दर से श्वेत होता है। रोपण के लगभग दो माह के बाद फसल तैयार हो जाती है। प्रत्येक शीर्ष का वजन लगभग 1–1.5 कि.ग्रा. तक होता है। प्रति हेक्टेयर औसत उपज लगभग 200 कुन्तल है।

प्राइड आफ इन्डिया : यह भी गोल्डेन एकर की भांति एक अगेती किस्म है, जिसके शीर्ष ठोस, सख्त तथा गोल होते हैं। इसकी पैदावार गोल्डेन एकर की अपेक्षा अधिक है, लेकिन कुछ देर से तैयार होती है। इसके शीर्ष का आकार लगभग 1–2 कि.ग्रा. तक होता है। तथा प्रति हेक्टेयर औसत उपज 250–280 कुन्तल है।

पूसा मुक्ता : इस किस्म के पौधों का तना छोटा तथा मध्यम आकार का होता है। पत्तियाँ हल्के हरे रंग की तथा लहरदार किनारों वाली होती हैं। शीर्ष गोल, ऊपर से चपटा तथा इनका वजन 1.5–2.0 कि.ग्रा. का होता है। रोपण के बाद लगभग 75 दिन में फसल तैयार हो जाती है। प्रति हेक्टेयर औसत उपज 250–300 कुन्तल है।

ब. संकर किस्में

क्विस्टो : यह रोपाई के बाद 82–85 दिन में तैयार होने वाली संकर प्रजाति है। इसके शीर्ष का वजन लगभग 2.5 से 3.00 कि.ग्रा. तक गोलाकार व बहुत सख्त होता है। इसकी महत्वपूर्ण विषेषता यह है कि यह खेत में 80 से 85 दिनों तक बिना खुले व फटे उत्तम अवस्था में रह सकती है। प्रति हेक्टेयर औसत उपज लगभग 350 से 400 कुन्तल है।

श्रीगणेश गोल : यह रोपण के लगभग 80 दिन बाद तैयार हो जाती है। इसके शीर्ष आकार में काफी बड़े, गोलाकार ठोस व अधिक उपज देने वाले होते हैं, जो तैयार होने के बाद बहुत दिनों तक नहीं फटते तथा प्रति हेक्टेयर औसत उपज 350 कुन्तल है।

हरी रानी गोल : यह रोपण के 110 से 115 दिन बाद तैयार हो जाने वाली संकर प्रजाति है। इसके शीर्ष का वजन औसतन 2 से 3 कि.ग्रा. तक होता है। औसत उपज 350 से 400 कुन्तल प्रति हेक्टेयर है।

क्रान्ति : यह रोपाई के 60 से 65 दिन मे तैयार होने वाली संकर प्रजाति है। इसके शीर्ष का वजन लगभग 1.00 कि.ग्रा. होता है। इस प्रजाति को कम दूरी पर लगते हैं। इसकी औसत उपज लगभग 200 कुन्तल प्रति हेक्टेयर है।

भूमि और भूमि की तैयारी

पत्तागोभी की खेती सभी प्रकार की भूमि में की जा सकती है। परन्तु अच्छी उपज प्राप्त करने के लिये दोमट या बलुई दोमट भूमि सर्वोत्तम मानी जाती है। ऐसी भूमि जिसका पी.एच. मान 6 से 7 के बीच हो इसकी खेती के लिए अच्छी होती है। बंदगोभी की अच्छी पैदावार के लिए 3–4 जुताई करके मिट्टी अच्छी प्रकार भुरभुरी कर लें। प्रत्येक जुताई के बाद पाटा अवश्य लगावें।

पौधशाला में बीज की बुआई

एक हेक्टेयर फसल लगाने के लिए 3 मी. लम्बी, 1 मी. चौड़ी व 15 सेंमी. ऊपर उठी हुई 20–25 क्यारियाँ तैयार करें। प्रत्येक क्यारी में 40 ग्रा. डाइ अमोनियम फास्फेट, 25 ग्रा. यूरिया, 30 ग्रा. म्यूरेट ऑफ पोटाश तथा 10 ग्रा. फ्यूराडान डालकर अच्छी तरह मिट्टी में मिला दें। क्यारियाँ तैयार करने के बाद थिरम या कैप्टाफ 2 ग्रा. प्रति लीटर की दर से घोलकर क्यारी की सिचाई कर दें। थीरम या कैप्टाफ से बीज की 2.5 ग्रा. मात्रा प्रति कि.ग्रा. बीज की दर उपचारित करें। इन क्यारियों में लगभग 5 सेंमी. की दूरी पर पंक्तियाँ बना लें व इन पंक्तियों में 0.5 सेंमी. की गहराई तक बीज इस प्रकार बोयें कि एक जगह पर एक ही बीज पड़े। बीज को सड़ी हुई गोबर की भुरभुरी खाद एवं बालू की समान मात्रा मिलाकर ढक दें। फुहारे से आवश्यकता अनुसार सिंचाई करें। एवं खरपतवार निकालें। लगभग 4 सप्ताह में पौधे रोपाई योग्य तैयार हो जाते हैं।

बीज की मात्रा

अगेती किस्मों के लिए 500 ग्रा. तथा पिछेती किस्मों के लिए 300 ग्रा. बीज एक हेक्टेयर खेती के लिए पर्याप्त होता है।

बुआई का समय

अगेती किस्मों की बुआई अगस्त के अन्तिम सप्ताह से 15 सितम्बर तक करते हैं। मध्यमी और पिछेती किस्मों की बुआई सितम्बर के मध्य से पूरे अक्टूबर तक करते हैं।

पौध रोपण

जब पौधे 8–10 सेंमी. की ऊँचाई के तथा 3–4 पत्तियों वाले हो जायँ तो उनको अच्छी प्रकार से तैयार खेत में रोपण कर देना चाहिए। अगेती फसल का

रोपण सितम्बर के अन्त से अक्टूबर के प्रथम सप्ताह तक तथा मध्यावधि व पिछेती फसल के पौधों का मध्य अक्टूबर से नवम्बर के अन्त तक करते हैं। रोपण के लिए पौधशाला से पौधे उखाड़ते समय यह ध्यान रखना चाहिए कि जड़ों को किसी प्रकार की क्षति न पहुँचे। रोपण के लिए सायंकाल का समय उपयुक्त होता है। रोपण के लिए कतार से कतार की दूरी 45 सेंमी. और पौध से पौध की दूरी 30–45 सेंमी. रखते हैं।

खाद एवं उर्वरक

एक हेक्टेयर खेत के लिए 20–25 टन गोबर की सड़ी खाद या कम्पोस्ट खाद तथा 150 कि.ग्रा. नाइट्रोजन, 60 कि.ग्रा. फास्फोरस एवं 60 कि.ग्रा. पोटाश की आवश्यकता पड़ती है। गोबर या कम्पोस्ट खाद की निर्धरित मात्रा को खेत की तैयारी के समय अच्छी प्रकार से मिला देना चाहिए। अंतिम जुताई के समय नाइट्रोजन की एक तिहाई मात्रा तथा फास्फोरस व पोटाश की पूरी मात्रा खेत में डाल देते हैं। शेष नाइट्रोजन की मात्रा को दो बराबर भागों में बाँटकर रोपाई के 30 तथा 45 दिन बाद खड़ी फसल में देते हैं।

सिंचाई

बंदगोभी में सिंचाई, रोपण के समय, वर्षा की आवृति एवं मिट्टी के गुणों पर निर्भर करती है। पौध रोपण के तुरन्त बाद व दो तीन दिनों तक फुहारे की सहायता से हल्की सिंचाई करें तथा बाद में आवश्यकतानुसार उचित नमी बनाए रखने के लिए सिंचाई 10–15 दिन के अंन्तराल पर करते रहें। इस प्रकार औसतन 4–6 सिंचाई की आवश्यकता पड़ती है।

अन्तः शस्य क्रियायें

पौध रोपण से लेकर शीर्ष तैयार होने तक के बीच कई प्रकार के खरपतवार उगते रहते हैं। दो या तीन निकाई–गुड़ाई से खर पतवार की रोकथाम हो जाती है। परन्तु व्यवसायिक स्तर पर खेती करने पर खर–पतवार नाशी का प्रयोग काफी लाभप्रद होता है। स्टाम्प 3.3 लीटर को 1000 लीटर पानी में घोलकर प्रति हेक्टेयर का छिड़काव रोपाई से पूर्व काफी लाभप्रद होता है। पौधों की निराई–गुड़ाई, पौधों की जड़ से 5–6 सेंमी. की दूरी पर करना उपयुक्त रहता है। वर्षा ऋतु में पौधों की जड़ों के पास से मिट्टी हट गयी हो तो चारों तरफ से हल्की मिट्टी चढ़ा देनी चाहिए।

बन्दगोभी उत्पादन की समस्याएं : बन्दगोभी की खेती में गोभी वर्गीय सब्जियों के अनेक समस्याओं के साथ–साथ कुछ विशेष समस्याएं होती हैं जो निम्नलिखित हैं।

समय से पहले फूल निकलना : कभी–कभी बंदगोभी के पौधे में खाने योग्य भाग या शीर्ष (नाब) बनने से पहले ही फूल निकलने लगते हैं जिसे समय से पहले फूल निकलना (वोल्टिंग) कहते हैं। यह मुख्य रूप से पहले बीज की बुआई, पादप वृद्धि की अवधि से कम ठंडा पड़ना, वातावरण में तापक्रम का आकस्मात् एवं अत्यधिक परिर्वतन और अनुचित किस्म के चुनाव इत्यादि के कारण होता है। इससे बचाव के लिए सही समय पर सही किस्म का चुनाव व सही समय पर बुवाई तथा रोपाई इत्यादि प्रभावी पाये गये है।

पीट रोग : इसे बंद गोभी की फफूँदीय कुम्हलान रोग या बंदगोभी का पीलिया रोग कहते हैं जो फ्यूजेरियम आकसिसपोरम के कारण होती है। इस रोग में प्रभावित पौधों के संवाहक स्थान, जहाँ से पौधे ख़ुराक लेते हैं, प्रभावित होता है तथा वह स्थान सड़ने लगता है। जिसमें पौधे को मिलने वाले ख़ुराक का रास्ता बन्द हो जाता है और पत्तियाँ मुरझाना शुरू कर देती हैं जो बाद में सूख जाती हैं और पौधे का विकास रूक जाता है। अधिक तापमान (18–24^0 सेंटीग्रेड) पर इसकी क्रियाशीलता मंद पड़ जाती है।

बचाव के उपाय : इस रोग से बंदगोभी की फसल के बचाव के लिए स्वस्थ बीज का उपयोग, भूमिशोधन, खेत में फसल के अन्दर से घास–फूस साफ करके स्वच्छ रखना, उचित फसल चक्र अपनाना, रोगरोधी किस्मों का उपयोग इत्यादि करना चाहिए।

फसल की कटाई

फसल किस्मों के अनुसार 2.5 से 3 मास में तैयार हो जाती है। पत्तागोभी उस समय काटना चाहिए जब वह ठोस और वजनदार हो जाए।

उपज

पत्तागोभी की औसत उपज 227 कुन्तल प्रति हेक्टेयर होती है।

10. गांठगोभी

वानस्पतिक नाम : *ब्रैसिका ओलेरेसिया* किस्म कालोरापा

मुल : क्रूसीफेरी

गुणसूत्र संख्या : 2 एन = 18

फूलगोभी व पत्तागोभी की तरह गाँठगोभी भी गोभी वर्गीय सब्जियों में एक प्रमुख सब्जी है। इसकी खेती एवं लोकप्रियता पहाड़ी क्षेत्रों में अधिक है लेकिन मैदानी क्षेत्रों में इसकी खेती सफलता पूर्वक की जाती है। इसका खाने वाला भाग जमीन के 4 से 5 सेंमी. ऊपर तना फूलकर गोलाकार कन्द के रूप में परिवर्तित होने के फलस्वरूप बनता है जिसे गाँठ कहते हैं। गाँठ के ऊपर विभित्र स्थानों से पत्तियाँ निकलती हैं, जिनका प्रयोग साग इत्यादि बनाने में किया जाता है गाँठ गोभी का प्रयोग मुख्य रूप से सब्जी बनाने व सलाद के लिए किया जाता है। इसकी पत्तियाँ पशुओं को खिलाने के प्रयोग में लाई जाती हैं। आयुर्वेदिक चिकित्सा में भी इसका बहुत महत्व है। इसका सेवन, पेट के रोग, गँठिया, डयरिया, गूंगापन, सिरदर्द, आदि में लाभप्रद होता है। इसके साथ–साथ इसमें प्रोटीन, कार्बोहाइड्रेट, विटामिन ''ए'' तथा विटामिन ''सी'' प्रचुर मात्रा में पायी जाती हैं।

उन्नतशील किस्में

व्हाइट वियना : यह एक अगेती किस्म है। इस किस्म की गांठे, चिकनी, हरी और गुम्बद के आकार की, गूदा कोमल और पत्तों का रंग हल्का हरा होता है। इसकी प्रति हेक्टेयर औसत उपज 150 कुन्तल है।

परपल वियना : यह एक पिछेती किस्म है, जिसमें पत्ते अधिक होते हैं। पत्तों व तनो का रंग बैगनी, गाँठों का छिलका मोटा व रंग बैगनी तथा गूदा हरापन लिए हुए सफेद होता है। इस किस्म में गाँठे देर से बनती हैं। एक हेक्टेयर खेत से 150–200 कुन्तल तक पैदावार ली जा सकती है।

किंग ऑफ वियाना : यह एक आयातित किस्म है, जिसके पौधों की ऊँचाई 20–30 सेंमी. होती है। पौधों की पत्तियाँ चौड़ी तथा गहरे हरे रंग की होती हैं। शीर्ष चपटे, गोलाकार तथा हरे रंग के होते हैं। पत्तियों का निचला हिस्सा काफी लंबा होता है, जो शीर्ष को ढके रखता है। इसके रोपण के 65 से 70 दिन बाद गाँठे तैयार हो जाती है।

अर्ली व्हाइट वियना : इसकी पत्तियाँ छोटे आकार की होती हैं और तना हल्के हरे रंग का होता है। गांठे गोल, काफी चिकनी, हल्के हरे–रंग की होती है। गूदा काफी सफेद रंग का मुलायम और सुगंन्धित होता है। इसके रापेण के 55–60 दिन बाद गाँठे तैयार हो जाती है।

अर्ली पर्पल वियना : इसकी पत्तियाँ बैगनी रंग की होती हैं। पत्तियाँ गहरे हरे रंग की होती हैं। गाँठें बड़ी तथा हरे रंग की होती है। यह किस्म हिमाचल प्रदेश में काफी प्रचलित है।

अन्य प्रजातियाँ : सटन अर्ली व्हाइट, सटन ग्रीन ग्लोरी, ग्लोरी व्हाइट, अर्ली पर्पल, अर्ली व्हाइट, किंग आफ मार्केट, ग्रीन पर्ल, मिचिहल ब्लासी, पोटेन पक्ष, रेलिकटेसब्लू पअेश्री, इत्यादि।

जलवायु

गाँठ गोभी ठंडी जलवायु की फसल है और यह अपेक्षाकृत ठंडे मौसम में ही ठीक प्रकार से उगाई जा सकती है। शीतोष्ण देशों में अगेती प्रजातियों में जल्दी ही प्रस्फुटन की समस्या पायी जाती है। लेकिन यह समस्या भारतीय देशों में नहीं पायी जाती है। जब तापक्रम 10^0 सेन्टीग्रेड से नीचे चला जाता है तब इसमें गाँठों की परिपक्वता के पूर्व ही स्फूटन हो जाता है। जब पौध की रोपाई के बाद तापक्रम बढ़ता है तब स्फूटन भी देर से होता है। इसकी अच्छी खेती के लिए और जड़ के उचित विकाश के लिए $20–25^0$ सेंटीग्रेड तापक्रम अच्छा रहता है। जबकि इसके बीज के जमाव के लिए $15–30^0$ सेंटीग्रेड तापक्रम अच्छा पाया गया है।

भूमि और भूमि की तैयारी

गाँठ गोभी विभिन्न प्रकार की भूमि में सफलतापूर्वक उगायी जा सकती है। लेकिन जीवांशयुक्त, बलुई दोमट या दोमट भूमि में इसकी खेती अच्छी प्रकार से की जा सकती है। जमीन का पी.एच.मान 6–7.5 के बीच अच्छा माना जाता है। खेत की 3–4 जुताइयाँ करके मिट्टी भुरभुरी बना लेते हैं।

पौधशाला में बीज की बुआई

बीज की मात्रा

एक हेक्टेयर खेती के लिए 800 ग्रा. बीज पर्याप्त होता है।

बुआई का समय

फूल व पत्ता गोभी की भाँति गाँठगोभी के बीजों की भी बुआई सर्वप्रथम पौधशाला में करते हैं। सितम्बर–अक्टूबर में बीज बोकर पौध तैयार करते हैं।

पौध रोपण

गाँठ गोभी के बीज पौधशाला में बोने के लगभग एक माह बाद जब पौधों में 4–5 पत्तियाँ निकल आयें और पौधे 10–12 सेंमी. की ऊँचाई के हो जाये तो इन्हें खेत में रोपण करते हैं। उत्तर भारत के मैदानी क्षेत्रों में रोपण का उचित समय अक्टूबर–नवम्बर है। रोपण के लिए पंक्ति से पंक्ति 25–30 सेंमी. और पौध से पौध 20 सेंमी. की दूरी रखते हैं। कम दूरी रखने पर गाँठो का विकास रूक जाता है।

खाद एवं उर्वरक

इसकी अच्छी फसल के लिए पर्याप्त मात्रा में खाद व उर्वरकों का देना आवश्यक है। प्रति हेक्टेयर 20–25 टन गोबर की सड़ी खाद पहली जुताई के समय मिला देना चाहिए। इसके अतिरिक्त 100 कि.ग्रा. नाइट्रोजन, 50 कि.ग्रा. फास्फोरस व 50 कि.ग्रा. पोटाश प्रति हेक्टेयर की दर से देना आवश्यक है। फास्फोरस व पोटाश की पूर्ण व नाइट्रोजन की एक तिहाई मात्रा अंतिम जुताई के समय खेत में मिला दें। नाइट्रोजन की शेष मात्रा दो बराबर भागों में बाँटकर रोपण के 25 और 40 दिन बाद खड़ी फसल में छिटक कर देते हैं।

सिंचाई

रोपाई के बाद फुहारे की सहायता से हल्की सिंचाई करें तथा बाद की सिंचाई 10–15 दिन के अन्तराल पर करते रहना चहिए।

अन्तः शस्य क्रियायें

अच्छी फसल व उपज के लिए एक या दो निकाई गुड़ाई करना आवश्यक है। निकाई गुड़ाई से खर पतवार का नियत्रंण हो जाता है। यदि रासायनिक विधि से खरपतवार नियंत्रण करना हो तो स्टाम्प खरपतवार नाशी का 3.3 लीटर मात्रा 1000 लीटर पानी में घोल कर प्रति हेक्टेयर की दर से रोपड़ के पहले छिड़कने से खरपतवार की समस्या का निदान हो जाता है।

फसल की कटाई

जब गाँठ 5–6 सेंमी. व्यास की हो जाये, तो कटाई करते हैं। कटाई में देर करने से गाँठ सख्त हो जाती हैं और बाजार में उचित मूल्य नहीं मिलता है।

उपज

कटाई के पश्चात गाँठों को आकार के अनुसार अलग अलग छाँट लें तथा सड़ी गली व पुरानी पत्तियों को तोड़े दें। कटाई के बाद गाँठों को जल्द से जल्द बाजार में भेज देना चाहिए। गाँठों की औसत उपज 150–200 कुन्तल प्रति हेक्टेयर होती है।

11. ब्रोकोली

वानस्पतिक नाम : *ब्रैसिका ओलेरेसिया* किस्म इटैलिका
कुल : क्रूसीफेरी
गुणसूत्र संख्या : 2 एन = 18

स्प्राउटिंग ब्रोकोली गोभी सब्जियों के अन्तर्गत आती है, जिसमें पुष्प कलिकाओं के असंख्यवार विभाजित होकर बने एक संगठित आकार भाग को खाते हैं। फूलगोभी की भांति इसके शीर्ष ठोस नहीं होते और छोटे–छोटे शीर्ष के पुंज रहते है। इसका उपयोग मुख्य रूप से सब्जी व सूप के रूप में किया जाता है। इसमें प्रोटीन तथा विटामिन ''ए'' ''बी'' व ''सी'' प्रचुर मात्रा में पायी जाती है। हमारे देश में इसकी खेती अभी नयी है। परन्तु इसका उपयोग होटलों में बहुतायत से किया जा रहा है। जिसके कारण इसकी मांग और भी बढ़ गयी है। इसमें एन्टीआक्सीडेन्ट की मात्रा सबसे अधिक होती है।

उन्नतशील किस्में

ब्रोकोली की किस्में मुख्यतया तीन प्रकार की होती हैं। श्वेत, हरी व बैगनी रंग की। इनमे हरे रंग की गँठी हुई शीर्ष वाली किस्में ज्यादा पसन्द की जाती हैं। परिपक्वता के आधार पर ब्रोकोली की किस्मों को अगेती, मध्यावधि व पिछेती वर्गो में विभाजित किया गया है।

अगेती किस्म : ये किस्में रोपण के पश्चात् 60–70 दिन में ही तैयार हो जाती हैं। इनकी अच्छी वृद्धि के लिए मध्यम ठण्डक उपयुक्त होती है। ''डी'' सिक्को ''ग्रीन बड'' व ''स्पटिन'' आदि अगेती किस्में हैं।

मध्यावधि किस्म : ''ग्रीन स्प्राउटिंग मिडियम'' एक अच्छी किस्म है जो रोपड़ से लगभग 100 दिन में तैयार हो जाती है।

पिछेती किस्म : पिछेती किस्मों में ''ग्रीन स्प्राउटिंग लेट'' एक प्रमुख किस्म है, जो रोपड़ के लगभग 120 दिन में तैयार हो जाती है।

मिडवे, ग्रीन माउण्टेन और ग्रैण्ड सेन्ट्रल अगेती और मध्यम परिवक्ता वाले किस्म है, जो कि गहरे नीले रंग के व ठोस शीर्ष से मुक्त है। और कटाई के बाद बहुत सी शाखायें निकलती हैं।

डी सिक्को : यह जाड़े की मुख्य किस्म है। इसके शीर्ष हल्के हरे रंग के होते हैं।

ग्रीन ब्लू और स्पाईन अर्ली : यह बहुत अगेती किस्म है जो रोपाई के छह सप्ताह बाद कटाई के योग्य हो जाती है।

बालथम–28 : ग्रीन माउन्टेन और कोस्टल अटलांटिक किस्में बटनिंग (छोटे फूल) के प्रति कम सहिष्णु होती है और इसको अगेती या पछेती फसल के रूप में उगया जाता है।

प्रतिभा : यह एक संकर किस्म है जो बीजोशीतल कम्पनी द्वारा विकसित की गयी है। यह 65 दिन में तैयार हो जाती है। इसका स्वाद अच्छा होता है। इसके शीर्ष भी अच्छे आकार के होते हैं। यह किस्म प्रसंस्करण और ताजे बाजार के लिए बहुत ही अच्छी होती है।

लकी : यह एक संकर किस्म है जो कि बीजोशीतल कम्पनी द्वारा विकसित की गयी है। यह किस्म मैदानी क्षेत्रों में जाड़ा ऋतु के लिए उपयुक्त होती है। इसके शीर्ष का वजन 600 से 800 ग्रा. तक होता है। यह किस्म रोपाई के 60–65 दिन में तैयार हो जाती है।

फाइस्टा : इस किस्म का विकास बीजोशीतल कम्पनी के द्वारा किया गया है। यह एक अधिक पैदावार देने वाली किस्म है जिसके शीर्ष का औसत वजन 800 ग्रा. से 1000 ग्रा. तक होता है। यह किस्म जाड़ा ऋतु के लिए उपयुक्त होती है, जो कि 65 से 70 दिन में तैयार हो जाती है।

पुष्पा एफ –1 : यह एक अगेती संकर किस्म है। जिसके शीर्ष का औसत वजन 500 ग्रा. तक होता है। इसके शीर्ष बहुत बढ़िया आकार के होते है। इस किस्म का विकास बीजोशीतल कम्पनी के द्वारा किया गया है।

एन एस–50– एफ–1 : यह मध्य कालिक मौसम की फसल है जिसका विकास नामधारी बीज कम्पनी के द्वारा किया गया है। इसके शीर्ष ठोस होते हैं, जो कि ताजे बाजार और प्रसंस्करण के लिए उपयुक्त पाये गये हैं। इस किस्म का प्रयोग गृहवाटिका में बहुत अधिक किया जाता है।

नन –2452 : इस किस्म का विकास न्युहेम्स सीड्स कम्पनी के द्वारा किया गया है।

पैक मैन : यह एक संकर किस्म है, जो कि 75 दिन में तैयार हो जाती है। इसके शीर्ष हरे रंग के बड़े और वजनी होते हैं।

पाइरेट : यह एक संकर किस्म है, जो कि लगभग 100 दिन में तैयार होती है। इसके शीर्ष बड़े और हरे रंग के होते हैं। इस किस्म को मुख्य रूप से ताजे बाजार और प्रसंस्करण के लिए उगाया जाता है।

अन्य किस्में : ग्रीन स्प्राउटिंग मीडियम, ग्रीन स्प्राउटिंग लेट, साउर्दनकामेट (संकर) प्रीमियर क्रोप, डोरसायर ग्रीनसर्फ और लैटकी रोनास्टिफँ आदि की बीज जापान की सीड कम्पनी के द्वारा तैयार किये जाते हैं। ब्रोकली की कुछ महत्वपूर्ण किस्मों को निम्न सारणी में दिया गया है।

ब्रोकोली की अगेती, मध्य एवं पिछेती किस्मों की तालिका

अगेती	मध्यम	पिछेती
मिड़वे	फाइस्टा	बालथम –21
ग्रीनल माउण्टेन	प्रेमा एफ–1	ग्रीन माउण्टेन
ग्रैण्ड सेन्ट्रल	एन एस–50 एफ–1	कोस्टल अटलांटिक
डी सिक्कों	नन– 2452	फइरेट
ग्रीन ब्लू	ग्रीन स्प्राउटिंग मीडियम	ग्रीन स्प्राउटिंग लेट
स्पाईन अर्ली	एक्सकैलिवर	साउर्दन कामेट
प्रतिमा	कोरोनी	प्रीमियम क्रग्य
लकी	कोरोनी	क्लिपर
पुष्पा एफ–1	कायम	डोरस्कयर
पैक मैन	लेसर, स्पटिन अर्ली	ग्रीनसर्फ, लैटकोरोनस्टिक

जलवायु

इसकी फसल को ठंडी जलवायु की आवश्यकता होती है। $12–19^0$ सेन्टीग्रेड का तापक्रम शीर्ष के विकास के लिए उपयुक्त होता है। यह मुख्यतः द्विवर्षीय फसल होती है। जबकि एक वर्षीय प्रजातियाँ पाला से बहुत प्रभावित होती है।

भूमि और भूमि तैयारी

इसकी खेती सभी प्रकार की भूमि में की जा सकती है। परन्तु अच्छी जल निकास वाली दोमट या बलुई भूमि जिसमें जीवांश प्रचुर मात्रा में उपलब्ध हो, इसकी खेती के लिए अच्छी होती है। मृदा की पी.एच. मान 5.8 से 7.2 तक उपयुक्त होता है। भूमि में अच्छी प्रकार से नमी की पूर्ति आवश्यक है। इसकी खेती के लिए भारी भूमि उपयुक्त नहीं होती है। ब्रोकोली की अच्छी उपज प्राप्त करने के लिए खेती की मिट्टी अच्छी प्रकार से तैयार करनी चाहिए। इसके लिए 3–4 जुताई करके मिट्टी को अच्छी प्रकार से भुरभुरी बना ली जाती है। और प्रत्येक जुताई के बाद पाटा लगा दिया जाता है।

पौधशाला में बीज की बुआई

बीज की मात्रा तथा बुआई का समय

बीज की सर्वप्रथम पौधशाला में बुआई करते हैं और एक हेक्टेयर ब्रोकोली की खेती के लिए 500 ग्रा. बीज की आवश्यकता पड़ती है। किस्मों का चुनाव फसल की अवधि और पाला के मात्रा के आधार पर किया जाता है। पौधशाला में बीज की बुआई का उचित समय अगेती फसल के लिए सितम्बर से अक्टूबर तक तथा मध्यकालीन और देन से तैयार होने वाली किस्मों के लिए अक्टूबर से मध्य नवम्बर तक है। प्रायोगिक तौर पर पौध उत्पादन से सम्बन्धित महत्वपूर्ण बिन्दुओं को निम्न तालिका द्वारा दर्शाया गया है।

विवरण	अगेती किस्मों के लिए	पिछेती किस्मों के लिए
नर्सरी का क्षेत्रफल प्रति हेक्टेयर खेत की रोपाई के लिए	350–400 वर्गमीटर	350–400 वर्गमीटर
रोपाई की दूरी	45x0 सेंमी.	50x40 सेंमी.
आवश्यक पौधों की प्रति हेक्टेयर संख्या	56,000	50,000
तैयार किये जाने वाले पौधे की संख्या	56,000+11,200	50,000+90,000
(20% कम जमाव जोड़ने पर)	= 67,200	= 60,000

आवश्यक कुल बीज की संख्या (30% कीड़े एवं बीमारियों से नुकसान को लेकर)	67,200+20,200 = 87,400	60,000+18,000 = 78,00
एक ग्रा. बीज की संख्या	250	250
कुल बीज की मात्रा (प्रति हेक्टेयर)	350 ग्रा.	390 ग्रा.

पौध रोपण

पौध 4 से 6 सप्ताह पुरानी होने पर रोपने लायक हो जाती है। अगेती फसल के लिए पंक्ति की दूरी 45 सेंमी. और पौध से पौध की दूरी 40 सेंमी. रखी जाती है जबकि पिछेती किस्मों को पंक्ति 50 सेंमी. और पौध से पौध की दूरी 40 सेंमी. तक रखते है। प्रायः पौधों का रोपण शाम को करें और जब ठंढ पड़ने लगे तो रोपण दिन में भी कर सकते हैं। रोपण के तुरन्त बाद पौधों की सिंचाई करें। यदि खेत में पानी रूकने की सम्भावना हो तो पौधों का रोपण मेढ़ों पर करें।

खाद एवं उर्वरक

ब्रोकोली की अच्छी फसल के लिए खेत में पर्याप्त मात्रा में जीवाशं का होना आवश्यक है। अतः खेत में 20 से 25 टन सड़ी हुयी गोबर की खाद या कम्पोस्ट खाद रोपाई के 3 से 4 सप्ताह पूर्व खेत में अच्छी तरह मिला देना चाहिए। ब्रोकोली की फसल को फूलगोभी की अपेक्षा अधिक नाइट्रोजन की आवश्यकता होती है विशेष कर पिछेती किस्मों की खेती में इसकी आवश्यकता अधिक होती है। 120 कि.ग्रा. नाइट्रोजन, 60 कि.ग्रा. फास्फोरस व 40 कि.ग्रा. पोटाश प्रति हेक्टेयर की दर से देना चाहिए। नाइट्रोजन की एक तिहाई मात्रा व फास्फोरस तथा पोटाश की पूरी मात्रा अंतिम जुताई या रोपण से पूर्व खेत में अच्छी प्रकार से मिला देना चाहिए तथा शेष नाइट्रोजन की मात्रा दो बराबर भागों में बाँटकर खड़ी फसल में 30 व 45 दिन बाद टाप ड्रेसिंग के रूप में देना चाहिए। विभिन्न शारीरिक दैहिक क्रियाओं से बचाने के लिए मालीबडेनम और बोरान का प्रयोग करना चाहिए।

सिंचाई

पौधों की व शीर्ष की अच्छी वृद्धी के लिए मिट्टी में पर्याप्त मात्रा में नमी का होना अत्यन्त आवश्यक है। वर्षा ऋतु में यदि खेत में पर्याप्त मात्रा में नमी हो तो सिंचाई की आवश्यकता नही पड़ती यदि वर्षा न हो तो आवश्यकतानुसार सिंचाई करते रहना चाहिए। सितम्बर के बाद 10 या 15 दिन के अन्तराल पर आवश्यकतानुसार सिंचाई करते रहना चाहिए। ग्रीष्म ऋतु में 5–7 दिन के अन्तर पर सिंचाई करनी चाहिए।

अन्तः शस्य क्रियायें

ब्रोकोली में पौध रोपण से लेकर फूल तैयार होने तक के बीच कई प्रकार के खरपतवार उगते रहते है। 2–3 निकाई–गुड़ाई से खरपतवार की रोकथाम हो जाती है। परन्तु व्यवसायिक स्तर पर खेती करने पर यह सम्भव नही है। अतः खरपतवार नाशी का प्रयोग काफी लाभप्रद होता है। स्टाम्प 3.3 लीटर को 1000 लीटर पानी में घोल बनाकर प्रति हेक्टेयर का छिड़काव रोपाई के पूर्व काफी लाभप्रद होता है। पौधों की निकाई–गुड़ाई पौधों की जड़ से 5–6 सेंमी. की दूरी पर करना उपयुक्त रहता है। वर्षा ऋतु में यदि पौधों की जड़ों के पास से मिट्टी हट गयी हो तो चारो तरफ से हल्की मिट्टी चढ़ा देनी चाहिए।

फसल की कटाई एवं कटाई उपरांत प्रबंधन

अगेती फसल की कटाई के लिए दिसम्बर व मध्यावधि किस्में जनवरी से फरवरी तथा पिछेती किस्में मध्य फरवरी के बाद तैयार हो जाती हैं। कटाई के समय यह ध्यान रखना चाहिए कि कलियाँ खिलना आरम्भ होने से पहले शीर्ष काट लेना चाहिए तथा काटते समय शीर्ष के साथ 15 सेंमी. डण्ठल अवश्य रखना चाहिए। जब शीर्ष 15 से 25 सेंमी. व्यास के आकार को ग्रहण कर लें और इसका वजन 400 से 600 ग्रा. तक हो जाए तब कटाई करना चाहिए। फसल की कटाई के बाद पत्तियों के कक्ष से पुनः छोटे–छोटे शीर्ष निकलते है। जिसे पेड़ी का फसल लेना कहते हैं।

भण्डारण

अन्य सब्जियों जैसे एसपरेगस, पालक या स्वीटकार्न आदि की अपेक्षा ब्रोकोली में कटाई के उपरान्त श्वसन दर बहुत तेजी से बढ़ जाता है इसलिए इसके श्वसन दर को कम करने के लिए लिए कटाई के उपरान्त तुरन्त ठण्डे स्थान पर रख दिया जाता है ताकि इसके प्रयोग करने की अवधि को बढ़ाया जा सके। ब्रोकोली अत्यधिक सड़ाव वाली प्रवृति की सब्जी है। इसके अपने पूर्व की अवस्था में, ताजा हरे रंग को और विटामिन 'सी' की स्तर को बनाये रखने के लिए इसकी कटाई के तुरन्त बाद शीर्ष को बर्फ की सहायता से भण्डारित करते हैं ताकि इसका तापक्रम शून्य^0 सेन्टीग्रेड तक बना रहे। इसको 10–14 दिन तक 10^0 सेन्टीग्रेड तापक्रम पर सफलता पूर्वक रखा जा सकता है क्योंकि इसको अधिक समय तक भण्डारित नहीं किया जा सकता है। अधिक समय तक भण्डारित करने से कलियाँ पीला पड़कर गिरने लगती हैं। और कलियों के ऊतक मुलायम हो जाते हैं। इसको

पतली झिल्ली में लपेटकर और आपेक्षिक आर्द्रता को बढ़ाकर भण्डारण की अवधि को बढ़ाया जा सकता है। झिल्ली पूरी तरह से पारगम्य होनी चाहिए अन्यथा शीर्ष से उत्सर्जित होने वाली गैस से शीर्ष को हानि पहुचती है। इसको अधिकतम 20^0 सेन्टीग्रेड तापक्रम पर 72 घन्टे तक रखा जा सकता है। इसको कभी भी सेव व नाशपाती के कन्टेनरों के आस–पास भण्डारण नहीं करना चाहिए, क्योंकि इसके द्वारा निकली हुई इथिलिन गैस से उन पर विपरीत प्रभाव पड़ता है और उनकी गुणवत्ता प्रभावित हो जाती है।

पैंकिग

कटाई के बाद शीर्ष को साइटोकाइनिन से उपचारित करने पर इसके रंग में कोई कमी नहीं आती और देर तक तरो ताजा बना रहता है। ऐसा करने से इसमें श्वसन क्रिया भी धीमी पड़ जाती है जिससे इसके उपभोग करने की अवधि बढ़ जाती है। ब्रोकोली को कटाई के बाद व पैंकिग के पहले पुनः किसी धारदार चाकू से छः इंच तक कलम कर देते है ताकि इसकी पैंकिग को सुगमता पुर्वक किया जा सकें। इस बात का विषेष ध्यान रखा जाता है। कि इसके गुच्छों का वजन 750 ग्रा. से ज्यादा न हो।

उपज

ब्रोकोली की औसत उपज 80–100 क्विन्टल प्रति हेक्टेयर तक होती है।

12. चीनी पत्तागोभी

वानस्पतिक नाम : *ब्रैसिका कम्पेस्ट्रिस* ग्रुप पेकिनेन्सिस

कुल : क्रूसीफेरी

गुणसूत्र संख्या : 2 एन = 20

इसे लोग चीनी सरसो या एशियाई पत्तागोभी के नाम से जानते हैं। यह भी गोभी वर्गीय सब्जियों के अन्तर्गत आती है। इसका प्रयोग प्रमुख रूप से सब्जी के लिए किया जाता है। होटोलों में चीनी पत्ता गोभी की बहुत माँग है। इसमें बन्दगोभी जैसे शक्ल के शीर्ष बनते हैं जिनको सब्जी के रूप में प्रयोग करते हैं।

उन्नतशील किस्में

चीनी पत्ता गोभी की *अप्टिको, ग्रनट, पैकचोइ, किस्पीचोय,* वांगवाक इत्यादि किस्में प्रचलित हैं।

जलवायु

चीनी पत्तागोभी की अच्छी वृद्धि और विकास के लिए ($15–20^0$ संटीग्रेड तापमान) ठण्डी और आर्द्र जलवायु की आवश्यकता होती है। इसमें पाले व अधिक तापमान सहन करने की क्षमता होती है। यदि अगेती किस्में देर से लगायी जायँ या पिछेती किस्में जल्द लगाई जायँ तो चीनी पत्तागोभी का खाने योग्य मात्रा (नाब) ठोस बनने के बजाय ढीली रह जाती है। इसके पौधे के उचित बढ़वार के लिए $15–20^0$ सेंटीग्रेड तापक्रम बहुत ही उपयुक्त होता है जबकि बहुत सी किस्में 25^0 सेंटीग्रेड तापक्रम पर अपनी वृद्धि रोक देती हैं। जब मौसम सूखा और गर्म होता है तब इसके बाद स्वाद मे कमी आ जाती है।

भूमि और भूमि की तैयारी

चीनी पत्तागोभी की खेती सभी प्रकार की भूमि में की जा सकती है। परन्तु अच्छी उपज प्राप्त करने के लिये दोमट या बलुई दोमट भूमि सर्वोतम मानी जाती है। ऐसी भूमि जिसका पी.एच. मान 6 से 7 के बीच हो इसकी खेती के लिए अच्छी होती है। चीनी पत्तागोभी की अच्छी पैदावार के लिए 3–4 जुताई करके मिट्टी अच्छी प्रकार भुरभुरी कर लें। प्रत्येक जुताई के बाद पाटा अवश्य लगावें।

पौधशाला में बीज की बुआई

बीज की मात्रा

चीनी पत्ता गोभी में 300 से 400 ग्रा. बीज प्रति हेक्टेयर प्रर्याप्त होता है।

पौध रोपाई का समय

चीनी पत्ता गोभी के रोपाई के लिए अक्टूबर, नवम्बर का महीना सबसे उपयुक्त पाया गया है।

चीनी पत्ता गोभी के लिए कतार से कतार 45 सेंमी. तथा पौधे से पौधे की दूरी 30–45 सेंमी. उपयुक्त होती है। पौधों का रोपण प्राय शाम के समय किया जाता है। रोपण के बाद तुरन्त हल्की सिंचाई कर देनी चाहिए।

खाद एवं उर्वरक

एक हेक्टेयर खेत के लिए 20–25 टन गोबर की सड़ी खाद या कम्पोस्ट खाद तथा 150 कि.ग्रा. नाइट्रोजन, 60 कि.ग्रा. फास फोरस एवं 60 कि.ग्रा. पोटाश की आवश्यकता पड़ती है। गोबर या कम्पोस्ट खाद की निर्धारित मात्रा को खेत की

तैयारी के समय अच्छी प्रकार से मिला देना चाहिए। अंतिम जुताई के समय नाइट्रोजन की एक तिहाई मात्रा तथा फास्फोरस व पोटाश की पूरी मात्रा खेत में डाल देते हैं। शेष नाइट्रोजन की मात्रा को दो बराबर भागों में बाँटकर रोपाई के 30 तथा 45 दिन बाद खड़ी फसल में देते हैं।

सिंचाई

रोपाई के बाद फुहारे की सहायता से हल्की सिंचाई करें तथा बाद की सिंचाई 10–15 दिन के अन्तराल पर करते रहना चाहिए।

अंतः सस्य क्रियायें

पौध रोपण से लेकर शीर्ष तैयार होने तक के बीच कई प्रकार के खरपतवार उगते रहते हैं। दो या तीन निकाई–गुड़ाई से खर पतवार की रोकथाम हो जाती है। परन्तु व्यवसायिक स्तर पर खेती करने पर खरपतवार नाशी का प्रयोग काफी लाभप्रद होता है। स्टाम्प 3.3 लीटर को 1000 लीटर पानी में घोलकर प्रति हेक्टेयर का छिड़काव रोपाई से पूर्व काफी लाभप्रद होता है। पौधों की निराई–गुड़ाई, पौधों की जड़ से 5–6 सेंमी. की दूरी पर करना उपयुक्त रहता है। वर्षा ऋतु में पौधों की जड़ों के पास से मिट्टी हट जाए तो चारों तरफ से हल्की मिट्टी चढ़ा देनी चाहिए।

फसल की कटाई

जब चीनी पत्तागोभी का शीर्ष जातीय गुण के अनुरूप पूर्ण आकृति व रंग ग्रहण कर ले तब पौधों की कटाई करें। गोभी को उखाड़ने की अपेक्षा तेज चाकू से जमीन की सतह से थोड़ा उपर काट लेना अच्छा रहता है।

उपज

एक हेक्टेयर से लगभग 250–350 कुन्तल उपज प्राप्त होती है।

गोभी वर्गीय फसलों की समस्याएं (Problems in Cole Crops)

क. गोभी वर्गीय फसलों के दुर्गुण (Disorders of Cole Crop)

1. कुव्यवस्था के कारण

फूलगोभी में विभिन्न प्रतिकूल परिस्थितियों के कारण कुव्यवस्थायी विकार जैसे–बटनाकार आकृति की गोभी, कलात्मकता और पत्तापन इत्यादि हो जाते हैं जिससे गोभी की फसल मारी जाती है।

वटनाकार गोभी : इस अवस्था में गोभी अपेक्षाकृत जल्दी बनना प्रारम्भ हो जाती है। वटनाकर गोभी का मुख्य कारण नाइट्रोजन की कमी तथा एक वर्ग गोभी (मौसम की) दूसरे वर्ग में बोआई करना या पौधों की वृद्धि में कहीं रूकावट आना इत्यादि मुख्य कारण है। जैसे–कीड़ों द्वारा जड़ों पर आक्रमण या अगेती फूलगोभी की किस्म का रोपण देर से या देर वाली किस्म का रोपण जल्दी करना। निदान के लिए सही किस्म सही समय पर लगावें तथा पौधों को बीमारी व कीड़ों से बचावें।

कलात्मकता : बिना तैयार हुए हरी गोभी (खाने वाले भाग या कर्ड) पर फूल निकलने लगते है जिससे बाजार भाव घट जाता है। गोभी में फूल निकलना प्रारम्भ होना (गोभी का फटना) ज्यादातर बदली के मौसम या फुआर पड़ने के कारण हो जाता है। बचाव के लिए यदि गोभी तैयार होने में थोड़ा कसर भी हो तो भी उन्हें काटकर बदली का मौसम देखते ही बाजार में बेच देवें।

पत्तापन : फूलगोभी में कभी–कभी गोभी के खाने वाले भाग पर छोटी–छोटी पत्तियाँ निकल आती है ऐसा मुख्य रूप से फूल बनने के समय तापमान अधिक हो जाने के कारण होता है। इसके बचाव के लिए उचित किस्मों का चुनाव, उचित समय पर रोपण इत्यादि करना चाहिए।

राइसीनेस या हेयरीनेस : फूल बनने के समय लम्बे समय तक तापमान अधिक होने के कारण फूलों पर रोये से आ जाते हैं।

फूलों में पिगमेंटेशन : कभी–कभी असमान मौसम के कारण तथा फसल की बढ़वार के समय किसी तत्व की कमी या जड़ों के क्षतिग्रस्त होने या कृषि–क्रियाओं में किसी तरह की असावधानी बरते जाने या फूलों को तेज प्रकाश मिलने के कारण एंथोसाइनिन बनता है, जिसकी वजह से फूलों का रंग हल्का बैंगनी या गुलाबी हो जाता है। इसके बचाव के लिए कृषि–क्रियाओं तथा पोषण आदि को यथोचित बनाये रखें साथ ही, ध्यान दें कि रोपाई के समय पौधे की जड़े क्षतिग्रस्त न होने पायें। इसके अलावा फूलों को धूप से बचाने के लिए या तो ऐसी किस्मों का चुनाव करें, जिसमें पत्तियाँ स्वयं फूल के ऊपर सुरक्षा–कवच बना देती हों या फिर पत्तियों के गुच्छों को फूल के ऊपर धागे या रबर के छल्ले की सहायता से बाँध दें।

2. कुपोषण के कारण

कुव्यवस्था के साथ–साथ कुपोषण से भी फूलगोभी की फसल को काफी क्षति होती है। जिसमें बोरान व मालीब्डेनम प्रमुख है।

बोरान के कारण : बोरान की कमी से गोभी के खाने योग्य भाग (कर्ड) छोटा रह जाता है। इसकी कमी से प्रारम्भ में तो गोभी पर छोटे–छोटे दाग दिखाई देते हैं तथा बाद में पूरा का पूरा गोभी (कर्ड) हल्का गुलाबी या भूरे रंग का हो जाता है जो खाने में कड़वा लगता है। इससे फूलगोभी की पैदावार तथा माँग दोनों मारी जाती है। बचाव के लिए बोरेक्स या बोरान के 0.25 से 0.50% घोल का छिड़काव करें तो आशातीत उपज और उच्च गुणवत्ता वाले कर्ड प्राप्त होते हैं।

मालीब्डेन के कारण : इस शूक्ष्म तत्व की कमी से पत्तियों में हरा रंग की कमी हो जाती है और वे किनारे से सफेद हो जाती हैं। पत्तियाँ नाम मात्र के लिए हरी रह जाती हैं जो बाद में मुरझा कर गिर जाती है। नयी पत्तियाँ विकृत हो जाती हैं जिसे 'हेवीपटेल' रोग कहते हैं। इससे बचाव के लिए 1.0 से 1.50 कि.ग्रा. मालीब्डेनम प्रति हेक्टेयर की दर से देने पर गोभी का आकार, गुणवत्ता व विटामिन 'सी' में वृद्धि होती है।

होलोस्टेम : अत्यधिक उपजाऊ भूमि में नाइट्रोजन की मात्रा अधिक देने के कारण पौधों की वृद्धि तो जल्दी होती है, लेकिन इसके कारण तने में खोखलेपन की समस्या आ जाती है। इसके बचाव के लिए पौधों को सही मात्रा में सन्तुलित पौष्टिक तत्व दें।

ख. गोभी वर्गीय फसलों के प्रमुख रोग एवं व्याधियाँ (Diseases of Cole Crops)

1. फफूंदी से उत्पन्न होने वाले रोग

पदगल या आर्द्रगलनः यह रोग पौधशाला में बहुतायत से देखा जाता है। साधारणतया यह रोग राइजोक्टोनिया, पीथियम व फ्युजेरियम नामक फफूँदी द्वारा जमीन में अधिक नमी या वातावरण में उच्च तापमान के कारण होता है। प्रभावित पौधे भूमि की सतह से सड़ने लगते है और पौधे मर जाते हैं।

नियंत्रण : नर्सरी की मिट्टी का शोधन 0.9% कैप्टान या फार्मल्डिहाइड के घोल से बुआई के दो सप्ताह पूर्व करें। बीज शोधन सेरेसान या बाविस्टिन या एग्रोसान जी एन से (2 ग्रा./कि.ग्रा.) करें। पौधशाला में बीज घने न होने दें। बल्कि उचित दूरी पर लाइन में बोए। रोग का लक्षण दिखाई देते ही मिट्टी और कम्पोस्ट खाद को बारीक करके नर्सरी में इस प्रकार छिड़कें कि जड़े ढ़क जाये। जल निकासी की उचित व्यवस्था रखें। जमाव के 10–15 दिन के बाद वाविस्टिन, एम–45, कवच इत्यादि में से किसी एक के 0.2% का घोल छिड़काव करें।

मृदुरोमिल फफूँदी (डाउनी मिल्ड्यू) : इस रोग से फसल छोटे से लेकर बीज तैयार होने तक किसी भी समय प्रभावित हो सकती है। प्रभावित पत्तियों का रंग पीला पड़ जाता है तथा अधिक प्रभाव से पौधे मर जाते हैं। फूल लगते समय फूलों पर काले धब्बे के रूप में यह रोग दिखाई देता है। पुराने पौधों पर पत्तियों के ऊपरी सतह पर जामुनी गोल रंग के या पीले कसेरू के रंग के धब्बे के रूप में दिखाई पड़ता है। प्रभावित पौधा रोग की बाहुल्यता के कारण मर भी जाता है।

नियंत्रण : इस रोग से बचाव के लिए एम–45 या बोंडेक्स मिश्रण के 0.2% का छिड़काव सप्ताह में एक बार अवश्य करें।

काला चकता या बलैक स्पाट रोग : यह *आल्टरनेरिया ब्रैसिकी* या *आल्टर–नेरिया ब्रासिकोला* नामक फँफूदी से फैलता है। प्रभावित पौधे के तनों पत्तियों एवम् डण्ठलों पर गोल–गोल या अण्डाकार काले धब्बे पड़ जाते हैं जो अधिक प्रभावित होने पर पत्तों व तनों के ऊपर काली सतह के रूप में दिखाई देने लगती है।

नियंत्रण : इससे बचाव के लिए बीज को नर्सरी में बुआई से पूर्व गर्म पानी से 50^0 सेन्टीग्रेड पर 30 मिनट तक उबाल कर उपचारित करें तथा बीज का शोधन सेरेसान (12 ग्रा./कि.ग्रा.) से करें। खड़ी फसल में थीरम या ब्रोडेक्स मिश्रण या एम–45 के 0.2% का छिड़काव करें।

जलीय मृदुविगलन या वाटरी साफ्ट राट : यह रोग *स्क्लैरोटीनियां स्क्लैरेशियोरम* नामक फफूदी से फैलता है। इसकी समस्या अभी भारत वर्ष के मैदानी क्षेत्रों में नहीं है जबकि हिमाचल प्रदेश में यह एक गंभीर समस्या है। रोग का प्रारम्भ पत्तियों से होता है जो लाल रंग के गोल या अण्डाकार भूरे धब्बे के रूप में देखा जाता है तथा ये धीरे–धीरे पूरे तनों पर छा जाता है और इस प्रकार 50% तक पैदावार नष्ट हो जाती है।

नियंत्रण : फसल चक्र अपनावें। बाविस्टिन के 0.2% का छिड़काव करें।

पत्तों का काला गलन रोग : इस रोग से प्रभावित पौधों के पत्तियों के किनारे पर पीले रंग के अंग्रेजी के 'वी' आकर के धब्बे बन जाते हैं। और मध्य शिरा की ओर बढ़ते हैं। इसके प्रकोप से शिराएं पहले पीली पड़ती हैं जो बाद में काली पड़ जाती हैं।

नियंत्रण : आधे घंटे तक स्ट्रेप्टोसाईक्लिन या एग्रोमाइसिन (100 मि.ग्रा./1 लीटर पानी में घोल कर) से बीज को उपचारित करने के बाद बुआई करते हैं।

पत्ती का धब्बा रोग : इस रोग में पत्तियों पर गोल आकार के हल्के भूरे रंग के धब्बे बनते हैं।

नियंत्रण : कवच की 2.0 ग्रा. या मैंकोजेब–45 की 2.5 ग्रा. दवा प्रति लीटर पानी में घोलकर 10 दिन के अन्तराल पर दो–तीन बार छिड़काव करें।

2. जीवाणुओं से उत्पन्न होने वाले रोग

काला विगलन (ब्लैक राट) : यह गोभी की खतरनाक बिमारी है जो जैन्थोमोनास कम्पेस्ट्रीस नामक बैक्ट्रीरिया से फैलती है। इस रोग की वृद्धि 26^0 सेन्टीग्रेड तापमान पर जब मौसम आर्द्र रहता है तब बहुत होता है। इस रोग से प्रभावित पत्तियों के किनारे पर नीले रंग के अंग्रेजी के अक्षर 'वी' के आकार के धब्डे पड़ जाते हैं जो मध्य शिरा की ओर बढ़ते हैं तथा इसी के साथ–साथ शिराओं का रंग फीका पड़ जाता है। जो बाद में काली पड़ जाती है। इस प्रकार धीरे–धीरे तना पत्तियों और बीज वाली फसल में फलियाँ काली पड़ कर झड़ जाती हैं।

जीवाणु मृदुविगलन : (बैक्टेरियल साफ्ट राट) यह बीमारी *इरविनिया कैरा रोवोश* नामक जीवाणु से फैलती है। यह रोग पौधों के क्षतिग्रस्त अंगों में प्रवेश कर फसलों को हानि पहुँचाता है। ग्रसित पौधों की सतह चिकनी व कोमल दिखाई पड़ती है तथा प्रभावित भाग सड़ने लगते हैं जो दुर्गन्ध पैदा करती हैं। अनुकूल परिस्थितियों में (बदली हो तो) यह रोग बहुत तीब्रता से फैलता है। ओले से प्रभावित पौधों पर इस रोग का प्रभाव बहुत ही शीघ्र होता है।

नियंत्रण : इस रोग से बचाव के लिए पौधों को क्षतिग्रस्त होने से बचावें।

ग. गोभी वर्गीय फसलों के मुख्य कीट

माहू : इस कीट का प्रकोप दिसम्बर से मार्च तक होता है। यह कीट पत्तियों की निचले भागों पर अधिक संख्या में पाये जाते हैं जो पौधों के कोमल अंगो से रस चूसते हैं जिससे पौधों की पत्तियाँ पीली पड़ जाती हैं।

नियन्त्रण : कानाफिडोर (200 एस. एल.) की 0.3 मि.ली. मात्रा प्रति लीटर की दर से पानी में घोलकर छिड़काव करें। डायक्लोरोवास (86 ई.सी.) या इमिडाक्लोप्रिड का 0.5 मि.ली. प्रति लीटर की दर से घोलकर छिड़काव करें। लेडी बर्ड भृंग (*क्राइसोपा*) इस एफिड के परभक्षी कीट हैं। 50000 क्राइसोपा लार्वा एक हेक्टेयर खेत में छोड़े जाने पर इसका नियन्त्रण हो जाता है।

डायमण्ड बैक माथ : ये छोटे आकार के कीट हैं जिनके अगले पंख पर सफेद रंग के चिन्ह होते हैं। जब ये पीछे की ओर मुड़कर धड़ के साथ चिपक जाते हैं तो पीठ की आकृति हीरे जैसी प्रतीत होती है। इस कीट की सुण्डी एक सेंमी. लम्बी हल्के हरे रंग की होती है तथा छूने पर उछलने का प्रयास करती है। यह पत्ती को खाकर नष्ट कर देते हैं तथा पत्तियाँ सफेद झिल्ली जैसी दिखती हैं। रोपण के बाद 30 से 35 दिन की अवस्था में इसका अधिक प्रकोप होने से शीर्ष नहीं बनते हैं। ये कीट मुलायम पत्तियों को सर्वाधिक नुकसान पहुँचाती हैं।

नियंत्रण : नीम के बीज की गुठली के 40 ग्रा. पाउडर को प्रति लीटर की दर से पानी में घोलकर छिड़काव करें। पदान (50 डब्लू. पी.) का 1 ग्रा. प्रति लीटर पानी में घोल बनाकर 15 दिन के अन्तराल पर छिड़काव करें। पलिट्रिन सी 0.7 मि.ली. प्रति लीटर की दर से पानी में घोलकर छिड़काव करें। क्यारियों के बीच में सरसो की खेती से कीट का नियंत्रण किया जा सकता है। ऐसी स्थिति में कीड़े सरसों के पौधों पर ही आक्रमण करते हैं, जिससे मुख्य फसल की रक्षा की जाती है। रासायनिक नियंत्रण के लिए 35 से 70 दिन की अवस्था पर पदान नामक दवा का 1 ग्रा. प्रति लीटर की दर से पानी में घोलकर प्रयोग किया जा सकता है।

गोभी की सूड़ी : इसका अधिक प्रकोप होने पर पत्तियों की सिर्फ शिराएं ही छूटती हैं। फरवरी से मार्च तक इसका प्रकोप अधिक होता है।

नियंत्रण : बचाव के लिए माहू कीट के नियंत्रण के लिए बताए गए किसी दवा का प्रयोग करें।

कटवर्म (कर्तन कीट) : इस कीट की छोटी–छोटी सुण्डियां पौधों की रोपाई के बाद जमीन की सतह से काट देती है जो बाद मे सूख जाती है।

नियंत्रण : इस कीट से फसल के बचाव के लिए खेत की मिट्टी को फोरेट 10 जी नामक दवा से उपचारित करना चाहिए तथा बीच–बीच में नुवाक्रान, रोगर इत्यादि का छिड़काव करते रहना चाहिए।

स्टेम बोरर : यह फूलगोभी अगेती किस्मों को नुकसान पहुंचाता है। इसके अलावा जुलाई व अगस्त के महीनों में यह ज्यादा हानिकारक होता है। लार्वा (सुंडी) मुख्य तने में छेद बनाकर फूल बनने की उसकी क्षमता को रोक देता है। यह कीड़ा ज्यादातर छोटे पौधों पर आक्रमण करता है।

नियंत्रण : थायोडॉन (35 ई.सी.) अथवा सेविन या हैक्साविन (50 डब्लू. पी.) की 2 ग्रा./ली. दवा के घोल का छिड़काव करें। अगर कीड़ों की संख्या ज्यादा हो, तो 10 दिनों के बाद फिर छिड़काव करें। छिड़काव से पहले सभी छोटे फूलों को काट लें।

टोबैको कैटरपिलर : यह फूलगोभी को अगस्त से अक्टूबर के महिनों में अकस्मात हानि पहुंचाता है। यह बहुत तेजी से फैलनेवाला कीड़ा है तथा इसकी छोटी सूंडियाँ पत्तियों को झुंडों में खाती हैं। इसे अगर समय रहते रोका न जाये, तो यह पत्तियों को पूरी तरह से खत्म कर देता है।

नियंत्रण : पदान 1 ग्रा./लीटर के हिसाब से तैयार घोल के छिड़काव से इस कीड़े का रोकथाम किया जा सकता है। अगर आक्रमण सीमित है तथा खेत में काफी फैला नहीं है, तो सिर्फ उपयुक्त स्थान पर ही छिड़काव काफी है।

13. प्याज

वानस्पतिक नाम : *एलियम सेपा* एल.

कुल : एलिएसी

गुणसूत्र संख्या : 2 एन = 16

प्याज एक ''बहुगुणी'' फसल है जिसका प्रयोग अधिकांश लोग किसी न किसी रूप में अवश्य करते हैं। इसका सेवन हरी अवस्था में सब्जी के रूप में तथा पकने पर कच्चे सलाद के रूप में, सब्जी बनाने, मसालों के रूप में, चटनी बनाने एवं दाल को फ्राई करने में किया जाता है। प्याज जहाँ एक तरफ भोजन को स्वादिष्ट बनाती है, वहीं दूसरी तरफ भोजन की पौष्टिकता को भी बढ़ाती है। इसमें मुख्यः रूप से फास्फोरस, कैल्शियम और कार्बोहाईड्रेट होते हैं तथा प्रोटीन एवं विटामिन ''सी'' भी प्रचुर मात्रा में पायी जाती हैं। प्याज में रोचक सुगन्ध ''एलाइल प्रोपाइल डाइसल्फाइड'' नामक उड़नशील तेल की वजह से आती है तथा इसमें लाल रंग एन्थोसायनिन एवं पीला रंग क्वरेसिटिन नामक पिगमेन्ट के पाये जाने के कारण होता है। आयुर्वेद में प्याज को औषधि के रूप में अनेक बीमारियों के उपचार के लिए प्रयोग किया जाता है।

उन्नतशील किस्में

(क) *रबी में उगाई जाने वाली किस्में :*

(अ) *लाल रंग वाली किस्में :* एग्रीफाउण्ड लाइटरेड, हिसार–2, पूसा रेड, कल्याणपुर रेड राउण्ड, पूसा माधवी, पूसा रत्नार।

(ब) *सफेद रंग वाली किस्में :* पूसा व्हाइट राउण्ड, पूसा व्हाइट फ्लेट, पंजाब–48, उदयपुर–102

(ख) *खरीफ में उगायी जाने वाली किस्में :* एन–53, एग्रीफाउण्ड डार्क रेड, बसवन्त–680, अर्का निकेतन, अर्का कल्याण

(ग) छोटे बल्ब वाली किस्में : एग्री फाउण्ड रोज, अर्का बिन्दू

महत्वपूर्ण किस्मों का विवरण

एग्रीफाउण्ड लाइट रेड : यह किस्म 160–165 दिनों में तैयार होती है। इसके कंद हल्के रंग के तथा 4–6 सेंमी. व्यास के होते हैं। इसकी औसत पैदावार 300–325 कुन्तल प्रति हेक्टेयर है तथा इस किस्म की भण्डारण क्षमता भी अच्छी है।

पूसा रेड : इस किस्म के कंद औसत आकार के चपटे गोल और लाल रंग के होते हैं। स्थानीय किस्मों की तुलना में यह किस्म कम तीखी होती है। इसमें फूल निकल आने (बोल्टिंग) की समस्या कम होती है। इसमें 12 से 15% कुल घुलनशील शर्करा पाई जाती है। रोपाई के 135–140 दिन बाद तैयार होने वाली किस्म है। इसकी भण्डारण क्षमता अधिक होती है। प्रति हेक्टेयर 250–300 कुन्तल तक उपज देती है।

निफाद–53 : इस किस्म के कंद गोल, सुडौल, कम तीखे होते हैं। कंद हल्के रंग के होते हैं, जो बाद में गहरे लाल रंग के हो जाते हैं। उत्तरी भारत में खरीफ मौसम में उगाने के लिए उपयुक्त यह किस्म रोपाई के बाद 120–130 दिन में फसल खुदाई के लिए तैयार हो जाती है। इसकी 150–200 कुन्तल पैदावार प्रति हेक्टेयर मिल जाती है।

एग्रीफाउण्ड डार्क रेड : यह किस्म 130–150 दिनों में तैयार होती है जो खरीफ मौसम में बुआई के लिए उपयुक्त है। इनके कंद लाल रंग के तथा चरपरे होते हैं। इसकी औसत पैदावार 200–250 कुन्तल प्रति हेक्टेयर है।

जलवायु

प्याज ठंडी जलवायु वाली फसल है। इसकी फसल दिन की लम्बाई की अवधि से प्रभावित होती है। कन्द निर्माण के समय अधिक तापमान और लम्बी प्रकाश वाली अवधि की आवश्यकता होती है। बढ़वार के लिये 15–18^0 सेन्टीग्रेड तापमान की आवश्यकता होती है। अतः उन्ही जातियों को उस क्षेत्र में उगाना चाहिए, जो क्षेत्र उनके लिए उपयुक्त हों।

भूमि एवं भूमि की तैयारी

प्याज सभी प्रकार की भूमियों में उगाई जा सकती है, लेकिन प्रचुर मात्रा में जीवांश युत्त बलुई दोमट या दोमट मिट्टी इसकी खेती के लिए उपयुक्त पायी गई हैं। खेत की 3–4 जुताईयाँ करके पाटा लगा देते हैं। यदि खेत समतल न हों तो रोपाई के पूर्व अवश्य समतल कर लें।

पौधशाला में बीज की बुआई

एक मीटर चौड़ी तीन से पाँच मीटर लम्बी आवश्यकतानुसार क्यारियाँ बना लेनी चाहिए। प्रत्येक दो क्यारियों के मध्य 30 सेंमी. की जगह छोड़ देनी चाहिए। बीज बोने से पूर्व प्रति वर्गमीटर 1 कि.ग्रा. गोबर की खाद या कम्पोस्ट मिट्टी में भली भांति मिला देनी चाहिए। बीज बोने से पूर्व कैप्टान या थिरम नामक दवा से उपचारित कर लें (3 ग्रा. दवा प्रति किलो बीज)। तैयार की गई क्यारियों में 5–6 सेंमी. की दूरी पर 0.5 सेंमी. गहराई पर बीज बो दें, फिर उन्हे घास फूस से ढंक दें। सुबह शाम फब्बारे से पानी डालें। खरपतवार भी निकालते रहें।

बीज की मात्रा

प्याज को उसके बीज या कंदो को बोकर उगाया जाता है। पौधशाला में बोने के लिए प्रति हेक्टेयर 8–10 कि.ग्रा. बीज रबी और 12–15 कि.ग्रा. बीज खरीफ की फसल के लिये पर्याप्त होता है। यदि इसकी बुआई छोटे कंदों के द्वारा करनी है, तो उसके लिए लगभग 12 कुन्तल कंद एक हेक्टेयर के लिए पर्याप्त होता हैं। छोटे कंद खरीफ प्याज की बुआई के लिए उपयुक्त होते हैं।

बोने का समय

प्याज की बुआई का समय उसके उगाये जाने वाले क्षेत्र और जाति पर निर्भर करता है। प्याज की बुआई और रोपाई के समय की सारणी नीचे दी गई है।

पौधशाला में बोने व रोपण का समय

क्षेत्र	फसल	बीज बोने का समय	पौध रोपण का समय
उत्तरी भारत	खरीफ	15 जून–10 जुलाई	अगस्त
	रबी	नवम्बर (प्रथम सप्ताह)	जनवरी
पर्वतीय क्षेत्र	रबी	सितम्बर–अक्टूबर	अक्टूबर–नवम्बर
	ग्रीष्म कालीन	नवम्बर–दिसम्बर	जनवरी–मार्च

रोपण

बीज की बुआई के लगभग 7–8 सप्ताह बाद पौध रोपने योग्य तैयार हो जाती हैं। जब पौधे 12–15 सेंमी. लम्बे हो जायें, तब उन्हें भली भाँति तैयार खेत में 15 सेंमी. कतार से कतार और 10 सेंमी. पौध से पौध की दूरी पर लगा दें। रोपाई के तुरन्त बाद सिंचाई कर दें।

खाद एवं उर्वरक

प्याज की फसल के लिए खाद व उर्वरक की उचित मात्रा देने के लिए मृदा की जाँच अनिवार्य है। यदि किसी कारणवश मृदा जाँच न हो सके तो उस स्थिति में प्रति हेक्टेयर गोबर की खाद 20 से 25 टन, नाइट्रोजन 100 कि.ग्रा. फास्फोरस 50 कि.ग्रा. और पोटाश 60 कि.ग्रा. की आवश्यकता पड़ती है। गोबर की खाद पौध की रोपाई के 3–4 सप्ताह पूर्व समान रूप से बिखेर कर मिट्टी में मिला दें। नाइट्रोजन की एक तिहाई और फास्फोरस और पोटाश की पूरी मात्रा अन्तिम जुताई के समय देना चाहिए। नाइट्रोजन की शेष मात्रा को दो बराबर भागों में बांटकर रोपण के 30 और 45 दिन बाद टाप ड्रसिंग के रूप में दें। प्याज में 25 कि. ग्रा. गन्धक प्रति हेक्टेयर डालना लाभदायक पाया गया है।

सिंचाई

सिंचाई की संख्या बीज की किस्म और जलवायु पर निर्भर करती है। सामान्य रूप से प्याज की 10–15 सिंचाईयाँ की जाती हैं। चूँकि प्याज एक उथली जड़ वाली फसल है अतः इसे हल्की सिंचाई, कम दिनों के अन्तर पर देने से अधिक लाभ होता है। सिंचाई की मुख्य आवश्यकता कन्द निर्माण के समय होती है। रबी की फसल की अन्तिम सिंचाई खुदाई के एक सप्ताह पहले रोक देनी।

अन्तः शस्य क्रियायें

प्याज की फसल को खर पतवारों से मुक्त रखना चाहिए। प्याज उथली जड़ वाली फसल है अतः प्याज के खेत में उथली कर्षण क्रियायें करनी चाहिए। खरपतवार नियन्त्रण के लिए खरपतवारनाशी दवा का प्रयोग किया जा सकता है। स्टाम्प 3.3 लीटर प्रति हेक्टेयर की दर से 1000 लीटर पानी में घोल कर रोपाई के 3–4 दिन बाद छिड़काव करते हैं इसके लगभग 6 सप्ताह बाद एक बार खुर्पी से खर पतवार निकाल देना चाहिए। इससे खर पतवार नष्ट हो जाते हैं।

प्रमुख कीट और रोग प्रबंधन

प्याज की थ्रिप्स : ये कीड़े छोटे और पीले रंग के होते हैं, जो पत्तियों का रस चूसते हैं जिससे उन पर सफेद धब्बा बन जाता है।

नियंत्रण : नुआक्रान 1.5 मि.ली. या साइपरमेथ्रिन 0.5 मि.ली. प्रति लीटर पानी में घोलकर 10 से 15 दिन के अन्तराल पर छिड़काव करें।

बैगनी धब्बा (परपल ब्लाच) : यह रोग अल्टरनेरिया पोरी नामक फफूँद से होता है। प्रभावित पत्तियों और तनों पर छोटे गुलाबी रंग के धब्बे पड़ जाते हैं। प्याज की गांठे भण्डार गृह में सड़ने लगती हैं।

नियंत्रण : कॉपर आक्सीक्लोराइड अथवा इन्डोफिल एम–45 की 3 ग्रा. दवा प्रति लीटर पानी में घोलकर 10 दिन के अन्तर पर छिड़काव करें।

खुदाई

प्याज की खुदाई उसके उगाने के उद्देश्य पर निर्भर करती है। हरी प्याज को खाने की अवस्था में जब छोटे छोटे कंद बन जायें, उखाड़ कर बाजार में बेचने के लिए भेज दिये जाते हैं। यदि पके कन्दों के लिए फसल उगाई गई हो, तो कन्दों की खुदाई उस समय करनी चाहिए जब पौधों के ऊपरी भाग कंद के ऊपर गिर जायें। फसल की खुदाई के पूर्व जब 75% पौधों की पत्तियाँ पीली पड़ जाये तथा फसल परिपक्व हो जा तो पौधो को पैर से फाड़ (ललिया) देते हैं इस कार्य को टापिंग कहते है।

उपज

साधरणतया 250–300 कुन्तल कंद प्रति हेक्टेयर की दर से प्राप्त हो जाते हैं।

भंडारण

प्याज के कंदो को भली भांति छायेदार स्थान पर सूखने के उपरान्त हवादार कमरों में फैलाकर रखना चाहिए। भण्डारण के पूर्व कटे फटे व रोगी कन्दों को निकाल देना चाहिए। भण्डारण गृह में सड़े कन्दों को हर सप्ताह निकालते रहना चाहिए। भण्डारण के पूर्व कन्द के ऊपर की पत्तियों को कंद के नेक (गर्दन) से 2 सेंमी. के ऊपर से काट देना चाहिए इससे भण्डारण क्षमता बढ़ जाती है।

भारत में प्याज उत्पादन को प्रभावित करने वाले कारक

1. उन्नतशील तथा रोग एवं कीटरोधी किस्मों का पर्याप्त मात्रा में उपलब्ध न होना।
2. अधिक पैदावार वाली संकर किस्मों एवं निर्यात की जाने वाली किस्मों का अभाव।
3. असंतुलित खाद एवं उर्वरक प्रबन्धन।
4. अविवेकपूर्ण जल प्रबंधन, असामायिक खरपतवार नियन्त्रण एवं फसल सुरक्षा का अभाव।
5. उन्नत शस्य क्रियाएं एवं सस्योंतर तकनीकी के विषय में उत्पादक की अनभिज्ञता।
6. भण्डारण, यातायात एवं विपणन कि अपर्याप्त व्यवस्था।
7. प्याज के निर्यात सम्बन्धी आवश्यकताओं की अनभिज्ञता।

14. लहसुन

वानस्पतिक नाम : *एलियम सेटाइवम एल*

कुल : एलिएसी

गुणसूत्र संख्या : 2 एन = 16

मसाले वाली फसलों में लहसुन का एक महत्वपूर्ण स्थान है। इसका उपयोग विभिन्न प्रकार के खाद्य पदार्थो और सब्जियों के साथ किया जाता है। इसकी खेती न केवल खनिज तत्वों से भरपूर कन्दों के लिए की जाती है, बल्कि विभिन्न प्रकार के रोगों के निदान और विदेशी मुद्रा अर्जित करने के लिए भी की जाती है। इसमें

विभित्र प्रकार के तत्व जैसे कार्बोहाइड्रेट, प्रोटीन व फास्फोरस पाये जाते हैं इसके साथ–साथ आयुर्वेदिक चिकित्सा में विभित्र प्रकार की बीमारियों के निदान जैसे खून साफ करने में, बांझपन में, क्षय एवं तपेदिक रोग में उपयोग करने के लिये सलाह दी जाती है। इसके अलावा चटनी, अचार, टमाटर केचप इत्यादि में भी प्रयोग किया जााता है।

उन्नतशील किस्में

भारतवर्ष में लहसुन की अधिकतर स्थानीय किस्में ही उगायी जाती हैं, क्योंकि इनकी पैदावार अच्छी होती है। भारत वर्ष में दो प्रकार की प्रजातियाँ सफेद व गुलाबी लहसुन बहुतायत से देखने को मिलती हैं, प्रमुख हैं। गुलाबी लहसुन में कड़ुवाहट अधिक होती है। परिणाम स्वरूप इसे औषधियों के रूप में प्रयोग किया जाता है। अभी हाल में लहसुन की दो उन्नत किस्में राष्ट्रीय बागवानी अनुसंधान एवं विकास प्रतिष्ठान द्वारा विकसित की गयी हैं जिनका वर्णन नीचे दिया गया है।

यमुना सफेद : इस किस्म का लहसुन सफेद रंग का होता है। और इसको उत्तर भारत के मैदानी क्षेत्रों में उगाने की संस्तुति की गयी है। कंद का व्यास लगभग 3.73 सेंमी. और वजन लगभग 23 ग्रा. होता है। इस किस्म की औसत उपज 140 कुन्तल प्रति हेक्टेयर है।

एग्री फाउण्ड व्हाइट या जी. 41 : इस किस्म का लहसुन सफेद रंग का होता है। कंद का व्यास 3.28 सेंमी. और औसत वजन लगभग 15 ग्रा. होता है। इस किस्म की औसत उपज 100 कुन्तल प्रति हेक्टेयर है।

जलवायु

भारत में लहसुन की खेती मुख्यतः शरद ॠतु में की जाती है। लहसुन की गाँठ की परिपक्वता के समय अधिक तापक्रम और लम्बी प्रकाश अवधि की आवश्यकता पड़ती है। पत्तियों की वृद्धि गाँठ बनने के साथ रूक जाती है। लहसुन की अच्छी उपज के लिए 13–24^0 सेन्टीग्रेड तापक्रम की आवश्यकता पड़ती है।

भूमि और भूमि की तैयारी

लहसुन की खेती सभी प्रकार की मिट्टी जैसे बलुई दोमट और दोमट भूमि में की जाती है। चिकनी या भारी भूमि में इसकी खेती नहीं करना चाहिए क्योकि गाँठो

के विकास में रूकावट पड़ती है। गाँठो के उचित विकास के लिए दोमट मिट्टी काफी उपयुक्त सिद्ध हुई है। मिट्टी जिसका पी.एच.मान 6.5 से 7.0 हो, लहसुन की पैदावार के लिए उपयुक्त होती है। बोने से पहले जुताई करके मिट्टी भुरभुरी कर लेनी चाहिए।

फसल की बुआई

बीज की बुआई

बोने से पहले खेत को छोटी छोटी क्यारियों में विभक्त कर लेना चाहिए। अच्छी पैदावार के लिए लहसुन के जवा को 15 सेंमी. पंक्ति और 7.5 सेंमी. पौधे से पौधे की दूरी पर डिबलिंग विधि द्वारा बोना चाहिए।

बीज की मात्रा

बुआई के लिए गांठो से जुड़े हुए जवा का प्रयोग करते हैं। जवा को स्वस्थ गाँठो से लेना चाहिए। एक हेक्टेयर क्षेत्र के लिए 500 से 700 कि.ग्रा. जवा की आवश्यकता पड़ती है।

बुआई का समय

उत्तर भारत के मैदानी क्षेत्रों में लहसुन बोने का उपयुक्त समय अक्टूबर से नवम्बर तक है।

खाद एवं उर्वरक

लहसुन के पौधे के उचित विकास और गांठो की वृद्धि के लिए पर्याप्त मात्रा में नाइट्रोजन, फास्फोरस और पोटाश की आवश्यकता पड़ती है। खाद की मात्रा भूमि की किस्म और जातियों पर निर्भर करती है जो विभिन्न परीक्षणों द्वारा निर्धारित की गयी है। अतः अच्छी पैदावार के लिए आवश्यक है कि पहले मिट्टी का परीक्षण करा लें। गोबर की खाद 25–30 टन, नाइट्रोजन 100–125 कि.ग्रा., फास्फोरस 50 कि.ग्रा. और पोटाश 50 कि.ग्रा. प्रति हेक्टेयर की दर से तत्व के रूप में देना चाहिए। खाद की मात्रा, मिट्टी की किस्म और उर्वरा शक्ति के अनुसार घट बढ़ भी सकती है। गोबर की खाद खेत की तैयारी के समय खेत में मिला देना चहिए तथा रासायनिक खादों में नाइट्रोजन की एक तिहाई मात्रा और फास्फोरस तथा पोटाश की पूरी मात्रा बुआई से पहले तथा शेष नाइट्रोजन दो बराबर भागों में बाँटकर बोने के 40 और 60 दिन बाद खड़ी फसल में टापड्रेसिंग के रूप में दें।

सिंचाई

सिंचाई की मात्रा भूमि के प्रकार और मौसम के ऊपर निर्भर करती है। सिंचाई का मुख्य समय गांठो के बनने की अवस्था पर होता है। इस समय सिंचाई में देर करने और असावधानी बरतने पर गांठे फटने लगती है, जिनसे उपज कम हो जाती है। लहसुन में 12–14 हल्की सिंचाई की आवश्यकता पड़ती है। पहली सिंचाई बोने के 3–4 दिन बाद और अंतिम सिंचाई कटाई के लगभग एक सप्ताह पहले करना चाहिए। अन्य सिंचाईयाँ 10–15 दिन के अन्तराल पर करते हैं।

अन्तः शस्य क्रियायें

खर पतवार नियंत्रण के लिए हल्की निकाई गुड़ाई की आवश्कता पड़ती है अन्यथा जड़ो के नुकसान हो जाने से पौधे की वृद्धि रूक जाती है। खरपतवार नियंत्रण के लिए रसायनिक विधि काफी लाभकारी सिद्ध हुई हैं। खर–पतवारनाशी स्टाम्प 3.3 लीटर 1000 लीटर पानी में घोलकर लहसुन बुआई के 3 दिन के अन्दर एक हेक्टेयर खेत में छिड़कते हैं। लहसुन बुआई के लगभग 6–7 सप्ताह बाद एक बार खुर्पी से खरपतवार निकालते हैं।

प्रमुख कीट एवं रोग

लहसुन की फसल को कुछ सीमित बीमारियों और कीड़े–मकोड़ों से नुकसान होता है। जिनकी उचित समय पर रोकथाम की जाए तो बहुत ही अच्छी पैदावार होगी। कुछ प्रमुख कीट और बीमारी इस प्रकार हैं।

थ्रिप्स : ये पीले रंग के छोटे कीट होते हैं जो पत्तियों का रस चूस कर उनमें सफेद धब्बा पैदा करते है, जिससे पत्तियों का ऊपरी सिरा भूरे रंग में बदल जाता है, बाद में पत्तियाँ मर जाती हैं।

नियंत्रण : रिडोमिल एम. जेड़ नामक दवा 2 ग्रा. प्रति लीटर पानी में घोल कर 10 दिन के अन्तराल पर 2 बार छिड़काव करें।

खुदाई : फसल की जब ऊपरी पत्तियाँ पीली पड़कर गिर जाती है तब खुदाई करनी चाहिए। लहसुन की फसल पकने में 5–6 माह का समय लगता है। खुदाई के बाद गाँठों को 3–4 दिन तक छाया में सुखाया जाता है। गांठो को सुखाते समय उन्हें पत्तियों और डंठल के साथ ही रखना चाहिए तथा सूख जाने पर 1–1.5 सेंमी. कन्द के उपर डंठल छोड़कर उपरी भाग काट कर अलग कर देते हैं।

उपज

लहसुन की गांठो को छाया में सुखाने और ऊपरी भाग को काटने के बाद 80 से 100 कुन्तल प्रति हेक्टेयर तक उपज पायी गई है।

15. शलजम

वानस्पतिक नाम : *ब्रैसिका रापा*

कुल : क्रूसीफेरी

गुणसूत्र संख्या : 2 एन = 2 एक्स = 20

शलजम शरद कालीन मौसम में उगायी जाने वाली सब्जी है, जो कम समय में तैयार हो जाती है। इसकी खेती इसकी जड़ों के लिए की जाती है। इसमें खनिज तत्व जैसे कैल्शियम, लोहा, फास्फोरस तथा विटामिन प्रचुर मात्रा में पाए जाते हैं। इसका उपयोग सलाद एवं सब्जी के अतिरिक्त अचार बनाने में भी किया जाता है। पत्तियों में पोषक तत्वों की मात्रा जड़ों की अपेक्षा अधिक होती हैं। इसलिए अगर पत्तियों को हरे साग के रूप में प्रयोग में लाया जाए तो स्वास्थ्य के लिए बहुत उपयोगी होगा। इसका जन्म स्थान कई स्थानों में बताया गया है। रूस और साइबेरिया में यह जंगलों में उगता हुआ पाया जाता है। यह भी अनुमान है कि इसका जन्म स्थान मध्य या पश्चिमी चीन, मध्य एशिया, पंजाब और कशमीर या मेडीटरेनियन भाग है।

उन्नतशील किस्में

शलजम की एशियाई व यूरोपियन दो प्रकार की प्रजातियां प्रचलित हैं।

क. एशियाई किस्में

पूसा स्वेती : इस किस्म की जड़े सफेद, गोल, चपटी, गूदा सफेद और हल्का तीखा होता है। पत्तियाँ मध्यम आकार वाली कई भागों में विभक्त होती हैं। इस किस्म को तैयार होने में 40–50 दिन लग जाते हैं। इसकी बुआई का उपयुक्त समय अगस्त से अक्टूबर है।

पूसा कंचन : इस किस्म की जड़े हल्के गुलाबी रंग की, मध्यम आकार की व गोल होती हैं। गूदा क्रीम की तरह सुगन्धित तथा स्वाद युक्त होती है। यह 50–55 दिन में तैयार हो जाती है।

ख. यूरोपियन किस्में

परपल टाप व्हाइट ग्लोब : इस किस्म की जड़े बड़ी, गोलाकर, उपरी भाग बैगनी रंग लिए हुए तथा नीचे सफेद रंग की, गूदा सफेद व मिठास लिए हुए होता है। जड़ें 60–65 दिन में तैयार हो जाती हैं।

पूसा चन्द्रिमा : इसकी जड़ें बिल्कुल सफेद, 8–9 सेंमी. लम्बी और 6–8 सेंमी. व्यास की चिकनी होती हैं। गूदा सफेद, मुलायम व मीठा होता है। यह 50–55 दिन में तैयार हो जाती है। मैदानी क्षेत्रों में इसे अक्टूबर से दिसम्बर तक उगाया जाता है। इसकी पत्तियाँ छोटी तथा बिना कटावदार होती हैं।

पूसा स्वर्णिमा : इस किस्म की जड़े गोल, 6–7 सेंमी. लम्बी और 7–8 सेंमी. व्यास की चिकनी व हल्के पीले रंग की होती हैं। इसका गूदा गेहुंआ रंग का मीठा व मुलायम होता है। यह 65–70 दिन में तैयार हो जाती है।

जलवायु

यह जाड़े की फसल है अतः ठड़े एवं नम मौसम में अधिक उपज देती है। गर्म मौसम या पानी के अभाव में इसकी जड़ें कड़ी तथा तीखी हो जाती हैं। इसके विकास के लिए 15–20^0 सेन्टीग्रेड तापक्रम चाहिए। अधिक तापक्रम इसके गुणवत्ता को बहुत अधिक प्रभावित करता है। जब तापक्रम 10^0 सेल्सियस से नीचे चला जाता है तब फूल बहुत जल्दी आ जाते है। बढ़िया किस्म व गुण वाले शलजम को भारत के मैदानी व पहाड़ी क्षेत्रों में सफलता पूर्वक उगाया जाता है। एशियाई किस्में गर्म वातावरण को पसन्द करती हैं। इनको यूरोपियन किस्म से पहले बोया जाता है।

भूमि और भूमि की तैयारी

शलजम सभी प्रकार की भूमि में उगाई जाती है, परन्तु जीवांशयुक्त बलुई दोमट भूमि इसकी खेती के लिए उपयुक्त है। भूमि की अच्छी प्रकार जुताई करके समतल कर लेना चाहिए तथा आवश्यकतानुसार मेड़ें या क्यारियाँ बनाकर बीज की बुआई करनी चाहिए।

फसल की बुआई

बुआई की तकनीक

बुआई के समय खेत में पर्याप्त नमी होनी चाहिए। खेत मे नमी की कमी होने पर पलेवा करके खेत तैयार करते हैं। इसकी बुआई या तो छोटी छोटी समतल क्यारियों में या 30–45 सेंमी. की दूरी पर बनी मेड़ों पर करते हैं। यदि क्यारियों

में बुआई करनी हो तो बीज को क्यारियों में छिटक देते हैं या 30 सेंमी. के अन्तराल पर हैन्ड हो से हल्की कतारे बना लें और कतारों में बीज बोयें। मेड़ों पर बीज 1–2 सेंमी. की गहराई पर लाइन बना कर बोते हैं और मिट्टी से ढक देते हैं। जब बीज जम जाये तो अतिरिक्त पौधों को निकाल कर पौधों की दूरी 10 सेंमी. रखते हैं। मेड़ो पर बुआई करने से जड़ें अच्छी बनती हैं।

बीज की मात्रा

एक हेक्टेयर खेत की बुआई के लिए 3–4 कि.ग्रा. बीज पर्याप्त होता है।

बुआई का समय

मैदानी क्षेत्रों में एशियाई किस्मों की बुआई सितम्बर–अक्टूबर तक और यूरोपियन किस्मों की बुआई अक्टूबर–नवम्बर तक करते हैं। पहाड़ी क्षेत्रों में बुआई का उपयुक्त समय मार्च से मई तक होता है।

खाद एवं उर्वरक

इसकी अच्छी उपज लेने के लिए 20–25 टन गोबर या कम्पोस्ट की सड़ी खाद प्रति हेक्टेयर की दर से बुआई के 3 या 4 सप्ताह पहले खेत में अच्छी प्रकार मिला लें। इसके अलावा 50 कि.ग्रा. नत्रजन, 30 कि.ग्रा. फास्फोरस तथा 30 कि.ग्रा. पोटाश प्रति हेक्टेयर की दर से प्रयोग करना चाहिए। नत्रजन की आधी मात्रा, फास्फोरस एवं पोटाश की पूरी मात्रा अन्तिम जुताई के समय खेत में मिला देना चाहिए। नत्रजन की शेष आधी मात्रा, जब जड़ें बनाना शुरू हो जाय (बुआई के 25–30 दिन बाद) तो फसल में टाप ड्रेसिंग कर देना उपयुक्त पाया गया है।

सिंचाई

यदि खेत में नमीं न हो तो बोने के तुरन्त बाद हल्की सिंचाई करें। बोते समय पर्याप्त नमी यदि हो तो प्रथम सिंचाई छटाई (थिनिंग) के बाद करें। शरद ऋतु में 10–15 दिन तथा ग्रीष्म ऋतु में 5–7 दिन के अन्तराल पर सिंचाई करना चाहिए।

अंतः सस्य क्रियायें

खर पतवार नष्ट करने के लिए 1–2 निकाई गुड़ाई करना पर्याप्त है। अच्छी फसल (जड़) के लिए गुड़ाई के बाद जड़ों के पास मिट्टी चढ़ा देना चाहिए। रसायनिक खर पतवार नाशी जैसे स्टाम्प 3.3 ली./हेक्टेयर 1000 लीटर पानी में घोल कर बुआई के 1–2 दिन बाद छिड़काव करने से खरपतवार नष्ट हो जाते हैं।

प्रमुख कीट एवं रोग

सूँड़ी : शलजम की फसल को कीटों से बहुत कम नुकसान पहुँचता है। कभी कभी इसकी फसल पर पत्ती काटने वाली सूड़ी का प्रकोप हो जाता है।

नियंत्रण : मैलाथियान 1.0 से 1.5 मि.ली. दवा प्रति लीटर पानी की दर से घोल बनाकर छिड़काव करना चाहिए।

जड़ों की खुदाई

अच्छी प्रकार से विकसित जड़े जिनका व्यास 5 से 7.5 सेंमी. का हो जाय तथा मुलायम हों, उनकी खुदाई कर लें। देर से खुदाई करने पर जड़ें कठोर तथा रेशे वाली हो जाती हैं।

उपज

इसकी प्रति हेक्टेयर औसत उपज 250 से 300 कुन्तल तक होती है।

16. चुकन्दर

वानस्पतिक नाम : *बीटा वुलगैरिस*

कुल : चिनोपोडिएसी

गुणसूत्र संख्या : 2 एन = 2 एक्स् = 18

चुकन्दर शरदकालीन मौसम में उगाई जाने वाली सब्जी है जो कम समय में तैयार हो जाती है। चुकन्दर अमेरिका तथा यूरोपीय देशो की एक प्रमुख सब्जी है। आजकल भारत में भी धीरे–धीरे प्रचलित हो रही है। इसकी खेती देश में हर जगह की जा सकती है। इसकी सब्जी शलजम की तरह उबाल कर बनाई जाती है। तथा इसे सलाद के रूप में मूली और गाजर के साथ प्रयोग किया जाता है। इससे अचार भी बनाया जाता है। इसमें प्रोटीन, कार्बोहाइड्रेटस कैल्शियम और फास्फोरस की प्रचुर मात्रा पाई जाती है। इसके अतिरिक्त विटामिन ''सी'' की भी अच्छी मात्रा इसमे मौजूद है। इसकी कोमल पत्तियों को साग के रूप में प्रयोग कर सकते हैं। चुकन्दर का जन्म स्थान एशिया मेडीटरेनियन भाग है।

उन्नतशील किस्में

चुकन्दर के बीज केवल पहाड़ी इलाको में बनते हैं लेकिन खेती शरद ऋतु में मैदानी क्षेत्रों में की जाती है। चुकन्दर की प्रमुख किस्में इस प्रकार हैं।

किस्म	स्त्रोत
क्रिमसन ग्लोब	आइ.ए.आर.आई., नई दिल्ली
डेट्राइट डार्क रेड	आइ.ए.आद.आई., नई दिल्ली
फॉदर बाल	संयुक्त राज्य अमेरिका
इजीपटियन ब्लड	संयुक्त राज्य अमेरिका
इडमान्ड	संयुक्त राज्य अमेरिका
इक्लीपस	संयुक्त राज्य अमेरिका
क्रोसबी इजीपाटियन	संयुक्त राज्य अमेरिका
अर्ली वण्डर	संयुक्त राज्य अमेरिका

क्रिमसन ग्लोब : यह किस्म गोल आकार की मध्यम लाल रंग की होती है। इसका गूदा कुछ गहरा लाल रंग युक्त होता है। यह एक अधिक उपज देने वाली किस्म है। यह किस्म 80–100 दिन में तैयार हो जाती है।

डेट्रोयट डार्क रेड : इसकी जड़ें गोल गहरे लाल छिल्के वाली, चिकनी होती है। इसका गूदा गहरे लाल रंग का मुलायम होता है। यह अधिक उपज देने वाली किस्म है। जो कि 80–100 दिन में तैयार हो जाती है।

क्रोस बी इजीपटियन : यह किस्म फ्लैट ग्लोब युक्त चिकनी संरचना युक्त होती है। इस किस्म का शिरा मध्यम लम्बा, हरा और हरे रंग की नश युक्त होती है। यह 55–60 दिन बाद परिपक्वता तक पहुँच जाती है।

अर्ली वण्डर : यह किस्म क्रोसबी इजीपटियन की तरह होती है।

जलवायु

यह ठंडी जलवायु की फसल है इसलिए यह जाड़े के मौसम में उगाई जाती है। ठंड मौसम पैदा होने पर इसमें कार्बोहाइड्रेट की मात्रा बढ़ती है। गर्म मौसम या पानी के अभाव में इसकी जड़ें कड़ी तथा तीखी हो जाती हैं। जड़ों के विकास के लिए 12–18^0 सेल्सियस तापक्रम उपयुक्त पाया गया है। चुकन्दर की फसल कम तापक्रम के प्रति बहुत अधिक संवेदनशील होती है। जब मौसम ठंडा रहता है तब शर्करा की मात्रा अधिक होती है। जड़ का अच्छा रंग अधिक शर्करा के कारण प्रभावित नहीं होता है बल्कि जब जड़ में शर्करा की मात्रा कम होती है। तो जड़ का रंग प्रभावित हो जाता है।

भूमि एवं भूमि की तैयारी

चुकन्दर की खेती सभी प्रकार की भूमि में सफलता पूर्वक की जा सकती है। लेकिन इसकी खेती के लिए भुरभुरी दोमट भूमि अति उत्तम रहती है। इसके लिए भारी एवं अम्लीय भूमि उपयुक्त नहीं होती है। क्योंकि इसमें जड़ का उचित विकास नहीं होता है। और जड़े अनियमित आकार की हो जाती है। इसकी खेती अम्लीय भूमि के प्रति संवेदनशील होती है। क्षारीय भूमि में लगभग 10 पी.एच.मान तक यह फसल अच्छी तरह उगाई जा सकती है। यह जड़ सब्जियों में एक ऐसी फसल है जिसको सफलतापूर्वक क्षारीय मृदा में उगाया जा सकता है। भूमि का जल निकास अच्छा होना चाहिए। खेत की मिट्टी अच्छी प्रकार से तैयार करके भुरभुरी बना लिया जाता है। इसके लिए 3–4 जुताई की जाती है। और प्रत्येक जुताई के बाद पाटा लगा दिया जाता है। खेत को 15–20 सेंमी. तक गहरी जुताई करते हैं।

फसल की बुआई

बोने की विधि

जड़वाली अन्य सब्जियों की तरह चुकन्दर की फसल भी मेड़ों पर उगाई जाती है। मेड़ की दूरी 30 से 45 सेंमी. तथा पौधे से पौधे की दूरी 10 से 16 सेंमी. रखते हैं। बीज को मेड़ो पर 1.5 से 2.5 सेंमी. गहराई पर बोते हैं। जब बीज की बुआई क्यारियों में करना होता है तब बीज को उसमें छिड़क देते हैं या 30 सेंमी. के अन्तराल पर हैण्डहो से हल्की कतारे बना कर बीज को बोया जाता है। जब बीज जम जाये तो पौधों की दूरी 10 सेंमी. तक रखते हैं। मेड़ों पर बुआई करने से जड़े अच्छी बनती है। बीज जमने के बाद यदि पौधे घने हो तो उखाड़ देते हैं। बुआई के समय खेत में नमी अच्छी प्रकार होनी चाहिए। खेत में नमी की कमी होने पर पलेवा कर के खेत तैयार करते हैं।

बीज की मात्रा

चुकन्दर के बीज को "बीज बाल" कहते है जो सीधे खेत में बोया जाता है। बीज बाल में एक या दो बीज उपस्थित होते है। 5–6 कि.ग्रा. बीज एक हेक्टेयर भूमि के लिए पर्याप्त होता है। छोटी शिरा वाली किस्में जैसे प्लैट इजीपटियन को कम दूरी की आवश्यकता होती है और जो लंबे शिरा वाली किस्में होती है उनको अधिक दूरी की आवश्यकता होती है। बीज को उपचारित करने के लिए थीरम, कैप्टान या डेक्सान का उपयोग किया जाता है। बीजो के खेत में बोने से पूर्व 12 घण्टे तक पानी में भिगोया जाता है। जिससे बीज का अंकुरण अच्छा होता है।

बोने का समय

चुकन्दर की बुआई भी गाजर या शलगम के साथ की जाती है। वैसे बीज की बुआई अक्टूबर–नवम्बर में करते हैं। पहाड़ी क्षेत्रों में बुआई का उपयुक्त समय मार्च से मई तक है।

सिंचाई

बुआई के तुरन्त बाद नमी की कमी होने पर पहली सिंचाई कर दी जाती है। बोते समय पर्याप्त नमी हो तो प्रथम सिंचाई थिनिंग के बाद करना चाहिए। बीज को अच्छी प्रकार उगने के लिए दूसरी सिंचाई भी जल्दी करनी चाहिए। इसके बाद की सिंचाईयाँ लगभग 10 से 15 दिन के अन्तर पर की जाती है। गर्मी में 5–7 दिन के अन्तराल पर सिंचाई करना आवश्यक है।

खाद एवं उर्वरक

चुकन्दर की अच्छी उपज लेने के लिए 20–25 टन सड़ी गोबर या कम्पोस्ट की खाद प्रति हेक्टेयर की दर से बुआई के 3 या 4 सप्ताह पहले खेत में अच्छी प्रकार मिला लेना चाहिए। इसके अलावा 50 कि.ग्रा. नत्रजन 30 कि.ग्रा. फास्फोरस तथा 30 कि.ग्रा. पोटाश प्रति हेक्टेयर की दर से प्रयोग करना चाहिए। नत्रजन की आधी मात्रा, फास्फोरस एवं पोटाश की पूरी मात्रा अंतिम जुताई के समय खेत में मिला देना चाहिए। नत्रजन की शेष आधी मात्रा जब जड़े बनना शुरू हो जाए (बुआई के 25–30 दिन बाद) तो फसल में टाप ड्रेसिंग कर देना चाहिए। चुकन्दर की फसल के लिए बोरान की आवश्यकता होती है। बोरान की कमी से आन्तरिक काले धब्बे हो जाते हैं। जिसकी वजह से यह डिब्बा बन्दी के लिए तथा खाने के लिए भी अनुपयुक्त हो जाता है। क्षारीय भूमि में जहाँ कैल्सियम की मात्रा ज्यादा होती है और पानी की कमी पड़ती है पर इस तरह के आन्तरिक काले धब्बे के लक्षण जल्दी आते हैं।

अन्तः शस्य क्रियायें

शलजम की फसल की तरह ही चुकन्दर की निराई–गुड़ाई करना अति आवश्यक है। फसल की प्रारम्भिक अवस्था में 2–3 निराईयाँ की जाती है। तथा एक हल्की गुड़ाई करके मिट्टी चढ़ा देना चाहिए। रसायनिक खरपतवार नाशी जैसे स्टाम्प 3.3 ली. प्रति हेक्टेयर 1000 लीटर पानी में घोलकर बुआई के 1–2 दिन बाद छिड़काव करने से खरपतवार नष्ट हो जाते हैं। उपरोक्त खरपतवार नाशी के

अलावा प्रोपाक्लोर 2.5 कि.ग्रा./हेक्टेयर का बुआई पूर्व व पहले छिड़काव करने से 40–50 दिन तक खरपतवार पर नियंत्रण रहता है। और उपज में वृद्धि हो जाती है।

विरलीकरण

यहाँ पर विरलीकरण का तात्पर्य घने पौधे को उखाड़कर दो पौधे के बीच की दूरी को बढ़ाना है। चुकन्दर में विरलीकरण और भी महत्व रखता है क्योकि बुआई के समय बीज पुंज में एक से ज्यादा बीज होते हैं। जो जमने के बाद उखाड़ा न जाय तो छोटी व चपटाकार हो जाती है। जिससे उपज कम व बाजार में अच्छा मूल्य नहीं मिल पाता हैं। अतः बुआई के तीन–चार सप्ताह बाद पौध से पौध की दूरी 10 से 15 सेंमी. तक रखते हैं। और शेष पौधों को खेत से उखाड़ दिया जाता है। इन उखाड़े हुए पौधों को अन्यत्र खेत में लगा देते हैं या रोपाई कर देते हैं जिससे गुणवत्तायुक्त जड़े प्राप्त होती है।

फसल की खुदाई

चुकन्दर के फसल की खुदाई शलजम या गाजर की तरह ही की जाती है। अच्छी प्रकार से विकसित जड़े जिनका व्यास 5 से 7.5 सेंमी. का हो जाय तथा मुलायम हो उनकी खुदाई कर देनी चाहिए। वैसे मुख्यतः खेत में बीज की बुआई के 60–70 दिन बाद जड़ खुदाई के लायक हो जाती है। फसल की खुदाई करने से पूर्व खेत की हल्की सिंचाई कर दी जाती है। ऊपर की पत्तियाँ काट दी जाती है। तथा जड़ों को अच्छी तरह साफ कर लिया जाता है।

पैदावार

इसकी औसत उपज लगभग 250–300 कुन्तल प्रति हैक्टर होती है।

प्रमुख कीट और रोग प्रबंधन

कीट

सेंमी. लूपर : इसके हरे लार्वे पौधे के कोमल भागों को नुकसान पहुँचाते हैं। इसकी रोकथाम 0.15% की दर से मैलाथियान दवा के छिड़काव से की जा सकती है।

लीफ माइनर : इसके हरे लारवे पोधे के कोमल भागों को नुकसान पहुँचाते हैं। इसके लारवा पत्तियों में छेद करके घुस जाते हैं। जिससे पौधों की बढ़वार रूक जाती है। इसकी रोकथाम 0.15% मैलाथियान दवा के छिड़काव से की जा सकती है।

पत्तियों का धब्बा : इस रोग के प्रभाव से पत्तियों पर धब्बा पड़ जाता है। इसकी रोकथाम 0.2% डाइथेन जैड–78 के छिड़काव से की जा सकती है।

17. पालक

वानस्पतिक नाम : *बीटा बुल्गेरिस*

कुल : चीनोपोडिएसी

गुणसूत्र संख्या : 2 एन = 2 एक्स = 18

हरी पत्ती वाली सब्जियाँ खनिज पदार्थो तथा विटामीन ''ए'' एवं ''सी'' की प्रमुख स्रोत हैं। इसमें रेशा भी प्रचुर मात्रा में पाया जाता है, जो आँत साफ रखने में सहायक होता है। भारतीय चिकित्सा अनुसंधान परिषद ने प्रत्येक व्यक्ति को प्रति दिन 116 ग्रा. पत्तियों वाली सब्जियाँ खाने की सलाह दी है। पालक, मेथी और चौलाई मुख्य हरे पत्ते वाली सब्जियाँ हैं। ये सब्जियां स्वास्थ्य–वर्धक होने के साथ कम मूल्य में आसानी से उपलब्ध हो जाती हैं। पालक की खेती भारत के मैदानी भागों में सर्वत्र की जाती है। पालक की कोमल पत्तियों का उपयोग खाने के लिये कई तरह से विभिन्न व्यन्जनों में करते हैं। यह विटामिन ''ए'' तथा ''सी'' की प्रमुख स्रोत है तथा इसमें पर्याप्त मात्रा में प्रोटीन, कैल्शियम तथा लौह लवण भी मिलते हैं।

उन्नतशील किस्में

आल ग्रीन, पूसा ज्योति, जोवनेर ग्रीन, पूसा भारती, पूसा हरित, एच. एस.–23, पन्त कम्पोजिट–1 आदि इसकी प्रमुख किस्में हैं।

जलवायु

पालक मुख्यतः शीतकालीन फसल है। लेकिन इसे पूरे वर्ष भी उगाया जा सकता है। शरद ऋतु में इसकी वानस्पतिक वृद्धि अच्छी होती है और 5–6 कटाइयाँ एक फसल से प्राप्त हो जाती हैं। गर्मी के मौसम में उगाने पर ऊंचे तापक्रम के कारण एक कटाई ही मिलती है और बाद में बीज के डंठल निकल जाते हैं। इसकी अच्छी वृद्धि और उपज के लिए 15 से 20^0 सेन्टीग्रेड तापक्रम उपयुक्त पाया गया है।

भूमि और भूमि की तैयारी

पालक की खेती किसी भी मिट्टी में की जा सकती है, अच्छे जल निकास वाली बलुई दोमट या दोमट मिट्टी इसकी खेती के लिये बहुत उपयुक्त होती है। इसमें क्षारीय और लवणीय मिट्टी के सहन करने की क्षमता होती है। इसकी खेती 7 से 8.5 पी.एच.मान वाली मिट्टी में सफलता पूर्वक कर सकते हैं। खेत की 3–4 जुताई करके मिट्टी भुरभुरी बना लेते हैं। बुआई के पूर्व खेत में छोटी क्यारियाँ और सिंचाई की नालियाँ बना लेनी चाहिए।

फसल की बुआई

एक हेक्टेयर क्षेत्र में बीज बोने के लिये 25–30 कि.ग्रा. बीज की आवश्यकता पड़ती है। बुआई का मुख्य समय अक्टूबर–नवम्बर है। लेकिन इसकी बुआई लगभग पूरे वर्ष कर सकते हैं। बीज को प्रायः समतल खेत में छिटकवाँ विधि से बोते हैं परन्तु पंक्तियों में बोना अधिक लाभप्रद है। इस विधि में पक्तियों की दूरी 15–20 सेंमी. रखते हैं। बीज को 2–3 सेंमी. गहराई पर बोते हैं। बीज जमने के बाद पौधे से पौधे की दूरी 4–5 सेंमी. रखते हैं।

खाद एवं उर्वरक

बुआई के 3–4 सप्ताह पूर्व 20–25 टन गोबर की सड़ी खाद या कम्पोस्ट प्रति हेक्टेयर की दर से डालकर खेत की मिट्टी में अच्छी तरह मिला देते हैं। इसके अलावा 100 कि.ग्रा. नाइट्रोजन, 50 कि.ग्रा. फास्फोरस और 50 कि.ग्रा. पोटाश प्रति हेक्टेयर की दर से शरदकालीन फसल में डालते हैं। फास्फोरस और पोटाश की पूरी मात्रा और नाइट्रोजन की एक चौथाई मात्रा आपस मे मिलाकर बुआई के पूर्व खेत में डालकर मिट्टी में मिला देते हैं। और शेष नाइट्रोजन बराबर मात्रा में बाँटकर प्रत्येक कटाई के बाद देते हैं। औसतन 3–4 टापड्रेसिंग शरदकालीन फसल में करते हैं। गर्मी की फसल में उर्वरक की मात्रा आधी हो जाती है। क्योकि केवल एक ही कटाई मिल पाती है।

सिंचाई

बीज की बुआई के समय पर्याप्त नमी होना आवश्यक है। पहली सिंचाई बीज जमने के बाद करते हैं और बाद की सिंचाईयाँ 10–15 दिन के अन्तराल पर करते रहते हैं।

अंतः सस्य क्रियायें

खेत में खरपतवार उगने न दें। इसके लिये एक या दो निकाई की आवश्यकता होती है इन्हें खुर्पी की सहायता से निकाल दें। दो पक्तियों के बीच हल्की गुड़ाई भी कर दें जिससे पौधो की जड़ों में वायु संचार पूर्ण रूप से हो सके।

कटाई

पहली कटाई बुवाई के तीन या चार सप्ताह बाद करते हैं। बाद की कटाइयाँ 15–20 दिन के अन्तर पर करते हैं। कटाई सदैव जमीन से 5–6 सेंमी. ऊपर से करना चाहिए। शीतकालीन फसल में सामान्यतया 5–6 कटाई ली जाती है। गर्मी में उगायी गयी फसल में एक कटाई के बाद बीज के डंठल निकल आते हैं।

उपज

हरी कोमल पत्तियों की औसत उपज 150 कुन्तल प्रति हेक्टेयर प्राप्त होती है।

प्रमुख कीट एवं रोग प्रबंधन

कर्तन कीट : पालक में मुख्य रूप से पत्तियों के कर्तन कीट (पत्ती काटने वाले) हानि पहुँचाते हैं। इसके नियन्त्रण के लिए मैलाथियान की 1.5 मि.ली. मात्रा प्रति लीटर पानी में घोलकर छिड़काव करें।

पर्ण चित्ती दाग : पत्तियों के ऊपर पर्ण चित्ति के कारण पहले धब्बे बनते हैं और बाद में पत्तियां सिकुड़कर सूख जाती हैं। इसके रोकथाम के लिए ब्लाइटाक्स–50 का 0.3% घोल (3 ग्रा./लीटर पानी) का 10 से 15 दिन के अन्तर से छिड़काव करना चाहिए।

18. मूली

वानस्पतिक नाम : *रैफनस सटाइवस*

कुल : क्रूसीफेरी

गुणसूत्र संख्या : 2 एन = 2 एक्स = 18

भारत वर्ष में मूली सर्वत्र उगायी जाती है। यह जड़ वाली सब्जी है। यह शीतलता प्रदान करने वाली (ठंढी तासीर), कब्ज दूर करने वाली, भूख बढ़ाने वाली सब्जी है, जिसका उपयोग सलाद, अचार तथा कैण्डी बना कर किया जाता है।

बवासीर, पीलिया और जिगर की बीमारी में इसका उपयोग अत्यधिक लाभदायक है। मूली में विटामिन ''ए'' और ''सी'' तथा खनिज लवण, फास्फोरस, पोटैशियम, कैल्शियम इत्यादि पाये जाते हैं। इसके जड़ों के साथ साथ इसकी हरी पत्तियाँ भी सलाद व सब्जी के रूप में प्रयोग की जाती हैं। उपर्युक्त गुणों से भरपूर होने के कारण अब मूली की खेती पूरे वर्ष भर की जाती है।

जड़ वाली सब्जियों में मूली का एक महत्वपूर्ण स्थान है। यह सबसे जल्दी तैयार होती है तथा सिंचाई आदि की सुविधा होने पर पूरे साल उगाया जा सकता है। इसकी खेती सम्पूर्ण भारत में की जाती है। गृह वाटिका में उगाई जाने वाली सब्जियों में मूली एक सर्वप्रिय सब्जी है। मूली का जन्म स्थान सम्भवतः मेडीटेरेनियन भाग है। वैसे इसकी खेती भारत में इतिहास के पूर्व से की जाती रही है। यह ऐसी सब्जी है जिसके सभी भाग कच्चे खाने, सलाद बनाने व सब्जी पकाने के उपयोग में लाए जाते हैं।

उन्नतशील किस्में

मूली की किस्मों को साधारणतया दो वर्गों में विभक्त किया गया है।

1. एशियाई या उष्ण कटिबन्धीय किस्में जो मूलतः ठंडे जलवायु की किस्म है परन्तु गर्मी सहन करने की क्षमता रखती है और मैदानी भागों में इनके बीज बन जाते हैं।
2. यूरोपियन (शीतोष्ण किस्में) किस्में जो गर्मी सहन नहीं कर पाती और इनका बीज पहाड़ी क्षेत्रों में बनता है।

एशियाई किस्में (उष्ण कटिबंधीय और उपोष्ण कटिबंधीय किस्में)

जापानी व्हाइट : इस किस्म की मूली सफेद, 20–30 सेंमी. लम्बी, कम तीखी, मुलायम और चिकनी होती है। जड़ों के नीचे का भाग कुछ थोथा होता है। इसकी बुआई का सर्वोत्तम समय 15 अक्टूबर से 15 दिसम्बर तक है बोने के लगभग 50 दिन बाद फसल खुदाई के लिए तैयार हो जाती है।

पूसा चेतकी : इसकी जड़ें बिल्कुल सफेद, चिकनी, मुलायम, जड़ों की लम्बाई 15–22 सेंमी. व अन्तिम छोर पर ठूठ के आकार की होती हैं। हरे रंग की पत्तियाँ मध्यम आकार की और कटावदार होती हैं। यह मार्च से सितम्बर तक बुआई के लिये उपयुक्त है। यह किस्म गर्मी में बुआई के 30–35 दिन बाद और सर्दी में 40–50 दिन बाद तैयार हो जाती है। इस किस्म को वर्ष भर उगाया जा सकता है।

पूसा देशी : इस किस्म की जड़ें सफेद, मध्यम मोटी, लम्बी और बहुत चरपरी होती हैं इसकी जड़ें नीचे की ओर पतली होती जाती हैं। पौधों का ऊपरी भाग मध्यम ऊँचाई वाला होता है और पत्तियाँ गहरे हरे रंग की होती हैं। यह मध्य अगस्त से अक्टूबर के आरम्भ तक बुआई के लिए उत्तम किस्म है। बुआई के 50–55 दिन बाद तैयार हो जाती है।

हिसार मूली नं. 1 : इसकी जड़े सीधी और लम्बी बढ़ने वाली होती हैं। जड़े सफेद रंग की होती हैं। यह किस्म सितम्बर से अक्टूबर तक बोई जाती है। यह किस्म बोने के 50–55 दिन बाद खुदाई के लिए तैयार हो जाती है।

कल्याणपुर 1 : इसकी जड़ें सफेद, चिकनी, मुलायम और लम्बी होती हैं। बोने के 40–45 दिन बाद फसल खुदाई के लिए तैयार हो जाती है।

यूरोपियन किस्में (शीतोष्ण किस्में)

व्हाइट आइसकिल : यह किस्म ठन्डी जलवायु के लिए उपयुक्त है। इसकी जड़ें सफेद, पतली, कम चरपरी और स्वादिष्ट, सीधे बढ़ने वाली होती हैं जो नीचे की ओर पतली होती जाती हैं। इसे खेत में लम्बे समय तक रखने पर भी इसकी जड़े खाने योग्य बनी रहती हैं। इसकी बुआई मध्य अक्टूबर से फरवरी तक कर सकते हैं। इस किस्म की मूली बुआई के 30 दिन बाद तैयार हो जाती है।

रैपिड रेड व्हाइट टिप : इस किस्म की मूली का छिलका लाल रंग का जो थोड़ी सी सफेदी लिए होता है जिसके कारण मूली देखने में अत्यन्त आकर्षक लगती है। इसकी जड़ें छोटे आकार वाली, गूदा सफेद रंग का तथा मूली कम चरपरी होती है। इस किस्म की बुआई मध्य अक्टूबर से फरवरी तक की जा सकती है जड़े बुआई के 30 दिन बाद तैयार हो जाती हैं।

स्कारलेट ग्लोब : यह एक अगेती किस्म है जो बुआई के लगभग 25–30 दिन बाद तैयार हो जाती है। जड़ें छोटी मुलायम और ग्लोब आकार वाली होती हैं और खाने में अत्यन्त स्वादिष्ट लगती हैं।

पूसा हिमानी : इसकी जड़े 30–35 सेंमी. लम्बी, मध्यम मोटाई वाली लम्बी नीचे की ओर सफेद रंग के गूदे वाली और चरपरी होती हैं। ऊपरी भाग छोटा तथा पत्तियाँ कटावदार होती हैं। इसको मैदानी क्षेत्रों में पूरे वर्ष भर उगा सकते हैं किन्तु बसन्त और ग्रीष्म ऋतु के लिए विशेष रूप से उपयुक्त है। यह बुआई के लगभग 50 दिन बाद तैयार हो जाती है।

जलवायु

एशियाई मूली अधिक तापमान के प्रति सहनशील है लेकिन अच्छी पैदावार के लिए ठंढी जलवायु उत्तम होती है। मूली की खेती अब पूरे वर्षभर की जा सकती है। ज्यादा तापमान पर जड़ें, कठोर तथा चरपरी हो जाती हैं। इसकी खेती के लिए सर्वोत्तम तापमान 12–16^{0} सेन्टीग्रेड है।

भूमि एवं भूमि की तैयारी

इसकी खेती प्रायः सभी प्रकार की मिट्टी में की जा सकती है। बलुई दोमट और दोमट भूमि में जड़ों की बढ़वार अच्छी होती है किन्तु मटियार भूमि, खेती के लिए अच्छी नहीं मानी जाती है। मूली की खेती करने के लिए गहरी जुताई की आवश्यकता होती है क्योकि इसकी जड़ें गहराई तक जाती हैं अतः गहरी जुताई करके मिट्टी भुरभुरी बना लेते हैं।

फसल की बुआई

बीज की बुआई

बुआई के समय खेत में नमी अच्छी प्रकार होनी चाहिए। खेत में नमी की कमी होने पर पलेवा कर खेत तैयार करते हैं। इसकी बुआई या तो छोटी छोटी समतल क्यारियों में या 30–40 सेंमी. की दूरी पर बनी मेड़ों पर करते हैं। यदि क्यारियों में बुआई करनी हो तो बीज को क्यारियों में छिटक देते है या 30 सेंमी. के अन्तराल पर हैन्ड हो से हल्की कतारे बना लें और उन कतारों में बीज बोयें। मेड़ो पर बीज 1–2 सेंमी. गहराई पर लाइन बना कर बोते हैं और मिट्टी से ढक देते हैं। मेड़ों पर बुआई करने से जड़ें अच्छी बनती हैं। बीज जमने के बाद पौधों की दूरी 8–10 सेंमी. पर रखते हैं। यदि पौधे घने हों तो उखाड़ देते हैं।

बीज की मात्रा

एशियाई किस्मों की 6–8 कि.ग्रा. और यूरोपियन किस्मों की 8–10 कि.ग्रा. प्रति हेक्टेयर बीज की आवश्यकता होती है।

बुआई का समय

उत्तर भारत के मैदानी क्षेत्रों में एशियाई मूली को मुख्य रूप से सितम्बर से फरवरी तक तथा यूरोपियन किस्मों को अक्टूबर से जनवरी तक बोते हैं। पहाड़ी क्षेत्रों में बुआई मार्च से अगस्त तक करते हैं।

खाद एवं उर्वरक

मूली शीघ्र तैयार होने वाली फसल है। भूमि में पर्याप्त मात्रा में उर्वरता होना चाहिए। अच्छी पैदावार के लिए एक हेक्टेयर खेत में 20–25 टन अच्छी प्रकार सड़ी हुई गोबर की खाद या कम्पोस्ट बुआई से 25–30 दिन पूर्व प्रारम्भिक जुताई के समय खेत में मिला दें इसके अतिरिक्त 50 कि.ग्रा. नाइट्रोजन, 25–25 कि.ग्रा. फास्फोरस व पोटाश तत्व के रूप में प्रयोग करें। नत्रजन की आधी मात्रा तथा फास्फोरस और पोटाश की पूरी मात्रा बुआई के पहले खेत में डाल दें। नाइट्रोजन की आधी मात्रा बुआई के 20 दिन बाद शीतोष्ण किस्मों में और 25–30 दिन बाद एशियाई किस्मों में टाप ड्रेसिंग के रूप में दें। परन्तु यह ध्यान रहे कि उर्वरक पत्तियों के ऊपर न पड़ें। अतः यह आवश्यक है कि यदि पत्तियाँ गीली हों तो उर्वरक का छिड़काव न करें।

सिंचाई

वर्षा ऋतु की फसल में सिचाई की आवश्यकता नहीं पड़ती परन्तु गर्मी की फसल को 4–5 दिन के अन्तर पर सिंचाई अवश्य करते रहना चाहिए। शरद कालीन फसल में 10–15 दिन के अन्तर पर सिंचाई करते रहना चाहिए।

अन्तः शस्य क्रियायें

यदि खेत में खर पतवार उग आये हों तो आवश्यकतानुसार उन्हें निकालते रहना चाहिए। रसायनिक खरपतवार नाशक जैसे स्टाम्प, 3.3 लीटर 1000 लीटर पानी में घोल कर प्रति हेक्टेयर की दर से बुआई के 48 घंटे के अन्दर प्रयोग करने पर प्रारम्भ के 30–40 दिनों तक खर पतवार नहीं उगते। मूली की जड़ें मेड़ से ऊपर दिखलाई दे रही हो हो उन्हें मिट्टी से ढक दें अन्यथा सूर्य के प्रकाश के सम्पर्क से वे हरी हो जाती हैं। जिससे बाजार भाव तो घटता ही है साथ साथ खाने में भी उतनी अच्छी नहीं लगती हैं।

प्रमुख कीट एवं रोग प्रबंधन

मूली की फसल को *माँहू, सरसों की आरा मक्खी तथा पत्ती काटने वाली सूड़ी* काफी हानि पहुँचाती हैं। इनके नियंत्रण के लिए मैलाथियान 50 ई.सी. को 1.5 मि. ली. प्रति लीटर पानी में घोल कर छिड़काव करना चाहिए।

आर्द्रगलन व पत्तियों का धब्बा रोग साधारण बीमारी है जिसका प्रकोप बहुत हानिप्रद नहीं है। इसके रोकथाम के लिए बीज को थिरम 3 ग्रा. दवा प्रति किलो

की दर से उपचारित करके बोना चाहिए। पत्तियों पर रोग के लक्षण दिखाई देते ही इण्डोफिल एम–45 के घोल (2.5 ग्रा. दवा प्रति लीटर पानी) का 10 दिन के अन्तर पर 2 बार छिड़काव करें।

खुदाई तथा बाजार के लिए तैयारी

मूली को सदैव नरम और कोमल अवस्था में ही खुदाई करें या उखाड़ें। मूली की खुदाई एक तरफ से न करके तैयार जड़ों को छाँटकर करें इस प्रकार 10–15 दिनों में पूरी खुदाई करते हैं। बाजार में ले जाने से पूर्व उखड़ी हुई मूली की जड़ें साफ पानी अच्छी प्रकार धोकर उनका बण्डल बना लें जिससे उठाने और बेचने दोनों में सहूलियत होती है।

उपज

अच्छी व्यवस्था तथा उचित देख रेख में यूरोपियन किस्म की 80–100 कुन्तल तथा एशियाई किस्म की 200–250 कुन्तल प्रति हेक्टेयर उपज प्राप्त हो जाती है।

19. मेथी

वानस्पतिक नाम : *ट्राइगोनेला फोनमग्रेकम*

कुल : लेग्युमिनोसी

गुणसूत्र संख्या : 2 एन = 22

मेथी की खेती हरी पत्तियों, फलियों तथा बीजों के लिए की जाती है। उत्तर भारत के मैदानी क्षेत्र में इसकी खेती हरी पत्तियों के लिए की जाती है। इसकी हरी पत्तियों में खनिज पदार्थ, प्रोटीन, विटामिन ए एवं विटामिन सी प्रचुर मात्रा में पायी जाती हैं। मेथी की हरी पत्तियाँ भूख बढ़ाने एवं वायु विकार दूर करने में सहायक होती हैं। इसका सेवन मधुमेह रोगियों के लिये बहुत लाभप्रद है।

उन्नतशील किस्में

पूसा अर्लीवंचिंग : यह अधिक उपज देने वाली अगेती किस्म है।

को. 1 : यह एक अधिक उपज देने वाली किस्म है जिसे बीज तथा पत्ती दोनों उद्देश्य से उगाया जाता है।

मेथी संख्या 46 : इसकी उपज अधिक होती है एवं पत्तियों में विटामिन सी की अधिक मात्रा पायी जाती है।

कसूरी मेथी : इसकी खेती मुख्य रूप से बीज के लिए की जाती है। इसकी हरी पत्तियों को सब्जी के रूप मे प्रयोग कर सकते हैं।

लाम सेलेक्शन 1 : इस किस्म के पौधे मध्यम उँचाई के झाड़ीदार होते हैं। इसको बीज तथा पत्ती दोनों उद्देश्यों से उगाया जाता है।

जलवायु

मेथी की खेती रबी मौसम में की जाती है। इसमें पाला सहन करने की शक्ति होती है। इसे लगभग 18 से 20^0 सेन्टीग्रेड तापक्रम पर आसानी से उगाया जा सकता है।

भूमि एवं भूमि की तैयारी

इसकी खेती सभी प्रकार की मिट्टी में की जाती है। परन्तु दोमट मिट्टी इसकी खेती के लिए सर्वोत्तम पाई गयी है। ऐसी मृदा में जिसका पी.एच.मान. 6.5–7.5 हो इसकी खेती सफलता पूर्वक की जा सकती है। अच्छी प्रकार जुताई करके मिट्टी भुरभुरी बना लेना चाहिए ताकि बीज का जमाव अच्छी प्रकार हो सके।

फसल की बुआई

बीज की बुआई

उत्तर भारत में हरी पत्तियों के लिए मेथी की बुआई का उचित समय मध्य अक्टूबर से मध्य नवम्बर है। अगेती फसल के लिए 15 सितम्बर के लगभग बीज की बुआई कर सकते हैं। बीज की बुआई 15–20 सेंमी. की दूर पर कतार बनाकर 1.5 से 2 सेंमी. गहराई पर करते हैं।

बीज की मात्रा

एक हेक्टेयर खेत की बुआई के लए 25 से 30 कि.ग्रा. बीज की आवश्यकता होती है।

खाद एवं उर्वरक

खेत तैयार करते समय 15 टन गोबर की सड़ी खाद अच्छी तरह से मिट्टी में मिला देते हैं। बुवाई के पहले 20 कि.ग्रा. नत्रजन एवं 40 कि.ग्रा. फास्फोरस प्रति

हेक्टेयर की दर से अन्तिम जुताई के समय पूरे खेत में समान रूप से बिखेर कर मिट्टी में मिला देना चाहिये। प्रत्येक कटाई के बाद 20 कि.ग्रा. नत्रजन प्रति हेक्टेयर की दर से टापड्रेसिंग के रूप देना चाहिये।

सिंचाई

पहली सिंचाई बुआई के लगभग 15 से 20 दिन बाद करते हैं। दूसरी सिंचाई प्रथम कटाई के बाद और बाद की सिंचाईयाँ आवश्यकतानुसार करते हैं। साधरणतया सिंचाई 10 से 15 दिन के अन्तर पर करते हैं।

अन्तः शस्य क्रियायें

प्रारम्भिक अवस्था में मेथी की वृद्धि धीमी गति से होती है। अतः केवल एक निकाई की आवश्यकता होती है। बुवाई के 4 से 5 सप्ताह बाद पोधों में इतनी अधिक वृद्धि हो जाती है कि खरपतवार नुकसान नहीं पहुँचा पाते हैं।

कटाई

सामान्य मेथी बुवाई के तीन सप्ताह बाद जब पौधा 15 सेंमी. ऊँचा हो जाता है तो पहली कटाई करते हैं। कटाई जमीन से 3–4 सेंमी. ऊँचाई पर करनी चाहिये।

उपज

सामान्यत : मेथी की हरी पत्ती की उपज 80 से 100 कुन्तल प्रति हेक्टेयर होती है।

प्रमुख कीट एवं रोग प्रबंधन

मेथी में मुख्य रूप से पत्तियाँ खाने वाली सूड़ी तथा फल छेदक कीट नुकसान पहुँचाते हैं। इनके रोकथाम के लिए मैलाथियान 1.5 मि.ली. प्रति लीटर पानी की दर से घोलकर छिड़काव करते हैं।

चूर्णित आसिता : पत्तियों की ऊपरी सतह पर सफेद पाउडर के छोटे–छोटे ढेर दिखाई देते हैं। नियंत्रण के लिए सल्फेक्स (घुलनशील चूर्ण) 2.5 ग्रा. प्रति लीटर पानी की दर से घोलकर, छिड़काव लाभकारी पाया गया है।

20. बटन गोभी

वानस्पतिक नाम : *ब्रैसिका ओलेरेसिया* किस्म *गैमीफेरा*

कुल : क्रूसीफेरी

गुणसूत्र संख्या : 2 एन = 18

बटन गोभी भी एक गोभी वर्गीय सब्जी है। इसकी खेती कुछ पर्वतीय क्षेत्रों तक ही सीमित है। इसका तना सीधा उपर की ओर बढ़ता है तथा प्रत्येक पत्ती के कोण या कक्ष में बटनगोभी लगती है। जिसका औसत वजन 15–16 ग्रा. तथा व्यास 1–2 सेंमी. होता है। बटन गोभी की आकृति गोल शंकु के आकार की तथा रंग हरा होता है। बटनगोभी में कार्बोहाइड्रेट, प्रोटीन, विटामीन ''ए'' ''सी'' तथा रिवोफ्लेविन प्रचुर मात्रा में पाये जाते हैं। होटलों में इस सब्जी की बहुत माँग है।

उन्नतशील किस्में

साधारणतया बटनगोभी की दो प्रकार की किस्में होती हैं।

बौनी किस्में : इस प्रकार की किस्मों की ऊँचाई 50 सेंमी. तक होती है। इनके शीर्ष मध्यम आकार के होते है तथा एक दूसरे से सटे रहते हैं। ''इम्प्रूब्ड लाँग आइलैण्ड'' व'' जेड क्रास'' दो किस्में हैं जो अच्छी पैदावार देती हैं। इसके अतिरिक्त अर्ली एम्प्रूब्ड अर्ली ड्वार्फ जैम तथा अर्ली मार्न इत्यादि अन्य सुधरी बौनी किस्में हैं।

ऊँची किस्में : ऊँची किस्मों में ''एक्शाम'' तथा वेड फोर्ड शायर'' दो किस्में हैं। इनमे अच्छे शीर्ष बनते हैं। इसके अतिरिक्त कैम्ब्रिज नं. 1.2.3 हल्के रंग वाली तथा आईरिश ऐलीमेन्स, शैरारडियन, डैनिस प्राइज और अजमेर मार्केट लोकप्रिय किस्में हैं।

जलवायु

बटनगोभी ठंढी जलवायु की फसल है। प्रायः यह ठंढे, नम वातावरण पहाड़ों पर उगाई जाती है। इसका पौध अति ठंढे जगह में अच्छी तरह बढ़ता है। अति उत्तम प्रकार की बटनगोभी ठंढे मौसम और साफ वातावरण में पैदा की जाती है।

भूमि एवं भूमि की तैयारी

उपजाऊ दोमट भूमि जिसमें कार्बनिक पदार्थ पर्याप्त मात्रा में हो इसकी खेती के लिए अच्छी होती है। अच्छी उपज के लिए मिट्टी का पी.एच. मान 6.5 से 7.5 के मध्य उपयुक्त होता है। भूमि की 3–4 जुताई करके मृदा भुरभुरी बना लेनी चाहिए।

पौधशाला में बीज की बुआई

बटनगोभी के बीज की मात्रा 300–400 ग्रा. प्रति हेक्टेयर है तथा पौधशाला में बुआई का समय मैदानी भागों में सितम्बर के अन्तिम सप्ताह से अक्टूबर तक है।

रोपण

बटनगोभी को बंदगोभी की तरह तैयार खेत में रोपाई करते हैं। बौनी किस्मों की 60x60 या 70x70 सेंमी. की दूरी पर और ऊँची बढ़ने वाली किस्मों की 100x100 सेंमी. की दूरी पर रोपण करते हैं।

खाद एवं उर्वरक

इसकी अच्छी उपज के लिए 20–25 टन सड़ी हुई गोबर की खाद प्रति हेक्टेयर की दर से रोपाई के लगभग 3–4 सप्ताह पूर्व खेत में मिला दें। इसके अलावा 100–150 कि.ग्रा. नाइट्रोजन, 50–60 कि.ग्रा. फास्फोरस तथा 60–70 कि. ग्रा. पोटाश की प्रति हेक्टेयर आवश्यकता पड़ती है। फास्फोरस व पोटाश की पूरी मात्रा तथा नाइट्रोजन की एक तिहाई मात्रा खेत की तैयारी के समय अंतिम जुताई करते समय खेत में डाल दें तथा शेष दो तिहाई मात्रा रोपाई के 30 व 45 दिन के बाद बराबर मात्रा में खड़ी फसल में दें।

अंतः सस्य क्रियायें

सिंचाई तथा खरपतवार नियंत्रण पत्तागोभी में बतायी गयी विधि से ही करें।

फसल कटाई

बटनगोभी के शीर्षकाओं की कटाई पाँच बार में की जाती है। अगेती किस्में 100 दिनों में तथा पिछेती किस्में 120–130 दिन में तैयार हो जाती हैं। शीर्षो की कटाई ठीक समय से हरी अवस्था मे तेज चाकू से करें।

उपज

बटनगोभी की पैदावार 100–150 कुन्तल प्रति हेक्टेयर होती है।

21. चौलाई

वानस्पतिक नाम : *ऐमरेन्थस* प्रजाति
कुल : ऐमरेन्थेसी
गुणसूत्र संख्या : 2 एन = 32,34,64

यह गर्मी एवं वर्षा ऋतु की प्रमुख हरी पत्तियों वाली सब्जी है। इससे कम अवधि में प्रति इकाई क्षेत्रफल से अधिक उपज प्राप्त होती है। इसकी पत्तियों एंव मुलायम शाखाओं में प्रोटीन, खनिज पदार्थ, कैल्शियम, फास्फोरस, विटामिन ''ए'' ''सी'' एवं रेशे प्रचुर मात्रा में पाये जाते हैं। इसमें लौह की सबसे अधिक मात्रा 25.5 मि.ग्रा. प्रति 100 ग्रा. खाने योग्य भाग में पायी जाती है। इसके उपयोग से खून के विकार दूर हो जाते हैं।

उन्नतशील किस्में

बड़ी चौलाई (एमरेन्थस ट्राइकलर) : इसके पौधे लम्बे तथा तने मोटे होते हैं। यह किस्म ग्रीष्म एवं वर्षा दोनों मौसम के लिए उपयुक्त है। इसके अलावा पूसा कीर्ति और पूसा किरण चौलाई की उन्नत किस्में हैं।

छोटी चौलाई (एमरेन्थस ब्लीटम) : इसके पौधे छोटे तथा पत्तियों छोटी–छोटी होती हैं एव तना पतला होता है। यह किस्म गर्मी के मौसम के लिए अधिक उपयुक्त है।

जलवायु

यह गर्म जलवायु की फसल है मैदानी क्षेत्रों में इसकी खेती ग्रीष्म एवं वर्षा ऋतु में करते हैं।

भूमि और भूमि की तैयारी

चौलाई को सभी प्रकार की मिट्टी में उगाते हैं परन्तु बलुई दोमट मिट्टी जो हल्की अम्लीय हो इसके लिए अधिक उपयुक्त होती है। खेत की तीन–चार बार जुताई करके मिट्टी भुरभुरी कर लेते हैं।

फसल की बुआई

चौलाई के बीज बहुत छोटे होते हैं। इसलिए इसकी बुआई रेत मिलाकर करते हैं। बीज को छोटी–छोटी क्यारियों में समान रूप से छिटकर बोते हैं या 20 से 25 सेंमी. दूरी पर कतारों में बोते हैं।

बीज की मात्रा

एक हेक्टेयर की बुआई के लिए 2–3 कि.ग्रा. बीज पर्याप्त होता है।

बीज की बुआई का समय

उत्तर भारत के मैदानी भागों में गर्मी की फसल के लिए इसकी बुआई फरवरी–मार्च एवं बरसाती फसल के लिए जून–जुलाई में करते हैं।

खाद एवं उर्वरक

बुवाई के लगभग 3–4 सप्ताह पहले 24 टन गोबर की सड़ी खाद मिट्टी में मिला देना चाहिए। प्रति हेक्टेयर 50 कि.ग्रा. नत्रजन, 50 कि.ग्रा. फास्फोरस एवं 30 कि.ग्रा. पोटाश अन्तिम जुताई के पहले खेत में समान रूप से डालकर मिट्टी में मिला दें।

सिंचाई

पहली सिंचाई बुआई के तुरन्त बाद करनी चाहिए। गर्मी के दिनो में सिंचाई 4–5 दिन के अन्तर पर करते हैं। बरसात में सिंचाई की आवश्यकता नहीं पड़ती है।

अन्तः शस्य क्रियायें

चौलाई में दो निकाई की आवश्यकता पड़ती है जिसे आवश्यकता के अनुसार करते हैं।

कटाई

बुवाई के 3–4 सप्ताह बाद इसकी पहली कटाई करते हैं। बाद की कटाई 10–15 दिन के अन्तराल पर करते हैं। औसतन कुल 4–5 कटाई की जाती हैं। कटाई जमीन की सतह से 5–6 सेंमी. छोड़कर करते हैं।

प्रमुख कीट एवं रोग प्रबंधन

चौलाई में मुख्य रूप से कीड़ों का प्रकोप कम देखा गया है परन्तु दो बिमारियाँ प्रमुखता से लगती हैं।

पर्ण चित्ति (सर्कोस्पोरा) : पत्तियों के ऊपरी सतह पर छोटे–छोटे भूरे रंग के गोल धब्बे दिखाई देते हैं। बाद में आपस में मिलकर पूरी पत्ती पर फैल जाते हैं। इसके रोकथाम के लिए ब्लाइटाक्स 3 ग्रा. प्रति लीटर पानी में घोल कर छिड़काव करते हैं।

सफेद किट्ट : पत्तियों की निचली सतह पर सफेद रंग के फफोले एवं ऊपरी सतह पर पीले धब्बे दिखाई देते हैं। इसका नियंत्रण इण्डोफिल को एम.–453 ग्रा. प्रति लीटर पानी में घोलकर छिड़काव करते हैं।

उपज

हरी पत्तियों की औसत उपज 75 से 100 कुन्तल प्रति हेक्टेयर होती है।

22. कद्दू वर्गीय सब्जियाँ (Cucurbitaceous Vegetables)

कद्दू वर्गीय सब्जियाँ कुकुरबिटेसी कुल के अन्तर्गत आती हैं। सब्जियों में कद्दूवर्गीय सब्जियाँ अपना विशेष स्थान रखती हैं। इसकी उपलब्धता वर्ष में लगभग 8–10 महीने रहती है। आर्थिक दृष्टिकोण से इनकी महत्ता अधिक है। इनका उपयोग कच्चा सलाद (खीरा, ककड़ी), पकाकर सब्जी के रूप में (लौकी, नेनुआ, तरोई, करेला, काशीफल, परवल, कुंदरू, चिचिन्ढा, चपन कद्दू), मीठे फल के रूप मे (तरबूज, खरबूज), मिठाई बनाने में (पेठा, परवल, लौकी), अचार बनाने (करेला), आदि रूप में किया जाता है। इन सब्जियों की खेती में कुछ बातें सामान्य हैं जो नीचे दी गई हैं। इसके अलावा सबको अलग–अलग भी वर्णित किया गया है।

जलवायु

मुख्य रूप से कद्दूवर्गीय सब्जियाँ गर्म जलवायु की फसलें हैं। इनमें ज्यादा ठंड और पाला सहन करने की क्षमता नहीं होती है। इसकी खेती के लिए सर्वाधिक तापमान 40^0 सेल्सियस और न्यूनतम 20^0 सेल्सियस है जबकि आदर्श तापक्रम 25 से 30^0 सेल्सियस माना गया है। तरबूज और खरबूज के लिए आदर्श तापमान 35 से 40^0 सेल्सियस होता है।

भूमि और भूमि की तैयारी

कद्दूवर्गीय सब्जियों के लिए बलुई दोमट या दोमट भूमि उपयुक्त मानी जाती है। इसकी खेती नदियों के किनारे भी की जाती है। इस सब्जियों के लिए मृदा का पी.एच.मान 6 से 7 अच्छा माना गया है। खेत की अच्छी तरह 3–4 जुताई करके मिट्टी भुरभुरी कर लेते हैं उसके पश्चात् खेत में नाली व थाले बना लेते हैं जिसमें बीज की बुआई करते हैं।

रोपाई हेतु पौध तैयार करना

जायद की फसल के लिए कद्दूवर्गीय सब्जियों को रोपण विधि द्वारा पैदा किया जा सकता है। इससे फसल पहले तैयार होती है और बाजार भाव ज्यादा मिलता है। पौध तैयार करने के लिए रूट ट्रेनर या सीडलिंग ट्रे या पाली बैग में ज्यादा कार्बनिक तत्व वाले मिश्रण को भरकर एवं पाली हाउस या नेट हाउस के

भीतर स्वस्थ पौधशाला तैयार की जाती है जिसे 20–22 दिन के बाद (2–3 पत्ती की अवस्था में) मुख्य खेत में निश्चित दूरी पर रोपित कर दिया जाता है।

खाद एवं उर्वरक

गोबर या कम्पोस्ट की सड़ी खाद 20 से 25 टन प्रति हेक्टेयर की दर से खेत में बीज बोने के 3–4 सप्ताह पहले भूमि तैयार करते समय मिट्टी में अच्छी तरह मिला देते हैं। इसके अलावा 50 कि.ग्रा. नाइट्रोजन, 25 कि.ग्रा. फास्फोरस और 25 कि.ग्रा. पोटाश प्रति हेक्टेयर की दर से आवश्यकता पड़ती है। फास्फोरस और पोटाश की पूरी मात्रा और एक तिहाई नाइट्रोजन की मात्रा आपस में मिला कर बोने वाली नालियों के स्थान पर डाल कर मिट्टी में मिला दें और थाले बनाएं। शेष नाइट्रोजन दो बराबर भागों में बाँटकर बुआई के लगभग 25 से 30 दिन और पौधों की बढ़वार के समय (40 से 50 दिन बाद) फूल निकलने पर नालियों में टापड्रेसिंग करें और गुड़ाई करके मिट्टी चढ़ायें।

सिंचाई

बीज की बुआई, खेत में नमी की पर्याप्त मात्रा रहने पर ही करनी चाहिए जिससे बीजों का अंकुरण एवं वृद्धि अच्छी प्रकार हो। वर्षा कालीन फसल के लिए पानी की आवश्यकता से ज्यादा बारिश हो तो खेत से पानी निकाल देते हैं। गर्मी की फसल को 4–7 दिन तथा जाड़े की फसल को 10–15 दिन पर पानी देना चाहिए। खरबूज और तरबूज की फसल में फलों की बढ़वार के बाद पानी देने की आवश्यकता नहीं पड़ती है।

अतंःसस्य क्रियायें

इन फसलों में आवश्यकतानुसार निकाई गुड़ाई करते रहते हैं। जब पौधे का पूर्ण विकास हो जाता है तो खरपतवार का कुप्रभाव फसल के ऊपर नहीं पड़ता। व्यावसायिक स्तर पर खेती के लिए स्टाम्प 3.3 लीटर प्रति हेक्टेयर की दर से 100 लीटर पानी में घोलकर जमीन के ऊपर बुआई, के 48 घंण्टे के भीतर छिड़काव करें। नालियों या थाले की गुड़ाई करके मिट्टी चढ़ायें।

पौधों को सहारा देना

ग्रीष्म कालीन कद्दू वर्गीय सब्जियों में साधारणतया सहारा देने की आवश्यकता नहीं पड़ती है लेकिन वर्षा कालीन फसल में पौधों को किसी मचान या अन्य मजबूत ढ़ाचे से सहारा देने पर उनकी बढ़वार और उपज पर बहुत अनुकूल प्रभाव पड़ता है।

प्रमुख कद्दू वर्गीय सब्जियों के बारे में संक्षिप्त जानकारी आगे दी जा रही है।

क. लौकी

वानस्पतिक नाम : *लेजेनेरिया सिसरेरिया*

कुल : कुकुरबिटेसी

गुणसूत्र संख्या : 2 एन = 22

लौकी एक अत्यन्त ही प्रचलित सब्जी है। उत्तर भारत के मैदानी क्षेत्रों में इसकी खेती जायद एवं खरीफ दोनों ऋतुओं में की जाती है। इसकी उपलब्धता लगभग पूरे वर्ष रहती है। सब्जियों के अलावा इसके कच्चे फलों से रायता, कोफ्ता, अचार, हलवा, खीर इत्यादि स्वादिष्ट व्यंजन बनाये जाते हैं। यह कब्ज को दूर करने में अत्यन्त लाभकारी है। बीज से प्राप्त तेल सरदर्द में राहत दिलाता है। इसका गूदा दवाओं के रूप में प्रयोग किया जाता है। इसमें विटामिन के साथ–साथ कैल्शियम प्रचुर मात्रा में पाया जाता है।

उन्नतशील किस्में

पूसा समर प्रोलिफिक लॉंग : इसके फल 40–50 सेंमी. लम्बे, हरे रंग के तथा अधिक उपज देने वाले होते हैं। यह किस्म गर्मी तथा बरसात दोनों ही मौसम के लिए उपयुक्त है। ग्रीष्म ऋतु में इसकी औसत उपज 125 कुन्तल तथा वर्षा ऋतु में 200 कुन्तल प्रति हेक्टेयर होती है।

पूसा समर प्रोलिफिक राउण्ड : इसके फल गोलाकार एवं हरे रंग के होते हैं। इसे गर्मी और बरसात दोनों मौसमों में उगाया जा सकता है परन्तु यह किस्म ग्रीष्म ऋतु के लिए बहुत उपयुक्त है। इसकी पैदावार प्रति हेक्टेयर 200–250 कुन्तल होती है।

पूसा नवीन : यह उत्तर भारत में गर्मी एवं वर्षा दोनों ऋतुओं में उगायी जाने के लिए उपयुक्त है। इसके फल बेलनाकार, सीधे, 30–35 सेंमी. लम्बे एवं औसतन 800–850 ग्रा. भार वाले होते हैं। इसकी औसत उपज 250–300 कुन्तल प्रति हेक्टेयर होती है।

अर्का बहार : इस किस्म के फल मध्यम आकार के, हल्के हरे, मुलायम एवं चमकीले होते हैं। प्रत्येक फल का औसत भार 1.00 कि.ग्रा. तक होता है। यह 120 दिन में तैयार हो जाती है और भण्डारण क्षमता भी अच्छी है। औसत उपज 250–300 कुन्तल प्रति हेक्टेयर होती है। यह ग्रीष्म तथा वर्षा दोनों मौसम में उगाने के लिए उपयुक्त है। यह निर्यात के लिए उत्तम मानी जाती है।

पंजाब राउण्ड : इस किस्म के फल गोल, मुलायम, चपटे एवं चमकीले होते हैं। पके फलों का रंग ऊपर से हल्का हरा और गूदा सफेद होता है। औसत उपज 350 कुन्तल प्रति हेक्टेयर होती है।

पंजाब लॉग : इसके फल लम्बे, मुलायम एवं आकर्षक होते हैं। इसकी औसत उपज 250–300 कुन्तल प्रति हेक्टेयर होती है।

पंजाब कोमल : यह एक अगेती किस्म है जो 70 दिनों में तोड़ने योग्य तैयार हो जाती है इसके फल मध्यम आकार के, लम्बोत्तर, हल्के हरे तथा मुलायम होते हैं। प्रत्येक फल का औसत वजन 600 ग्रा. होता है। एक लता पर लगभग 10–12 फल लगते हैं। इसकी औसत उपज 300 कुन्तल प्रति हेक्टेयर होती है। यह खीरा मोजैक रोग के प्रति अवरोधी है।

फसल की बुआई

ग्रीष्म ऋतु की फसल के लिए कतार से कतार की दूरी 3–4 मीटर और पौध से पौध की दूरी 75 सेंमी. होनी चाहिए। वर्षा ऋतु की फसल के लिए कतार से कतार की दूरी 5 मीटर और पौध से पौध की दूरी 1.0 मीटर होनी चाहिए। बीज लगाने के लिये कतार से कतार की दूरी पर 80 से 100 सेंमी. चौड़ी नालियां बना लेते हैं। नालियों के दोनों किनारों (मेड़ों) पर 1 मीटर की दूरी पर एक स्थान पर 2 बीज की बुआई 2–3 सेंमी. गहराई पर करते हैं।

बुआई का समय

लौकी मुख्यत दो मौसम में लगायी जाती है। ग्रीष्म कालीन फसल के लिए बीज की बुआई जनवरी से लेकर मार्च महीने तक करते हैं। जबकि वर्षा कालीन फसल के लिए बीज की बुआई जून–जुलाई के महीने में करते हैं।

बीज की मात्रा

लौकी की फसल के लिए प्रति हेक्टेयर 3–4 कि.ग्रा. बीज की आवश्यकता होती है।

फलों की तुड़ाई

बाजार में बेचने के लिए फल जब कोमल हों तभी तोड़ लेना चाहिए। पहचान के लिए जब लौकी की वृद्धि जातीय गुण के लिए अनुरूप हो चुकी हो, फल में बीज न बने हों और गूदा काफी कसा हो, तोड़ने के लिए उत्तम अवस्था मानी जाती है।

जब फल की त्वचा कड़ी हो जाय तब फल खाने योग्य नहीं रहता है। फल की तुड़ाई 5–6 सेंमी. डण्ठल लगी अवस्था में किसी तेज चाकू से करनी चाहिए।

उपज

लौकी की औसत उपज 250–300 कुन्तल प्रति हेक्टेयर होती है।

ख. खीरा

वानस्पतिक नाम : *कुकुमिस सेटाइवस*
कुल : कुकुरबिटेयसी
गुणसूत्र संख्या : 22 एन = 18

लता वाली सब्जियों में खीरा का महत्वपूर्ण स्थान है। इसकी खेती सम्पूर्ण भारतवर्ष में की जाती है। फलों का उपयोग मुख्य रूप से सलाद और अचार के लिए किया जाता है। इसके फलों का उपयोग सब्जी और खीर बनाने में भी करते हैं। इसके बीजों का उपयोग आयुर्वेदिक दवाओं में होता हैं। खीरे की एक अन्य प्रजाति जिसे 'घरकिन' कहा जाता है, के फल छोटे एवं रोंयेदार होते हैं। इन्हें मुख्यतः अचार या सलाद के रूप में प्रयोग किया जाता है।

उन्नतशील किस्में

जापनीज लांग ग्रीन : यह किस्म 45 दिन में तैयार हो जाती है। फल 30–40 सेंमी. लम्बे, मोटे कुरकुरे एवं हरे रंग के होते हैं। फल का औसत वजन 300 ग्रा. होता है तथा प्रत्येक पौधे में 21–22 फल लगते हैं। प्रति हेक्टेयर औसत उपज लगभग 150 कुन्तल होती है। यह किस्म ठण्डे और पहाड़ी क्षेत्रों में उगाने के लिए काफी उपयोगी है।

शीतल : यह अधिक उपज देने वाली अगेती किस्म है। इसके फल हरे एवं मध्यम आकार के बेलनाकर एवं फल की लम्बाई 25–26 सेंमी. के लगभग होती है। फलों का औसत वजन लगभग 150 ग्रा. व प्रति पौध 20–25 फल लगते हैं। औसत उपज लगभग 150 कुन्तल प्रति हेक्टेयर होती है।

प्वाइनसेट : इसके फल गाढ़े हरे, 20–25 सेंमी. लम्बे तथा बेलनाकर, औसतन 200–250 ग्रा. वजन के होते हैं। प्रति पौध 15–20 फल लगते हैं। इस प्रजाति में मृदुरोमिल आसिता, चूर्णिल आसिता, एन्थ्रेकनोज एवं कोणीय पत्ती धब्बे जैसे रोग

का प्रकोप नहीं होता है। प्रति हेक्टेयर लगभग 150 से 200 कुन्तल उपज प्राप्त होती है।

कल्यानपुर हरा लम्बा : इस प्रजाति की लताएं 2.0–2.5 मीटर लम्बी होती हैं। पत्तियां हल्की हरी एवं काँटेदार व फलों का रंग हरा होता है। इसकी औसत उपज 150 कुन्तल प्रति हेक्टेयर होती है।

पूना खीरा : यह एक स्थानीय किस्म है जिसके फल आकर में छोटे और हल्के हरे रंग के होते हैं। इस प्रजाति का प्रचलन महाराष्ट्र में ज्यादा है। फल 10–15 सेंमी. लम्बे, 15 सेंमी. मोटे और 100–120 ग्रा. भार के होते हैं। प्रति पौधा फलों की संख्या 25–30 होता है। इसकी औसत उपज 150 से 200 कुन्तल प्रति हेक्टेयर होती है।

फसल की बुआई

खेत में कतार से कतार 1.5–2.0 मी. के अन्तर पर 30 सेंमी. चौड़ी नाली बना लेते हैं। इस नाली के दोनों किनारों (मेड़ों) पर 30–45 सेंमी. की दूरी पर बीज की बुआई करते हैं। एक जगह पर 2 बीज को लगाते हैं। बीज जमने के बाद एक पौधा निकाल देते हैं। नालियों की आवश्यकता अनुसार सिंचाई करते हैं।

बीज की मात्रा

एक हेक्टेयर खीरे की बुआई के लिए 2–2.5 कि.ग्रा. बीज की आवश्यकता पड़ती है। बीज को शोधित करने के लिए थिरम या कैप्टान दवा की 3 ग्रा. मात्रा प्रति किलो बीज के लिए पर्याप्त होती है। दवा को बीज में अच्छी तरह मिला देना चाहिए।

बुआई का समय

ग्रीष्म कालीन फसल की बुआई फरवरी से मार्च व बरसात की फसल जून–जुलाई में करते हैं।

फलों की तुड़ाई

जब फल कोमल एवं मुलायम हों तभी तोड़ना चाहिए। फलों की तुड़ाई 4–5 दिन के अन्तराल पर करते रहना चाहिए।

उपज

इसकी औसत उपज लगभग 150 कुन्तल प्रति हेक्टेयर होती है।

ग. खरबूजा

वानस्पतिक नाम : *कुकुमिस मेलो*

कुल : कुकुरबिटेयसी

गुणसूत्र संख्या : 2 एन = 24

खरबूजे की खेती मुख्यतः ग्रीष्म फसल के रूप में की जाती है। इसकी 80% खेती नदियों के किनारे होती है। इसके मिठास के कारण लोग ज्यादा पसन्द करते हैं। इसमें विटामिन ''ए'', ''बी'' एवं ''सी'' भी पायी जाती है। कच्चे फलों का उपयोग सब्जी के रूप में भी किया जाता है।

उन्नतशील किस्में

पूसा शरबती (एस–445) : खरबूजे की यह अगेती किस्म है। इसको नदी के किनारे अच्छी प्रकार उगाया जा सकता है। इसके फल गोल, मध्यम आकार के और छिलका हल्के गुलाबी रंग का होता है। छिलका जालीदार, गूदा मोटा एवं नारंगी रंग का होता है। इसमें मिठास (टी.एस.एस.) 11–12% होता है। एक बेल पर 3–4 फल लगते हैं। इस किस्म की भण्डारण क्षमता अच्छी है। औसत उपज 150 कुन्तल प्रति हेक्टेयर प्राप्त होती है।

हरा मधु : फल का औसत भार 1.00 कि.ग्रा. तथा फलों पर हरे रंग की धारियां पायी जाती हैं। फल पकने पर हल्के पीले पड़ जाते हैं। गूदा हल्का हरा, 2–3 सेंमी. मोटा व रसीला होता है। इसके फल की औसत उपज 150 कुन्तल प्रति हेक्टेयर होती है।

पंजाब सुनहरी : इस किस्म की लता मध्यम लम्बाई की, फल गोलाकार एवं पकने पर हल्का पीले रंग का, गूदा नारंगी रंग का तथा रसदार होता है। इसके फलों में कुल मिठास 11% होती है। इसके फलों का औसत भार 1.00 कि. ग्रा. तक होता है। यह किस्म भण्डारण एवं परिवहन के लिए उपयुक्त है।

पंजाब संकर : इसकी बेलें मध्यम लम्बाई की, फलों का छिलका जालीदार एवं हल्का पीला तथा गूदा नारंगी रंग का होता है। फल काफी सुगन्धित एवं मिठास की मात्रा 12% तक होती है। औसत उपज 160 कुन्तल प्रति हेक्टेयर होती है। यह किस्म फल मक्खी एवं चूर्णी आसिता के प्रति सहिष्णु है।

फसल की बुआई

खरबूजा की बुआई के लिए 1.5–2.00 मीटर की दूरी 30 से 40 सेंमी. चौड़ी नालियां बनाते हैं। बीज की बुआई नाली के दोनों किनारों (मेड़ों) पर 50–60 सेंमी. की दूरी पर करते हैं। बीज को 1.5–2.0 सेंमी. की गहराई पर बोना चाहिए।

बीज की मात्रा

मैदानी क्षेत्रों में खरबूजा के 1 हेक्टेयर क्षेत्रफल के लिए 2–3 कि.ग्रा. बीज की आवश्यकता पड़ती है।

फलों की तुड़ाई

जब फल पूरी तरह जातीय गुण के अनुरूप पक जायें तभी तुड़ाई करना चाहिए। पके फल के निम्नलिखित लक्षण पाये जाते हैं।

- फल अन्तिम छोर से पकना प्रारम्भ करता है जिससे फल का रंग बदल जाता है और फल का छिलका मुलायम सा प्रतीत होता है।
- फल से लगा हुआ घुमाव दार तना (टेन्ड्रिल) हरे रंग से सफेद हो जाता है।
- पके हुए फल से कस्तुरी जैसी सुगन्ध आती है।
- कभी कभी फल तने से पूर्णतया अलग हो जाता है।

जब फल से जुड़ने वाला भाग पूर्णतया वृत्तीय घेराव को व्यक्त करने लगे, फल को पका हुआ माना जाता है। इसे ''फल स्लिप स्टेज'' कहा जाता है। स्थानीय बाजारों के लिए ''फुल सिल्प स्टेज'' पर फल को तोड़ना उत्तम माना जाता है। ''फूल स्लिप स्टेज'' से पहले तोड़ा गया फल 2–3 दिनों तक रखा जा सकता है। फल की तुड़ाई दिन में गर्मी से पूर्व करना चाहिए और फल को ठण्डे स्थान पर रखना चाहिए।

उपज

खरबूजा की अच्छी फसल से 150–200 कुन्तल प्रति हेक्टेयर तक उपज प्राप्त की जा सकती है।

घ. तरबूज

वानस्पतिक नाम : *सिट्रूलस लैनेटस* थम्ब

कुल : कुकुरबिटेयसी

गुणसूत्र संख्या : 2 एन = 22

भारत में इसकी खेती प्राचीन समय से होती आ रही है। इसके फल पकने पर काफी मीठे एवं स्वादिष्ट होते हैं। कच्चे फल सब्जी बनाने व बीजों को भूनकर खाने के उपयोग में लाया जाता है। इसकी खेती हिमालय के तराई क्षेत्रों से लेकर दक्षिण भारत के राज्यों तक विस्तृत रूप में फैली हुई है। तरबूज की एक सूखा रोधी प्रजाति जिसे 'मतीरा' कहा जाता है, राजस्थान एवं हरियाणा के सूखे क्षेत्रों में काफी प्रचलित है। इसके फलों का भीतरी भाग जलिकावत् एवं अधिक रस वाला होता है। ग्रीष्म ऋतु में इसके फलों के सेवन से ''लू'' नहीं लगती है तथा गर्मी से राहत मिलती है। इसके रस को नमक के साथ प्रयोग करने पर मूत्राशय में होने वाले रोगों से आराम मिलता है।

उन्नतशील किस्में

सुगर बेबी : इसकी बेलें औसत लम्बाई की होती हैं और फलों का औसत वजन 3 से 5 कि.ग्रा. तक होता है। फल का ऊपरी छिलका गहरे हरे रंग का होता है और उन पर धूमिल सी धरियां पायी जाती हैं। फल मध्यम आकार के गोल तथा गूदे का रंग गहरा लाल होता है। यह शीघ्र पकने वाली प्रजाति है, जो लगभग 100–110 दिन में तैयार हो जाती है। बीज छोटे, भूरे रंग के होते हैं जिनका सिरा काला होता है। इसकी औसत पैदावार 300–350 कुन्तल/हेक्टेयर है। फल काफी मीठा होता है। जिसमें 11–13% कुल घुलनशील शर्करा होती है।

दुर्गापुर केसर : यह देर से पकने वाली किस्म है लता 3 मीटर लम्बी, फलों का औसत वजन 6–8 कि.ग्रा., गूदे का रंग पीला तथा छिलका हरे रंग का व धारीदार होता है। बीज बड़े व पीले रंग के होते हैं। इसकी औसत उपज 350–450 कुन्तल प्रति हेक्टेयर होती है।

अर्का मानिक : इस किस्म के फल गोल, अण्डाकार व छिलका हरा जिस पर गहरी हरी धारियां होती हैं तथा गूदा गुलाबी रंग का होता है। औसत फल वजन 6 कि.ग्रा., मिठास 12–15% एवं गूदा सुगन्धित होता है। फलों में बीज एक पंक्ति में लगे रहते हैं। जिसे खाने में काफी सुविधा है। इसकी भण्डारण एवं परिवहन

क्षमता अच्छी है। यह चूर्णी आसिता, मृदुरोमिल आसिता एवं एन्थ्रेकनोज रोग के प्रति अवरोधी है। औसत उपज 500 कुन्तल प्रति हेक्टेयर होती है।

माधुरी : यह एक संकर किस्म है जो जल्दी पककर तैयार हो जाती है। इसका फल लम्बोतरा तथा वजन 8–10 कि.ग्रा. होता है। फल का गूदा गहरा लाल तथा बीज छोटा होता है। गूदे की मिठास 11–12^{0} ब्रिक्स होता है।

भूमि एवं भूमि की तैयारी

तरबूज की खेती विभिन्न प्रकार की भूमि में की जाती है लेकिन दियरा क्षेत्र की बलुई दोमट या दोमट मिट्टी इसकी खेती के लिए उत्तम मानी जाती है। समान्यतः इसकी खेती नदियों के किनारे बलुई मिट्टी में की जाती है। तरबूज कद्दूकुल की सब्जियों में एक ऐसी सब्जी है जिसकी खेती 5.00 पी.एच.मान मृदा अम्लता पर भी सफलतापूर्वक की जा सकती है। अच्छी फसल लेने के लिए मृदा का पी.एच.मान 5.5 से 7.0 तक होना चाहिए। पहली जुताई मिट्टी पलटने वाले हल से तथा बाद की जुताई देशी हल या कल्टीवेटर से करते हैं। पानी की उपलब्धता के आधार पर नालियों एवं थालों को बनाया जाता है और नालियों या थालों को सड़ी हुई गोबर की खाद और मिट्टी के मिश्रण से भर देते हैं।

फसल की बुआई

तरबूज की बुआई (मेड़ों पर) के लिए 2.5 से 3.0 मीटर की दूरी पर 40 से 50 सेंमी. चौड़ी नाली बना लेते हैं। इन नालियों के दोनों किनारों (मेड़ों) पर 60 सेंमी. की दूरी पर बीज बोते हैं। यह दूरी मृदा की उर्वरता एवं प्रजाति के अनुसार घट बढ़ सकती है।

बीज की मात्रा

प्रति हेक्टेयर क्षेत्रफल के लिए 4 से 5 कि.ग्रा. बीज की आवश्यकता पड़ती है।

बुआई का समय

उत्तर भारत में मैदानी क्षेत्रों में तरबूज की बुआई नवम्बर से मार्च तक की जाती है।

सिंचाई

जब तरबूज की खेती नदियों के किनारे कछारों में की जाती है तब सिंचाई की आवश्यकता नहीं पड़ती क्योंकि पौधों की जड़ें बालू के नीचे उपलब्ध पानी को शोषित करती हैं। जब मैदानी भागों में इसकी खेती की जाती है, तो सिंचाई बहुत आवश्यक हो जाती है। जब तरबूज आकार में पूरी तरह से बढ़ गया हो, सिंचाई बन्द कर देना चाहिए क्योंकि फल पकते समय जब खेत में पानी अधिक लग जाता है, तो फल में मिठास कम हो जाती है और फल फटने लगते हैं।

फलों की परिपक्वता एवं तुड़ाई

यह बहुत ही महत्वपूर्ण एवं आवश्यक पहलू है कि फल को परिपक्व अवस्था में तोड़ा जाय। वैसे फल का आकार एवं डंठल के रंग को देखकर उसके पकने की स्थिति का पता लगाना बड़ा मुश्किल है। पूर्णतः परिपक्व फलों की पहचान निम्न प्रकार से की जाती है।

फल का रंग : जमीन से सटे हुए फल के भाग रंग परिवर्तन देखकर फल के पकने की पहचान आसानी से की जा सकती है। इसमें जमीन से सटे फल का रंग सफेद से मक्खनिया पीले रंग में बदल जाता है। यह अवस्था फल तोड़ने के लिए उत्तम मानी जाती है।

फल की आवाज : पके फल की पहचान के लिए फल को थपथपाया जाता है और आवाज की पहचान की जाती है। पके फल से धब धब की आवाज आती है और कच्चे फल से टन–टन की आवाज (कर्कश) आती है। धब–धब की आवाज फलों के पूरी तरह से पकने का लक्षण माना जाता है।

प्ररोह का सूखना : जब फल से लगी हुई प्ररोह पूरी तरह सूख जाय तब फल का पका हुआ माना जाता है।

तने के रोयें का समाप्त होना : सामन्यतः तने पर उपस्थित रोयें जब सूख जाते हैं, और फल चिकना प्रतीत होता है, पके फल की पहचान मानी जाती है।

फलों को दबाकर : पके हुए तरबूज के फल को दबाने पर कुरकुरा एंव फटने जैसा अनुभव होता है और फल से भी अंगुली पर बराबर दबाव पड़ता है।

फलों को सुबह तोड़ना चाहिए और ठण्डे स्थान पर भण्डारण करना चाहिए। दूर के बाजारों में फल को भेजते समय कई सतहों में ट्रक में रखना चाहिए और प्रत्येक सतह के बाद धान की पुआल रखना आवश्यक है। इससे फल आपस में

रगड़कार नष्ट नहीं होते हैं और कहीं भी भेजा जा सकता है। सामान्य तापमान को 10 दिनों तक आसानी से रखा जा सकता है। फल के रंग, मिठास एवं सुगन्ध में फलों की तुड़ाई के बाद विशेष परिवर्तन होता है। केवल बीज के पास का गूदा काफी मुलायम हो जाता है।

उपज

तरबूज की औसत उपज 300–350 कुन्तल प्रति हेक्टेयर होती है।

च. चिकनी तोरी

वानस्पतिक नाम : *लूफा सिलिन्ड्रिका*

कुल : कुकुरबिटेसी

गुणसूत्र संख्या : 2 एन = 26

चिकनी तोरी या नेनुआ की खेती प्रायः गांवों में घर–घर होती है। जब फल मुलायम एवं कोमल हों तभी उपयोग में लाया जाता है। नेनुआ की एक जंगली प्रजाति उड़ीसा में पायी जाती है जिसके फल तीखे होते हैं परन्तु इसमें सूखा सहन करने की अद्भुद क्षमता होती है। इसके सूखे हुए फल के स्पंजयुक्त भाग को स्नान करने के लिए, बर्तनों को साफ करने के लिए, एवं कारखानों में उत्पादित पदार्थ को पैक करने के लिए प्रयोग में लाया जाता है। कहीं–कहीं पर इसके बीजों से तेल भी निकाला जाता है।

उन्नतशील किस्में

पूसा चिकनी : यह एक अगेती प्रजाति है जिसमें बुआई के 45 दिन बाद फल आना प्रारम्भ हो जाते हैं। यह गर्मी एवं वर्षा दोनों ऋतुओं में आसानी से उगायी जा सकती है। इसके फल चिकने, गाढ़े हरे रंग के, बेलनाकर होते हैं। एक बेल पर 15 से 20 फल लगते हैं। इसकी औसत उपज 200 से 250 कुन्तल प्रति हेक्टेयर है। अधिकतर चिकनी तोरी की स्थानीय किस्में बोने के काम में लाई जाती है।

फसल की बुआई

इसकी बुआई के लिए 2.5–3.0 मीटर की दूरी पर 40–50 सेंमी. चौड़ी तथा 20–30 सेंमी. गहरी नलियां बनानी चाहिए। बनी हुई नालियों (मेड़ों) पर 50–60 सेंमी. की दूरी पर तरफ बीज की बुआई करते हैं। एक स्थान पर दो बीज 2.5–3.0 सेंमी. की गहराई पर लगते हैं।

बीज की मात्रा

एक हेक्टेयर खेत की बुआई के लिए 5–6 कि.ग्रा. बीज की आवश्यकता होती है।

बीज बोने का समय

चिकनी तोरी की बुआई प्रायः दो मौसम में की जाती है। ग्रीष्म कालीन फसल की बुआई फरवरी–मार्च में तथा वर्षा कालीन फसल की बुआई जून–जुलाई में की जाती है।

फलों की तुड़ाई

फलों की तुड़ाई पर विषेष ध्यान देना चाहिए। फलों की तुड़ाई में थोड़ी सी भी देर होने पर फलों के गुणों में कमी आ जाती है और फसल से अच्छा मूल्य नहीं मिल पाता। फलों की छोटी एवं कोमल अवस्था में तुड़ाई करते रहने से फल लगने की प्रक्रिया काफी दिनों तक चलती रहती है। जिसके परिणाम स्वरूप उपज व लाभ अधिक होता है।

उपज

चिकनी तोरी की औसत उपज 150–200 कुन्तल प्रति हेक्टेयर होती है।

छ. आरा तोरी

वानस्पतिक नाम : *लूफ्फा एक्यूटैंगुला*

कुल : कुकुरबिटेसी

गुणसूत्र संख्या : 2 एन = 26

आरा तोरी भारतीय मूल का पौधा है। इसके कोमल व मुलायम कलियों और फलों को सब्जी के रूप में, सूखे हुए रेशे को बर्तन साफ करने तथा उद्योग में फिल्टर के रूप में प्रयोग किया जाता है। आरा तोरी की खेती प्रायः वर्षभर की जाती है जो पूरक के रूप में उपयोग की जा सकती है। आरा तोरी के बीज में 18.3 से 24.3% तक तेल और 18.00 से 25.00% तक प्रोटीन होती है। सतपुतिया (लूफा एक्यूटैंगुला किस्म हर्मा फ्रोडिटिका) आरा तरोई का ही एक प्रकार है जिसके फल गुच्छे में आते हैं।

उन्नतशील किस्में

पूसा नसदार : यह अेगेती से मध्यम किस्म है जिसमें 60 दिन में फूल आने प्रारम्भ हो जाते हैं। फल हल्का हरा और उसकी नसें उभरी होती है। गूदा पूरी तरह विकसित तथा सफेद से हरे रंग का होता है। यह प्रजाति गर्मी एवं वर्षा दोनों ऋतुओं के लिए उपयुक्त है और इसके फल 15–20 सेंमी. लम्बे होते है। इसकी उपज 150–160 कुन्तल प्रति हेक्टेयर होती है।

कोयम्बटूर 1 : इसके प्रत्येक बेल पर 10–12 फल लगते हैं। औंसतन एक फल वनज 200 ग्रा. होता है। फल मोटे, हल्के हरे व काफी आकर्षक होते हैं। इस प्रजाति की पहली तुड़ाई 55 दिन पर की जा सकती है। तथा औसत उपज 140 से 150 कुन्तल प्रति हेक्टेयर होती है। फसल की अवधि लगभग 125 दिन होती है।

पी.के.एम. 1 : यह किस्म गर्मी और वर्षा दोनो ऋतुओं में खेती के लिए उत्तम पायी है। इस फसल का जीवन काल 160 दिन का होता है। फल काफी गहरे हरे रंग के और औसतन 300 ग्रा. वनज के होते हैं। इसकी उपज 280 से 300 कुन्तल प्रति हेक्टेयर होती है।

पंजाब सदाबहार : इस किस्म के पौधे मध्यम आकार के व गहरे हरे रंग की पत्तियों वाले होते हैं। फल पतले, लम्बे, उभारदार, मुलायम, मुड़े, हुए तथा प्रोटीन से भरपूर होते हैं। इसकी बुआई मई से जुलाई तक कर सकते हैं। इसकी औसत उपज 100–120 कुन्तल प्रति हेक्टेयर होती है।

सतपुतिया : यह बिहार की स्थानीय प्रजाति है। इसमें उभलिंगी पुष्प लगते है। इसमे छोटे आकार के हल्के, लम्बे व अण्डाकार फल गुच्छों में लगते हैं। फलों पर धरियाँ नहीं पायी जाती है और स्वाद अच्छा होता है।

फसल की बुआई

नाली से नाली या कतार से कतार की दूरी 2.0–2.50 मीटर पर 40 से 50 सेंमी. चौड़ी नाली बना लेते हैं। पौध से पौध या थाले से थाले की दूरी 50–60 सेंमी. रखनी चाहिए। अधिक फैलने वाली जातियों के लिए कतार व पौध की दूरी 4x1 मीटर उपयुक्त मानी जाती है। नालियों के दोनों किनारों (मेड़ों) पर बुआई की जाती है।

बीज की मात्रा

एक हेक्टेयर खेत की बुआई के लिए 4–5 कि.ग्रा. बीज पर्याप्त होता है।

बोने का समय

इसकी बुआई ग्रीष्म व वर्षा दोनों ऋतुओं में की जाती है। ग्रीष्म कालीन फसल की बुआई फरवरी–मार्च व वर्षा कालीन फसल की बुआई जून–जुलाई में करते हैं।

फलों की तुड़ाई

फलों की छोटी मुलायम अवस्था में ही तुड़ाई करनी चाहिए क्योंकि फल कड़ा हो जाने पर गुणों में कमी आ जाती है। सामान्यतः 55 दिनों के बाद फल तोड़ने योग्य हो जाते हैं। फसल के पूरे जीवन काल में लगभग 8 बार तुड़ाई की जा सकती है। फलों की तुड़ाई एक सप्ताह के अन्तराल पर करनी चाहिए।

उपज

आरा तोरी की उपज औसतन 100–150 कुन्तल प्रति हेक्टेयर प्राप्त होती है।

ज. करेला

वानस्पतिक नाम : *मोमोर्डिका चरनशिया*

कुल : कुकुरबिटेयसी

गुणसूत्र संख्या : 2 एन = 22

करेला अपने विषेष औषधीय गुणों के कारण अन्य सब्जियों की अपेक्षा अपना एक महत्वपूर्ण स्थान रखता है। इसकी खेती भारत वर्ष में खरीफ और जायद दानों ऋतुओं में की जाती है। सब्जियों की पैदावार में इसका विषेष स्थान है। इसके फल सब्जी, कलौंजी व अचार बनाने के काम में आते हैं। इसके फलों को काट कर सुखा लेते हैं और बाद में सब्जी रूप में प्रयोग करते हैं। इसके फल का प्रयोग पेट की बीमारी से ग्रसति रोगियों के लिए लाभदायक है। कच्चे फल का रस निकालकर जले हुए घाव इत्यादि पर प्रयोग करने से शीतलता प्राप्त होती है। चेचक की बीमारी में भी हल्के नमी के साथ प्रयोग करने से राहत मिलती है। करेले के कच्चे फलों का रस मधुमेह (डाइबिटीज) के रोगियों के लिए भी बहुत उपयोगी है और उच्च रक्तचाप के मरीजों में बहुत लाभदायक होता है। इसमें उपस्थित कडुवाहट (मोमोर्डसिन) मनुष्य के खून को साफ करने में काफी मदद करती है। इसके

पौधे से तैयार पाउडर का प्रयोग घमौरी एवं फोड़े फुन्सियों को ठीक करने में काफी मदद करती है।

उन्नतशील किस्में

पूसा दो मौसमी : नाम के अनुसार यह किस्म दोनों मौसम (खरीफ व जायद) में बोयी जाती है। फल बुआई के लगभग 55 दिन बाद फल तुड़ाई योग्य हो जाते हैं। फल हरे, मध्यम मोटे तथा 18 सेंमी. लम्बे होते हैं।

पूसा विशेष : इसके फल हरे, पतले मध्यम आकार के तथा खाने में स्वादिष्ट होते हैं। औसतन एक फल का वजन 115 ग्रा. होता है। इसकी उपज 120–130 कुन्तल प्रति हेक्टेयर होती है।

अर्का हरित : इस प्रजाति के फल चमकीले, हरे आकर्षक, चिकने, अधिक गूदेदार तथा मोटे छिलके वाले होते हैं। बुआई के बाद फल 120 दिन में तैयार हो जाते हैं। फल में बीज कम तथा कडुवाहट भी कम होती है।

प्रिया : इसके फल 40 सेंमी. तक लम्बे होते हैं जो बुआई के 60 दिन बाद तुड़ाई योग्य हो जाते हैं।

कल्यानपुर बारहमासी : इस किस्म के फल काफी लम्बे, मध्यम आकार के तथा गहरे हरे रंग के होते हैं। यह किस्म खरीफ ऋतु के लिए उत्तम मानी जाती है।

फैजाबादी : यह एक स्थानीय किस्म है। इसके फल लम्बे, मध्यम आकार के तथा गहरे हरे रंग के होते हैं। यह अधिक उपज देने वाली किस्म है।

फसल की बुआई

अच्छी प्रकार से तैयार किये गये खेत में 2–2.5 मीटर की दूरी पर 40–50 सेंमी. चौड़ी नाली बनाकर नालियों के दोनों किनारों (मेड़ों) पर 45–60 सेंमी. की दूरी पर बुआई करते हैं। एक स्थान पर 2–3 बीज, 3–4 सेंमी. की गहराई पर बोना चाहिए।

बुआई का समय

मैदानी क्षेत्रों में बुआई ग्रीष्म ऋतु के लिए फरवरी–अप्रैल तक तथा वर्षा ऋतु के लिए जून–जुलाई तक व पहाड़ी क्षेत्रों के लिए मार्च से जून तक करते हैं।

बीज की मात्रा

एक हेक्टेयर खेत की बुआई के लिए 5–6 कि.ग्रा. बीज की आवश्यकता पड़ती है।

सिंचाई

सिंचाई, मिट्टी की किस्म एवं जलवायु पर निर्भर करती है। खरीफ ऋतु में खेत की सिंचाई करने की आवश्यकता नहीं होती परन्तु वर्षा न होने पर सिंचाई की आवश्यकता पड़ती है। अधिक वर्षा के समय पानी के निकास के लिए नालियों का होना अत्यन्त आवश्यक है अन्यथा फसल नष्ट होने की काफी संम्भावनाएँ होती हैं। गर्मियों में अधिक तापमान होने के कारण 4–5 दिन पर सिंचाई करना चाहिए। पानी की कमी होने पर पत्तियाँ मुरझा जाती हैं।

फलों की तुड़ाई

जब फलों का रंग गहरे हरे से हल्का हरा पड़ना शुरू हो जाय तो फलों की तुड़ाई करने के लिए उत्तम माना जाता है। फलों की तुड़ाई एक निश्चित अन्तराल पर करते रहना चाहिए ताकि फल कड़े न हों अन्यथा उनकी बजार में मांग कम होती है और साथ ही पौधों के जीवन काल पर बुरा प्रभाव पड़ता है। बोने के 60–75 दिन बाद फल तोड़ने योग्य हो जाते हैं। यह कार्य हर तीसरें दिन करना चाहिए।

उपज

करेले की उपज प्रति हेक्टेयर लगभग 150 कुन्तल प्राप्त की जा सकती है।

झ. काशीफल या कुम्हड़ा

वानस्पतिक नाम	:	*कुकरबिटा मोस्चाटा*
कुल	:	कुंकुरबिटेयसी
गुणसूत्र संख्या	:	2 एन = 40

कद्दू कुल की सब्जियों में सीताफल अपना प्रमुख स्थान रखता है। इसके बड़े एवं गूदेदार फल, पके तथा कच्चे दोनों रूपों में सब्जी के लिए उपयोग में लाये जाते हैं। सीताफल को सब्जी तथा कोफ्ता के अलावा टमाटर के साथ मिलाकर केचप भी बनाते हैं। इसकी कोमल पत्तियों तथा तनों के अग्र भाग एवं फूलों को भी सब्जी के रूप में प्रयोग किया जाता है। फल में विटामिन ''ए'', ''बी'' और ''सी'' प्रचुर

मात्रा में पायी जाती हैं। इसका फल दवाओं के रूप में भी प्रयोग किया जाता है। भारत में इसकी खेती बहुत ही पुराने समय से होती चली आ रही है। इसे सामान्य तापक्रम पर कई महीनों तक भण्डारित किया जा सकता है।

उन्नतशील किस्में

पूसा विश्वास : इस किस्म के फल मध्यम आकार के औसतन 5.0 कि.ग्रा. तक वजन वाले होते हैं। फल के गूदे सुनहरे पीले रंग के होते हैं, और इसे आसानी से 4 महीने तक भंडारित किया जा सकता है।

अर्का चन्दन : इसके फल आकार में गोल, 2–3 कि.ग्रा. वजन के तथा हल्के हरे रंग के होते हैं। फल के गूदे का रंग नांरगी होता हैं।

सी.एम. 14 : इस प्रजाति के फल गोल तथा धंसे हुए, चपटे, मध्यम आकार के होते हैं। फलों पर उभरी हुई धारियाँ पायी जाती हैं। फलों का औसत वजन 6–7 कि.ग्रा. होता है।

फसल की बुआई

बीज लगाने के लिए कतार से कतार की दूरी के अनुसार 80 से 100 सेंमी. चौड़ी नालियां बना लेते हैं। नालियों के दोनों किनारों (मेड़ों) पर पौध से पौध के निश्चित दूरी पर 2 बीज की बुआई 2–3 सेंमी. की गहराई में करते हैं।

बीज की मात्रा

कुम्हड़ा के 1 हेक्टेयर खेती के लिए 4–5 कि.ग्रा. बीज की आवश्यकता होती है। ग्रीष्म ऋतु की फसल के लिए कतार से कतार की दूरी 3–4 मीटर और पौध से पौध की दूरी 75 सेंमी. होनी चाहिए। वर्षा ऋतु की फसल के लिए कतार से कतार की दूरी 5 मीटर और पौध से पौध की दूरी 1.0 मीटर होनी चाहिए।

बोने का समय

ग्रीष्मकालीन फसल के लिए जनवरी से अप्रैल और वर्षाकालीन फसल की बुआई जून–जुलाई में की जाती है। पर्वतीय क्षेत्रों में इसकी बुआई मार्च–अप्रैल के महीने में की जाती है।

सिंचाई

सीताफल की खेती जब बरसात में की जाती है, उस समय फसल को सिंचाई की आवश्यकता नहीं पड़ती है, लेकिन मौसम जब सूख रहता है तो आवश्यकतानुसार पानी लगाते हैं। ग्रीष्म काल में उगाई जा रही फसल में 4–7 दिन के अन्तराल पर सिंचाई करते रहना चाहिए।

फलों की तुड़ाई

आवश्यकता अनुसार फल की कच्चे और पके दोनों अवस्थाओं में तुड़ाई करते हैं। फल को किसी तेज धारदार चाकू से इस प्रकार पौध से अलग करना चाहिए कि पूरे पौध को झटका न लगे अन्यथा पूरा पौधा सूख सकता है।

उपज

कुम्हड़ा की औसत उपज 300–400 कुन्तल प्रति हेक्टेयर होती है। कुम्हड़ा को सामान्य कमरे के तापक्रम पर 3–4 महीने तक रखा जा सकता है।

ट. टिण्डा

वानस्पतिक नाम : *सिट्रूलस फिस्चुलोसस*
कुल : कुकुरबिटेयसी
गुणसूत्र संख्या : 2 एन = 28

टिण्डा भारतीय मूल का पौधा है। इसके फल का प्रयोग मुलायम व कोमल अवस्था में सब्जी के लिए किया जाता है। इसकी खेती हरियाणा, पंजाब, राजस्थान, दिल्ली और पश्चिम उत्तर प्रदेश में बहुतायत से की जाती है।

उन्नतशील किस्में

रंग के आधार पर टिण्डा हल्के रंग व गहरे रंग का होता है। इसकी कुछ उन्नतशील किस्में निम्न हैं।

अर्का टिण्डा : यह ग्रीष्म ऋतु की अगेती किस्म है। इसके फल आकार में बड़े, कोमल और पकाने में अच्छे होते हैं। फलों का रंग हल्का हरा और आकार गोल होता है। फलों पर हल्के रोयें पाये जाते हैं। परागण के 5 दिन बाद फल खाने योग्य हो जाते हैं। अच्छी फसल से 8–10 बार फलों को तोड़ा जा सकता है।

हिसार सेलेक्शन 1: यह प्रजाति हल्के हरं रंग की, अच्छी उपज देने वाली है।

बीकानेरी ग्रीन : यह हरे रंग की मुलायम एवं अधिक फल देने वाली किस्म है। यह ग्रीष्म एवं वर्षा दोनों ऋतुओं के लिए उपयुक्त है।

स्थानीय किस्में : कल्यानपुर, फैजाबाद, और लुधियाना सेलेक्शन भी प्रचलित है।

फसल की बुआई

कतार से कतार 1.5 से 2.0 मीटर की दूरी पर 30 से 40 सेंमी. गहरी नालियाँ बना लेते हैं। इन नालियों के दोनों किनारों (मेड़ों) पर 30 से 45 सेंमी. की दूरी पर बीज की बुआई 2 सेंमी. की गहराई पर करते हैं। कपास, मक्का, भिन्डी आदि के साथ टिण्डा की मिश्रित खेती भी की जाती है।

बीज की मात्रा

प्रति हेक्टेयर टिण्डा की बुआई के लिए 5–6 कि.ग्रा. बीज की आवश्यकता पड़ती है।

बुआई का समय

टिण्डा की बुआई दो ऋतुओं में की जाती है। ग्रीष्म कालीन फसल के लिए टिण्डा की बुआई फरवरी से अप्रैल तथा वर्षा कालीन फसल के लिए बुआई जून से जुलाई तक की जाती है।

सिंचाई

यदि बुआई के समय खेत में पर्याप्त नमी न हो तो खेत में पलेवा अवश्य कर लें। बीज जमने के तुरन्त बाद खेत में पानी नहीं लगना चाहिए। जब पौधों की बढ़वार प्रारम्भ होने लगे तब पहली बार सिंचाई करनी चाहिए। वर्षा ऋतु में यदि वर्षा न हो तो आवश्यकता के अनुसार सिंचाई करते हैं। गर्मी में 4–7 दिन के अन्तराल पर सिंचाई करनी चाहिए।

फलों की तुड़ाई

लताओं की वृद्धि के साथ–साथ, उस पर फूल आने लगते हैं लेकिन इन पर लगने वाले प्रारम्भिक फलों को तोड़ देना चाहिए नहीं तो अगले फल लगने में काफी

देर हो जाती है। दूसरी बार लगने वाले फलों को बढ़ने दिया जाता है और कोमल अवस्था में ही तोड़ा जाता है। फलों की तुड़ाई करने के लिए फलों के डन्ठल को किसी धारदार तेज चाकू से काटना चाहिए जिससे पौधे को नुकसान न हो। सामान्यतः बुआई के 45–50 दिन बाद फलों की तुड़ाई शुरू कर देना चाहिए।

उपज

टिण्डा की अच्छी फसल से 100–150 कुन्तल प्रति हेक्टेयर उपज प्राप्त की जा सकती है।

ठ. चप्पन कद्दू

वानस्पतिक नाम : *कुकुरबिटा पेपो*
कुल : कुकुरबिटेयसी
गुणसूत्र संख्या : 2 एन = 40

चप्पन कद्दू की खेती उत्तर भारत के मैदानी भागों में अपेक्षाकृत कम की जाती है, लेकिन पहाड़ी क्षेत्रों में इसकी खेती विस्तृत रूप से की जाती है। सब्जी के लिए इसके कच्चे फलों को उपयोग में लाया जाता है।

उन्नतशील किस्में

पंजाब चप्पन कद्दू : इसके पौध झाड़ीनुमा, पत्तियाँ सीधी एवं खड़ी होती हैं। पत्तियों में उभरापन बिल्कुल नहीं होता फल गोलाकार, हरे रंग के, चपटे एवं आकर्षक होते हैं।

पैटीपैन : इसके फल चपटे, गोलाकार, चूने जैसी सफेदी लिये हुए, मुलायम एवं आकर्षक होते हैं। फसल का जीवन काल लगभग 10 दिनों का होता है। औसत उपज 400–500 कुन्तल प्रति हेक्टेयर तक होती है।

अर्ली यलो प्रोलीफिक : यह जल्दी पकने वाली किस्म है। पौध झाड़ीनुमा, फल मध्यम आकार के एवं पकने पर नारंगी पीले रंग के होते हैं। तोड़ने के बाद इसका गूदा काफी दिनों तक मुलायम रहता है।

आस्ट्रेलियन ग्रीन : इसके पौधे झाड़ीनुमा एवं फल गाढ़े हरे रंग के, मुलायम, लम्बी धारी युक्त, 25–30 सेंमी. लम्बे होते हैं। प्रति पौधा 10–15 फल, और औसत उपज 150 कुन्तल प्रति हेक्टेयर होती है।

फसल की बुआई

अच्छी तरह तैयार खेत में 1.0–1.5 मीटर की दूरी पर 30 सेंमी. चौड़ी नालियाँ बना लेते हैं। नाली के दोनों किनारों (मेड़ों) पर 60 से 75 सेंमी. की दूरी पर बीज की बुआई करते हैं।

बीज की मात्रा

चप्पन कद्दू की एक हेक्टेयर खेत की बुआई करने के लिए 6–8 कि.ग्रा. बीज पर्याप्त होता है।

बुआई का समय

चप्पन कद्दू की फसल बोने का उपयुक्त समय फरवरी–मार्च का महीना है।

सिंचाई

चप्पन कद्दू ग्रीष्म ऋतु की फसल है इसलिए इसकी अच्छी पैदावर के लिए 4 से 7 दिन के अन्तर पर सिंचाई करते रहना चाहिए।

फलों की तुड़ाई

फल जब जातीय गुण के अनुरूप विकसित हो जाये लेकिन मुलायम अवस्था में रहें तभी फलों की तुड़ाई करते हैं।

उपज

चप्पन कद्दू की औसत पैदावार 250–300 कुन्तल प्रति हेक्टेयर होती है।

ङ. ककड़ी

वानस्पतिक नाम : *कुकुमिस मेलो* किस्म *यूटीलिसमस*

कुल : कुकुरबिटेयसी

क्रोमोजोम नं. : 2 एन = 14

जायद ऋतु में उगायी जाने वाली कद्दू वर्गीय सब्जियों में ककड़ी बहुत ही महत्वपूर्ण है। ककड़ी को कच्ची अवस्था में ही खाया जाता है। अतः इसमें विद्यमान सभी आवश्यक तत्व (पौष्टिक गुण) बिना समाप्त हुए हमारे शरीर को प्राप्त होते हैं। गर्मियों में इसके सेवन से ठण्ड की अनुभूति होती है और लू लगने की सम्भावना भी कम हो जाती है।

उन्नतशील किस्में

अर्का शीतल : इसके फल काफी कोमल एवं हल्के रंग के होते हैं। फल लम्बाई में लगभग 22 सेंमी. तथा भार में 100 ग्रा. तक होते हैं। इस प्रजाति में तीखापन (कडुवाहट) बिल्कुल नहीं होती है। इसकी औसत उपज लगभग 200 कुन्तल प्रति हेक्टेयर होती है।

लखनऊ अर्ली : यह किस्म लखनऊ तथा उसके आसपास के क्षेत्रों में बहुत प्रचलित है। इसके फल मुलायम, लम्बे और गूदेदार होते हैं।

इनके अलावा कुछ स्थानीय किस्में जैसे नसदार, नस रहित, लम्बा हरा व सिक्किम ककड़ी के नाम से जानी जाती हैं।

फसल की बुआई

कतार से कतार 1.5–2.0 मी. के अन्तर पर 30 सेंमी. गहरी नालियाँ बना लेते हैं। नाली के दोनों किनारों (मेड़ों) पर 30–45 सेंमी. की दूरी पर बीज बुआई करते हैं। एक जगह पर 2 बीज की बुआई करते हैं। बीज जमने के बाद एक स्वस्थ पौधा छोड़कर दूसरा पौधा निकाल देते हैं।

बीज की मात्रा

एक हेक्टेयर के लिए 2–3 कि.ग्रा. बीज की आवश्यकता पड़ती है।

बुआई का समय

उत्तर भारत में सामान्यतः ककड़ी की बुआई फरवरी–मार्च के महीने में की जाती है लेकिन पहाड़ी क्षेत्रों में इसकी बुआई मार्च–अप्रैल के महीने में की जाती है। मध्य भारत में बीज की बुआई फरवरी से जून तक और दक्षिण भारत में बुआई का उपयुक्त समय जनवरी से मार्च तक है।

सिंचाई

ग्रीष्म ऋतु में चार से सात दिन के अन्तराल पर सिंचाई करते रहना चाहिए। यह ध्यान रखना चाहिए कि जब फल की तुड़ाई करनी हो तो उसके दो दिन पहले सिंचाई बन्द कर दें। इससे फल चमकीला, चिकना और आकर्षक बना रहता है।

फलों की तुड़ाई

ककड़ी के फलों की तुड़ाई मुलायम अवस्था में ही (जब फल हरे व मुलायम हों) करनी चाहिए अन्यथा फलों में आकर्षण कम होने के कारण बाजार में भाव घट जाता है।

उपज

ककड़ी की पैदावार, मिट्टी के प्रकार, उसकी किस्म, खाद उर्वरक और जलवायु पर निर्भर करती है। सामान्यत तौर पर ककड़ी की 200–250 कुन्तल प्रति हेक्टेयर उपज प्राप्त होती है।

ढ़. पेठा

वानस्पतिक नाम	:	*बेनिनकासा हिस्पिडा*
कुल	:	कुकुरबिटेयसी
गुणसूत्र संख्या	:	2 एन = 24

कद्दू कुल की सब्जियों में पेठा का एक विशेष स्थान है। भारत वर्ष में इसकी खेती सभी जगहों पर सफलतापूर्वक की जाती है। सामान्यतः उत्तर भारत में इसकी खेती व्यवसायिक स्तर पर की जाती है। पेठा के फलों का उपयोग कच्चे एवं पके दोनों अवस्थाओं में किया जाता है। इसका कच्चा फल सब्जी एवं एक विशेष प्रकार का अचार (गलका) तथा सूखी सब्जी (मे थोरी) बनाने के लिए प्रयोग किया जाता है जबकि पका हुआ फल का मिठाई (मुरब्बा) बनाने के लिए प्रयोग किया जता है। इसमें औषधीय गुण ज्यादा होता है और विटामिन ''बी'' एवं ''सी'' अधिक मात्रा में पाया जाती हैं।

जलवायु

पेठा की खेती के लिए गर्म जलवायु की आवश्यकता पड़ती है। इसमें बहुत ठंड या पाला सहन करने की क्षमता नहीं होती है। बीज के जमाव व पौधों की बढ़वार के लिए 28–30^0 सेल्सियस तापक्रम होना चाहिए। अधिक गर्मी पड़ने पर पौधों में नर फूल ज्यादा निकलते हैं जिससे उपज काफी घट जाती है। फूल आने के समय अधिक वर्षा भी हानिकारक है। वर्षा के कारण परागकण झड़ जाते हैं। और फल अच्छी प्रकार नहीं लग पाते।

उन्नतशील किस्में

पेठा की अभी तक कोई किस्म विकसित नहीं है। अतः किसान स्थानीय किस्मों को उगाते हैं। चयन के द्वारा निकाली गयी कुछ निम्नलिखित जातियों को उगाने की संस्तुति की गयी है।

सी ओ. 2 : यह 120 दिनों में पकने वाली किस्म है। इसके फल औसतन 3 कि.ग्रा. वजन के वृत्ताकार तथा कम बीज वाले होते हैं। सामान्यतः फल में 200–300 बीज पाये जाते हैं। इसके फल का गूदा हल्का हरा होता है।

फसल की बुआई

ग्रीष्म ऋतु की फसल के लिए कतार से कतार की दूरी 3–4 मीटर और पौध की दूरी 75 सेंमी. होनी चाहिए। वर्षा ऋतु की फसल के लिए कतार से कतार की दूरी 5 मीटर और पौध से पौध की दूरी 1.0 मीटर होनी चाहिए। बीज लगाने के लिये कतार से कतार की दूरी पर 80 से 100 सेंमी. चौड़ी नालियां बना लेते हैं। नालियों के दोनों किनारों (मेड़ों) पर पौध से पौध के फासले पर एक स्थान पर 2 बीज की बुआई 2–3 सेंमी. की गहराई पर करते हैं।

बीज की मात्रा

पेठा की बुआई के लिए 6–8 कि.ग्रा. बीज एक हेक्टेयर के लिए पर्याप्त होता है।

बोने का समय

सामान्यतः सिंचित अवस्था में बुआई मार्च–अप्रैल तक तथा मुख्य फसल के रूप में बुआई जून–जुलाई में करते हैं। समुद्री किनारों वाले क्षेत्रों में इसकी बुआई सितम्बर–अक्टूबर में करते हैं।

खाद एवं उर्वरक

खेत की तैयारी करते समय 25–30 टन सड़ी हुई गोबर या कम्पोस्ट खाद डालकर खेत में अच्छी प्रकार मिला देना चाहिए। इसके बाद 50 कि.ग्रा. नत्रजन, 60 कि.ग्रा. फास्फोरस तथा 50 कि.ग्रा. पोटाश प्रति हेक्टेयर की दर से देना चाहिए। रासायनिक उर्वरकों में नत्रजन की एक तिहाई मात्रा तथा फास्फोरस व पोटाश की पूरी मात्रा खेत में नालियाँ या थाले बनाते समय देना चाहिए। नाइट्रोजन की शेष मात्रा दो बाराबर भागों में बाँटकर खड़ी फसल में जड़ों के पास बुआई के 25 व 45 दिनों बाद देना चाहिए।

फसल नियंत्रण

पेठा में अधिक संख्या में फल लगते हैं परन्तु अच्छी गुणवत्ता के फलोत्पादन के लिए पौधों से अवांछित फलों को निकाल देना चाहिए। प्रत्येक पौधे पर केवल 3–4 फलों को ही विकसित होने देना चाहिए। इससे फल गुणयुक्त हो जाते हैं एवं अधिक उपज भी मिलती है।

फलों की तुड़ाई

सब्जी के लिए हरे फल को ही तोड़ते हैं लेकिन पेठा (मिठाई बनाने के लिए) फल पकने पर तोड़ना चाहिए। पहचान के लिए, पकने पर फल हल्का चिकना तथा इसके ऊपर सफेद पाउडर सा जमा हो जाता है। कच्चे फलों पर सफेद पाउडर नहीं पाया जाता है। समय के अनुसार जुलाई में लगाई गयी फसल अक्टूबर–नवम्बर में पकने लगती है।

उपज

पेठा की औसत उपज 300–350 कुन्तल प्रति हेक्टेयर होती है।

त. परवल

वानस्पतिक नाम : *ट्राइकोसेन्थिस डायोका*

कुल : कुकुरबिटेयसी

गुणसूत्र संख्या : 2 एन = 24

परवल बहुत ही पौष्टिक, स्वास्थवर्धक एवं औषधीय गुणों से भरपूर एक लोकप्रिय सब्जी है। यह आसानी से पचने वाली, शीतल, पित्तनाशक, हृदय एवं मस्तिष्क को बलशाली बनाने वाली एवं मूत्र सम्बन्धी रोगों को ठीक करने में काफी लाभदायक है। इसका प्रयोग मुख्य रूप से सब्जी, अचार और मिठाई बनाने के लिए किया जाता है। इसमें विटामिन, कार्बोहाइड्रेट तथा प्रोटीन अधिक मात्रा में पायी जाती हैं।

उन्नतशील किस्में

अब तक परवल की किस्मों के विकास पर बहुत ध्यान केन्द्रित नहीं किया गया है। अतः केवल रंग एवं गुण के आधार पर इसकी जातियाँ उपलब्ध हैं जो क्षेत्र विशेष में स्थानीय नामों से जानी जाती हैं।

किस्मों का चुनाव

ऐसी किस्म जो क्षेत्र विशेष में अच्छी उपज दे रही हो उसी का चुनाव करना चाहिए। परवल की कुछ किस्मों का विवरण निम्नवत् है।

- गहरे हरे रंग की मोटी, लम्बी और सफेद धारी युक्त परवल जो सामान्यतः 6–10 सेंमी. तक लम्बा होता है। इसकी खेती बिहार के रांची एवं साबोर के आस–पास के इलाकों में होती है। उदाहरण– स्वर्ण रेखा
- गहरे हरे रंग की धारीयुक्त, छोटे एवं गोल आकार के परवल जिसकी खेती उत्तर प्रदेश के मैदानी भागों में की जाती है। उदाहरण– नरेन्द्र परवल–260।
- हल्के हरे रंग की मोटी एवं लम्बी बिना धारी वाली परवल जिसकी खेती उत्तर प्रदेश के पूर्वांचल में की जाती है। उदाहरण– स्वर्ण अलौकिक।
- काली धारी युक्त छोटी एवं गोल परवल की प्रजाति जिसमें औषधीय गुण सबसे ज्यादा पाया जाता है। इसकी खेती उत्तर प्रदेश के बस्ती एवं गोरखपुर जिले के आस–पास की जाती है।
- छोटी, गोल, एवं फूली हुई प्रजाति जिसकी खेती बिहार के सिवान एवं पटना के आस–पास की जाती है।
- हल्का पीला सफेद रंग का परवल जो मध्य प्रदेश में काफी लोकप्रिय है।
- परवल की दो किस्में सी.एच.इ.एस. राँची से हाल ही में विकसित की गई हैं जो स्वर्णरेखा और स्वर्ण अलौकिक के नाम से जानी जाती हैं।

जलवायु

परवल की खेती के लिए सामान्यतः गर्म एवं तर जलवायु उपयुक्त होती है। ऐसे क्षेत्र जिनमें औसत वार्षिक वर्षा 100 से 110 सेंमी. तथापाले का प्रकोप नहीं होता हो इसकी खेती के लिए उत्तम मानी जाती है। शरद काल में पौधा सुशुप्तावस्था में पड़ा रहता है।

भूमि एवं भूमि की तैयारी

परवल एक बहुवर्षीय सब्जी है, जिसे एक बार लगाने के बाद लगभग 3 से 4 वर्षो तक लगातार उपज मिलती रहती है। अतः सफलता पूर्वक कई वर्षो तक उपज प्राप्त करते रहने के लिए बलुई या बलुई दोमट भूमि जिसमें जीवांश पर्याप्त मात्रा मे उपलब्ध हों, उत्तम मानी जाती है। भारी मिट्टी इसकी खेती के लिए अच्छी नहीं

मानी जाती है। परवल की सफल खेती के लिए नदी के किनारे की जलोढ़ मिट्टी अत्यन्त उपयोगी रहती है। भूमि का चयन करते समय यह ध्यान देना चाहिए कि उसमें जल निकास का उचित प्रबन्ध हो।

मई–जून के महीने में पहली जुताई मिट्टी पलटने वाले हल से करके खेत को खुला छोड़ देना चाहिए तथा वर्षा शुरू होने पर 2–3 जुताइयाँ देशी हल या कल्टीवेटर से करके खेत को तैयार कर लेते हैं।

खाद एवं उर्वरक

परवल में खाद एवं उर्वरक का प्रयोग खेत की तैयारी के समय ही प्रारम्भ हो जाता है। प्रथम वर्ष खेत की अन्तिम जुताई के समय 20–25 टन अच्छी तरह से सड़ी हुई गोबर की खाद या कम्पोस्ट और 6–7 कुन्तल अरण्डी की खाद खेत में मिलाना चाहिए। इसके अतिरिक्त तत्व के रूप में 60 कि.ग्रा. नाइट्रोजन, 40 कि.ग्रा. फास्फोरस और 40 कि.ग्रा. पोटाश प्रति हेक्टेयर की दर से खेत में डालना चाहिए। पौध लगाने के पूर्व प्रत्येक गड्ढे में 100 ग्रा. नीम की खली व 5 ग्रा. फ्यूराडान डालना आवश्यक है, जिससे दीमक या अन्य मृदा जनित हानिकारक कीट मर जायें। नाइट्रोजन की 20 कि.ग्रा. मात्रा, फास्फोरस तथा पोटाश की पूरी मात्रा खेत की अन्तिम जुताई के समय खेत में डालना चाहिए। बची हुई नाइट्रोजन की मात्रा को 3 बराबर भागों में बाटकर खड़ी फसल में टापड्रेसिंग (छिड़कर) के रूप में जड़ों से 6 सेंमी. की दूरी पर देना चाहिए। प्रत्येक तुड़ाई के बाद 750 ग्रा. यूरिया प्रति 1360 वर्ग फीट के हिसाब से देने पर उपज अधिक मिलती है। जब पहले वर्ष रोपित पौधों पर फल बनना बन्द हो जाये और उसी की दूसरी बार फसल लेना हो तब जमीन की सतह से 6 ईंच की दूरी तक तनों को छोड़कर काट देना चाहिए। सभी खरपतवार व पौधों की कटे तने को खेत से बहार निकाल देना चाहिए और पौधे के मुख्य जड़ से 12 इंच की दूरी तक छोड़कर शेष जमीन को फावड़ें से गहरी खुदाई कर दें। अब पौध के आस–पास की सफाई करके 6 इंच जगह छोड़ते हुए 6 इंच गहरा गढ़ढा खोदकर उसमें लगभग 2 से 3 कि.ग्रा. गोबर की सड़ी खाद, यूरिया 60 ग्रा., सिंगल सुपर फास्फेट 80 ग्रा. व म्यूरेट आफ पोटाश 40 ग्रा. का मिश्रण बनाकर डाल दें। इस प्रकार पौधे की वृद्धि तेज होगी व जल्द फलत में आयेगा। पौध वृद्धि के समय (50 दिन बाद) 30 ग्रा. यूरिया प्रति पौधा जड़ों के आस–पास देना लाभदायक होता है। इसी प्रकार खाद एवं उर्वरकों की व्यवस्था तीसरे वर्ष फलत लेने के लिए भी करना चाहिए।

लगाने का समय : परवल लगाने का सबसे अच्छा समय 'मग्धा'' नक्षत्र या 14 अगस्त के आस पास होता है। नदियों के किनारें दियारा में परवल लगाने का समय अक्टूबर व नवम्बर का महीना (जब बाढ़ समाप्त हो जाय) उत्तम माना जाता है।

परवल लगाने की विधि

सीधे लताओं द्वारा

अगस्त के अन्त से अक्टूबर के प्रथम सप्ताह तक खेत के पौधों से पुरानी व गहरे रंग वाली लताओं को लेकर खेत में लगाया जाता है। इसके लिए 30 से 40 सेंमी. गहरे गडढें खोद लिए जाते हैं। जिमें 2–3 कि.ग्रा. गोबर या कम्पोस्ट की सड़ी खाद डाल देते हैं। लता की लम्बाई 60 से 75 सेंमी. रखते हैं। लताओं से प्रसारण की कई विधियाँ हैं।

(क) लता से अंग्रेजी के आठ (8) की आकृति में मोड़ देते हैं। इसके मुड़े हुए बीच वाले भाग को पहले से तैयार 15 सेंमी. ऊँचे उठे हुए 2 x 2 मीटर की दूरी पर बने थाले में मिट्टी से दबा देते है लेकिन इसमें ध्यान रखना चाहिए कि दोनों गोल शिराओं वाला भाग उपर की तरफ रहे क्योंकि इन्हीं से फुटाव निकलते हैं। इस प्रकार एक हेक्टेयर क्षेत्रफल में 2500 पौध/कलमें लगती हैं।

(ख) लता का 60 से 100 सेंमी. लम्बा कर्तन लेकर बंडल बना लेते हैं। और इसका आधा भाग पहले से तैयार गडढें जो 2x2 मीटर की दूरी पर बने थाले में मिट्टी से दबा देते है लेकिन इसमें ध्यान रखना चाहिए कि दोनों गोल शिराओं वाला भाग उपर की तरफ रहे क्योंकि इन्हीं से फुटाव निकलते हैं। इस प्रकार एक हेक्टेयर क्षेत्रफल में 2500 पौध/कलमें लगती हैं।

(ग) लता से सीधी नाली में फैलाकर : परवल को इस विधि से लगाने के लिए खेत को अच्छी प्रकार जुताई करके पाटा चला देते हैं। तैयार खेत में नाली खोदकर उसमें सड़ी गोबर की खाद व मिट्टी का मिश्रण भी एक सतह तक भर दिया जाता है। इसके बाद बनी हुई नालियों में स्वस्थ्य लता के टुकड़ों को इस प्रकार फैलाते हैं कि वह मिट्टी में लगभग 15 सेंमी. गहराई पर रहे और एक टुकड़ा का शिरा दूसरे टुकड़े के शिरा से मिला रहे। लगभग 15 से 20 दिनों में लता की गाठों से नई शाखाए निकलना आरम्भ हो जाती हैं। इन उपरोक्त विधियों में औसतन 6000 से 7500 टुकड़े की आवश्यकता पड़ती है।

लताओं में जड़ों को विकसित कर लगाना अर्थात नर्सरी के बाद रोपण : असामयिक बाढ़ या वर्षा आदि के प्रभाव से लताओं की उपलब्धता कम हो जाती है। साथ ही साथ खेत में मुख्य फसल होने के कारण सीधे कर्तनों को लगाना मुशिकल हो जाता है। अतः एक निश्चित स्थान या नर्सरी में लताओं में जड़ों को विकसित कर लगाना या रोपण करना काफी लाभदायक होता है। नर्सरी में तैयार पौधे काफी स्वस्थ होते हैं और रोपण के बाद तेजी से वृद्धि करते हैं। नर्सरी विकसित करने के लिए 6x4'' प्लास्टिक की थैलियों का प्रयोग करते हैं। इसके लिए 4 से 5 गाँठों वाले कर्तन को सितम्बर से अक्टूबर के महिने में थैलियों में विकसित होने के लिए रखते है। कर्तनों में 15 से 20 दिन के अन्दर फुटाव हो जाता है। विकसित पौध को मुख्य खेत के तैयार गढ़ढे में रोपण नवम्बर या फरवरी के महिने में करते हैं। इस विधि से तैयार पौधों को नर्सरी में काफी दिन तक रखा जा सकता है।

जड़ों द्वारा : कुछ क्षेत्रो में परवल के पुराने पौधों की जड़ों को प्रसारण हेतु लगाते हैं। इस विधि से फुटाव शीघ्र तो होता है लेकिन जड़ पुरानी होने के कारण अधिक उपज नहीं प्राप्त होती है। कभी–कभी रोग ग्रसित जड़ों के लग जाने से फसल मारी जाती है। अतः जड़ों द्वारा प्रसारण उचित नहीं है।

बीजों द्वारा : बीजों द्वारा परवल का प्रसारण किया जा सकता है। लेकिन बीज की बुआई करने पर नर और मादा पौधों की संख्या का सही अनुपात नहीं हो पाता है। लगभग 85% पौध नर व मात्र 15% पौध मादा हो पाती है। चूंकि फल मादा पौध पर बनता है। अतः फलत पर काफी प्रतिकूल प्रभाव पड़ता है।

नालियाँ तथा थाले बनाना : थाले 2 मीटर की दूरी पर 50 सेंमी. व्यास के और 30 सेंमी. गहरे बनाने चाहिए। कतार से कतार व पौध से पौध की दूरी 2x2 मीटर रखते हैं। गडढा तैयार करते समय उसमें आधा भाग मिट्टी, एक चौथाई गोबर की सड़ी खाद व एक चौथई बालू मिलाकर भर देते हैं। थाले जमीन से 15 से 20 सेंमी. ऊँचाई तक भरते हैं। जिससे जड़ों के पास पानी न लगे परन्तु जब इनको बनाकर उगाते हैं तो यह दूरी 1.5 x 1.5 मीटर रखते हैं। जबकि नदी की तलहटी में उगाने के लिए थाले 2x2 मीटर रखते है। तो यह दूरी 1.5 x 1.5 मीटर रखते हैं। जबकि नदी की तलहटी में उगाने के लिए 2x2 मीटर रखते हैं लेकिन इन क्षेत्रों में गड्ढे का व्यास 30 x 10 सेंमी. रखते हैं। इस प्रकार 1 हेक्टेयर क्षेत्रफल में कुल 2500 थाले बनेगें।

अच्छी फलत के लिए नर एवं मादा पौधों का संतुलन : परवल में नर व मदा पुष्प अलग अलग पौध पर लगते हैं, इसलिए अच्छी उपज के लिए नर व मादा पौधों का संतुलन खेत में बनाये रखना चाहिए। इस प्रकार नर व मदा दोनो प्रकार के पौधों से लता के टुकड़े काटकर लगाये जाते हैं। नर व मादा पौधे का निर्धारण पुष्प के आधार पर करते हैं, और इसी के अनुसार टुकड़े या कलमें तैयार की जाती हैं। पहचान के लिए मादा फूल निचला भाग फूला हुआ सफेद अैर रोयेंदार होता है जबकि नर पुष्प सीधा व लम्बा होता है। अच्छी उपज के लिए प्रत्येक 10 मादा पौधे के नर पौधे पर बनने वाले पुष्प परागित कर सके।

सिंचाई

परवल के कर्तनों के अच्छी प्रकार स्थापित होने एवं विकास हेतु लता लगाने के तुरन्त बाद थालों के पास हल्का पानी देना चाहिए। इस प्रकार पानी देने की प्रक्रिया लगातार कई दिनों तक करनी चाहिए। इससे जड़े जल्दी निकल आती हैं। ज्यादा पानी लगने से लगाई गयी लता सड़ जाती हैं। सामान्यतः मार्च, अप्रैल व जून को छोड़कर अन्य महीनों में पानी की आवश्यकता नहीं पड़ती है। गर्मी के दिन में जब पौधों पर कल्के बनते हैं उस समय पानी की ज्यादा आवश्यकता पड़ती है। इस प्रकार गर्मी में 7–8 दिन के अन्तराल पर हल्की सिंचाई करते रहना चाहिए। पुष्पन व फलन के समय खेत में उचित नमी रहने पर उपज बढ़ जाती है। पाले से बचाने के लिए खेत को नम रखना चाहिए। परवल से अधिक उपज के लिए खेत में जल निकास अच्छा होना उतना ही आवश्यक है जितना सम–सामयिक सिंचाई। परवल की लताएं, पानी भरा रहने पर शीघ्र ही सड़कर नष्ट हो जाती हैं। प्रयोगों में यह पाया गया है कि जल निकास की अच्छी व्यवस्था न होने के कारण जब पानी बार–बार खेत में रूकता है तो फूल झड़ने लगते हैं और विकसित हो रहे फल पीले होकर गिरे जाते हैं। पौध के विकसित तने जगह–जगह फंफूद के संक्रमण से सड़ने लगते हैं।

अन्तः शस्य क्रियायें

अन्य सब्जियों को अपेक्षा परवल, खर–पतवार के प्रति बहुत संवेदनशील होता है। प्रायः यह देखा गया है कि खेत में गर्मी की सिंचाई के बाद और वर्षा ऋतु में खरपतवार अधिक संख्या में उग आते हैं। अतः सफल खेती के लिए आवश्यक है कि निकाई–गुड़ाई करके थालों पर मिट्टी समय पर चढ़ाते रहना चाहिए। लताओं की रोपाई करने के बाद से फल लगने की अवधि तक आवश्यकतानुसार 5 से 7 निकाई गुड़ाई करके खेत को खरपतवार से मुक्त रखना चाहिए।

रसायनिक विधि से खर पतवार नियंत्रण के लिए स्टाम्प 3.3 लीटर 1000 लीटर पानी में घोलककर प्रति हेक्टेयर की दर से पौध लगाने के 2 दिन पूर्व छिड़काव करना चाहिए। इससे विस्तृत क्षेत्र में तथा कम लागत में खर पतवार नियंत्रण किया जा सकता है। वृद्धि काल में हाथ से खरपतवार निकलना अच्छा रहता है।

मचान बनाकर परवल के बेलों को चढ़ाना : परवल की लताओं को सहारा देकर मचान पर चढ़ा कर खेती करने से 5 से 10 कुन्तल प्रति हेक्टेयर अधिक उपज मिलती है। इसके अलावा इसके कई एक फायदे हैं। फल जमीने के सम्पर्क में न रहने के कारण सड़ते–गलते नहीं तथा सभीफलों की तुड़ाई में काफी सुविधा होती है क्योकि लगभग जमीन पर फैल लता से 25% तक फल तोड़े ही नहीं जाते। कीट एवं रोग नाशक दवाओं के प्रयोग में भी सुविधा होती है। चूँकि पौधों की लताए मचान पर फैलती है अतः नीचे रिक्त स्थानों की निकाई–गुड़ाई आसानी से की जा सकती है। चढ़ाने के लिए यदि बांस, सीमेन्ट के खम्भे या एंगिल आयरन पर लोहे के तारों से मचान 5 फीट की ऊँचाई पर बना लिया जाय तो अच्छी फलत मिलती है। खम्भों को जमीन में एक फीट की गहराई में गाड़ने से पौधों की लताओं के बढ़ने व फल धारण करने पर वनज बढ़ने से खंम्भें जमीन पर नहीं गिरतें। मचान पर चढ़ाकर खेती करने के लिए कतार से कतार व पौध से पौध कीदूरी 1.5x1.5 मीटर ही रखी जानी चाहिए। इस प्रकार 1 हेक्टयर क्षेत्रफल में कुल 4000 थालें बनते हैं। जिनमें पौध/कलमें लगाई जाती हैं। जब परवल की बेल 30 सेंमी. से अधिक बढ़ना शुरू हो जाये तो इन बेलों को मचान पर रस्सी का सहारा देकर चढ़ना चाहिए। मचान बनाने का मार्च महीने से प्रारम्भ कर देते हैं लेकिन लताओं को वर्षा ऋतु में उपर चढ़ाते हैं। अगर गर्मी में लता को चढ़ाया जायेगा तो तेज धूप व गर्मी से पौध की लता झूलस जायेगी।

परवल की खेती मिलवां फसल के रूप में भी की जाती हैं। पूर्वी उत्तर प्रदेश में इसकी खेती पान के साथ की जाती है, जिससे पान के कोमल पत्तों को छाया प्राप्त होती है। चूँकि नवम्बर से जनवरी तक पौधा सुषुप्तावस्था में रहता है अर्थात वृद्धि नहीं करता है अतः इस समय यह फसल के रूप में मटर या राजमा की खेती हरी फली के लिए रिक्त जगह में की जा सकती हैं। इसके अलावा पालक, प्याज मूली, मेथी, फूलगोभी व पत्ता गोभी भी सफलतापूर्वक सह फसली के रूप में ली जा सकती हैं। इससे रिक्त स्थान के उपयोग के साथ–साथ अच्छी आय अन्य फसल से ली जा सकती है। सह फसल के रूप मे पालक सबसे उत्तम पायी गयी है।

फल की तुड़ाई

मैदानी क्षेत्रों में मार्च अप्रैल के महीने में फल आना शुरू हो जाते हैं जबकि नदियों के किनारे दियारा में लगाए गये पौधों पर फल फरवरी में ही आने लगते हैं। पौधों पर फल लगने के 15 से 16 दिन बाद पूर्ण विकसित हरे फलों की तुड़ाई करनी चाहिए। समय से फलों की तुड़ाई करते रहने से फल अधिक संख्या में लगते रहते हैं।

उपज

मैदानी क्षेत्रों में पहले वर्ष की फसल से औसतन 125 कुन्तल प्रति हेक्टेयर उपज प्राप्त होती है दूसरे व तीसरे वर्ष की फसल से 250 से 300 कुन्तल तक उपज प्राप्त की जा सकती है। नदियों के किनारे लगाए गये पौधों से 350 कुन्तल प्रति हेक्टेयर फलत मिलती है और प्रत्येक वर्ष नयी फसल लगानी पड़ती है क्योंकि बाढ़ से फसल डूब जाती है बाढ़ समाप्त होने पर प्रतिवर्ष गड्ढे खोदकर नये पौधे लगाए जाते हैं।

थ. कुन्दुरू

वानस्पतिक नाम : *कोकसीनिया कोर्डीफोलिया/कोक्सीनिया ग्रैन्डिस*

कुल : कुकुरबिटेयसी

गुणसूत्र संख्या : 2 एन = 24

कुन्दुरू एक लाभदायक बहुवर्षीय सब्जी है। हमारे देश में इसकी व्यवसयिक खेती मध्यप्रेदश में छत्तीसगढ़, गुजरात में खेड़ा तथा बड़ोदरा जिले में होती है। इसके अलावा पूर्वी उत्तर प्रदेश, आन्ध्र प्रदेश, कर्नाटक, बिहार, उड़ीसा, पश्चिम बंगाल, महाराष्ट्र, तमिलनाडु तथा असम के कुछ भागों में छोटे स्तर पर इसकी खेती की जाती है। गृह वाटिका में रूप में यह सब्जी ज्यादा महत्व रखती है। देश में मध्य प्रदेश का छत्तीसगढ़ जिला एक मात्र क्षेत्र है, जहां से कुन्दुरू के लिए आस–पास के राज्यों में भेजें जाते हैं। जिससे स्थानीय उत्पादको को अच्छी आमदनी प्राप्त होती हैं।

यह एक स्वास्थवर्धक, पौष्टिक एवं लोकप्रिय सब्जी है। इसके फल में विटामिन ''ए'' एवं ''सी'' प्रचुर मात्रा में पायी जाती हैं। सब्जी के अलावा इसकी कुछ प्रजातियों को सलाद और कुछ को अचार के रूप में भी प्रयोग किया जाता है।

इस सब्जी की विशेषता यह है कि लगाने के तीन माह बाद ही फल देना आरम्भ करती है। एवं मार्च से अक्टूबर माह तक लगातार फल मिलते हैं। वर्ष भर होने वाली उपज का 75% वर्षा ऋतु में प्राप्त होती है। बरसात में सब्जियों की उपलब्धता कम होने के कारण बाजार में कुन्दुरू का अच्छा मूल्य मिलता है।

कुन्दुरू में नर एवं मादा पौधे अलग–अलग होते हैं। अच्छी उपज लेने के लिये प्रति मादा पर एक नर पौधा लगाते हैं।

उन्नतशील किस्में

कुन्दुरू में कोई विकसित किस्म अभी तक नहीं है। अतः केवल स्थानीय किस्में ही क्षेत्र विषेष में प्रचलित हैं। कुन्दुरू के फलों के बाहय आकार के आधार पर दो प्रमुख स्थानीय किस्में हैं जिसकी खेती किसान काफी समय से करते आ रहे हैं।

गोल या आण्डाकार फल वाली किस्में : इस प्रकार की किस्में हल्के से लेकर गहरे हरे रंग की होती हैं। फलों पर लम्बवत सफेद धरियाँ होती हैं। फलों की लम्बाई लगभग 3 सेंमी. तथा मध्य भाग फूला हुआ होता है। उदाहरण– नीलाचल सबुजा जो भुवनेश्वर से विकसित की गयी है।

लम्बे आकार वाली किस्में : पश्चिम भारत के राज्यों में मध्यम आकार के 5 सेंमी. लम्बे व पतले फल होते हैं। जो गहरे हरे व हल्के रंग के होते हैं। जिसपर बिखरी हुई लम्बवत सफेद धारियाँ होती हैं। फलों का औसत वजन 25 से 30 ग्रा. होता है। इस ग्रुप में नीलाचल कुनखी किस्म सी.एच.इ.एस. भुवनेश्वर से विकसित की गयी है जो सलाद के रूप में भी खायी जा सकती है।

जलवायु

कुन्दुरू की खेती के लिए गर्म और आर्द जलवायु की आवश्यकता होती है। पाले के प्रकोप से इसके फूल व फलों की काफी नुकसान पहुँचता है तथा अधिक ठण्डे मौसम में इसकी लताएं और पत्तियां सूख जाती हैं। इसमें भारी वर्षा को सहन करने की पर्याप्त क्षमता होती है। नवम्बर से जनवरी तक जब तापमान में कमी होती है तब फसल सुशुप्तावस्था में चली जाती है तथा फरवरी–मार्च में जब तापमान में वृद्धि होती है तब नयी कलिकाए बढ़ कर फलत देती हैं। सामान्यतः पौधे की अच्छी बढ़वार के लिए 30 से 35^0 सेन्टीग्रेड तापमान उपयुक्त होता है।

भूमि एवं भूमि की तैयारी

कुन्दुरू की खेती के लिए अच्छी जल निकास वाली, जीवांशयुक्त बलुई दोमट या दोमट मिट्टी उत्तम मानी जाती है। हल्की एवं कमजोर भूमि में, उचित पोशक तत्वों का प्रयोग कर इसकी खेती की जा सकती है। ऐसी भूमि का चुनाव करना चाहिए जिसका पी.एच.मान 7.00 के लगभग हो।

कुन्दुरू की खेती के लिए खेत को अच्छी प्रकार से तैयार करने की जरूरत पड़ती है क्योंकि बहुवर्षीय होने के कारण एक बार लगाया गया पौधा 2 से 4 वर्षो तक लगातार फल देता रहता है। मई जून के महीने में 2, गहरी जुताई करके खेत खुला छोड़ देते हैं जिससे खरपतवार नष्ट हो जाए। जुलाई के महीन में 2 से 3 बार हैरो या क्ल्टीवेटर से जुताई करके खेत में पाटा लगा देते हैं। खेत को थोड़ा ढलवा ही रखते हैं। जिससे अधिक पानी शीघ्र बाहर निकल जाये।

पौध रोपण

कुन्दरू के पौध लगाने के लिए उपयुक्त खेत में 30 x 30 x 30 सेंमी. आकार के गड्ढे ग्रीष्म ऋतु में पौधे से पौधे एवं कतार से कतार 3 मीटर की दूरी पर खोद लेने चाहिए। इन गडढो में 2 से 3 कि.ग्रा. अच्छी प्रकार सड़ी गोबर की खाद 50 ग्रा. यूरिया, 2000 ग्रा. सुपर फास्फेट तथा 100 ग्रा. म्यूरेट आफ पोटाश प्रति गड्ढे की दर से अच्छी तरह मिट्टी व बालू में मिलाकर 10 सेंमी. की ऊँचाई तक भर देना चाहिए। जिससे पौधो के जड़ो के पास पानी न रूक सके। वर्षा ऋतु के प्रारम्भ होते ही कलिकायुक्त विकसित कलमों को इन गढ़ढो में रोपण कर देना चाहिए।

पौध प्रवर्धन

कुन्दरू का व्यावसायिक प्रवर्धन कर्तन द्वारा किया जाता है। इसके लिए समान्यतः जुलाई के महीने में 4 से 5 माह या एक वर्ष पुरानी लताओं की, 5 से 6 गाँठो वाली 15 से 20 सेंमी. लम्बी तथा 0.5 से 0.75 सेंमी. मोटाई वाली कर्तन या कलमें काट ली जाती हैं। इन कर्तनों को जमीन पर बनी क्यारियों में या गोबर की सड़ी हुई खाद तथा मिट्टी को बराबर मात्रा में मिलाकर भर हुए पोलीथीन के थैलों में लगा देते हैं। पालीथीन के थैलों को आकार 6'' 4'' रखते हैं। अगर जमीन पर कर्तनों का प्रसारण करना हो तो क्यारियों को सतह से 1 इंच ऊँचा रखना उत्तम रहता है। इन कलमों की समय से सिंचाई तथा देखभाल करते रहने से, रोपण के लगभग 50 से 60 दिन बाद कलमों में अच्छी तरह से जड़े विकसित हो जाती हैं और स्वस्थ कल्ले निकल आते हैं। चूंकि जुलाई–अगस्त के महिने में कुन्दरू पूर्ण

फलन की अवस्था में होता है। इसलिए कर्तन मुश्किल से मिलता है। या मुख्य पौधे से कर्तन लेना आर्थिक तौर पर लाभदायक नहीं होता है। इस स्थिति में नवम्बर–दिसम्बर में जब कुन्दरू की कटाई–छँटाई की जाती है जब रोपण के लिए तने की कर्तन पर्यापत मात्रा में उपलब्ध रहती है। अतः कटाई–छटाँई के बाद प्राप्त कर्तन को उपरोक्त विधि से लगाकर अधिक सफलता पूर्वक कुन्दरू के पौधे प्राप्त किये जा सकते हैं। इस प्रकार से थैलों में तैयार पौधों को 2 दिन पूर्व पानी देकर गीला कर लें। तेज चाकू से पालीथीन काट देते हैं और इसे हटाकर मिट्टी सहित पिंड का मुख्य खेत में रोपण करना चाहिए।

मचान बनाना

बेल वाली फसल होने के कारण कुन्दरू की खेती मण्डप या मचान बनाकर या जमीन पर फैलाकर की जाती हैं। जमीन पर फैलाकर खेती करने से उपज एवं गुणवत्ता दोनो कम हो जाती है। मचान बनाने के लिए 2 मीटन ऊँचाई के सीमेन्ट के खम्भे जिनका आधार भाग 12.5 x 12.5 सेंमी. और शीर्श 10 x 10 सेंमी. हो उपयोग किया जाता है। इन खम्भों को 3 x 3 मीटर की दूरी पर 45 सेंमी. गहरा गाड़ते हैं। मचान के चारो कोनों के खम्भें को दो दो अतिरिक्त खम्भों को तिरक्षा लगाकर सहारा दिया जाता है इसके अलावा हर कोने में लगभग 1 x 1 x 1 मीटर के आकार का गढ़ढा खोदकर उसमें बड़ा सा पत्थर रख देते हैं। इस पत्थर को दो सूत मोटा तार लपेट कर उस तार एक सिरा कोने वाले खम्भे पर बने हुक पर लगा देते हैं। खम्भे बनाते समय यह ध्यान रखते हैं कि उसका 15 सेंमी. हिस्सा खम्भे के उपर रहे। यदि कोने पर सीमेन्ट के खम्भों की जगह लोहे के खम्भे का उपयोग करें तो दो सूत मोटा तार जसका एक सिरा खम्भे तथा दूसरा पत्थर से लपेटा हुआ हो, उसके बीच में नट बोल्ट लगाकर ऐसी व्यवस्था कर सकते हैं कि हर साल मण्डप के तारों को आसानी से उपयोग हेतू कसा जा सके क्योंकि बेल तथा उस पर लगे फल के वजन से तार अधिकतर झुक जाते है। तार लगाते समय यह ध्यान रखना चाहिए कि मचान के सारे खम्भें को दूसरे से जोड़ने के लिए 8 गेज मोटी तार की आवश्यकता होगी। मचान पूरे क्षेत्र में 30 x 30 सेंमी. 18 गेज मोटे तारों का जाल फैलाया जाता है। इस तरह बड़े पैमाने पर कन्दुरू की खेती करने के लिए मचान की रचना की जाती है। प्रारम्भ पौधों को मचान पर चढ़ाने के लिए बांस या लकड़ी का सहारा देते हैं। और 30 से 40 सेंमी. पौधे की लताओं को प्लास्टिक की रस्सी, सुतली या नारियल की रस्सी से हल्का बाँधकर मण्डप पर

चढ़ाते जाते हैं। मचान पर पौधों को चढ़ाने से फलत अच्छी होती है तथा फल लम्बे और चमकदार होते हैं तथा तुड़ाई में सुविधा होती है।

खाद एवं उर्वरक

खाद एवं उर्वरकों का प्रयोग भूमि के प्रकार तथा उसमें उपलब्ध पोषक तत्वों पर निर्भर करता है। खेत की अन्तिम जुताई के समय गोबर की अच्छी तरह सड़ी हुई 15 से 20 टन खाद प्रति हेक्टेयर की दर से खेत में मिला देना चाहिए। प्रथम वर्ष में रोपित, कुन्दुरू की फसल के लिए, एक हेक्टेयर क्षेत्रफल में 170 कि.ग्रा. यूरिया, 250 कि.ग्रा. सिंगल सुपर फास्फेट तथा 100 कि.ग्रा. म्यूरेट आफ पोटाश की आवश्यकता होती है। रोपाई के पूर्व गड्ढे बनाते समय यूरिया की आधी मात्रा, सिंगल सुपर फास्फेट तथा पोटाश की पूरी मात्रा देना चाहिए। यूरिया की शेष आध ी मात्रा, सिंगल सुपर फास्फेट तथा पोटाश की पूरी मात्रा देनी चाहिए। यूरिया की शेष आधी मात्रा को दो भागों में बांटकर क्रमशः पहली सिंचाई के बाद तथा फूल आने पर पौधों की जड़ो के चारो तरफ देना चाहिए। दूसरे वर्ष कुन्दुरू की फसल के लिए 10 ग्रा. यूरिया, 280 ग्रा. सिंगल सुपर फास्फेट तथा 100 ग्रा. म्यूरेट आफ पोटाश प्रति पौधा की आवश्यकता पड़ती है। सिंगल सुपर फास्फेट तथा म्यूरेट आफ पोटाश की आधी मात्रा एवं यूरिया की एक चौथई मात्रा कटाई छटाई के तुरन्त बाद जड़ों से 6 सेंमी. की दूरी पर गड्ढा खोदकर देनी चाहिए, बची हुई सिंगल सुपर फास्फेट व म्यूरेट आफ पोटाश की आधी मात्रा एवं यूरिया की एक चौथाई मात्रा वर्षा ऋतु के प्रारम्भ में जड़ों के चारों तरफ हल्की खुदाई करके डाल देनी चाहिए। इसी समय अच्छी प्रकार सड़ी हुई 3–4 कि.ग्रा. गोबर की खाद जड़ों के पास देना चाहिए। शेष यूरिया की मात्रा (10–12 ग्रा.) प्रत्येक बार फल तोड़ने के बाद जंड़ों के पास देना चाहिए। तीसरे और चौथे वर्ष ली जाने वाली फसल के लिए 80 ग्रा. यूरिया, 225 ग्रा. सिंगल सुपर फास्फेट तथा 40 ग्रा. म्यूरेट आफ पोटाश प्रति गड्ढा प्रति वर्ष देना चाहिए।

सिंचाई

कलमों को मुख्य खेत में लगाने के बाद शीघ्र ही एक सिंचाई कर देनी चाहिए। इसके बाद सिंचाई कितनी बार और कब करें, भूमि की किस्म और मौसम पर निर्भर करती है। जब तक कलमें स्थिर या स्थापित न हो जायें आवश्यकतानुसार सिंचाई करके जमीन को नम बनाये रखना आवश्यक होता है। जाड़ें के समय 15 से 20 दिन के अन्तराल पर और गर्मी के दिन में 6 से 7 दिन के अन्तराल पर सिंचाई करते

रहना चाहिए। इस बहुवर्षीय फसल की ड्रिप पद्धति से सिंचाई करने से 50% तक पानी की मात्रा को बचाया जा सकता है तथा इससे खरपतवार की बढ़वार भी कम होती है। खेत में जल निकास की उत्तम व्यवस्था करना आवश्यक है, जल निकासी न होने पर पौधों में जड़ गलन व उकठा रोग का प्रकोप तेजी से होता है।

अन्तः शस्य क्रियायें

पौधों की अच्छी वृद्धि और फलत के लिए समय से निकाई–गुड़ाई करके खेत से खरपतवारों को निकालते रहना चाहिए। गुड़ाई करने के बाद 20 ग्रा. यूरिया प्रत्येक थाले के आस–पास मिट्टी चढ़ा देने से पौधे की वनस्पतिक वृद्धि अच्छी होती है, जिसके फलस्वरूप उपज भी अधिक मिलती है। वर्षा ऋतु में लगातार बारिश हो रही हो तो खेत में ऐसा कार्य न करें जिससे पौधों की जड़ों को नुकसान हो। अच्छी पैदावार के लिए 40 ग्रा. यूरिया को 30 दिन के अन्तराल पर जून–जुलाई में टाप ड्रेसिंग के रूप में देते हैं। यही मात्रा प्रत्येक बार फल तोड़ने के बाद भी प्रयोग करना चाहिए।

कटाई–छँटाई

कुन्दरू की बेलों को मचान पर चढ़ाने हेतु मुख्य तेने से निकलने वाली शाखओं को समय समय पर काटते रहना चाहिए ताकि मचान पर बेल पहुँचने तक तना मजबूत हो जाये। इसके अतिरिक्त नवम्बर से जनवरी के बीच तापमान कम रहता है इसी समय बेंलों को खम्भों के शीर्श पर 45 से 60 सेंमी. लम्बी 2 या 3 शीखाएं छोड़कर शेष शाखाओं को मुख्य शाखाओं के पास तेज चाकू से काट देते हैं। इस कटाई के बाद मचान का भार पूरी तरह कम हो जाता है इसलिए इस समय ढीले पड़े मचान के तारों को कसने का काम करना चाहिए।

फल की तुड़ाई

प्राय 10 से 12 सप्ताह के बाद बेलों में फल आना शुरू हो जाते हैं जबकि दक्षिण और मध्य भारत में पूरे वर्ष फल आते रहते हैं। कुन्दरू प्रायः 8 से 10 महीने तक फलता है। पौधों पर फल लगने के 12–19 दिन बाद पूण विकसित किन्तु कोमल अवस्था में फलों की तुड़ाई की जाती है। प्रति एक दिन के अन्तराल पर फलों की तुड़ाई करनी चाहि इससे फल अधिक संख्या में लगते रहते है।

उपज

पहले वर्ष रोपित पौधों में मार्च–अप्रैल के महिने में फल आना शुरू होता है और मई से उपज मिलने लगती है और नवम्बर तक फलों की तुड़ाई आसानी से की जाती है। इस प्रकार कुन्दरू एक ऐसी फसल है जिसमें वर्ष 8 से 10 महीने तक लगातार उपज मिलती है लेकिन उपज का अधिंकाश भाग जुलाई से सितम्बर तक प्राप्त होता है। पूर्ण रूप से विकसित फलों की तुड़ाई समय से सप्ताह में 2 से 3 बार हरी अवस्था में ही करनी चाहिए, अन्यथा देर से तुड़ाई करने पर फल सख्त हो जाते हैं और उनका रंग पीला पड़ने लगता है पहले वर्ष इस फसल की औसतन उपज 200 कुन्तल प्रति हेक्टेयर तक प्राप्त होती है जो दूसरे व तीसरे वर्ष में 400 कुन्तल प्रति हेक्टेयर तक हो जाती है। मचान बनाकर खेती करने से 1000 कुन्तल प्रति हेक्टेयर तक उपज प्राप्त की जा सकती है।

द. करतोली एवं ककरोल

ककरोल : *मोमोर्डिका कोचिनचाइनन्सिस / मोमोर्डिका डायोका*

कुल : कुकुरबिटेश्सी

गुणसूत्र संख्या : 2 एन = 16

करतोली एवं ककरोल दोनो ही बहुवर्षीय जंगली सब्जी हैं। इसके मुलायम एवं कोमल फलों से स्वादिष्ट और पौष्टिक सब्जी बनती है। सब्जी के साथ–साथ इसके फलों को काटकर आचार के लिए भी प्रयोग किया जाता है। आयुर्वेदिक ग्रन्थों के अनुसार करतोली एवं ककरोल दोनो काफी रूचिकारक, कफ और पित्तनाशक हैं। इसके फल मधुर तथा गुल्म, शूल, पित्त, त्रिदोश, कफ, कुष्ट, खाँसी, प्रमेह, श्रांस, ज्वर लाल स्त्राव, अरूचि और ह्रदय पीड़ा को दूर करते हैं। इसके पत्ते रूचिकारक, वीर्यवर्द्धक, त्रिदोशनाशक व कृमि, ज्वर, क्षय, श्वांस, खाँसी, हिचकी एवं बवासीर में लाभप्रद है। इसके पौधे के जमीन के अन्दर बनने वाले कन्द को मधु के साथ प्रयोग करने पर मस्तिष्क रोगों के लिये हितकारी होता है। अधिक 'प्रोटीन' एवं विटामिन 'सी' से युक्त इस सब्जी की माँग बाजार में बहुत अधिक है लेकिन उपलब्धता कम रहती है। बाजार में फल को 15 से 20 रूपये प्रति कि.ग्रा. के दर से बेचा जाता है। करतोली एवं ककरोल दोनों में मूलभूत अन्तर पाये जाते हैं।

उन्नतशील किस्में

करतोली एवं ककरोल दोनों की उन्नतशील प्रजातियों का विकास अभी तक नहीं किया गया हैं। क्षेत्र विशेष में उपलब्ध स्थानीय किस्मों का चयन करके इसकी खेती की जा सकती है। केन्द्रीय बागवानी परीक्षण केन्द्र, भुवनेश्वर ने ककरोल की नीलाचल श्री नामक किस्म का विकास किया है। इसके एक अन्य प्रकार (टीजल गार्ड) की किस्म नीलाचल गौरव का भी विकास भुवनेश्वर में किया गया है। ककरोल की खेती जहाँ तहाँ छोटे स्तर पर की जाने लगी है लेकिन करतोली अभी तक पूर्णतया जंगली अवस्था में ही उगती है, वहाँ से तोड़कर लोग खाते हैं।

क्र. सं.	करतोली (मोमोर्डिका डायोका)	क्र. सं.	ककरोल (मोमोर्डिका कोचीन चाइनेन्सिस)
1	फल छोटे गोल एवं अण्डाकार होते हैं। फलों का व्यास 4 से 6 सेंमी. होता है।	1	फल बड़े एवं लम्बोतर एवं पीले रंग के होते हैं। फलो का व्यास 8 से 10 सेंमी. होता है।
2	फल पर बारीक घने रायें होते हैं।	2	फल पर विकसित मोटे रोयें होते हैं।
3	फलों का औसत वनज 10 ग्रा. से 15 ग्राम होता है।	3	फलों का औसत वनज 40 से 50 ग्रा. होता है।
4	फलों का पकाव अन्दर से बाहर की और होता है।	4	फलों का पकाव बहार से प्रारम्भ होता है।
5	पुष्प छोटे एवं हल्के पीले होते हैं। दलपुंज के आधार पर काले निशान नहीं होते है।	5	पुष्प बड़े सफेद से हल्के पीले होते हैं। दलपुंज के आधार पर तीन काले निशान होते हैं।
6	पुष्प सायंकाल खिलते हैं।	6	पुष्प सुबह खिलते हैं।
7	पौधे पर पत्तियाँ छोटी होती हैं।	7	पौधे पर पत्तियाँ बड़ी–बड़ी होती हैं।
8	कन्दिल जड़ें बनती हैं।	8	कन्दिल जड़े बनती हैं।
9	यह उड़िसा, बिहार, पश्चिम बंगाल, उत्तर प्रदेश, राजस्थान महाराष्ट्र एवं मध्यप्रदेश में पायी जाती है।	9	यह पश्चिम बंगाल, असम, अरूणाचल प्रदेश, मणिपुर, सिक्किम, उत्तर पश्चिम व पूर्वी हिमालय के क्षेत्रों में बहुतायत से पायी जाती हैं।
10	इसकी अभी व्यवसायिक खेती नहीं करते हैं।	10	इसकी व्यवसायिक खेती करते हैं।

जलवायु

करतोली एवं ककरोल दोनों ही आर्द्र एव गर्म जलवायु को पंसद करते हैं। ऐसे क्षेत्र जहाँ पर औसत तापमान 25 से 35^0 सेन्टीग्रड तथा वार्षिक वर्षा 150 से 250 सेंमी. तक होती है वहां पर इनकी खेती सफलतापूर्वक की जा सकती है। अच्छी वानस्पतिक वृद्धि एवं उपज के लिए 32 से 40^0 सेन्टीग्रेड औसत तापमान अच्छा पाया गया हैं। जिन क्षेत्रों में पाला पड़ता है वहाँ पर इनकी खेती करना संम्भव नहीं हैं। भारत के मैदानी क्षेत्र को इनकी खेती के लिए उत्तम पाया गया है। भूमि के उपर विस्तृत रूप से फैली हुई लतायें शीतकाल में प्रायः मर जाती हैं और शीतकाल समाप्त होते ही सुशुप्त भूमिगत जड़ो से नई शाखाएँ निकलनी प्रारम्भ करती हैं। यह प्ररोह आगे वृद्धि करके जून–जुलाई से फूल–फल धारण करने लगती हैं। लोगों का मानना है कि मई जून के महीने में जितनी ज्यादा लू चलेगी उस बनने वाले फल उतने ही स्वादिष्ट होते हैं। अधिक वर्षा का जल पौधों की जड़ों के पास एकत्र हो जाने से पौधा मर जाता है या पीला पड़कर कमजोर हो जाता है।

भूमि एंव भूमि की तैयारी

इनकी खेती विभित्र प्रकार की मृदाओं में की जा सकती है लेकिन बलुई दोमट एवं दोमट मिट्टी जिसमें जीवांश पर्याप्त मात्रा में हो इसकी खेती के लिए उत्तम मानी जाती है। मृदा पी.एच. मान 6 से 7 के बीच होना चाहिएं ढलुवा, जंगलों, खुले स्थानों एवं पहाड़ियों की मृदा में इसके पौधे खूब फलते फूलते हैं।

करतोली एवं ककरोल दोनों की जड़े काफी गहराई तक पहुँचकर पोषक तत्वों को प्राप्त करती है। अतः भूमि की तैयारी, इसकी खेती के लिए ज्यादा महत्तवपूर्ण है। प्राप्त करती हैं। प्रारम्भ में 2 से 3 बार मिट्टी पलटने वाले हलसे गहरी जुताई कर लेना चाहिए। बाद में मिट्टी भुरभुरी बनाने के लिए 3–4 बार देशी हल या कल्टीवेटर चलाया जाता हैं। पाटा चलाकर भूमि को समतल कर लेना चाहिए। खेत की तैयारी के समय पुरानी फसल के अवशेष, कंकड़ पत्थर इत्यादि निकाल देते हैं। और अन्तिम जुताई के समय 15 से 20 टन अच्छी प्रकार सड़ी हुई गोबर की खाद या कम्पोस्ट खेत में मिला देना चाहिए।

खाद एवं उर्वरक प्रयोग

अच्छी प्रकार खेत तैयार कर लेने के बाद जून जुलाई में नालियाँ तथा गड्ढे बनाना चाहिए। इसके लिए सामान्यतः 1.5 से 2.0 मीटर की दूरी पर नालियों का

निर्माण करते है। नालियों की गहराई लगभग 30 सेंमी. और चौड़ाई 40 से 50 सेंमी. रखते है। अब इन्ही नालियों पर 2 मीटर की दूरी पर 45 x 45 सेंमी. आकार के गड्ढे या थाले बना लेते हैं। इस प्रकार 1 हेक्टेयर क्षेत्रफल में 2500 पौध लगाने हेतु थाले बनाते हैं। प्रत्येक थाले में लगभग 4 कि.ग्रा. सड़ी गोबर की खाद, 100 ग्रा. नीम या अरण्डी की खली, 5 ग्रा. फ्यूराडान, 100 ग्रा. यूरिया, 200 ग्रा. सिंगल सुपर फास्फेट व 100 ग्रा. म्यूरेट आफ पोटाश जुलाई के महीने में प्रत्येक पौधें की जड़ के पास 20 ग्रा. यूरिया देकर मिट्टी चढ़ा देना चाहिए। प्रत्येक बार फल तोड़ने के बाद जड़ों के पास 20 ग्रा. यूरिया अवश्य देते रहना चाहिए। थोड़ी सी बालू एवं शेष मिट्टी को मिश्रित कर 10 सेंमी. की ऊँचाई तक थालों को भर देना चाहिए। इस प्रकार एक हेक्टेयर क्षेत्रफल के लिए 50 कि.ग्रा. नत्रजन, 40 कि.ग्रा. फास्फोरस व 60 कि.ग्रा. पोटाश की आवश्यकता पड़ती है।

कलम लगाने का समय : तैयार थालों में पौध लगाने का उत्तम समय जुन जुलाई या फरवरी मार्च का महिना होता है। इस समय फुटाव ज्यादा होता है और प्ररोह तेजी से विकास करते हैं।

पौध प्रवर्धन : करतोली एवं ककरोल का पौध प्रवर्धन बीज, भूमिगत कन्दों तथा लताओं की कलमों द्वारा किया जाता है।

बीज द्वारा प्रवर्धन : करतोली एवं ककरोल दोनों के फलों में बीज प्रचुर मात्रा में बनते हैं और इन बीजों में सुशुप्तावस्था नहीं होती है अर्थात तुरन्त पके फलों के बीज लगाने पर जमाव हो जाता है। बीज द्वारा पौध प्रसारण के लिए अगस्त से अक्टूबर तक लताओं पर पक कर पीले हुए फल (अन्दर का गुदा लाल हो गया हो) को एकत्र करते हैं फल से बीज निकालकर धुलाई कर लेते हैं और छायादार स्थान पर सुखा लेते हैं। बीज बोने के बाद लगभग 10 से 12 दिन में बीज का जमाव हो जाता है। औसतन एक हेक्टैअर क्षेत्रफल की बुआई के लिए 5 से 6 कि.ग्रा. बीज की आवश्यकता पड़ती है। बीज द्वारा प्रसारण करने पर कुछ परेशानियाँ भी आती हैं जैसे बीज बोने पर एकसार जमाव का न होना, खेत में नर एवं मादा पौधों का सही अनुपात में न होना, और पौधों का देर से फल धारण करना आदि। इस विधि से प्रसारण करने से उपज पर प्रतिकूल प्रभाव पड़ता है।

भूमिगत कन्दों द्वारा प्रवर्धन : करतोली एवं ककरोल से शीघ्र एवं अच्छी उपज प्राप्त करने के लिए भूमिगत कन्दों द्वारा प्रसारण की विधि अपनायी जाती है। करतोली के लिए 150 से 200 ग्रा. व ककरोल के लिए 200 से 250 ग्रा. वजन के भूमिगत कंद जो दो वर्ष या अधिक आयु के मादा व नर पौधों से लिए गये हों, को

अलग–अलग लगाना चाहिए। कन्दों से विकसित मादा पौध उसी वर्ष फल देना प्रारम्भ कर देती हैं। इस फसल की 2 से 3 वर्ष पुरानी जड़े कन्दिल हो जाती हैं और कन्दिल जड़ें बनने के कारण इन्हें अलग–अलग करके लगाते हैं। गड्ढे में कंद लगाने का सबसे उत्तम समय फरवरी–मार्च या जून–जुलाई का महीना हैं। वर्षा प्रारम्भ होने के बाद (रोहणी नक्षत्र) भूमि गत कन्दों की आवश्यकता पड़ती है।

लताओं के कर्तन द्वारा प्रवर्धन : चूँकि भूमिगत कन्द अधिक मात्रा में उपलब्ध नहीं रहते हैं अतः विस्तृत पैमाने पर इसकी खेती सम्भव नहीं हो पा रही है। अतः इस कमी को दूर करने के लिए लताओं के कर्तन द्वारा प्रसारण करना चाहिए। इसके लिए 2 से 3 माह पुरानी अपेक्षाकृत गहरे रंग की लताओं के कड़े भाग से 4 से 5 गाँठ वाली 20 से 25 सेंमी. लम्बी कलमें मादा व नर पौधे से काटकर सेराडिक्स बी पाउडर के घोल में डुबा कर 2 से 3 मिनट बाद बाहर निकाल लेते हैं। इन कलमों को भूमि में 10 सेंमी. ऊँची क्यारियों में या 6'' x 4'' की थैलियों में जिनमें 50% गोबर की सड़ी खाद 50% मिट्टी और बालू का मिश्रण भरा हो, लगाते हैं। नर्सरी छायादार स्थान में ही लगानी चाहिए। कर्तन से प्रसारण करने के लिए जुलाई–अगस्त का महीना उत्तम माना जाता है। कर्तन लगाने के बाद फुंहारे से प्रतिदिन हल्की सिंचाई करते रहना चाहिए जिससे कर्तन सूखने न पायें। इस प्रकार कर्तनों में 15 से 20 दिन के अन्दर जड़े व कोमल पत्तियाँ आ जाती हैं। लगभग 50 से 60 दिन बाद जड़ सहित कर्तनो की खुदाई करके मुख्य खेत में बने गढ़ढे में लगाना चाहिए। प्लास्टिक की थैलियों में तैयार पौधों को मुख्य खेत में रोपण करने के 3 से 4 दिन पहले थैलियों को सिंचाई अवश्य कर देनी चाहिए। उसके बाद तेज चाकू के सहारे प्लासटिक की थैलियों को फाड़कर अलग कर लेते हैं। और मिट्टी के पिंड के साथ पौध रोपण करते हैं।

नर व मादा पौधों का अनुपात तथा परागण : करतोली व ककरोल दोनों में ही नर व मादा पुष्प अलग–अलग पौध पर बनते हैं। अतः सार्थक परागण व अधिक उपज के लिए नर व मादा पौधों का सही अनुपात में लगाया जाना आवश्यक हैं। इसके लिए 10 मादा पौधों पर एक नर पौध का अनुपात (10:1) उत्तम पाया गया है। पौधों पर पुष्प व फल देखकर नर व मादा पौधों की पहचान की जाती है और इसी आधार पर भूमिगत कन्दों या लता की कर्तनों को तैयार करने हेतु चुनाव करते हैं। पौधो पर फल ज्यादा बनाना इस बात पर निर्भर करता है कि पुष्पो में सार्थक परागण कितना हो पाया है। कभी कभी परागण का कार्य हाथो से भी किया जाता है। चूँकि करतोली के पुष्प काफी छोटे होते हैं अतः इसमें हस्तपरागण सम्भव नहीं हो पाता है लेकिन ककरोल में हस्तपरागण करने से 30 से 35% तक अधिक उपज

पायी गयी है। ककरोल के पुष्प बड़े होते हैं अतः इसमें हस्तपरागण की प्रक्रिया काफी आसानी से साँयकाल की जा सकती है।

सिंचाई एवं जल निकास

करतोली व ककरोल दोनो ही जंगलों की ढलुवा जमीन पर असिंचित अवस्था में उगते रहते हैं लेकिन जब खेती के रूप में उपज प्राप्त करने की बात आती है तो सिंचाई व जल निकास काफी महत्पूर्ण घटक बन जाते हैं। ग्रीष्म काल में विकसित पौधों को समय से पानी देना बहुत ही आवश्यक है। अन्यथा पौधों का विकास रूक जाता है और फल छोटे–छोटे बीज वाले बनते हैं। अतः ग्रीश्म काल मे साधारणतया 6 से 10 दिन के अन्तराल पर सिंचाई करते रहना चाहिए। वर्षा के दिन में अगर वर्षा समय से हो रही हो तो सिंचाई की विशेष आवश्यकता नहीं पड़ती है। भूमिगत कन्दों या कर्तनों के रोपण के बाद 4 से 5 दिन तक लगातार सिंचाई करते रहना चाहिए जिससे पौधे अच्छी प्रकार स्थिर या स्थापित हो जायें। सिंचाई व वर्षा का अधिक जल जब पौधों की जड़ों के पास लग जाता है तब पौधे पीले पड़कर मरने लगते हैं। अतः थालों को काफी ऊँचा व चौड़ी नालियों को बनाकर पानी तुरन्त निकाल देना चाहिए। ज्यादा पानी लगने से कन्द भी सड़ने लगते हैं। और पौधे सूख जाते हैं।

अन्तः शस्य क्रियायें

प्रारम्भिक अवस्था में 2 से 3 बार निकाई गुड़ाई करना अति आवश्यक है जिससे मिट्टी भुरभुरी हो जाये और जड़े तेजी से विकास करें। इस सब्जी में अगर जड़ों में वायु का संचार अच्छा होता है तो उपज बहुत ज्यादा मिलती है। जब पौधा बढ़कर मचान पर फैलने लगता है तो गुड़ाई करके जड़ों के पास मिट्टी चढ़ा देते है। जिससे खरपतवार मर जायें।

मचान बनाना व पौधों को सहारा देना : करतोली व ककरोल की खेती मचान बनाये बिना करना बिल्कुल सम्भव नहीं हैं। प्राकृतिक अवस्था में इनके पौधे झाड़ियों या छोटे पेड़ों जैसे बेर व करौदा आदि पर चढ़कर खूब फलते हैं। प्रयोगों में यह पाया गया है कि जब पौधों को जमीन पर रेंगकर फैलने के लिए छोड़ दिया गया तो उन पर फलत कम आयी और फलों की गुणवत्ता भी अच्छी नहीं थी। अतः अधिक उपज प्राप्त करने के लिए लम्बे एवं कोमल बेलों को मचान पर चढ़ाकर खेती करना चाहिए। इसके लिए बांस के मचान उत्तम माने जाते हैं मचान बनाने के लिए बाँस की ऊँचाई 4.5 फीट जमीन के सतह से उपर रखते हैं। और जमीन के अन्दर

1.5 फीट गहराई दूरी पर गाड़ देते हैं। जमीन पर दो सामानान्तर बाँस रखते हैं। इन बाँसों को सुविधानुसार 15 से 20 फीट की मजबूती देने के लिए छोटे–छोटे खूंटें गाड़कर लोहे के तार से कस देते हैं। अब 30 से 40 सेंमी. लम्बे व कोमल बेलों को रस्सियों के सहारे मचान तक ले जाते हें। और उपर फैलने देते हैं। अगर जमीन की सतह से कोई शाखा निकल रही हो तो उसे काट देते हैं।

फलों की तुड़ाई

करतोली एंव ककरोल में मुख्य खेत में रोपण के 50 से 60 दिन बाद फूल आने प्रारम्भ हो जाते हैं। पौधे के आधार से 8 से 10 गाँठों को छोड़कर प्रत्येक गाठों पर फल बनते हैं। पुष्प आने के 30 से 35 दिनों बाद हरे कोमल फल तुड़ाई के योग्य हो जाते हैं। अगर पौधे पर 2 से 3 दिन से ज्यादा समय के लिए फलों को छोड़ दिया जाये तो वे कड़े हो जाते हैं क्योकि फल के बीज पकने लगते हैं। अतः सप्ताह में कम से कम दो बार तुड़ाई अवश्य करनी चाहिए। खाने योग्य स्थिति में 5 से 10 दिन बाद फल पीले पड़ने लगते हैं और खाने योग्य नहीं रहते हैं। प्रत्येक पौध पर 100 से 125 फल लगते हैं। फलों की तुड़ाई जुलाई से अक्टूबर तक की जाती है।

उपज

करतोली की उपज 100 से 120 कुन्तल व ककरोल की 175 से 200 कुन्तल प्रति हेक्टेयर तक प्राप्त होती है।

कद्दूवर्गीय सब्जियों के प्रमुख रोग एवं कीट प्रबंधन

अ. प्रमुख रोग

चूर्णील असिता : यह विशेष रूप से कद्दु और में लौकी में लगने वाला सामान्य रोग है। प्रारम्भिक लक्षण पत्तियों और तनों की सतह पर सफेद या धुँधले धब्बों के रूप में दिखाई देता है। कुछ दिनों के बाद ये धब्बे चूर्णयुक्त हो जाते हैं। सफेद चूर्णी पदार्थ अंत में समूचे पौधे की सतह को ढंक लेता है। उग्र आक्रमण के कारण पौधे का असमय ही निशपत्रण हो जाता है। इसके कारण फलों का आकार छोटा रह जाता है।

नियंत्रण : इस रोग की रोकथाम के लिए निम्न उपाय काम में लाना चाहिए। खेत की स्वच्छता इस रोग की रोकथाम का प्रमुख उपाय है। रोग ग्रसित फसल के अवशेष इकट्ठा करके खेत में ही जला देना चाहिए। बोने के लिए रोग रोधी

किस्मों का चयन करें। फफूँदी नाशक दवा जैसे कैलिक्सीन 0.50% अर्थात 1/2 मि.ली. दवा एक लीटर पानी में घोल बनाकर सात दिन के अन्तराल पर छिड़काव करें। इस दवा के उपलब्ध न होने पर टोपाज 0.05% पानी में घोल बनाकर दस दिन के अन्तराल में छिड़काव करें।

मृदुरोमिल आसिता : यह मुख्यतः तोरी, लौकी और करेला पर पायी जाती है। यह रोग वर्षा ऋतु के उपरान्त जब तापमान 20–22^0 सेन्टीग्रेड होता है, तेजी से फैलता है। उत्तरी भारत में इस रोग का प्रकोप अधिक है। इस रोग के मुख्य लक्षण पत्तियों पर कोणीय धब्बे जो शिराओं द्वारा सीमित होते हैं। ये पत्ती के ऊपरी पृश्ठ पर पीले रंग के होते हैं। अधिक आर्द्रता की उपस्थिति में इन भागों के नीचे पत्ती की निचली सतह पर मृदुरोमिल कवक की वृद्धि दिखाई देती है।

नियंत्रण : इस रोग के रोकथाम के लिए निम्न उपाय प्रयोग में लाने चाहिए।

- बोने के लिए रोग रोधी किस्मों का प्रयोग करना चाहिए।
- बीजों को एप्रोन नामक कवकनाशी 2 ग्रा. दवा प्रति कि.ग्रा. बीज दर से उपचारित करके बोना चाहिए।
- रिडोमिल एम.जेड. दवा का 0.2% घोल बनाकर छिड़काव करना चाहिए।
- पूरी तरह रोग ग्रस्त लताओं को निकाल कर जला देना चाहिए।

मूल ग्रन्थि रोग : यह रोग गोलकृमि (सूत्रकृमि) के जड़ों पर आक्रमण से होता है। यह मुख्यतया कद्दू कुल के पौधों में बहुत अधिक पाया जाता है। इसके संक्रमण से पौधों का विकास रूक जाता है। पत्तियाँ कुछ पीले, रंग की हो जाती हैं। मुख्य तथा पार्श्व जड़ों पर गोलकार ग्रन्थियाँ बन जाती है। रोगग्रस्त पौधों में फल बहुत कम लगते हैं।

नियंत्रण : इस रोग की रोकथाम के लिए रसायनिक दवाओं का प्रयोग काफी खर्चीला पड़ता है। अतः निम्न उपाय करना चाहिए।

- रोग प्रतिरोधी जातियों को लगाना चाहिए।
- धान के साथ इन सब्जियों का फसल चक्र अपनाना चाहिए।
- खेत में 25 कुन्तल की दर से नीम की खली या अरंडी की खली मिलानी चाहिए।

- मिट्टी में बहुत अधिक सूत्रकृमि का प्रकोप हो जाने पर नेमागोन नामक दवा 12 कि.ग्रा. प्रति हेक्टेयर मृदा धूमक के रूप में प्रयोग करना चाहिए।

म्लानि रोग एवं जड़ विगलन रोग : यह आमतौर पर खीरा तथा खरबूजा में पाया जाता है। बीज पत्र सड़ने लगता है। बीज पत्र तथा नए पत्ते हल्के पीले होकर मरने लगते हैं। रोग ग्रसित पत्तियाँ एवं पूरा पौधा मुरझा जाता है। नई पौध का तना अन्दर हल्के पीले होकर मरने लगते हैं। रोग ग्रसित पत्तियाँ एवं पूरा पौधा मुरझा जाता है। नए पौधे का तना अन्दर की तरफ भूरा होकर सड़ जाता है। पौधे की जड़ भी सड़ जाती है जिसके कारण पौध धीरे–धीरे सूख जाता है।

नियंत्रण : इसके नियंत्रण के लिए निम्न प्रयास करें।

- रोग ग्रसित पौधों को खेत से निकालकर जला देना चाहिए।
- बीज को बाविस्टिन या बेनलेट 2 ग्रा. दवा प्रति किलो बीज की दर से उपचारित करके बोना चाहिए।
- धान एवं मक्का के साथ 4–5 साल तक का फसल चक्र अपनाना चाहिए।

फल विगलन रोग : यह रोग प्रत्येक स्थान प्रत्येक खेत में पाया जाता है। मुख्य रूप से घीयातोरी, चिचिण्डा, परवल, लौकी एवं करेला के फलों पर कवक की अत्यधिक वृद्धि हो जाने से फल सड़ने लगता है। धरातल पर पड़े फलों का छिलका नरम, गहरे हरे रंग का हो जाता है। आर्द्र वायुमण्डल में इस सड़े हुए भाग पर रूई के समान घने कवकजाल विकसित हो जाते हैं। भाण्डारण और परिवहन के समय भी फलों में यह रोग फैलता है।

नियंत्रण : इसके रोकथाम के लिए निम्न व्यवस्था सुनिश्चित करें।

- खेत में उचित जल निकास व्यवस्था करें।
- फलों को भूमि के स्पर्श से बचाने का प्रयत्न करना चाहिए।
- भण्डारण एवं परिवहन के समय फलों में चोट लगने से बचाएं तथा हवादार एवं खुली जगह पर रखें।

रूक्ष रोग (एन्थ्रेक्नोज) : पत्तियों पर भूरे अथवा हल्के रंग के धब्बे पाये जाते हैं। पत्तियां सिकुड़ कर सुख जाती हैं। ये धब्बे तने तथा फलों पर भी जाये जाते हैं।

नियंत्रण : इसके रोकथाम के लिए निम्नलिखित प्रयास करें।

- बीजों को बाविस्टिन 2.5 ग्रा. दवा प्रति किलो बीज की दर से उपचारित करके बोना चाहिए।
- खेत में रोग के लक्षण शुरू होने पर डायथेन एम.–45 का 3 ग्रा. प्रति लीटर पानी अथवा बाविस्टिन 1 ग्रा. प्रति लीटर पानी का घोल 10 दिन के अन्तराल पर छिड़काव करना चाहिए।
- रोग रोधी किस्मों को ही लगना चाहिए।

खीरा मोजैक वाइरस : यह रोग विशेषकर नई पत्तियों में चितकबरापन और सिकुड़न के रूप में प्रकट होता है। पत्तियाँ छोटी एवं हरी–पीली हो जाती हैं और उनकी वृद्धि रूक जाती है। इसके आक्रमण से पर्ण छोटे और पुष्प छोटे पत्तियों में बदले हुए दिखाई पड़तें हैं। कुछ पुष्प गुच्दों में बदल जाते हैं। ग्रसित पौधा बौना रह जाता है और उसमें फलत बिल्कुल नहीं होती है। इस प्रकार की समस्या लगभग सभी कद्दू वर्गीय सब्जियों में आती है।

नियंत्रण : इस रोग की रोकथाम के लिए कोई प्रभावी उपाय नहीं है। लेकिन निम्न उपायों के द्वारा इसको काफी कम किया जा सकता है।

- खेत में से रोग ग्रस्त पौधों को उखाड़ कर जला देना चाहिए।
- खेत के आस–पास से जंगली खीरा एवं इस कुल के अन्य खरपतवारों का उन्मूलन कर देना चाहिए।
- रोगरोधी किस्मों का चयन करना चाहिए।
- रोग वाहक कीटों से बचाव करने के लिए मैलाथियान 0.1% का घोल बनाकर दस दिन के अन्तराल में 2–3 छिड़काव करें।

कुम्हड़ा का पीत शिरा मोजैक : इस रोग में पहले नई पत्तियों की शिराएं पीली हो जाती हैं तथा बाद पूरी पत्तियां पीली हो जाती हैं। पत्तियाँ छोटी तथा फल अनियमित आकार के हो जाते हैं।

नियंत्रण : इसके रोकथाम के लिए निम्न प्रयास करें।

- उचित फसल चक्र अपनाएं।
- स्वस्थ पौधों के बीजों से बुआई करनी चाहिए।

- सभी ग्रसित पौधों को उखाड़कर नष्ट कर देना चाहिए।
- डाइमेथोएट (0.05%) को 10 दिनों के बाद ही फलों की तुड़ाई करनी चाहिए। अच्छा यह होगा कि छिड़काव, फलों की तुड़ाई के बाद ही करें।

ब. प्रमुख कीट

कद्दू वर्गीय सब्जियों के प्रमुख कीट एवं उनका नियन्त्रण : कद्दू वर्गीय फसलें जैसी लौकी, कुम्हाड़ा, करेला, पेठा, नेनुआ, टिण्डा, चिचिन्डा, परवल, ककड़ी, खीरा, तरबूज, खरबूज इत्यादि हमारे देश के बहुत से क्षेत्रों में प्रायः गर्मी एवं वर्षा के मौसम में उगायी जाती हैं। विभित्र प्रकार के कीट इन सब्जियों की विभित्र अवस्थाओं पर हानि पहुँचाते हैं। लेकिन कद्दू का लाल कीट, फल मक्खी, एपीलेक्ना वीटिला, स्टींग बग, माँहू और फ्ली बीटिल मुख्य हैं। इन कीटों का विस्तृत वर्णन नीचे दिया जा रहा है।

कद्दू का लाल कीट (रेड पम्पकिन बिटिल) : प्रौढ़ कीट 5–8 मि.मी. लम्बा होता है। कीट के उपर हिस्सा नारंगी, लाल तथा नीचे का हिस्सा काला होता है और छोटे–छोटे सफेद बालों से ढ़का रहता है। ये कीड़े जनवरी से मार्च के महीनों में सबसे अधिक सक्रिय होते हैं। अक्टूबर तक खेत में इस कीड़े का प्रकोप रहता है। और विभित्र फसलों को क्षति पहुँचाते रहते हैं। इस कीट के प्रौढ़ और ग्रब (इल्ली) पौधों को नुकसान पहुँचाती हैं। फसलों के बीज पत्र अवस्था इन कीटों के आक्रमण के लिए सबसे अनुकुल हैं। प्रौढ़ कीट विशेषकर मुलायम पत्तियां अधिक पसन्द करते हैं। अधिक आक्रमण होने से पौध पत्ती रहित हो जाते हैं और मर जाते हैं। ग्रब (इल्ली) पौधों की जड़ पर आक्रमण कर उनमें छेद कर देती है। नये एवं छोटे पौधे आक्रमण के कारण मर जाते हैं। जबकि पुराने एवं बड़े पौधे पीले पड़ जाते हैं और उनकी बढ़वार रूक जाती है।

यह कीड़ा नवम्बर से फरवरी की अवधि को छोड़कर पूरे साल सक्रिय रहता है तथा एक वर्ष में अपना जीवन चक्र करीब पाँच बार पुरा करता है।

नियंत्रण : फसल काटने के बाद फसल अवशेषों को हटाकर अच्छी तरह से जला देना चाहिए और खेत की अच्छी तरह जुताई करनी चाहिए। सुबह के समय प्रौढ़ अधिक सक्रिय नहीं होता अतः प्रौढ़ का हाथ से पकड़कर मार देना चाहिए। सुबह ओस पड़ने के समय राख का बुरकाव करने से भी प्रौढ़ पौधे पर नहीं बैठते हैं। जिससे नुकसान कम होता है। प्रकोप के समय इस कीट को नियन्त्रिण करने के लिए मैलाथियान चूर्ण 5% या कार्बारिल 5% के 25 कि.ग्रा. प्रति हेक्टेयर चूर्ण

को राख में मिलाकर सुबह पौधों पर बुरकना चाहिए या मैलाथियान 50 ई.सी. या कार्बरिल 50% घुलनशील चूर्ण का 0.1% घोल (2 ग्रा. प्रति लीटर पानी) का 15 दिन के अन्तर पर छिड़काव करना चाहिए।

फल मक्खी : प्रौढ़ मक्खी गहरे भूरे रंग की होती है। जिसके सिर पर काले और सफेद धब्बे होते हैं। मक्खी की लम्बाई 4–6 मि.मी. एवं चौड़ाई 7 मि.मी. होती है। मैगट (गिडार) मक्खन के रंग का होता है। पूर्ण विकसित मैगट की लम्बाई 10 से 12 मि.मी. होता है। प्रौढ़ मादा छोटे, मुलायम फलों के छिलके के अन्दर अण्डा देना पसन्त करती है। अन्डे से मैगट निकलती हैं जो फलों के गूदे को खाकर सड़ा देती हैं। ग्रसित फल सड़ जाते हैं। और नीचे गिर जाते है। अप्रत्यक्ष रूप से फल विकृत और छोटे हो जाते हैं। यह कीट एक साल में 7–10 बार अपना जीवन चक्र पूरा करता है।

नियंत्रण : प्रभावित फलों से गिडार नष्ट कर देना चाहिए। पौधे के आस–पास की जमीन की खुदाई जनवरी–फरवरी में करने से मक्खी की सन्तति ऊपर आ जाती हैं और तेज धूप में नष्ट हो जाती हैं। प्रलोभन (1 किलो गुड़ + 10 लीटर पानी + 20 मि.ली. मैलाथियान 50 ई.सी) कई जगहों पर रखने पर या पौधों पर छिड़काव करने पर प्रौढ़ आकर्षित होते हैं। और प्रलोभन खाकर मर जाते हैं। मैलाथियान 50 ई.सी. का 0.05% घोल (1 मि.ली.) या सेवीमॉल 0.05% घोल (1 मि. ली. प्रति लीटर) छिड़काव करना चाहिए।

माँहू : यह बहुत छोटा कीट है जो पीलापन लिये हुये हरा या काले रंग का होता है। और अधिकतर बढ़ने वाले भाग या पत्तियों पर पाया जाता है। यह पंखहीन या पंख वाले दोनों तरह के होते हैं। निम्न एवं प्रौढ़ दोनों पत्तियों का रस चूसते हैं। प्रभावित पत्तियाँ या अन्य भाग पीले पड़ जाते हैं और सूख जाते हैं। यह कीट अपने शरीर से पत्तियों पर मीठा पदार्थ (मधु) छोड़ता है जिससे पत्तियों पर काली फफूँद उग आती है। यह कीट विषाणु रोग फैलाकर अप्रत्यक्ष रूप से हानि पहुँचाता है।

नियंत्रण : आक्रमण होते ही मैलाथियान 0.05% या इनडोसल्फान (0.07%) का 800 लीटर घोल बनाकर प्रति हेक्टेयर छिड़काव करना चाहिए।

एपिलेकना बीटल : प्रौढ़ भृंग गुलाबी भूरें रंग के उपर से अर्द्ध चन्द्रकार होती है। जिसके पृष्ठ भाग पर काले धब्बे होते हैं। ग्रब (ईल्ली) मुलायम एवं रंग में पीली जो बहुत सुस्त होती हैं। ईल्ली के शरीर पर मजबूत रोंये पाये जाते हैं। प्रौढ़ एवं

ईल्ली दोनों पत्तियों को खाती हैं। लेकिन पत्तियों की शिराओं को छोड़ देती हैं। कीट एक साल में 6 बार अपना जीवन चक्र पुरा करता है।

नियंत्रण : पत्तियों पर दिये गये अण्डे एकत्र कर नष्ट कर देने चाहिए। मैलाथियान चूर्ण 5% या कार्बरिल चूर्ण 5%, 25 कि.ग्रा. प्रति हेक्टेयर राख में मिलाकर बुरकाव करना चाहिए।

स्टींग बग : यह बड़े आकार का लगभग एक मि.मी. लम्बा होता है। वक्ष पर पंख के आधार के पास चमकीला गहरा लाल तथा पंख का अन्तिम पिछला हिस्सा काला होता है। निम्फ और प्रौढ दोनों पौधों का रस चूसते हैं। जिसके फल स्वरूप पौधे कमजोर एवं पीले होकर मर जाते हैं या प्रभावित पौधों पर फल कम लगते हैं।

नियंत्रण : निम्फ, प्रौढ़ और अंडो को एकत्र कर नष्ट कर देना चाहिए। मैलाथियान चूर्ण 5% या कार्बरिल 5% चूर्ण का बुरकाव, 25 कि.ग्रा. प्रति हेक्टेयर के दर से करना चाहिए। मैलाथियान (0.05%) का घोल 625 लीटर प्रति हेक्टेयर की दर से छिड़काव करना चाहिए।

23. आलू

वानस्पतिक नाम : *सोलेनम टयूबरोसम*

कुल : सोलेनेसी

क्रोमोजोम नं. : 2 एन = 48

आलू सब्जियों का राजा कहा जाता है। आलू का उपयोग लगभग सभी परिवार में किसी न किसी रूप में किया जाता है। विश्व में आलू से सबसे ज्यादा व्यंजन बनाये जाते हैं। इसमें स्टार्च, प्रोटीन, विटामिन सी और खनिज लवण प्रचुर मात्रा में पाये जाते हैं। यदि किसान सावधानी पूर्वक इसकी खेती करें तो इसकी अच्छी उपज मिलती है।

उन्नतशील किस्में

केन्द्रीय आलू अनुसंधान संस्थान, शिमला तथा उनके प्रादेशिक केन्द्रों द्वारा आलू की अनेक किस्में विकसित की गयी हैं। सब्जी के लिए तथा प्रसंस्करण के लिए अलग–अलग प्रकार की किस्मों का विकास किया गया है।

सफेद छिलके वाली किस्में : कुफरी अशोका 60 से 80 दिन में तैयार होने वाली किस्म है। कुफरी चन्द्रमुखी, कुफरी जवाहर 80 से 90 दिन में तैयार होने

वाली किस्में हैं। कुफरी बादशाह, कुफरी बहार, कुफरी सतलज, कुफरी पुखराज, 90 से 100 दिन में तैयार होने वाली किस्में हैं।

लाल छिलके वाली किस्में : कुफरी लालिम यह 90 से 100 दिन में तैयार होने वाली किस्म हैं जबकि कुफरी कंचन 110–115 दिन में तैयार होती है।

चिप्स बनाने के लिए उपयुक्त किस्में : साधारणतया सफेद आलू से चिप्स बनाये जाते हैं। आलू अनुसंधान संस्थान शिमला से तीन नई किस्मों की संस्तुति की गई है जो चिप्स बनाने के लिए बहुत प्योगी हैं। इन किस्मों में शुष्क पदार्थ ज्यादा पाया जाता है जिससे तलने में तेल की बचत होती है। कुफरी चिपसोना–1, कुफरी चिपसोना–2 किस्में 100 दिन में तैयार हो जाती हैं जबकि कुफरी आनन्द किस्म 100–110 दिन में तैयार होती है।

जलवायु

उत्तरी भारत में आलू शीतकालीन फसल है। आलू में फुटाव और शुरू की बढ़वार के लिए 22 से 24^0 सेन्टीग्रेड तापक्रम की आवश्यकता होती है। कन्द बनने के लिये 18–20^0 सेन्टीग्रेड तापक्रम उपयुक्त होता है। यदि 20^0 सेन्टीग्रेड से तापमान बढ़ता है तो आलू की उपज में गिरावट आती है जो बढ़ते तापक्रम के अनुसार बढ़ती ही जाती है। रात का तापमान 18^0 सेन्टीग्रेड से कम होने पर भी उपज में गिरावट आती है।

भूमि एवं भूमि की तैयारी

आलू की अच्छी उपज के लिये दोमट या बलुई दोमट मिट्टी जिसमें जीवांश की प्रचुर मात्रा हो अच्छी पायी गई है। मृदा का पी एच मान 6 से 7 के बीच अच्छा माना जाता है। तीन चार गहरी जुताई कर के मिट्टी अच्छी तरह भुरभुरी बना लेते हैं। यदि खेत समतल न हो तो समतल कर लेते हैं।

फसल की बुआई

सिंचाई की सुविधा के अनुसार खेत को छोटे–छोटे टुकड़ों में विभक्त कर के सिंचाई की नालियां बना लेते हैं। आलू बोने के लिए किसान कई तरीके अपनाते हैं। साधरणतः कुदाल से (50 से 60 सेंमी.) कतार से कतार की दूरी पर कम गहरे कूड़ बना कर उसमें 15 से 20 सेंमी. की दूरी पर आलू बो देते हैं और उनके ऊपर मेड़ चढ़ा दी जाती है। दूसरे तरीके में पहले मेड़ बना ली जाती हैं और उसके बाद इन मेड़ों में आलू गाड़ दिये जाते हैं। तीसरे तरीके में पौध से पौध की दूरी पर कतारों में आलू रख देते हैं और उसके ऊपर मेड़ चढ़ा दी जाती है। पंजाब में बड़े

किसान ट्रैक्टर में आलू बाने वाले यन्त्र लगा कर खाद डालने और आलू बोने का कार्य करते हैं।

बुआई की दूरी

कतार से कतार 50 से 60 सेंमी. और पौध से पौध 15 से 20 सेंमी. रखते हैं।

बीज की मात्रा

जहाँ तक सम्भव हो आलू को बिना काटे लगायें। इसके लिये 24 से 30 ग्रा. वजन के कन्दों की आवश्यकता पड़ती है। एक हेक्टेअर आलू की फसल लगाने के लिये लगभग 20 से 30 कुन्तल, आलू के बीज की आवश्यकता होती है। बीज का वजन 20 से 25 ग्रा. से कम नहीं होना चाहिए और उनमें दो स्वस्थ आंखें भी हों। आलू में जब अंकुर निकल जाये या निकलना शुरू कर दें तभी उनकी बुआई करनी चाहिए।

बुआई का समय

अगेती फसल के लिए बुआई वर्षा के समाप्त होते ही लगभग 15 सितम्बर से शुरू हो जाती है लेकिन मुख्य फसल की बुआई पंजाब, हरियाणा और पश्चिमी उत्तर प्रदेश में अक्टूबर के प्रथम पखवाड़े में करते हैं। उत्तर प्रदेश के मध्य भाग और मध्य प्रदेश में अक्टूबर के तीसरे सप्ताह में और पूर्वी उत्तर प्रदेश, बिहार और बंगाल में बुआई का उपयुक्त समय 24 अक्टूबर से 10 नवम्बर है।

खाद एवं उर्वरक

बुआई के 3–4 सप्ताह पूर्व 20 से 25 टन सड़ी हुई गोबर की खाद प्रति हेक्टेयर खेत में डालकर अच्छी तरह मिला देनी चाहिए। इसके अलावा खेत में उर्वरता के अनुसार 120 से 150 कि.ग्रा. नाइट्रोजन, 50 कि.ग्रा. फास्फोरस और 60 कि.ग्रा. पोटाश की प्रति हेक्टेअर आवश्यकता पड़ती है। फास्फोरस, पोटाश की पूरी मात्रा और नाइट्रोजन की आधी मात्रा आपस में मिलाकर बुआई के पहले खेत में डालें। शेष नाइट्रोजन की मात्रा बुआई के लगभग 25 से 30 दिन बाद टापड्रेसिंग के रूप में दें।

अन्तः शस्य क्रियायें

यदि आलू में किसान मिट्टी चढ़ाते हैं तो बुआई के लगभग 25 दिन बाद एक निकाई–गुड़ाई कर के फसल में मेड़ चढ़ा दें। यदि किसान बुआई के समय पूरी

मिट्टी मेंड़ों के ऊपर रख देते हैं तो एक या दो निकाई हाथ से करनी पड़ती है। यदि कोई आलू ऊपर से दिखता हो तो उसके ऊपर मिट्टी चढ़ायें नहीं तो आलू हरा हो जायेगा। आलू में रासायनिक खरपतवार नाशी का प्रयोग सुगमता पूर्वक कर सकते हैं। स्टाम्प की 3.3 लीटर मात्रा 1000 लीटर पानी में घोलकर बुआई के लगभग दो या तीन दिन बाद अच्छी प्रकार खेत में छिड़क दें। इसके अलावा मेट्रीब्यूजिन (सिंकोर) एक लीटर सक्रीय तत्व को 1000 लीटर पानी में घोलकर बुआई के 4–5 दिन बाद लेकिन खरपतवार निकलने के पहले (प्रीइमरजेन्स) छिड़काव करें।

सिंचाई

आलू खेत का पलेवा करके बोना चाहिये। आलू बोने के लगभग 7–10 दिन के बाद हल्की सिंचाई कर देनी चाहिये। बाद की सिंचाईयाँ बलुई मिट्टी में लगभग 10 दिन और दोमट भूमि में लगभग 12 से 15 दिन के अन्तर पर करना चाहिये। सिंचाई हमेंशा आधी मेड़ तक ही करें और आलू की मेड़ कभी न डूबने पाए अन्यथा उपज पर प्रतिकूल प्रभाव पड़ता है। खुदाई के लगभग 10–12 दिन पूर्व सिंचाई बन्द कर देते हैं।

खुदाई

किसान कच्चे और पके दोनों ही तरह के आलू खोदते हैं। कच्चे आलू बुआई के लगभग 70 दिन बाद खोदे जा सकते हैं। इसके लिये कुफरी चन्द्रमुखी और कुफरी अशोका उत्तम किस्में हैं। किसान आलू खोदकर शीघ्र बाजार में बेच देते हैं। और उसी खेत में कोई दूसरी फसल लगाते हैं। भण्डारण करने के लिए हमेशा परिपक्व होने के बाद खुदाई करते हैं। इसके लिये जब आलू परिपक्व हो जाय तो खुदाई के 10 दिन पहले सिंचाई बन्द कर देते हैं जिससे छिल्का सख्त हो जाता है। खुदाई के एक सप्ताह पहले आलू के ऊपर का तना काट देना चाहिये जिससे कीड़े नहीं लगते और छिल्का सख्त होने में आसानी रहती है। इस प्रक्रिया को 'हाल्मिंग' कहते हैं। मुख्य रूप से आलू की खुदाई कुदाल से करते हैं। कभी–कभी किसान बैलों से देशी हल चलाकर खुदाई कर लेते हैं। लेकिन इसमें अधिक आलू खेत में छूट जाते हैं। आजकल बड़े किसान ट्रैक्टर में आलू खोदने वाला यन्त्र लगाकर आलू की खुदाई करते हैं। बैलों से खींचने वाले खुदाई के यन्त्र से आलू की खुदाई की जा सकती है।

प्रमुख रोग एवं कीट प्रबंधन

अ. प्रमुख रोग

पछेती झुलसा : यह आलू की सबसे भयानक बीमारी है और दो तीन दिन में पूरी फसल झुलस जाती है। बदली के मौसम में इसकी सघनता ज्यादा बढ़ जाती है। पहले पत्तियां किनारे से काली पड़ने लगती हैं और बाद में पूरी पत्ती, तना और अन्त में आलू सड़ने लगते हैं।

नियंत्रण : मैन्कोजेब–45 (डाइथेन एम.–45) घुलनशील चूर्ण 2.5 कि.ग्रा. प्रति हेक्टेयर (2.5 से 30 ग्रा. दवा प्रति लीटर पानी में) का छिड़काव करें और दूसरा छिड़काव 7 से 10 दिन के अन्तराल पर करें। या मेटेलैक्सिल 8% + मैन्कोजेब 64% आपस में मिला हुआ घुलनशील चूर्ण 2.5 कि.ग्रा. हेक्टेयर (2.5 से 3.0 ग्रा. दवा प्रति लीटर पानी में) बीमारी उग्र रूप धारण करने पर 1 छिड़काव करें।

विषाणु रोग : विषाणु रोग से पत्तियां मुड़ जाती है, मोटी और कड़ी हो जाती हैं, छोटी पड़ जाती हैं और पौधों की बढ़वार कम हो जाती है। मुख्य रूप से यह बीमारी माहू से फैलती है।

नियंत्रण : विषाणु रहित स्वस्थ आलू के कन्द बुआई के लिये प्रयोग करें। यह बीमारी माहू कीट द्वारा मुख्य रूप से फैलती है इसलिये इसके नियंत्रण के लिये टेमिक 10 जी (फोरेट) 10 कि.ग्रा. प्रति हेक्टेयर बुआई के समय या मिट्टी चढ़ाते समय खेत में डालें। इसके अलावा एक छिड़काव मेटासिस्टाक्स (1.5 मी.ली. प्रति लीटर पानी में) का करें। इससे माहू और थ्रिप्स मर जाते हैं।

काली खुरन्ड (ब्लैक स्कार्फ, कामन स्कैब) : ब्लैक स्कार्फ में आलू के कन्दों के ऊपर काली खुरदरी परत जम जाती है और कामन स्कैब में आलू के कन्दों के ऊपर पहले लाल भूरे धब्बे वाली आकृति बनती है जो सूख कर खुरदरी प्रतीत होती है।

नियंत्रण : बुआई के पहले आलू के कन्दों को 3% एसिड के घोल में 30 मिनट तक डुबोयें और छाये में सुखा कर खेत में बुआई करें। इससे इन दोनों रोगों का उपचार हो जाता है।

उपज

आलू की औसत उपज 200 से 250 कुन्तल प्रति हेक्टेयर होती है।

24. भिन्डी

वानस्पतिक नाम : *एबलमोसकस इस्कुलेनटस*
कुल : मालवेसी
क्रोमोजोम नं. : 2 एन = 130

भिन्डी भारत की एक लोकप्रिय सब्जी है जो देश के लगभग सभी भागों में उगायी जाती है। भिन्डी कच्चे हरे फलों के लिए ही नहीं वरन् इसकी जड़ और तनों का प्रयोग गुड़ और शक्कर साफ करने में भी प्रयोग किये जाते हैं। भिन्डी को भोजन के साथ सलाद के रूप में भी प्रयोग कर सकते हैं। विश्व के कुछ देशों में बीज का पाउडर बनाकर ''काफी'' के स्थान पर इसका प्रयोग किया जाता है। यह स्वास्थ्य के लिए काफी लाभदायक है। दो चार ताजी भिन्डी प्रतिदिन खाने से पेट साफ रहता है।

भिन्डी की हरे फलों का महत्व सब्जी बनाने के साथ–साथ डिब्बा बन्दी व सूखाने के बाद और बढ जाता है। इसके बीज को काफी के प्रतिरूप में प्रयोग किया जाता है। इसके जड़ों एव तनों के जूस को खांडसारी उद्योग में गन्नों के रस का शुद्धिकरण करने के लिए प्रयोग में लाया जाता है। यह पौष्टिक सब्जी है जिसमें बिटामिन 'ए' और 'बी' की प्रचुर मात्रा व बिटामिन 'सी' की पर्याप्त मात्रा मिलती है। इसमें प्रोटीन, वसा व खनिज पदार्थ की समुचित मात्रा पायी जाती है। औषधि के रूप में यह दिल व दिमाग, पेट व मर्दानगी की कमजोरी से पीड़ित व्यक्तियों के लिए अधिक लाभकारी होती है।

उन्नतशील किस्में

भिन्डी की अच्छी पैदावार के लिए अच्छे किस्म के बीज की बुआई करना अत्यन्त आवश्यक है। इसके लिए निम्न किस्मों की बुआई करना चाहिए।

परभनी क्रान्ति : यह किस्म पित्त सिरा मोजैक विषाणु के प्रति सहिष्णु है। इस किस्म के पौधे लम्बे, पत्तियाँ गहरी हरी होती है। यह बुआई के 50–55 दिनों में तुड़ाई योग्य हो जाती है। फलियाँ पांच धारियों वाली, मुलायम, चिकनी व 12–14 सेंमी. लम्बी होती हैं। इसकी पैदावार 85–90 कुन्तल प्रति हेक्टेयर होती है। यह खरीफ तथा जायद दानों ऋतुओं में बुआई के लिए उपयुक्त है।

वी.आर.ओ. 6 : यह भिन्डी की बौनी प्रजाति है। इसकी बढ़वार 60 से 70 सेंमी. तक सीमित रहती है। इसमें फूल 40 दिन में चौथे गाँठ पर आ जाते हैं। इसमें गाँठे

3 सेंमी. की दूरी पर आती हैं जिससे यह किस्म बौनी होते हुए भी अच्छा उपज देती है। इसकी पैदावार बरसात की फसल में 150 कुन्तल व गर्मी में 120 कुन्तल/हेक्टेयर तक होती है। यह किस्म भी पित्त सिरा मोजैक व लीफ कर्ल वायरस से पूर्णतया मुक्त है। इनके अतिरिक्त हिसार उन्नत तथा वर्षा उपहार भिन्डी की रोग अवरोधी किस्में हैं। जो अच्छी पैदावार देती हैं।

आई.आई.वी.आर. 10 : यह भिन्डी की सातधारी वाली किस्म है। पौधों में फूल 42 दिन में आ जाते हैं। यह प्रजाति भी पित्तसिरा मोजैक व प्रारम्भिक पत्ती मोड़ विषाणु से मुक्त है। इसकी पैदावार बरसात के दिनों में 140 कुन्तल/हेक्टेयर से भी ज्यादा ली जा सकती है।

अर्का अनामिका : यह एक विषाणु मुक्त जाति के रूप में 1985 में भारतीय बागवानी संस्थान द्वारा प्रतिपादित तथा सब्जी परियोजना निदेशालय द्वारा मैदानी व निचले पहाड़ी क्षेत्रों के लिए चयनित की गयी थी। यह प्रजाति दक्षिण भारत में अच्छी पैदावार (125 कुन्तल प्रति हेक्टेर) देती है परन्तु उत्तर भारत में भी इसकी पैदावार समान्यत होती है। इसके पौधे की ऊँचाई करीब 100 सेंमी. है, फिर भी छोटे पोर (दो गाठों के बीच की दूरी) होने से फूल वाले गाँठ की संख्या अन्य प्रजातियों की अपेक्षा कम नहीं होती है। इसमें 3–4 शाखाएँ मुख्य तना से 30^0 सेन्टीग्रेड के कोण पर लगी रहती हैं, जिससे पौधा हमेशा गठा दिखाई देता है। इनमें 45–48 फूल लगते हैं तथा पहली तुड़ाई 52–55 दिन में होती है। फली हरी, पाँच पहलू वाली एवं खुरदरी होती है जो 5–6 गाँठ से आना शुरू हो जाती है।

अर्का अभय : इस प्रजाति के सभी लक्षण अर्का अनामिका जैसे ही है। केवल इसकी फली फल छेदक कीड़ों के प्रति कुछ प्रतिरोधी है।

सेलेक्सन 2 : इसकी फली बुआई से 50 दिन में बाजार में जाने के लिए तैयार हो जाती है। यह प्रजाति भी 1985 में एक विषाणु अवरोधी के रूप में सब्जी अनुसंधान परियोजना निदेशालय, द्वारा उत्तर भारत में खेती के लिए चयनित की गयी थी। लेकिन अब इसमें भी विषाणु आने लगे हैं। फिर भी गर्मी के लिए यह बहुत अच्छी मानी जाती है। बरसात के दिनों में इसकी हरी फली की पैदावार 110 कुन्तल प्रति हेक्टेयर होती है।

पूसा सावनी : यह प्रजाति 1656 से पूरे देश में खेती के लिए प्रयोग की जा रही है, हलाँकि बरसात के दिनों में यह विषाणुओं से पूरी तरह से प्रभावित हो जाती है। लेकिन गर्मी के लिए अभी भी एक बहुत ही अच्छी प्रजाति है। गर्मी के दिनों

में अगेती फसल में विषाणुओं का प्रभाव कम पाया जाता है जिससे उपज में कोई खास कमी नहीं होती है। यह भिन्डी मुलायम, 5 पहलू वाली गहरे हरे रंग की 12.5 सेंमी. लम्बी होती है। इसकी उपज 115 से 125 कुन्तल प्रति हेक्टेयर होती है।

पंजाब 7 : भिन्डी की यह प्रजाति भिन्डी पर लगने वाले विषाणुओं से अवरोधी है। फूल 5–6 गाँठ पर 42–45 दिन में आ जाते हैं। प्रथम तुड़ाई बुआई से करीब 50–55 दिन में की जाती है। यह प्रजाति बरसात के लिए अच्छी मानी जाती है। पैदावार 60–100 कुन्तल प्रति हेक्टेयर होती है। जबकि गर्मी में केवल 60 कुन्तल उपज ही प्राप्त होती है। इस प्रजाति से बरसात में विपणन योग्य फली (फल व तना छेदक मुक्त) अन्य किस्मों की अपेक्षा कुछ ज्यादा प्राप्त होते हैं। फलों का गुण परभनी क्रान्ति जैसे ही है।

पंजाब पद्मिनी : यह प्रजाति भी भिन्डी के प्रमुख रोग (विषाणुओं) से अवरोधी है। इसके पौधे ऊँचे लम्बाई के साथ–साथ 4–5 शाखाओं से भरे रहते हैं। इसके फल 40–45 दिन के अन्दर 7–8 वीं गाँठ के ऊपर आते हैं तथा प्रथम तुड़ाई 53–54 दिन में हो जाती है। फली की लम्बाई 15–20 सेंमी. होने पर भी मुलायम चिकनी व खाने योग्य बनी रहती है। इसकी पैदावार 100–125 कुन्तल प्रति हेक्टेयर है। यह किस्म बसन्त ऋतु के लिए उत्तम मानी जाती है।

जलवायु

भिन्डी मुख्यतः ग्रीष्म ऋतु की सब्जी है जिसके लिए लम्बे गर्म मौसम की आवश्यकता पड़ती है। इसकी खेती के लिए औसत तापक्रम 25 से 30^0 सेन्टीग्रेड उपयुक्त पाया गया है। जब औसत तापक्रम 15^0 सेन्टीग्रेड से कम हो जाता है तो बीज के जमाव एवं फल विकास पर प्रतिकूल असर पड़ता है।

भूमि एवं भूमि की तैयारी

भिन्डी को विभिन्न प्रकार की भूमि में उगाया जा सकता है, किन्तु उचित जल निकास वाली जीवांश युक्त दोमट या बलुई दोमट मिट्टी इसकी खेती के लिए उत्तम होती है। यदि खेत में नमी की कमी हो तो पलेवा कर देते हैं। खेत की 3–4 जुताईयाँ करके पाटा लगा देते हैं। इसकी खेती के लिए 5 से 6 पी.एच. मान वाली मिट्टी सर्वोत्तम पायी गयी है।

फसल की बुआई

भिन्डी की बुआई समतल क्यारियों एवं मेड़ों दोनों ही विधियों से करते हैं। जहाँ मिट्टी भारी तथा जल निकास का अभाव हो वहाँ बुआई मेड़ों पर करते हैं। गर्मी के दिनों में अगेती फसल लेने के लिए बीज को 24 घण्टे तक पानी में भिगो कर छाया में सुखाने के बाद बुआई करनी चाहिए। बुआई के पूर्व कैप्टाफ या थिरम नामक कवकनाशी (2 से 2.5 ग्रा. दवा/कि.ग्रा. बीज की दर) से उपचारित करते हैं। बीज की बुआई 2.5 से 3.0 सेंमी. की गहराई पर करते हैं।

दूरी : ग्रीष्म कालीन फसल के लिए पौध से पौध व कतार की दूरी 30x20 या 45 x 30 सेंमी. व वर्षा कालीन फसल के लिए 45 x 30 सेंमी. रखना चाहिए।

बीज की मात्रा

बीज की मात्रा बोने के समय व दूरी पर निर्भर करती है। खरीफ की खेती के लिए 8–10 कि.ग्रा. बीज तथा ग्रीष्मकालीन फसल के लिए 12–15 कि.ग्रा. बीज की प्रति हेक्टेयर आवश्यकता होती है। अच्छी उपज के लिए शुद्ध एवं प्रमाणित बीज का उपयोग करना चाहिए।

बुआई का समय

भारत वर्ष में भिन्डी की दो फसल ली जाती है। बरसात की फसल की बुआई जून–जुलाई और ग्रीष्म ऋतु की फसल की बुआई फरवरी–मार्च में करते हैं। सिंचाई की सुविधा उपलब्ध होने पर इसकी बुआई 15 फरवरी से जुलाई तक कर सकते है।

खाद एवं उर्वरक

भिन्डी की अच्छी पैदावार के लिए आवश्यक है कि गोबर की खाद के साथ उर्वरकों का भी संतुलित मात्रा में उपयोग करें। इसके लिए यह आवश्यक है कि पहले से ही मिट्टी की उर्वरता की जाँच करा लें। वैसे साधारण भूमि में 20–25 टन सड़ी गोबर की खाद 100 कि.ग्रा. नाइट्रोजन, 50 कि.ग्रा. फास्फोरस और 50 कि. ग्रा. पोटाश प्रति हेक्टेयर की दर से देना चाहिए। गोबर की खाद खेत की तैयारी के समय अच्छी प्रकार मिट्टी में मिला लें। नाइट्रोजन की एक तिहाई मात्रा और फास्फोरस, पोटाश की पूरी मात्रा बुआई के पूर्व मिट्टी में मिला देना चाहिए। नाइट्रोजन की शेष मात्रा बुआई के 30 व 50 दिन के बाद फसल में टापड्रेसिंग के रूप में दें। नाइट्रोजन, फास्फोरस तथा पोटाश की कमी से पौध में निम्न लक्षण दिखाई पड़ते हैं।

नाइट्रोजन की कमी : नीचे की गहरी हरी पत्तियों का रंग हल्का या पीला पड़ जाता है। पौधा बौना, तना पतले, फलियाँ छोटी बीमार, सिकुड़ी खुरदरी और फट जाती है। फूल समय से पहले आ जाते हैं। भिन्डी छोटी और कड़ी होती है।

फास्फोरस की कमी : इस दशा में पौध बौना रह जाता है। पत्तियों का रंग हरा हो जाता है पत्तियाँ छोटी होती है, फूल आते ही गिर जाते है।

पोटाश की कमी : पत्तियाँ कम बनती हैं। पत्तियों के किनारे भूरे–पीले और बाद में झुलस जाते हैं।

जस्ते की कमी : इसकी कमी से पत्तियाँ सिकुड़ी हुई तथा नसों के बीच पीलापन तथा चोटी की पत्तियाँ छोटी व भिन्डी के फलों पर भूरे रंग के धब्बे आदि लक्षण पाये जाते हैं।

बोरान की कमी : इसकी कमी से पत्तियाँ मुड़कर प्यालानुमा हो जाती हैं। प्रभावित पत्तियां कड़ी तथा खुरदरी हो जाती हैं तथा उनका मध्यम सिरा फट जाता है।

नियन्त्रण : नाइट्रोजन की कमी को खड़ी फसल पर 0.10% युरिया के जलीय घोल द्वारा दूर की जा सकती है। 1 कि.ग्रा. यूरिया तथा 1.0 कि.ग्रा. जिंक सल्फेट 100 लीटर पानी में मिलाकर छिड़काव किया जा सकता है। फास्फोरस का पत्तियों पर छिड़काव करने के लिए केवल ट्रिपल सुपर फास्फेट को ही लेना चाहिए। इसकी 1 कि.ग्रा. मात्रा को 100 लीटर पानी में मिलाकर छिड़काव करना चाहिए। यूरिया व जस्ता की जलन–शीलता कम करने के लिए क्रमशः मैगनीज सल्फेट व चूना का प्रयोग करना चाहिए। प्रभावी पर्णीय छिड़काव के लिए टीनेक या सैडोविट 225 सी. सी. प्रति एकड़ की दर से मिलाना चाहिए।

सिंचाई

यदि भूमि में अंकुरण के समय पर्याप्त नमी न हो तो पहली सिंचाई बुआई के तुरन्त बाद कर दें। अच्छी फसल प्राप्त करने के लिए आवश्यकतानुसार सिंचाई करते रहें। सिंचाई मार्च में 10–12 दिन, अप्रैल में 7–8 दिन और मई–जून में 4–5 दिन के अन्तर पर करें। बरसात में यदि बराबर वर्षा होती है तो सिंचाई की आवश्कता नहीं पड़ती। वर्षा ऋतु में भिन्डी की फसल में ज्यादा पानी अधिक देर तक नहीं ठहरना चाहिए।

अन्तः शस्य क्रियायें

भिन्डी की फसल के साथ अनेक खरपतवार उग आते हैं जो पौधे के विकास एवम् बढ़वार पर प्रतिकूल प्रभाव डालते हैं। खरपतवार के नियंत्रण के लिये डयुअल (मेटोलेक्लोर–50 ई.सी.) की 2 लीटर मात्रा या स्टाम्प (पेन्डिमेथलीन 30 ई.सी.) की 3.3 लीटर दवा 1000 लीटर पानी में घोलकर प्रति हेक्टयर की दर से बुआई के 48 घंटे के अन्दर छिड़काव करने से खरपतवार नष्ट हो जाते हैं तथा पैदावार काफी अच्छी प्राप्त होती है।

पादप वृद्धि नियन्त्रक का प्रयोग

भिन्डी के बीज को 400 पीपीएम जिब्रेलिक एसिड, 20 पीपीएम आई. ए.ए. या 20 पीपीएम एन. एन. ए. से उपचारित करने पर अंकुरण में उत्साह जनक वृद्धि पाई गई है। इथेफान 100 से 500 पीपीएम का प्रयोग करने से पौधे की वानस्पतिक वृद्धि रूक जाती है जिससे एक सप्ताह में शीर्ष प्रसुप्ति आ जाती है। जब साइकोसेल 100–150 पीपीएम का प्रयोग किया जाता है तब पौधों की वृद्धि में कमी आ जती है लेकिन फली की उपज बढ़ जाती है। इथेफान 300 पीपीएम का प्रयोग करने से फली की संख्या, लम्बाई, मोटाई और वजन में वृद्धि हो जाती है। जब फली को कटाई के उपरान्त साईकोसेल 100 पीपीएम से उपचारित किया जाता है तो फली के लम्बे समय तक टिकने की क्षमता में वृद्धि हो जाती है। जब फली को 25 पीपीएम एसकार्बिक एसिड से उपचारित किया जाता है तो फली के वजन में बिना किसी हानि के 6 से 8 दिन तक कमरे के तापक्रम पर सुरक्षित रखा जा सकता है।

प्रमुख एवं कीट रोग प्रबंधन

अ. प्रमुख रोग

पीत शिरा मोजैक : यह रोग विषाणु द्वारा फैलता है। जिसके कारण पौधों की बढ़त्तरी रूक जाती है तथा पत्तियाँ एवं शिराएं पीली पड़ जाती हैं। जब तने और फलों का रंग पीला पड़ जाय तो समझे कि रोग का प्रकोप ज्यादा है। यह रोग सफेद मक्खी द्वारा एक पेड़ से दूसरे पेड़ तक पहुँचता है और धीरे–धीरे पूरे फसल में यह रोग फैल जाता है।

नियंत्रण : अन्तर प्रवाही (सिस्टमिक) कीटनाशी दवा मेटासिस्टाक्स या नुआक्रान 1.5 मि.ली. प्रति लीटर पानी में घोल कर 15 दिन के अन्तराल पर 3 बार छिड़काव करें तथा रोग अवरोधी किस्में लगायें।

काला धब्बा : इसका प्रभाव बरसात की फसल में सितम्बर के अन्तिम सप्ताह से शुरू होता है एवं कम तापक्रम व अधिक आर्द्रता के साथ बढ़ता जाता हैं।

नियंत्रण : टापसिन एम या बाविस्टीन 1 ग्रा. या बेयकूर 0.5 ग्रा. प्रति लीटर पानी में घोलकर 8 से 10 दिन के अन्तराल पर तीन बार छिड़काव करें।

ब. प्रमुख कीट

फुदका : पीले रंग के छोटे कीट के शिशु व प्रौढ़ दोनों भिन्डी की पत्तियों के निचले हिस्से में रहते हैं और रस चूसते हैं। प्रभावित पत्ती पीली पड़कर ऊपर की तरफ मुड़ जाती है और सिकुड़ कर टेढ़ी मेढ़ी हो जाती है।

नियंत्रण : बुआई के समय फयूराडान (कार्बोफ्यूरान 3 जी) 30 कि.ग्रा. प्रति हेक्टेयर की दर से भूमि में मिला दें या बीज को इमीड़ा गाउचों क्लोरोपिड 2.5 से 3.0 ग्रा. प्रति किलो बीज की दर से उपचारित करें। बीज जमने के 30 दिन बाद इण्डोसल्फान की 2 मि.ली. मात्रा प्रति लीटर पानी में घोलकर छिड़काव करें या कोनफिडोर 200 एस एल नामक दवा की 0.3 मिली लीटर प्रति लीटर पानी में मिलाकर 15 दिन के अन्तराल पर दो छिड़काव करें।

तना एवं फल छेदक : ये कीट नवविकसित शाखाओं व फलों में घुस जाते हैं तथा नुकसान पहुँचाना प्रारम्भ कर देते हैं। प्रभावित फल खाने योग्य नहीं रह जाते हैं और टेढ़े हो जाते हैं।

नियंत्रण : इन्डोसल्फान 35 ई.सी. 2 मि.ली. मात्रा प्रति लीटर की दर से पानी में घोलकर या सइपरमेथ्रिन (10 ई.सी. 0.5 मि.ली.) या बुलडाक 0.5 मि.ली. मात्रा प्रति लीटर की दर से पानी में घोलकर छिड़काव करें।

माइट (लाल मकड़ी) : माइट बहुत छोटे कीट हैं जो पत्तियों पर एक ही जगह जाला बनाकर बहुत अधिक संख्या में रहते हैं। इनका प्रकोप ग्रीष्म ऋतु में अधिक होता है। इसके प्रकोप के कारण पौधे अपना भोजन नहीं बना पाते जिसके फलस्वरूप पौधे की वृद्धि रूक जाती है तथा उपज में भारी कमी हो जाती है।

नियंत्रण : रोकथाम के लिए कर्नल एस (डायकोफाल 18.5 ई.सी.), 2.5 मिली लीटर दवा प्रति लीटर की दर से पानी में घोलकर छिड़काव किया जाय। घुलनशील गन्धक की 2.5 से 3.0 ग्रा. मात्रा प्रति लीटर की दर से पानी में घोलकर छिड़काव करें।

भिन्डी का लाल बग : शुरू में इसके पंखहीन शिशु 1.5 मि.मी. लम्बे या नारंगी रंग के होते हैं जो धीरे धीरे बड़े हो जाते हैं और इनमें पंख निकलने लगते हैं। इसका वयस्क तथा अर्भक दोनों क्षति पहुँचाते हैं। यह भिन्डी के बीज उत्पादन को बहुत प्रभावित करता है।

नियंत्रण : खेत की गुड़ाई कर देने से इसके जमीन में दिये गये अण्डे नष्ट हो जाते हैं। सेविन 2 ग्रा. या इण्डोसल्फान 2 मि. लीटर प्रति लीटर पानी में घोलकर छिड़काव करें।

फलों की तुड़ाई

भिन्डी की फलों की तुड़ाई नरम अवस्था में करनी चाहिए क्योंकि कड़ा होने पर उसमें रेशे की मात्रा बढ़ जाती है। फूल खिलने के 5 से 7 दिन बाद फल तोड़ने लायक हो जाते हैं।

उपज

उचित देखरेख, उन्नतशील किस्म, खाद और उर्वरकों के उचित प्रयोग से भिन्डी में प्रति हेक्टेयर 130–150 कुन्तल उपज प्राप्त होती है।

25. सहजन

वानस्पतिक नाम : *मोरिंगा ओलीफेरा*

कुल : लेग्यूमिनेसी या फैबेयसी

गुणसूत्र संख्या : 2 एन = 28

सहजन एक अत्यन ही महत्वपूर्ण, बहुवर्षीय सब्जी वाली फसल है जिसकी खेती भारत वर्ष के सभी प्रान्तों में पारंपरिक परन्तु असंगठित तरीके से बिना किसी देखभाल के की जाती है। इसकी फली व पत्ती में कर्बोहाइड्रेट, प्रोटीन, विटामिन (ए., बी. एवं सी), कैल्शियम, फास्फोरस व लौह तत्व प्रचुर मात्रा में पाये जाते हैं। अतः यदि हम इसकी व्यावसायिक खेती वैज्ञानिक ढंग से करें तो पोषक तत्वों की सुनिश्चितता के साथ–साथ हम अनेकों रोगों एवम् बिमारियों से छुटकारा पा सकते हैं तथा अधिक लाभ भी अर्जित कर सकते हैं। सहजन के प्रायः सभी भागों में औषधीय गुण पाये जाते हैं जिसका उपयोग गठियाँ, पेट एवं हृदय रोग के निदान हेतु कर सकते हैं। सहजन की जड़ से तैयार मरहम से स्कर्वी, सर्दी जुकाम एवं

घावों का उपचार किया जाता है। सहजन के बीज में लगभग 46% तेल पाया जाता है जिसका उपयोग खाने, लैम्प जलाने एवं सौन्दर्य प्रसाधनों में कर सकते हैं। इसके बीज से बने पाउडर के निर्यात से काफी विदेशी मुद्रा अर्जित की जा रही है। इसके लकड़ी एवं छिलके का प्रयोग पेपर बनाने, सेलोफोन एवं कपड़ा निर्माण उद्योग में किया जाता है। सहजन की पत्ती में सूक्ष्म जीव जैसे जीवाणु, कवक एवं पेट के कीड़ों के प्रति सहिष्णुता पायी जाती है जो कि चर्म रोगों एवं पेट के कीड़ों के उपचार में प्रयोग किया जा सकता हैं। इसकी पत्ती एवं फली दानों में मलेरिया रोधी एवं कैंसर रोधी गुण पाये जाते हैं। सहजन की सबसे ज्यादा इसकी मुलायम फलियाँ उपयोग में लाई जाती हैं जोकि नर्म मुलायम तथा खाने योग्य होती हैं। परिपक्व अवस्था में सहजन की फलियां सब्जी, साँभर और सूप बनाने के लिए प्रयोग की जाती हैं।

आज भी देश की ज्यादातर जनसंख्या कुपोषण की शिकार है तथा प्रोटीन, विटामिन, खनिज तत्व आदि की कमी से विभिन्न प्रकार की रोग व्यधियों से पीड़ित है। सहजन में पोषक तत्वों की प्रचुरता एवं औषधीय गुणों की महत्ता को ध्यान में रखते हुए यदि प्रत्येक परिवार कम से कम एक पेड़ सहजन लगाने का संकल्प करें तो 5 से 6 सदस्यों वाले परिवार को लगभग दो महीने सब्जी की उपलब्धता के साथ–साथ पोषक तत्वों की प्रचुर मात्रा में आपूर्ति सुनिशित हो सकती है।

उन्नतशील किस्में

इसकी स्थानीय किस्में क्षेत्र में उपलब्ध हैं। दक्षिण भारत में इसकी एक वर्षीय कम ऊँचाई वाली किस्में (पी के एम–1) प्रचलित हैं। जिनमें से बिना डाली काटे सीधे फलियों की तुड़ाई कर लेते हैं। दक्षिण भारत की कुछ प्रमुख किस्में : चवकाचेरी मूरिगाई, कद्दू मूरिगाई, पाल मूरिगाई, पूना मूरिगाई, कोडिल मूरिगाई है।

पौध प्रसारण

सहजन का प्रसारण बीज एवं तना द्वारा किया जाता है। प्रसारण के लिए प्रयोग किया जाने वाला बीज 3 महीने से अधिक पुराना नहीं होना चाहिए क्योंकि इससे जमाव कम हो जाता है। बीज को बुआई से पूर्व 24 घण्टे तक पानी में भिगोकर बुआई करने पर अंकुरण अच्छा होता है। बीज की बुआई 3 से 4 सेंमी. गहराई पर मई से जुलाई तक कर सकते हैं। बुआई के समय खेत में पर्याप्त नमी होनी चाहिए ताकि बीज सुचारू रूप से जम सकें। बीज का जमाव लगभग 30–40 दिन बाद होता है। बीज बुआई के 3 महीने बाद पौध रोपण के लिए तैयार हो जाती

है। बहुवर्षीय सहजन में प्रसारण की सबसे प्रचलित विधि शाखा या तना की कलम द्वार प्रसारण है। इस विधि से लगाये पौधों में जड़ निकलती है और फलत एक साल के अन्दर ही प्राप्त की जा सकती है। कलम की लम्बाई 1 से 1.5 मीटर एवं मोटाई 5 से 10 सेंमी. होनी चाहिए।

जलवायु

सहजन बिना अधिक देखभाल के लगभग सभी प्रकार की मृदा में उगाई जा सकती है। उत्तर भारत में सहजन की वर्ष में केवल एक बार फलत (अप्रैल से मई) होती है जबकि दक्षिण भारत में इसकी दो फलत प्राप्त की जाती है। सहजन गर्म जलवायु की फसल है।

पौध रोपण

तना द्वारा प्रसारण का उपयुक्त समय अप्रैल से मई का महीना होता है। तने को जमीन में 25 सेंमी. की गहराई पर एवं 3 से 5 मी. की दूरी पर लगाया जाता है। तनें के रोपड़ के तुरन्त बाद उसके ऊपरी भाग को गोबर या मिट्टी के लेप से ढ़क देना चाहिए जिससे तना सूखता नहीं एवं कल्ले शीघ्र निकलते हैं।

खाद एवं उर्वरक

रोपड़ से पूर्व (60 x 60 x 60 सेंमी.) का गड्ढा खोदकर उसमें 5 कि.ग्रा. कम्पोस्ट या गोबर की सड़ी खाद को 10 ग्रा. फ्यूराडान या फालीडाल के साथ मिट्टी में मिलाकर गडढे को भर देते हैं। सहजन में खाद पानी की ज्यादा आवश्यकता नहीं होती है लेकिन यदि 250 ग्रा. नत्रजन, 1.25 ग्रा. फास्फोरस एवं 125 ग्रा. पोटाश प्रति पौधा वर्ष में दो बार क्रमशः मई–जून एवं जनवरी–फरवरी में दिया जाय तो फलियों की अच्छी उपज प्राप्त की जा सकती है।

सिंचाई

सहजन में पानी की आवश्यकता बहुत कम होती है। परन्तु अच्छी फसल प्राप्त करने के लिए सर्दियों में 15 दिन एवं गर्मी में 7–10 दिन के अन्तराल पर पानी देते रहना चाहिए।

काट–छाँट

सहजन में अच्छी फलत प्राप्त करने के लिए अप्रैल माह में फलियों को तोड़ने के बाद 30–45 सेंमी. छोड़कर सभी मुख्य शाखाएँ काट देनी चाहिए जिससे उनमें नए फुटाव निकल जायें और अगले वर्ष फलत अच्छी मिलें।

फसल सुरक्षा

सहजन में रोग कम लगता है। परन्तु फल की मक्खी का प्रकोप देखा जाता है। प्रभावित फलों के प्रभावित स्थान पर गोंद जैसा पदार्थ निकलता दिखलाई देता है। रोकथाम के लिए डाइक्लोरोवास के 0.05% घोल का छिड़काव प्रभावी होता है। सहजन के पौधों पर बिहार डेयरी कैटरपिलर का प्रकोप अधिक होता है जिसे किसी भी स्पर्शदायी कीटनाशी (इमिडाक्लोरप्रिड या रोगर) के 1.0 मि.ली. दवा/लीटर पानी में घोल बनाकर छिड़कने से नियंत्रित किया जा सकता है।

उपज

प्रति पौधा 40–60 किलो खाने योग्य परिपक्व फलियाँ प्राप्त हो जाती है। एक वर्षीय किस्मों में लगभग 200–250 क्विंटल प्रति हेक्टेयर उपज मिल जाती है।

26. जिमीकन्द

वानस्पतिक नाम : *अमरफोफैलस कम्पानुलेटस*

कुल : एरेसी

गुणसूत्र संख्या : 2 एन = 28

जिमीकन्द एक बहुवर्षीय कन्दीय पौधा है जिसे भारत वर्ष में जमीकन्द, ओल, सूरन इत्यादि नामों से भी जाना जाता है। इसकी खेती भारतवर्ष में प्रचीन काल से होती चली आ रही है तथा अपने भैशज्योद्यानिक गुणों के कारण सब्जियों में एक अलग स्थान रखता है। इसकी महत्ता को देखते हुए हमारे धर्मो में भी इसे एक विशेष स्थान देते हुए दिपावली के दिन इसका उपयोग अनिवार्य कर दिया है। सूरन का उपयोग बवासीर, श्वांस रोग, फेफड़ों की सूजन, उल्टी दर्द के अतिरिक्त खून साफ करने हेतु लाभप्रद है। कन्द का रस रक्त चाप के रागियों के लिए रामबाण का कार्य करती है। सब्जी के अतिरिक्त इसका प्रयोग विभिन्न खाद्य प्रसंस्करण के रूप में किया जाता है जैसे अचार, पापड़ चिप्स एवं आटा इत्यादि। इसके हल्के छायादार स्थानों में भली–भाँति उगने की क्षमता के कारण इसकी व्यावसायिक खेती निश्चित रूप से किसानों के लिए काफी लाभदायक सिद्ध हो सकती है।

उन्नतशील किस्में

वैसे तो इसकी कई प्रजातियाँ जैसे संतरागाछी, गजेन्द्रा, पदमा, इत्यादि प्रचलित हैं परन्तु उत्तर प्रदेश के किसानों के लिए नरेन्द्र देव कृषि एवं प्रौधोगिक

विश्वविद्यालय, फैजाबाद द्वारा कुछ प्रजातियां विकसित की गयी हैं जो कृषि जगत में लोकप्रियता अर्जित कर रही हैं। उनका विवरण निम्नवत है।

नरेन्द्र रवि : यह सूरन की क्रम की 190–120 दिनों में तैयार होने वाली प्रजाति है जिसका मूल्यांकन एन.डी.ए.–5 के रूप में किया गया है। इस प्रजाति की औसत उपज 600–700 कुन्तल/हेक्टेयर पायी गयी है तथा कन्द कनकनाहट रहित, पकने में आसान एवं खाने में स्वादिष्ट होता है। घन कन्दों की संख्या 5 से 9 के बीच में पायी जाती है। जिसका औसत वजन 50 ग्रा. से लेकर 125 ग्रा. तक होता है। घन कन्दों की संख्या अधिक होने के कारण इसका प्रसारण अन्य प्रजातियों की तुलना में तीव्र एवं आसान है। यह प्रजाति अचार बनाने हेतु उपयुक्त है।

नरेन्द्र आशा : यह सूरन की अगेती किस्म की 180–210 दिन में तैयार होने वाली प्रजाति है जिसका मूल्यांकन एन.डी.ए.–9 के रूप में किया गया है। इसकी औसत उपज 650–800 कुन्तल/हेक्टयर है। घन कन्दों की संख्या 3 से 5 के बीच में एवं औसत वजन 5–10 ग्रा. तक पाया जाता है। जिसका जुड़ाव कन्द की तरफ चौड़ाई लिए होता है। खाने में स्वादिष्ट एवं कनकनाहट रहित प्रजाति है।

जलवायु

गर्म एवं तर जलवायु इसकी खेती के लिये सर्वोत्तम होती है। बोआई के समय कम वर्षा, पौधों की बढ़वार के लिए अधिक वर्षा व तापमान का एक सा होना एवं फसल तैयार होने के समय कम तापमान युक्त शुष्क वातावरण उत्तम होता है।

भूमि एवं भूमि की तैयारी

सूरन के सर्वोत्तम विकास एवं उससे अच्छी उपज प्राप्त करने के लिए उत्तम जल निकास वाली दोमट अथवा दोमट भूमि सर्वोत्तम है, वैसे तो इसे सभी प्रकार की मृदाओं में उगाया जा सकता है। परन्तु खराब जल निकास एवं मृदा में इसकी उपज 60–70% तक कम हो जाती है।

प्रथम जुताई मिट्टी पलटने वाले हल से करने के पश्चात तीन से चार जुताई 20 से 22 सेंमी. की गहराई तक करके पाटा लगा कर खेत को समतल कर लेते हैं।

पौध प्रर्वधन

सूरन का प्रसारण वानस्पतिक विधि द्वारा किया जाता है। जिसके लिए पूर्ण कन्द या घनकन्द प्रयोग में लाये जाते हैं। कन्दों के माध्यम से प्रसारण करने के

लिए प्रत्येक कन्द को 500 ग्रा. से 700 ग्रा. तक के टुकड़ों में काट लिया जाता है। यदि उपरोक्त वजन के पूर्ण कन्द उपलब्ध हों तो उनका उपयोग करने पर प्रस्फुटन अग्रिम होता है। परिणाम स्वरूप अधिक उपज की प्राप्ति होती है। उपरोक्त कन्दों को बोने से पूर्व 2% तूतिया के घोल या 0.1% कैलेक्सिन (1 ग्रा. प्रति लीटर पानी) में 10 मिनट तक डुबोकर 24 घंटा छाया में रखने के बाद उपयोग में लाते हैं। कन्दों को टुकड़ों में विभक्त करते समय इस बात का ध्यान रखना चाहिए कि प्रत्येक टुकड़ों में कम से कम एक कलिका का होना नितान्त आवश्यक है कन्द से टुकड़ों का निर्माण करते समय इस बात का ध्यान रहे कि कन्द का काला वाला भाग ऊपर होना चाहिए एवं प्रत्येक टुकड़े में कालर का कुछ भाग अवश्य रहें।

घनकन्दों से प्रर्वधन : घनकन्दों से प्रर्वधन हेतु द्विस्तरीय घनकन्द रोपण तकनीकी अपनायी जाती है। इसके अर्न्तगत प्रयोग में लाये जाने वाले घनकन्दों का वजन 20–25 ग्रा. होता है। जबकि 50 ग्रा. से बड़े घनकन्दों का बीज के लिये प्रर्वधन द्वितीय वर्ष में ही समाप्त हो जाता है। उपरोक्त घनकन्दों की बढ़वार 10 से 15 गुना के बीच में होती है। एक से दो वर्ष में बीज के आकार के घनकन्द प्राप्त हो जाते है। घनकन्दों का वजन दूरी, रोपित वर्ष के अनुसार निम्न सारिणी में दिया गया है।

सारिणी : घनकन्दों का वजन दूरी, रोपित वर्ष के अनुसार

वर्ष	**रोपित कन्द का वजन (ग्रा.)**	**दूरी सेंमी.**	**प्राप्त कन्द का वजन (ग्रा.)**
प्रथम वर्ष	20–25	30X15	200–250
द्वितीय वर्ष	200–200	45X30	1000–1500
	50–75	30X30	500–700
	75–100	15X30	600–800

बीज कन्द का वजन (ग्रा.)	**दूरी सेंमी.**	**पौधों की संख्या / हेक्टेयर**	**बीज दर (कुन्तल / हेक्टेयर)**
200–250	50X50	40,000	80 से 100
300–400	60X60	27,778	83 से 125
500–750	75X75	17,857	89 से 134
1000 से ऊपर	90X90	12,345	123 से 200

पौध रोपण

जिमीकन्द की रोपाई के लिए प्रायः दो विधियाँ उपयोग में लायी जाती हैं। 1. चौरस खेत में 2. गडढों में।

चौरस खेत में : चौरस खेत में सूरन की खेती करने के लिए आखिरी जुताई के समय गोबर की सड़ी खाद एवं रासायनिक उर्वरक में नत्रजन एवं पोटाश की 1/3 मात्रा एवं फास्फोरस की सम्पूर्ण मात्रा भूमि में मिला देते हैं। तत्पश्चात कन्दों के आकार के अनुरूप 75 से 90 सेंमी. की दूरी पर गन्ना प्लांटर या फावड़े की मदद से 20 से 30 सेंमी. गहरी नाली का निर्माण कर लेते हैं जिसमें 60 से 90 सेंमी. की दूरी पर कन्दों की बोआई कर दी जाती है एवं मिट्टी से नाली को बन्द कर दिया जाता है। यह विधि बलूई दोमट मृदा हेतु उत्तम है।

गडढों में : गडढों में सूरन उगाने की विधि भारी मृदा एवं बगीचों में बुआई हेतु उपयुक्त होती है। इस विधि में 30x30x20 से 50x50x30 सेंमी. तक के गडढों का निर्माण 60 से 90 सेंमी. की दूरी पर कन्दों के आकार के आधार पर कर ली जाती है। निर्धारित मात्रा में खाद, उर्वरक इत्यादि मिला कर गडढों से निकाली गई मृदा में मिला कर गडढों को बन्द कर देना चाहिए।

रोपाई का समय : बाजार की मांग एवं अच्छे उत्पादन हेतु सुरन का दीपावली के आसपास तैयार होना आवश्यक है जिसके लिये 15 मार्च से 15 अप्रैल तक का समय बोआई के लिये सर्वोत्तम है।

बीज शोधन : कन्दों की कटाई कर बोने पर कटे हुए भाग में सड़न शुरू हो जाती है परिणाम स्वरूप जमाव प्रभावित होता है। अतः सूरन की अच्छी उपज प्राप्त करने के लिये बीजों का बाने से पूर्व शोधन करना अति आवश्यक है। इसके लिये एगलाल–6 या एरिटान–6 या डाइथेन एम–45 को 2.5 ग्रा. प्रति लीटर पानी में 20–30 मिनट तक डुबा कर उपचारित करने के पश्चात बोआई करने पर बीज की सड़न एवं मृदा से होने वाली बीमारियों को रोकने में काफी सहायता मिलती है। एक लीटर पानी में 20 ग्रा. तूतीया को मिला कर बीज उपचारित करना भी काफी प्रभावी होता है।

खाद एवं उर्वरक

सूरन की अच्छी बढ़वार एवं उत्पादन हेतु खेत की अन्तिम जुताई के समय 12.5 कुन्तल गोबर की सड़ी खाद को खेत में मिला देते हैं। नत्रजन फास्फोरस एवं पोटाश को 100:108:120 के अनुपात में प्रयोग करते हैं। फास्फोरस की सम्पूर्ण मात्रा

नत्रजन एवं पोटाश की 1/3 मात्रा बेसल ड्रेसिंग के रूप में शेष बची नत्रजन एवं पोटाश को दो बराबर भाग में कन्दों के जमने के एक माह एवं दूसरा प्रथम के एक माह बाद गुड़ाई एवं मिट्टी चढ़ाते समय प्रयोग में लाना चाहिए।

गडढों में जमीकन्द लगाने के लिये तैयारी के समय प्रति गडढा 1 से 2 किलो गोबर की सड़ी खाद, 18 ग्रा. यूरिया 38 ग्रा. सिंगल सुपरफास्फेट 16 ग्रा. म्यूरेट आफ पोटाश एवं 5 ग्रा. ब्लीचिंग पाउडर की आवश्यकता पड़ती है। यूरिया की आधी मात्रा (9 ग्रा.) एवं अन्य की सम्पूर्ण मात्रा को मिट्टी में मिला कर गडढों में भर दिया जाता है। शेष आधी बची यूरिया को प्ररोह निकलने के 60 से 70 दिन बाद छिडकाव प्रति गडढा की दर से करना चहिए।

उर्वरक	कुल उर्वरक की मात्रा किलोग्राम/हेक्टेयर	बेसल ड्रेसिंग के रूप में किलोग्राम/हेक्टेयर	प्रथम पर्णीय छिड़काव किलोग्राम/हेक्टेयर	द्वितीय पर्णीय छिड़काव किलोग्राम/हेक्टेयर
यूरिया	213.00	87.00	65.50	65.00
सिंगल सुपर फास्फेट	500.00	500.00	—	—
एम.ओ. पी.	201.00	67.00	67.00	67.00
यूरिया	149.00	19.00	65.00	65.00
डाई अमोनियम फासफेट	174.00	172.00	—	—
म्यूरेट आफ पोटाश	201.00	67.00	67.00	67.00

सिंचाई

कन्दों की बोआई के बाद एक हल्की सिंचाई आवश्यक होती है तत्पश्चात लगातार नमी बनायें रखने हेतु 7 से 8 दिन पर सिंचाई आवश्यक होती है। ध्यान रखना चाहिए कि अच्छे जमाव एवं उपज हेतु सर्वदा हल्की नमी का खेत में बना रहना अति आवश्यक है।

बोआई के तुरन्त बाद पुआल अथवा पत्तियों से खेत में मल्चींग कर देनी चाहिए जिससे अच्छे जमाव के साथ–साथ सिंचाई की कम आवश्यकता पड़ती है खरपतवार कम होने के साथ ही अच्छी उपज प्राप्त होती है।

अंतःशस्य क्रियायें

बोआई के 60 से 70 दिनों तक खेत का खरपतवार विहिन अति आवश्यक है। जिसके लिये दो से तीन निराई गुड़ाई की आवश्यकता पड़ती है प्रत्येक निराई गुड़ाई के बाद हल्की मिट्टी चढ़ाना लाभप्रद होता है। पौधों के बीच की दूरी को कम करके भी खरपतवार पर नियंत्रण किया जा सकता है।

प्रमुख रोग एवं कीट प्रबंधन

अ. प्रमुख रोग

झुलसा / अंगमारी : यह सूरन बैक्टीरिया जनित रोग है इसकी भयानकता का अनुमान इसी बात से लगाया जा सकता कि रोग ग्रसित पौधों की पैदावार 60 से 70% तक कम हो जाती है। पत्तियों पर छोटे–छोटे वश्ताकार हल्के भूरे रंग के धब्बे बनते हैं जो आगे चलकर सूख कर काले पड़ जाते हैं। एवं पत्तियाँ धीरे–धीरे पीली पड़ जाती हैं प्रकोप बढ़ने पर इसका प्रभाव तनों एवं कन्दों तक आ जाता है।

नियंत्रण : 1. बीज कन्दों का चुनाव रोग रहित स्वस्थ पौधों से करना चाहिए। 2. बोआई से पूर्व शोधन 2% तूतिया या कैलेक्सीन 1 ग्रा. प्रति लीटर, एगलाल या डाईथेन एम–45 के 2.5 ग्रा. प्रति लीटर पानी के घोल में 20–30 मिनट तक डूबाकर बीज शोधन करना चाहिए। 3. रोग जनित पौधों पर एग्रीमाइसिन के 10 पीपीएम के घोल का छिड़काव तीन बार 15 से 20 दिन के अन्तराल पर करना चाहिए या रीडोमिल के 0.2% (एक लीटर पानी में 2 ग्रा. रीडेमिल) का दो से तीन छिड़काव प्रभावी होता है। प्रथम छिड़काव लक्षण दिखने के तुरन्त पश्चात् तथा शेष दो छिड़काव 15–15 दिन के अन्तराल पर दो बार करना चाहिए।

तना गलन : सूरन का यह रोग प्रत्येक क्षेत्र में पाया जाता है। विशेष रूप से उन स्थानों पर इसका प्रकोप ज्यादा होता है जहाँ पर पानी का जमाव ज्यादा है और काफी दिनों से एक खेत में इसकी खेती की जा रही है। वैसे तो इसका प्रभाव पौधे की बढ़वार के किसी भी स्तर पर दशष्टिगोचर है परन्तु प्रायः ऐसा देखा गया है कि ज्यादातर इसका प्रकोप पौध के विकास के आखिर पड़ाव पर अगस्त–सितम्बर माह में होता है। चूंकि यह मृदा जनित रोग है अतः इसका प्रथम लक्षण कालर भाग (तना एवं कन्द के जोड़ पर) पर दिखता है। इसमें पानी के गोल धब्बे के साथ भूरे सफेदी लिये हुये धब्बे दिखाई देते हैं। पत्तियाँ अग्रभाग से पीली दिखने लगती हैं और धीरे–धीरे पूरा पौधा पीला पड़ जाता है। कालर वाले भाग के सड़ने के कारण तना सिकुड़कर गिर जाता है।

नियंत्रण : 1. उचित फसल चक्र अपना कर। 2. रोगी पौधों एवं उनके अवशेषों को तुरन्त खेत से बाहर करके। 3. जल निकास की उचित व्यवस्था करके। 4. बीज कन्दों को बोआई से पूर्व डाइथेन एम–45 या रीडोमिल का 2.5 ग्रा. प्रति लीटर पानी में घोल बनाकर कन्द को 20–30 मिनट तक घोल में डुबो कर शोधित करना चाहिए। 5. कैप्टान के 2% के घोल से (500 से 1000 मि.ली.) से पौधे के किनारे की भूमि को एक माह के अंतराल पर दो बार तर (भीगाकर) करना चाहिये।

मोजैक : सूरन का यह विषाणु जनित रोग है जिसका पैधा के प्रारम्भिक अवस्था में प्रकोप होने पर उत्पादन काफी प्रभावित होता है। यह रोग लगभग सभी सूरन उत्पादित करने वाले क्षेत्रों में पाया जाता है। जिसके लक्षण एवं रोकथाम निम्न है। 1. प्रभावित पौधों की पत्तियों पर हल्के हरे पीले धब्बे बन जाते हैं। 2. प्रभावित पत्तियाँ सिकुड़ कर विकृत एवं भूरीदार हो जाती है। 3. नई पत्तियों पर इसका प्रभाव ज्यादा दिखाई देता है। परिणाम स्वरूप पौधों की बढ़वार रूक जाती है। जिसका सीधा प्रभाव उत्पादन पर पड़ता है। 4. मध्यक्रम में सक्रमित होने पर पत्तियों का पीला पड़ना एवं नसों का उभार प्रमुख लक्षण है।

नियंत्रण : 1. रोगी पौधों से बुआई हेतु कन्द नहीं लेना चाहिए। 2. मोनोक्रोटोफास (0.05%) 5 ग्रा. प्रति दस लीटर पानी में घोलकर दो छिड़काव करने पर रोग फैलाने वाले कीटों की रोकथाम कर रोग के प्रसारण को रोका जा सकता है। 3. रोगी पौधे को खते से निकाल कर मिट्टी में दबा देना चाहिए।

फसल खुदाई एवं भण्डारण

बोआई के छः से आठ माह पश्चात् जब पत्तियाँ पीली पड़ कर सूखने लगती है तब फसल खुदाई हेतु तैयार हो जाती है। जमीकन्द को खोदाई के पश्चात तीन से चार दिन तक छायेदार स्थान पर रख कर सुखा लिया जाता है। तत्पश्चात पेड़ के नीचे अथवा हवादार ढण्डे कमरे में या छप्पर के नीचे फर्श पर लकड़ी इत्यादि पर रख कर उसके ऊपर लगभग तीन फुट की ऊचाई तक ढेर बनाकर ऊपर से पुआल से ढ़क दिया जाता है। इस प्रकार लगभग छः माह तक सूरन को आसानी से भण्डारित किया जा सकता है। भण्डारण हेतु 10^0 सेन्टीग्रेड तापमान सर्वोत्तम पाया जाता है।

उपज

प्रजातियों एवं बीजकन्दों के आकार के आधार पर इसकी उपज 250 से 1000 कुंतल प्रति हेक्टेयर तक पायी जाती हैं।

27. अरवी

वानस्पतिक नाम : *कोलोकैसिया एस्कुलेन्टा*

कुल : एरेसी

गुणसूत्र संख्या : 2 एन = 28,42

अरवी एक बहुवर्षीय कन्दीय पौधा है, जिसका डंण्ढल से लेकर कन्द तक प्रत्येक भाग का प्रयोग खाने में किया जाता है। यह विषम परिस्थितियों में उगने की क्षमता रखता है साथ ही इसमें अनेक औषधीय गुण भी पाये जते हैं। डण्ठल का रस कानों के बहने में, कन्द गठिया रोगी की सिंकाई तथा कन्द की राख शहद के साथ पेट दर्द एवं कब्ज में लाभकारी होता है। भारतवर्ष में इसकी खेती पूर्वी उत्तर प्रदेश, ओड़ीसा एवं छत्तीसगढ़ में बहुतायत से की जाती है। वर्षा ऋतु की शुरूआत में अन्य सब्जियों के पूरक के रूप में इसे उत्पादित कर किसान अच्छा लाभ प्राप्त कर सकते हैं।

उन्नतशील किस्में

केन्द्रीय कन्द फसल अनुसंधान संस्थान, त्रिवेन्द्रम तथा अपिल भारतीय कन्द फसल सुधार परियोजना के द्वारा अरवी की मुक्ता केशी, तेलिया एवं अन्यान्य किस्में विकसित की गयी हैं लेकिन अनेक विश्वविद्यालयों द्वारा भी की स्थानीय किस्मों का विकास किया गया है।

नेरन्द्र अरवी 1 : अच्छी पैदावार के लिये गर्म एवं नम जलवायु सर्वोत्तम पाई गई है। हल्के जल भराव वाले क्षेत्रों में भी इसे उगाया जाना सम्भव है। उपजाऊ बलुई दोमट से लेकर दोमट मृदा तक इसके लिये उपयुक्त है। नमी की अवस्था में लगभग सभी प्रकार की मृदा में इसकी खेती की जा सकती है।

नरेन्द्र अरवी 2 : मध्यम समय (182 से 196 दिनों) में तैयार होने वाली यह प्रजाति जो 150 से 210 कुन्तल प्रति हेक्टेयर की उपज देने वाली, कनकनाहट रहित कन्द के साथ–साथ पकने में आसान होती है। इसके घनकन्दों के साथ ही पत्तियां भी खाने योग्य होती है। आवश्यकतानुसार इसे बोआई के 150 दिनों के बाद खुदाई कर उपयोग में लाया जा सकता है। गर्मी एवं वर्षा दोनों ऋतुओं हेतु समान रूप से उपयुक्त, झुलसा (*फाइटोफ्थारा ब्लाइट*) रोग से कम प्रभावित होने वाली प्रजाति है।

पी.के. एस. 1 : अगेती किस्म की 150–170 दिनों में तैयार होने वाली, 240 से 260 कुन्तल प्रति हेक्टेयर की उपज देने वाली अरवी की यह प्रजाति सब्जी में उपयोग के साथ ही चिप्स बनाने के लिये उत्तम है।

जलवायु

अच्छी पैदावर के लिये गर्म एवं नम जलवायु सर्वोत्तम पाई गई है। हल्के जल भराव वाले क्षेत्रों में इसे उगाया जाना सम्भव है।

भूमि एवं भूमि की तैयारी

उपजाऊ बलुई दोमट से लेकर दोमट मृदा तक इसके खेती के लिए उपयुक्त है वैसे नमी की अवस्था में लगभग सभी प्रकार की मृदा में इसकी खेती की जा सकती है। अरवी के लिए भूमि की विशेष तैयारी की आवश्यकता पड़ती है। प्रथम जुताई मिट्टी पलटने वाले हल से कर के दो–तीन जुताई कल्टीवेटर से करते हैं। आखिरी जुताई के समय 10–15 टन गोबर की सड़ी खाद को खेत में भली भाँति मिला देते हैं। तत्पश्चात खेत में क्यारियाँ बनाकर निश्चित दूरी पर नालियां बना ली जाती है।

फसल की बुआई

अरवी को प्रायः दो विधियों समतल क्यारी विधि तथा नाली मेड़ विधि द्वारा बोया जाता है।

समतल क्यारी विधि : साधारणतः अरवी की खेती समतल क्यारी विधि से की जाती है। बलुई दोमट भूमि के लिये यह विधि सर्वोत्तम है। इसमें 5 से 7 सेंमी. गहरी नाली 60 से 45 सेंमी. की दूरी पर बनाई जाती है। जिसमें 30 सेंमी. की दूरी पर अरवी के कन्द रख कर मिट्टी से ढ़क दिया जाता है।

नाली–मेड़ विधि : नाली मेड़ विधि दोमट भूमि हेतु उत्तम होता है। इस विधि में भूमि का ढीलापन बना रहने के साथ ही नमी भी संरक्षित रहती है। इस विधि में 60 सेंमी. पर हल्की नाली बना कर उचित दूरी पर घनकन्दों को रख कर ऊपर से मिट्टी डाल कर मेड़ बना दी जाती है।

प्रसारण विधि एवं प्रसारण सामग्री : अरवी का प्रसारण वानस्पतिक विधि द्वारा किया जाता है। इसके लिए कन्द एवं घनकन्दों का प्रयोग किया जाता है। कन्दा से प्रसारण करने से प्रसारण करने में सकर की संख्या अधिक होती है। घनकन्दों

की उपज कम होती है पर जो भी घनकन्द पैदा होते हैं काफी स्वस्थ होते हैं। घनकन्दों को प्रसारण सामग्री के रूप में प्रयोग करने पर अच्छी उपज प्राप्त होती है। चूंकि घनकन्दों को बीज के रूप में प्रयोग में लाने पर किसानों पर अर्थिक भार ज्यादा पड़ता है साथ ही कन्दों का कोई उपयोग नहीं हो पाता था अतः उक्त तथ्यों को ध्यान में रख कर कन्दों को प्रसारण सामग्री के रूप में कैसे प्रयोग में लाया जाय पर शोध किया गया जिसका परिणाम निम्नवत आया।

प्रसारण सामग्री	घनकन्दों की संख्या	उत्पादन प्रति पौधा (धनकंदो का वजन)
कन्द का 1/3 ऊपरी भाग	32	640 ग्रा.
कन्द का 1/3 मध्य भाग	14	280 ग्रा.
घनकन्द	28	560 ग्रा.

अतः उपरोक्त परिणाम के आधार पर कन्दों का उपयोग प्रसारण सामग्री के रूप में कर के अरवी के उत्पादन व्यय को घटाने के साथ ही खाने योग्य घनकन्दों को बाजार में बेंच कर किसान अधिक आय प्राप्त कर सकता है।

20–25 ग्रा. के घनकन्द या कन्द का ऊपरी भाग प्रसारण सामग्री के रूप में उत्तम। प्रसारण सामग्री रोग रहित होनी चाहिए। लगभग समान वनज की एवं कटी–फटी नहीं होनी चाहिए। कन्द अथवा घनकन्दों को लगाने से पूर्व दो से तीन माह तक छायेदार एवं ढण्डे स्थान पर रखना चाहिए।

बीज की मात्रा

अरवी का बीज दर बीज के रूप में प्रयोग किये जाने वाले प्रकन्दों एवं घनकन्दों के वजन, खेती में प्रयुक्त लागत एवं सुविधाओं की उपलब्धता तथा पौध रोपण की दूरी पर निर्भर करता है। निम्नसारणी में पौध–रोपण की दूरी के अनुसार प्रति हेक्टेयर बीज दर का विवरण दिया गया है।

दूरी	बीजदर/हेक्टेयर
60x45 सेंमी.	8–10 कुन्तल
60x30 सेंमी.	12–14 कुन्तल
45x30 सेंमी.	15–20 कुन्तल

बोआई का समय

प्रायः में अरवी की बोआई दो ऋतुओं में की जाती है। ग्रीष्म कालीन (सिंचाई आधारित) फरवरी वर्षा कालीन (वर्षा आधारित) जून अन्तरासस्य के रूप में नवम्बर सरसों पालक एवं धनिया के साथ।

खाद एवं उर्वरक

10–15 टन गोबर की सड़ी खाद को आखिरी जुताई के समय खेत में मिलाने से खेत में भुर–भुरापन आ जाता है। परिणाम स्वरूप कन्दों एवं घनकन्दों की वृद्धि अच्छी होती है। इसके अतिरिक्त नत्रजन 80 किलो, फास्फोरस 60 किलो एवं 80 कि.ग्रा. पोटाश का प्रयोग प्रति हेक्टेयर की दर से करना चाहिए। रासायिनक उर्वरकों का प्रयोग तीन भागों में बांट कर करने पर अच्छी उपज प्राप्त होती है। आखिरी जुताई के समय फास्फोरस की सम्पूर्ण मात्रा, नत्रजन एवं पोटाश की 1/3 मात्रा खेत में मिला देनी चाहिए। नत्रजन एवं पोटाश की शेष बची आधी मात्रा को अरवी अंकुरित होने के 7–8 दिन पश्चात् एवं तृतीय भाग बची नत्राजन की मात्रा को एक माह पश्चात मिट्टी चढाते वक्त प्रयोग में लाना चाहिए।

उर्वरक का उपयोग किग्रा प्रति हेक्टेयर

क्र.सं.	उर्वरक	बोआई के समय	जमाव 8 दिन बाद	बोआई के 45 दिन बाद
1	यूरिया	65.10	54.25	54.25
2	सिंगल सुपर फास्फेट	375	–	–
3	म्यूरेट आफ पोटाश	50.10	41.75	41.75
1	यूरिया	14.24	54.25	54.25
2	डाई अमोनियम फास्फेट	130.20	–	–
3	म्यूरेट आफ पोटाश	50.10	50.10	50.10

सिंचाई

चूंकि अरवी का उचित विकास लगातार नमी मिलते रहने पर ही सम्भव है। अतः प्रथम सिंचाई यदि मृदा में नमी है तो जमाव के बाद अथवा यदि नमी नहीं है तो बोआई के तत्पपश्चात ही कर देना चाहिए। ग्रीष्म कालीन खेती में 7–8 दिन पर हल्की सिंचाई आवश्यक होती है जबकि वर्षा कालीन खेती में वर्षा न होने की दशा में आवश्यकतानुसार सिंचाई करनी चाहिए।

अंतःशस्य क्रियायें

पौध बढ़वार के समय खेत का खरपतवार विहीन रहना अति आवश्यक है। इसके लिये दो बार निराई गुड़ाई के साथ मेड़ का चढाना आवश्यक होता है। प्रथम निराई गुड़ाई पौधा जमने के 7–8 दिन बाद करने के साथ ही मिट्टी भी चढ़ा दी जाती है। जिससे पौधे के बढ़वार के साथ ही अच्छी उपज भी प्राप्त होती है। पौध बढ़वार के आखिरी दिनों में रासायनिक खरपतवार नाशी एट्राजीन अथवा सीमैजिन एक कि.ग्रा. प्रति हेक्टेयर की दर से प्रयोग कर मिट्टी चढ़ा देने से अधिक उपज प्राप्त होती है।

मल्चिंग : अखिरी निराई गुड़ाई एक मेड़ चढ़ाने के बाद, धान का पुवाल 4 से 6 टन की दर से अथवा उपलब्ध पत्तियों इत्यादि से मल्चिंग करने पर अधिक उपज, कम खरपतवार, नमी का बराबर बना रहना परिणाम स्वरूप सिंचाई की कम आवश्यकता के साथ ही मृदा का तापमान एवं उर्वरता बनी रहती है।

पत्तियों का पृथकीकरण : पत्तियों की संख्या अधिक होने पर घनकन्द छोटे हो जाते हैं। अतः स्वस्थ घनकन्दों हेतु प्रत्येक पौधे में अधिकतप तीन पत्तियों को छोड़ कर शेष को नष्ट कर निकाल देना चाहिए।

प्रमुख रोग एवं कीट प्रबंधन

अ. प्रमुख रोग

झुलसा (अंगमारी) रोग : अरवी का यह रोग सर्वाधिक नुकसान पहुँचाने वाला होता है जिसका मुख्य कारक *फाइटोप्थोरा कोलोकेसी* है। इसमें पत्तियों पर छोटे–छोटे धब्बे, धब्बों के किनारे सफेद दाग एवं बीच में नारंगी रंग की पानी की बूंदें पाई जाती हैं जो तीन–चार दिनों में ही फैलकर पूरे पौधे को समाप्त कर देती है।

नियंत्रण : रोग सहिष्णु प्रजातियों का चयन। उचित फसल चक्र अपनाना। रोग विहीन कन्दों का बीज के रूप में उपयोग। स्वयं उगे पौधों को नष्ट करना। कवकनाशी रसायनों का प्रयोग (रीडोमिल 0.5% के घोल का, रोग के प्रथम लक्षण दिखते ही प्रथम एवं 15 दिन के अंतराल पर दो छिड़काव प्रभावी होता है।)

पर्ण चित्ती : फफूंद जनीत यह रोग पत्तियों पर हल्के भूरे रंग के धब्बों का निर्माण करता है। जिससे पत्ते कुछ पीले भी पड़ने लगते हैं। पत्तियां समय से पहले सूख जाती हैं। परिणाम स्वरूप कन्द घन, कन्द छोटे रह जाते हैं।

नियंत्रण : रोग के शुरूआती दौर में डायथेन एम.–45 या ब्लाइटाक्स–50 के 0.3% के घोल का छिड़काव प्रभावी होता है।

कन्द गलन : चूंकि यह एक मृदा फँफूद जनित रोग है अतः इसका प्रथम लक्षण पत्तियों में पीला पन दिखने के साथ ही पौधे की बढ़वार रूक जाती है एवं बाद में पूरा पौधा सूख जाता है। कन्द में माइसीलियम को देखा जा सकता है। परिणाम स्वरूप कन्द मुलायम पड़ कर सड़ने लगता है जिसमें से दुर्गन्ध आने लगती है।

नियंत्रण : भूमि शोधन करना। रोग रहित कन्दों का बीज के रूप में प्रयोग। उचित फसल चक्र अपना कर। रोगी पौधों के अवशेष को खेत से हटाकर। पानी निकास को ठीक कर के कवकनाशी द्वारा भूमि की ड्रेसिंग करना। कन्द को लगाने से पूर्व एग्रोसान जी एन या सेरेसान के 50 पीपीएम के घोल में 30 मिनट तक डुबाना।

ब. प्रमुख कीट

भुनगा (एफीड्स) : ये कीड़े पत्तियों के दोनों तरफ एवं डण्ठल पर आक्रमण करते हैं परिणाम स्वरूप पौधा पीला पड़ कर मुड़ जाता है। साथ ही हल्के गडढें बन जाते हैं।

नियंत्रण : परभक्षी कीट *एफीलीनस माली* इनका भक्षण करता है अतः बढ़ावा दें। डाइमेथाल, क्यूनाल्फास या फेनिट्रोथियान का 0.5% घोल का मासिक अंतराल पर छिड़काव प्रभावी है।

स्पाइडर माइट : कीट के निम्फ एवं वयस्क पत्तियों का रस चूसते हैं परिणाम स्वरूप पत्तियों पर सिल्वरफीश सफेद धारी एवं काले धब्बे पड़ जाते हैं एवं पत्तियाँ सूख जाती हैं। इसके नियंत्रण के लिए डाइमेथाएट का 0.5% घोल का छिड़काव करना चाहिए।

कन्दों की खुदाई

अरवी की फसल 5 से 7 माह में पक कर तैयार जो जाती है। वैसे 140–150 दिन के बाद ही बाजार में यदि अच्छी दर मिल रही हो तो इसकी खुदाई की जा सकती है। चूंकि सूखे तत्व की मात्रा 150 दिनों बाद ही इसमें बढ़नी शुरू होती है अतः बीज एवं भण्डारण हेतु अरवी की खुदाई नवम्बर–दिसम्बर माह में 180 दिनों पश्चात् करनी चाहिए।

खुदाई के पश्चात् भण्डारण करने से पूर्व कुछ बातों का ध्यान रखते हैं। जैसे कटे फटे धनकन्दों को छांट कर अलग कर देना चाहिए। घनकन्दों पर लगी मिट्टी को साफ करना। घनकन्दों को भण्डारित करने से पूर्व एक से दो दिनों तक छाये में सुखा लेना चाहिए। हवादार कमरे में गडढा बनाकर अथवा ढेर लगा कर भण्डारण करना चाहिए। ढेर को पुआल आदि से ढ़क देना चाहिए।

उपज

प्रजाति के अनुरूप अरवी की 100 से 250 कुन्तल प्रति हेक्टेयर तक की उपज प्राप्त होती है।

28. शकरकन्द

वानस्पतिक नाम : *आइपोमिया बटाटा*

कुल : कन्वोलवुलेयसी

गुणसूत्र संख्या : 2 एन = 80

शकरकन्द भारत वर्ष की एक महत्पवपूर्ण फसल है जिसे उत्तर प्रदेश, बिहार, उड़ीसा एवं करेल में बहुतायत से उगाया जाता है। विदेशों में इसकी खेती चीन, अमेरिका, ब्राजील, पेरू एवं थाइलैण्ड में की जाती है। इसका उपयोग उबालकर, भूनकर, या तलकर विभिन्न प्रकार के खाद्य उत्पादों जैसे– गुलाब जामुन, जैम, जैली, चिप्स, पराठा, कैण्डी के रूप में किया जाता है। औद्योगिक उपयोग हेतु इससे स्टार्च, एल्कोहल एवं पेक्टिन भी प्राप्त की जाती है। इसकी हरी लताओं को हरे चारे के रूप में पशुओं को खिलाने हेतु एवं अग्रभाग को कुछ देशों में सब्जी के रूप में प्रयोग में लाते हैं। हमारे देश में इसकी विशिष्टता एवं उपयोगिता को देखते हुए इसके उपयोग को बढ़ावा देने हेतु धर्मों से जोड़ते हुए मकर संक्रान्ति, सकठ एवं महाशिवरात्री के अवसर पर इसकी पूजा कर उसका उपभोग करना अनिवार्य कर दिया गया है। इसकी कुछ प्रजातियों में बीटा कैरोटीन समुचित मात्रा में पाये जाने के कारण यह विटामिन 'ए' का एक महत्वपूर्ण स्रोत हो गया है।

उन्नतशील किस्में

विभिन्न स्थानों जैसे सी.टी.सी.आर. आई., त्रिवेन्द्रम; रोजेन्द्र कृषि वि.वि., समस्तीपुर; तमिलनाडु कृषि विश्वविद्यालय, कोयम्बटूर इत्यादि जगहों से कई प्रजातियाँ जैसे– श्री भद्रा, श्री रत्ना, श्री वर्दिनी, श्री नन्दिनी, गौरी, सम्राट, किरन,

राजेन्द्र शकरकन्द–5, राजेन्द्र शकरकन्द–35, राजेन्द्र शकरकन्द–47, कोयम्बटूर–1,2,3 इत्यादि किस्में विकसित की गयी हैं परन्तु उत्तर प्रदेश के किसानों हेतु नरेन्द्र देव कृषि विश्व विद्यालय, फैजाबाद द्वारा कुछ प्रजातियाँ विकसित/चयनित की गयी हैं जिनका विवरण निम्नवत है।

नरेन्द्र शकरकन्द मालती : यह मध्यक्रम की 120–130 दिनों में तैयार होने वाली औसत उपज 26–27 टन प्रति हेक्टेयर देने वाली शकरकन्द की सफेद प्रजाति है। जो खाने में स्वादिष्ट एवं सिचिंत तथा असिंचित दोनों दशाओं हेतु उपयुक्त प्रजाति है।

नरेन्द्र शकरकन्द–10 : नरेन्द्र शकरकन्द–10 मध्यक्रम की 120–130 दिन में तैयार होने वाली, 21–22 टन प्रति हेक्टेयर उत्पादकता वाली लाल रंग की प्रजाति है। ये दोनों ऋतुओं हेतु उपयुक्त हैं।

नरेन्द्र सोवरन (एन.डी.एस.पी. –65) : यह कम समय में तैयार होने वाली शकरकन्द की चयनित किस्म है जो 100–110 दिनों में तैयार होती है। इसकी उत्पादकता 20–24 टन प्रति हेक्टेयर है।

जलवायु

अच्छी बढ़वार हेतु औसत तापमान 24^0 सेन्टीग्रेड एवं वर्षा 750 मिमी. तक एवं कन्द की बढ़वार हेतु दिन का छोटा होना आवश्यक है। शकरकन्द के रोपड़ के 6 सप्ताह के अन्दर यदि सूखा या पाला का प्रकोप होता है तो उसका सीधा प्रभाव कन्द उत्पादन पर पड़ता है। शकरकन्द हल्की छाया के प्रति सहिष्णु एवं मध्यम अथवा अधिक छाया के प्रति संवेदनशील होती हैं।

भूमि एवं भूमि की तैयारी

शकरकन्द की अच्छी उपज एंव सर्वोत्तम विकास हेतु उत्तम जल निकास युक्त बलुई दोमट भूमि उपयुक्त होती है। अच्छी भुरभुरी भुमि तैयार करने हेतु 3–4 जुताई आवश्यक है। आखिरी जुताई के समय 5 टन गोबर की सड़ी खाद नत्रजन की आधी मात्रा एवं पोटाश फास्फोरस की सम्पूर्ण निर्धारित मात्रा को खेत में मिलाकर पाटा लगा देते हैं। तत्पश्चात् 60 सेंमी. की दूरी पर मेड़ों का निर्माण कर 20 सेंमी. तैयार प्रवर्धन सामग्री का रोपड़ इस प्रकार करते है कि लता का मध्य भाग मृदा से ढका हो एवं दोनों किनारे खुले हों।

पौध प्रवर्धन

शकरकन्द का प्रवर्धन वानस्पतिक विधि द्वारा इसकी लताओं से किया जाता है। लताओं की प्राप्ति शकरकन्द के खेत से सीधे अथवा चयनित कन्दों के माध्यम से नर्सरी उगाकर करते हैं। ऐसा देखा गया है कि नर्सरी के माध्यम से प्राप्त स्वस्थ एवं मंगरा रहित लताओं से सीधे खेत में प्राप्त लताओं की अपेक्षा काफी अधिक घुन रहित पैदावार प्राप्त होती है। नर्सरी उगाने हेतु प्रथम एवं द्वितीय नर्सरी लगायी जाती हैं।

1. *प्राथमिक नर्सरी* : प्राथमिक नर्सरी पौध रोपण के 3 माह पूर्व लगानी चाहिए। एक हेक्टेयर खेत में रोपड़ हेतु 100 वर्ग मीटर जगह पर्याप्त होता है जिसमें सौ से सवा सौ किग्रा मध्यम आकार के घुन रहित 100–125 ग्रा. के कन्द लेने चाहिए। जिन्हें 60 सेंमी. के दूरी पर बनी मेड़ों पर 25 सेंमी. पर लगाना चाहिए। 15 दिन के अन्तराल पर डेढ़ कि.ग्रा. यूरिया एवं आवश्यकतानुसार सिंचाई करनी आवश्यक है, जब नर्सरी 40–45 दिन की हो जाय, ऐसी स्थिति में 20–30 सेंमी. के टुकड़े लताओं से निकाल कर द्वितीयक नर्सरी में लगा देनी चाहिए।

2. *द्वितीय नर्सरी :* 500 वर्ग फीट में (500 कि.ग्रा. गोबर की सड़ी खाद मिलाकर खेत तैयार करें) 60 सेंमी. की दूरी पर मेंड़ बना लेते हैं एवं प्रथमिक नर्सरी से प्राप्त लताओं के 20–30 सेंमी. कटिंग को 25 सेंमी. की दूरी पर मेड़ों पर लगाकर सिंचाई कर देते हैं। लता रोपड़ के तुरन्त बाद नर्सरी की सिंचाई कर देते हैं। रोपड का कार्य शाम को किया जाय तो पौधों का प्रस्फुटन अच्छा होता है। 15 दिन के बाद उतनी ही अन्तराल पर 5 कि.ग्रा. यूरिया का छिड़काव एवं 30 दिन बाद उतनी ही मात्रा में यूरिया का द्वितीय छिड़काव अवश्य कर देना चाहिए। पौध रोपण के 45 दिनों बाद शकरकन्द की लातायें मुख्य फसल लगाने हेतु तैयार हो जाती हैं। विशेष ध्यान यह होना चाहिए कि प्रत्येक कटिंग के तदुपरान्त 0.5% के मोनोक्रोटोफॉस के घोल में लताओं का 10 मिनट तक डुबाना मंगरा कीट की रोकथाम हेतु आवश्यक है।

20–30 सेंमी. लम्बी 4–5 आँखों वाली लताएं जो अग्र एवं मध्य भाग से ली गयी हों, से अधिकतम जमाव एवं उपज प्राप्त होती है। लताओं को नर्सरी से उखाड़ कर पत्ती सहित छाया में 2 दिनों हेतु रख दिया जाता है। जिससे उसमें जड़ों का फुटाव शुरू हो जाता है। फलस्वरूप पौधा अच्छी तरह से एवं जल्दी भूमि में स्थापित होकर ज्यादा उपज देता है।

पौध रोपण का समय

शकरकन्द का रोपण वर्षा आधारित खरीफ की फसल के रूप में जुलाई के अन्तिम सप्ताह से अगस्त के बीच तक एंव सिंचित दशा में अक्टूबर से दिसम्बर तक किया जाता है। शकरकन्द का अधिकतम क्षेत्रफल रबी के मौसम में जब दिन गर्म तथा रातें ठण्डी एवं मध्यम वर्षा होती हैं। उत्तरी बिहार एवं उत्तर प्रदेश के कुछ भागों में फरवरी–मार्च में भी इसकी खेती सिंचित दशा में की जाती है। पूर्वी उत्तर प्रदेश में अगस्त के प्रथम सप्ताह से सितम्बर तक के रोपण से अधिकतम उपज प्राप्त होती है।

पौध रोपण की विधि

वैसे तो शकरकन्द का रोपण मेड़ पर, ढुहा बनाकर अथवा समतल क्यारियों में किया जाता है। उपरोक्त सभी विधियों में मेड़ पर किया गया पौध रोपड़ सर्वोत्तम पाया गया है। इस विधि में कर्षण क्रियायें करना आसान एवं कम लागत वाला होता है।

खाद एवं उर्वरक

गोबर की सड़ी खाद 5 टन, नत्रजन 75 कि.ग्रा., फास्फोरस 50 कि.ग्रा. एवं पोटाश 75 कि.ग्रा. प्रति हेक्टेयर की दर से उपरोक्त विधियों से दिया जाता है। शेष बची आधी नत्रजन को पौध रोपण के 30 दिनों के पश्चात् प्रथम निराई–गुड़ाई व मिट्टी चढ़ाते वक्त टॉप ड्रेसिंग के रूप में दिया जाता है। साइकोसिल के 500–1000 पीपीएम का छिड़काव रोपण के 30 दिन व 45 दिन के अन्तराल पर करने से शकरकन्द की अच्छी उपज प्राप्त होती है।

सिंचाई

रोपित पौधों की अच्छी स्थापना हेतु भूमि में पर्याप्त नमी का होना आवश्यक है। अतः पौध रोपण के तत्काल बाद प्रथम सिंचाई कर देनी चाहिए। यदि वर्षा न हो रही हो तो ऐसी स्थिति में सप्ताह में एक सिंचाई आवश्यक है।

अन्तः शस्य क्रियायें

रोपण के 30 दिनों बाद प्रथम एवं 50 दिन बाद द्वितीय निराई–गुड़ाई एवं मिट्टी चढ़ाने का कार्य सम्पादित कर देना चाहिए। यदि पौधे का वानस्पतिक विकास तीव्र गति से हो तो 45 दिनों पश्चात् पौधों को हाथ से ऊपर उठा देते हैं, जिससे गांठों

से निकलने वाली जड़े जमीन से उखड़ जाय, परिणाम स्वरूप मुख्य जड़ों में विकसित होने वाले कन्दों का समुचित विकास हो सके। 60 दिनों पश्चात् लता के 15 सेंमी. अग्रभाग को काट कर निकाल देना चाहिए। शंकरकन्द को लोबिया –शकरकन्द, मूंग–शकरकन्द, मक्का–शकरकन्द, मक्का–शकरकन्द–मूंग, मक्का (खरीफ)–शकरकन्द (बसंत)–गेहूँ (रबी)–मूंग (जायद) फसलों के सस्यक्रम में लगाया जा सकता है।

प्रमुख रोग एवं कीट प्रबंधन

अ. प्रमुख रोग

पर्ण चित्ती : शकरकन्द के इस रोग का मुख्य कारक *सरकोस्पोरा बटाटा* एवं *सरकोस्पोरा आइपोमिया* हैं जो गर्म एवं आर्द्र नमीयुक्त वातावरण पाने पर तेजी से फैलता है। इस रोग में पत्तियों पर शुरूआती दौर में पीला भूरा धब्बा दिखता है जो आगे चलकर गाढ़ा–भूरा गोले के रूप में परिवर्तित हो जाता है एवं कालान्तर में छेद बनाकर पत्तियों को गिरा देता है।

नियंत्रण : रोग प्रतिरोधी प्रजातियों का चयन। रोगयुक्त पौधों के अवशेष का एकत्रीकरण एवं जलाना। डाइथेन एम–45 के 0.5% घोल का 15 दिन के अन्तराल पर छिड़काव।

कॉलर रॉट : इस रोग का मुख्य कारक *स्केलेरोसिया रोल्फसी* है। इसमें कन्द के अग्रभाग पर जहाँ से जमाव शुरू होता है, पर छोटे गोल आकार के हल्के भूरे रंग के बिन्दुओं का दिखना एवं कालान्तर में बढ़कर गोले काले धब्बे के रूप में तनों पर अवतरित होकर सड़न पैदा करता है।

नियंत्रण : उचित फसल चक्र अपनाकर। रोगी पौधों के अवशेषों को खेत से हटाकर। भूमि की वीटावैक्स या प्लान्टावैक्स (50 पीपीएम) से शोधन करना।

तना गलन : इसका मुख्य कारक *फ्यूजेरियम ऑक्सीस्पोरम* एफ. *बटाटा* है। लता के निचले भाग की पुरानी पत्तियों एवं लताओं में पीलापन कालान्तर में पत्तियों का गिरना व सिकुड़ना एवं अन्त में सम्पूर्ण पौधे का समाप्त होना इसके लक्षण हैं।

नियंत्रण : रोगरहित रोपड़ सामग्री का प्रयोग। 2–3 वर्ष का फसल चक्र अपनाकर। रोग प्रतिरोधी प्रजातियों का चयन। पौध रोपण सामग्री का जमीन में कम गहराई पर रोपण। रोपण सामग्री का विनोमिलथाइबेन्डाजॉल के घोल से शोधन।

ब्लैक रॉट : इसका मुख्य कारक *सिट्रोसाइटिस फिमब्रेयटा* है। शकरकन्द का यह रोग खेत में एवं भण्डारण के समय होता है। खेत में कभी–कभी पौध पीलापन लिए हुए कमजोर दिखायी देता हैं एवं भूमि के अन्दर के तनों पर काला धब्बा दिखायी देता है। कन्दों पर सिकुड़न लिए हुए काले धब्बे का दिखना एवं पकाकर खाने पर तीखा स्वाद का होना इसका मुख्य लक्षण है।

नियंत्रण : तना गलन के उपायों को अपनाकर। संक्रमित कन्दों को भण्डारण हेतु उपयोग में न लाना।

कन्द गलन (साफ्ट रॉट) : इसका मुख्यकारक *राइजोपस स्टोलोनीफर* है तथा मुख्य लक्षण भण्डारित कन्दों का मुलायम होना एवं उससे दुर्गन्ध का आना है।

नियंत्रण : कटे–फटे कन्दों को भण्डारित न करना। भण्डारण से पूर्व कन्दों को छाया में 5–7 दिन तक सुखाना। डी.सी.एन.ए. से बीज कन्दों को उपचारित कराना।

ब. प्रमुख कीट

मंगरा (घुन) : यह घुन चींटे से मिलता–जुलता, काले रंग का लगभग 5–8 मि.मी. लम्बा कीट होता है इसकी मादा पुरूष कीट से थोड़ी छोटी होती है। प्रायः मादा शकरकन्द की लताओं के निचले भाग पर अथवा कन्द की गरदन वाले भाग में अंडे देती है। यह एक माह में पूर्ण वयस्क हो जाता है। जिसके नर का जीवन 90 से 110 दिन एवं मादा का 94–96 दिन का होता है। नर एवं मादा की संख्या में 1.5:1 का अनुपात होता है। एक वर्ष में 8 से 9 पीढ़ियों का जन्म होता है।

इनकी जन संख्या में वृद्धि के कारण न केवल कन्दों को ही नुकसान पहुँचता है अपितु शकरन्द की उत्पादकता को भी प्रभावित करता है। इसके कारण लताओं का बीच से कट जाना परिणामस्वरूप प्रकाश–संश्लेषण में बाधा। कभी–कभी तो पौध खत्म भी हो जाते हैं, यदि घुन कन्द की गरदन को प्रभावित करता है तो हल्की एवं छोटे कन्दों का निर्माण होता है जो उत्पादकता को सीधे प्रभावित करता है।

शकरकन्द के घुन से केरल में 5–55%, उड़ीसा में 1–65%, बिहार एवं उत्तर प्रदेश में 5–50% तक का नुकसान देखा गया है। प्रायः इसके लिये खुदाई का समय, खेती का मौसम, मिट्टी का प्रकार, नमी वर्षा की मात्रा, तापमान, फसल–चक्र इत्यादि भी समान्यरूप से जिम्मेदार होते हैं। कभी–कभी तो शत प्रतिशत तक फसल क्षतिग्रस्त होती देखी गयी है।

नियंत्रण

चूँकि प्रौढ़ावस्था को छोड़कर इसकी समस्त जीवन चक्र पौधों के अन्दर होती है जिसके कारण इनकी रोकथाम में विशेष बातों का ध्यान रखना पड़ता है जो निम्नवत् है।

1. *खेत की सफाई :* प्रायः यह देखा गया है कि प्रथम फसल की लतायें एवं कन्द इत्यादि अगली फसल के लिए वाहक का कार्य करती हैं। अतः इसके लिये फसल के अवशेष को जलाकर, अच्छी जुताई करनी चाहिए।
2. *वैकल्पिक पौधों को नष्ट करना :* शकरकन्द के अतिरिक्त भी ये कीड़े कुछ अन्य पौधों पर भी पनपते हैं, अतः ऐसे पौधों की पहचानकर उन्हें क्षेत्र के आस–पास से नष्ट कर देना चाहिए। जैसे : गाजर, कसावा एवं अन्य शकरकन्द कुल के पौधे।
3. *सवस्थ रोपण सामग्री का प्रयोग :* प्रायः ऐसा देखा गया है कि किसान रोपण सामग्री के रूप में पुरानी फसल की लता को पूरे–पूरे उपयोग में लाते हैं। जिसके निचले भाग में मंगरा लगा रहता है। जो नर्सरी में पहुँचकर और तेजी से बढ़ता है। अतः वैज्ञानिक ढंग से लगाई गई नर्सरी से ही पौधे रोपण सामग्री लेनी चाहिए। प्राथमिक नर्सरी हेतु स्वस्थ कन्दों का चुनाव अपेक्षित है। लता के निचले हिस्से को रोपण हेतु कदापि प्रयोग में नहीं लाना चाहिए।
4. *कर्षण क्रियायें :* विभिन्न कर्षण क्रियायें जैसे मिट्टी का मेड़ों पर चढ़ाना, सही अन्तराल पर सिंचाई करना, मिश्रित खेती एवं सही फसल चक्र को अपनाकर इसके प्रयोग से बचा जा सकता है।

   (क) *मिट्टी चढ़ाना:* पौध रोपण के तीन एवं आठ दिन के पश्चात् चढ़ाना चाहिए।

   (ख) *सिंचाई :* दस दिन के अन्तराल पर सिंचाई करने से खेत में नमी बनी रहती है जिससे शकरकन्द के घुन प्रकोप कम होता है।

   (ग) *मिलवा खेती:* शकरकन्द की मिलवा फसल जैसे शकरकन्द+रामदाना को लेने में घुन का प्रभाव कम देखा गया है अपेक्षाकृत शकरकन्द की एकल फसल के।

   (घ) *फसल चक्र :* फसल चक्र को अपनाकर इसके प्रभाव को कम किया जा सकता है। जैसे : धान–शकरकन्द–धान, धान–शकरकन्द–लोबिया, अरबी–शकरकन्द।

5. *कार्बनिक पदार्थो का उपयोग* : 25 कुन्तल महुये की खली या 50 कुन्तल लेमन घास या क्लेरोडेन्ड्रान की पत्ती का उपयोग प्रति हेक्टेयर की दर से करने पर शकरकन्द के घुन को काफी हद तक नियंत्रित करेन में प्रभावी होता है।

6. *सघन कीट प्रबंधन* : सघन कीट प्रबंधन के अन्तर्गत सर्वप्रथम लता के अग्र एवं मध्य भाग को लेकर 20 सेंमी. के टुकड़ों में विभाजित कर लिया जाता है। जिसे मोनोक्रोटोफास के 0.5% के घोल में दस मिनट डुबोकर 24 घंटे के लिये छाये में रखने के उपरान्त ही उपयोग में लाते है।

   फेरोमोन ट्रेप की सहायता से मगरा घुन का नियंत्रण : मादा घुन द्वारा नर को आकर्षित करने के लिये एक प्रकार का अर्थरासायनिक सेक्स फेरोमोन छोड़ा जाता है। जिसे कृत्रिम रूप से तैयार करएक किग्रा रबर के टुकड़े पर लेप करके उपयोग में लाया जाता है। जो 100 स्क्वायर मीटर खेत के लिये प्रर्याप्त होता है। इसके लिये टीन के अनुपयोगी डिब्बों का उपयोग किया जाता है। टीन के ऊपरी भाग में फेरोमोनयुक्त रबड़ को लटकाकर, टीन के पार्श्व भागों को काट दिया जाता है। निचले भाग में डिटरजेन्ट का घोल भर देते है। एवं 10x10 मीटर के अन्तराल पर रोपड़ के तुरन्त बाद रख देते हैं। मादा की गन्ध से आकर्षित होकर नर टीन रूपी ट्रेप तक पहुँच कर डिटर्जेटन्ट के घोल में गिर कर अपनी जीवन लीला समाप्त कर लेता हैं। जिनको बाद में जला देते हैं। फसल कटने के कम से कम एक सप्ताह बाद तक इसे अपने स्थान पर ही रखते है जिसमें आस–पास छिपे नरों को भी समाप्त कर देता हैं। जिन्हें बाद मे जला देते हैं। फसल कटने के कम से कम एक सप्ताह बाद तक इसे अपने स्थान पर ही रखते है जिसमें आस–पास छिपे नरों को भी समाप्त किया जा सके।

7. *शीघ्र खुदाई* : फसल जब 98 से 110 दिन की हो जाय तो फसल की खुदाई करने पर इसके आक्रमण से बचा जा सकता है।

8. *भण्डारण में सुरक्षा* : भण्डारित कन्दों को यदि बालू में रखा जाय तो निश्चित तौर पर घुन के प्रभाव को कम किया जा सकता है। इसके अतिरिक्त मिथाइल ब्रोमोइड या सल्फर के धुंआ करने से भी शकरकन्द के घुन के अण्डे, लारवा एवं वयस्क को खत्म किया जा सकता है। इसके अतिरिक्त भण्डारण की निम्न विधियों को सफलता पूर्वक अपनाया जा सकता है। जैसे:

भण्डारण हेतु संक्रमण विहीन कन्दों को जमीन में गडढा बनाकर उसमें रखने के पश्चात् लाल मिट्टी या लकड़ी की राखी से ढक देने से घुन का प्रवेश रोका जा सकता है। एवं कन्द ज्यादा दिनों तक स्वस्थ रखा जा सकता है।

पत्ती गिराने वाला कीट : शकरकन्द में अधिकाधिक संख्या में कोलियोप्टेरा एवं लेपिडोप्टेरा संघ के कीटो पौधों को पत्ती विहीन करते हैं। जो पौधों को अत्याधिक नुकसान पहुँचाते हें। तथा उपज पर हानिकारक प्रभाव डालते है यह हैं–पत्ती को मोड़ने वाला कीट, बिहार बाल कीट, भूरा बाल कीट, ग्रास हॉपर।

नियंत्रण : मोनोक्रोटोफॉस का 0.02% छिड़काव अच्छी सस्य क्रियाओं को अपनाकर।

चूहा : चूहा शकरकन्द को दिन एवं रात्रि दोनों में नुकसान पहुँचाता हैं, यह अपना बिल 30 मीटर तक बनाता है। प्रत्येक बिल में 1–3 खाद्य कोष्ठ होते हैं।

नियंत्रण : खेत में प्रतिदिन निरीक्षण, पकड़ना तथा धुंआ करना। जहरीली दवायें तथा– जिंक फास्फाइड (2–3%) का प्रयोग। गीली मृदा से बिलों का बंद करना। प्राकृतिक दुश्मनों यथा–सांप, बिल्ली का उपयोग।

29. बन्डा

वानस्पतिक नाम : *कोलोकैसिया एसकुलेन्टा* भेरायटि एस्कुलेन्टा

कुल : एरेसी

क्रोमोजोम संख्या : 2 एन = 28, 42

बन्डा अरवी कुल का ही एक पौधा है। इसका महत्व इसकी उपयोगिता के आधार पर अत्यधिक है। वर्षा ऋतु के शुरूआत में सब्जियों के पूरक के रूप में इसे उत्पादित कर किसान अच्छा लाभ प्राप्त करते हैं। भारतवर्ष में इसकी खेती पूर्वी उत्तर प्रदेश बिहार, बंगाल, आसाम, उड़ीसा, आन्ध्रा प्रदेश एवं छत्तीसगढ़ में बहुतायत में की जाती है। इसे मुख्य रूप से सब्जी के रूप में एवं चाट बनाकर उपयोग में लाते हैं तथा कुछ समुदाय के लोग इसे मांस के साथ पका कर भी खाते हैं। स्वाद के साथ–साथ इसे करी को भी गाढ़ा करने के कार्य में उपयोग किया जाता है।

उन्नतशील किस्में

पूर्व में इसकी कोई विकसित प्रजातियाँ नहीं थीं स्थान विशेष के अनुसार फैजाबादी, सीतापुरी इत्यादि नामों से इन्हें जाना जाता था। हाल ही में नरेन्द्रदेव कृषि एवं प्रौधोगिक विश्वविद्यालय द्वारा कुछ प्रजातियाँ विकसित की गई हैं जिनका विवरण निम्नवत है।

1. *एन. डी. बी.–21 :* यह बन्डे की अगेती किस्म है जो पांच से छः माह में तैयार हो जाती है। 45–50 टन प्रति हेक्टेयर की उपज देनेवाली पकने में आसान एवं स्वादिष्ट होती हैं।
2. *एन. डी. बी.–2 :* यह मध्यम क्रम की किस्म छः से सात माह में तैयार होकर 35 से 40 टन प्रति हेक्टेयर की उपज देती है। खाने में मुलायम एवं पकने में आसान हैं।
3. *एन. डी. बी.–3 :* यह मध्यम–क्रम की किस्म है तथा छः से सात माह तैयार हो जाती है और 40 टन प्रति हेक्टेयर की उपज देने की क्षमता रखती है।
4. *एन.डी. बी.–9 :* यह पिछेती किस्म की अच्छी ऊँचाई वाली आठ से नौ माह में तैयार होने वाली 40–50 टन प्रति हेक्टेयर की उपज देनेवाली, झुलसा रोग प्रतिरोधी प्रजाति हैं।

जलवायु

अच्छी पैदावार के लिये गर्म एवं नम जलवायु सर्वोत्तम पाई गई है। इसे हल्के जल भराव वाले क्षेत्रों में भी उगाया जाना सम्भव हैं। वैसे इसकी खेती सभी प्रकार की मृदाओं में की जा सकती है। बन्डा की खेती आम के पुराने बाग में हल्की छाया में की जा सकती है।

भूमि एवं भूमि की तैयारी

बन्डा की खेती सभी प्रकार की भूमि में की जा सकती है आम के पुराने बाग में हल्की छाया में भी इसकी खेती की जाती है। खेत की तैयारी विशेष रूप से करनी पड़ती है। प्रथम जुताई मिट्टी पलटने वाले हल से करके, दो तीन जुताई देशी हल से करते हैं आखिरी जुताई के समय 5 टन गोबर की सड़ी खाद खेत में मिला देते हैं। तत्पश्चात खेत में क्यारियों को बनाने के बाद उसकी मध्यम सिंचाई कर दी जाती है। सिंचाई के 2–3 दिन के बाद जब खेत में पैर रखने योग्य हो जाय तब लगभग 8 इंच चौड़े फावड़े से मृदा के प्रकार के आधार पर 60 से 75 सेंमी. की

दूरी पर 22.5 से 45 सेंमी. गहरी नालियों का निर्माण करते हैं, बाहर निकलने वाली मिट्टी को पैर से दबाते हैं नालियों के निर्माण के तत्पश्चात उसमे निर्धारित मात्रा में उर्वरक एवं शेष बची 10 टन गोबर की सड़ी खाद को डाल कर कुदाल की सहायता से भलीभंति मिला लेते हैं। अब खेत बोआई हेतु तैयार हो जाता हैं।

फसल की बुआई

तैयारी नालियों में खुरपी की सहायता से बुआई की जाती है। बोने के तदुपरान्त थोड़ी मिट्टी एवं खाद मिश्रण से ढक कर हल्की सिंचाई कर देनी चाहिए।

बीज की मात्रा

एक हेक्टेयर खेत की बोआई करने में 10 से 12 कुन्तल कन्दों की आवश्यकता पड़ती है।

पौधों की दूरी

भूमि के प्रकार के आधार पर इसका निर्धारण करते है।

(अ) *भारी मृदा :* कतार से कतार 60 सेंमी., पौध से पौध 30 सेंमी. एवं नाली की गहराई 45 सेंमी. रखते है।

(ब) *हल्की मृदा :* कतार से कतार 75 सेंमी. पौध से पौध 30 सेंमी. एवं नाली की गहराई 45 सेंमी. तक रखी जाती है।

बुआई का समय

बुआई का उचित समय फरवरी माह का प्रथम सप्ताह है। इसके लिये 15 जनवरी से खेत की तैयारी शुरू कर देनी चाहिए।

बीजकन्दों का चुनाव एवं तैयारी

कन्द एवं घनकन्दों दानों का उपयोग बीज के रूप में किया जाता है। मुख्य कन्द के नीचे वाले भाग को प्रयोग में नहीं लाया जाता बीच का एवं ऊपर वाला भाग ही उत्तम होता है। सर्वाधिक ऊपज भाग से प्राप्त होती है। घनकन्द भारी एवं क्षारिय मृदा के लिये उपयुक्त है। बीज की तैयारी करते समय 4–5 सेंमी. मोटाई के टुकड़ें जिनमें कम से कम दो कलिकायें अवश्य हों का 40–50 ग्रा. का टुकड़ा काट कर निकाल लेते हैं जिसे एगलाल से उपचारित करके बुआई के काम में लाते हैं।

खाद एवं उर्वरक

गोबर की सड़ी खाद 15 टन, 80 से 100 कि.ग्रा. नत्रजन, 60 कि.ग्रा. फासफोरस एंव 80 कि.ग्रा. पोटाश प्रति हेक्टेयर की दर से उपयोग में लाया जाता है। फासफोरस एवं पोटाश की सम्पूर्ण मात्रा बुआई से पूर्व नालियों में डाल दी जाती है। नत्रजन की आधी मात्रा बुआई के तीस दिनों के पश्चात् एवं शेष बची आधी मात्रा नब्बे दिनों पश्चात गुड़ाई के समय दी जाती हैं।

अन्तः शस्य क्रियाऐं

कर्षण क्रियाऐं : निराई गुड़ाई कम से कम तीन बार तो अवश्य करनी पड़ती है, प्रत्येक बार पौध की बढ़वार के समय थोड़ी–थोड़ी मिट्टी भी गिराते हैं एवं अन्त में मेड़ का निर्माण कर देते हैं जिससे कन्दों की अच्छी पैदावार प्राप्त होती है।

मल्चिंग : धान का पुआल 6 टन प्रति हेक्टेयर की दर से या अन्य उपलब्ध पत्तियों इत्यादि से मल्चिंग करने पर अधिक उपज कम खरपतवार एवं कम सिंचाई की आवश्यकता पड़ती है।

सिंचाई : पौधों की अच्छी बढ़वार हेतु नमी को हमेशा बनाये रखना आवश्यक होता है। गर्मी के दिनों में 6–7 दिन के अन्तर पर सिंचाई करना आवश्यक होता है।

प्रमुख रोग एवं कीट प्रबंधन

अ. प्रमुख रोग

झुलसा (अंगमारी) रोग : बन्डा का यह रोग सर्वाधिक नुकसान पहुँचाने वाला है जिसका मुख्य कारक फाइटोप्थोरा कोलोकेसी है। इसमें पत्तियों पर छोटे–छोटे धब्बे, धब्बों के किनारे सफेद दाग एवं बीच में नारंगी रंग की पानी की बूंदे पाई जाती हैं जो तीन–चार दिनों में ही फैलकर पूरे पौधे को समाप्त कर देती है।

नियंत्रण : बरसात के स्थान पर गर्मी की फसल को प्राथमिकता। रोग प्रतिरोधी प्रजातियों का चयन। उचित फसल चक्र अपनाकर। रोग विहिन कन्दों का बीज के रूप में उपयोग। स्वयं उगे पौधों को नष्ट कर दें। कवकनाशी रसायनों का प्रयोग (रीडोमिल 0.5% के घोल का, रोग के प्रामि लक्षण दिखते ही प्रथम एवं 15 दिन के अंतरालपर दो छिड़काव प्रभावी होता है।)

पर्ण चित्ती : फफूंद जनित यह रोग पत्तियों पर हल्के भूरे रंग के धब्बों का निर्माण करता है। जिससे पत्ते कुछ पीले भी पड़ने लगते हैं पत्तियाँ समय से पहले सूख जाती है परिणाम स्वरूप कन्द एवं घनकन्द छोटे रह जाते हैं।

नियंत्रण : रोग के शुरूआती दौर में डायथेन एम.–45 या ब्लाइटाक्स–50 के 0.3% के घोल का छिड़काव प्रभावी होता है।

कन्द गलन : चूंकि यह एक मृदा फफूंद जनित रोग है अतः इसका प्रथम लक्षण प्रत्तियों में पीलापन दिखने के साथ ही पौधे की बढ़वार रूक जाती है। एवं बाद में पूरा पैधा सूख जाता है। कन्द माइसीलिशल को देखा जा सकता है। परिणाम स्वरूप कन्द मुलायम पड़ कर सड़ने लगता है जिसमें से दुर्गन्ध आने लगती है।

नियंत्रण : भूमि शोधन करना। रोग रहित कन्दों का बीज के रूप में प्रयोग। उचित फसल चक्र अपना कर। रोगी पौधों के अवशेष को खेत से हटाकर। पानी निकास को ठी कर के कवकनाशी द्वारा भूमि की ड्रेसिंग करना। कन्द को लगाने से पूर्व एग्रोसान जी एन सेरेसान के 50 पीपीएम के घोल में 30 मिनट तक डुबाना।

ब. प्रमुख कीट

भुनगा (एफीड्स) : ये कीड़े पत्तियों के दोनों तरफ एंव ढण्डल पर आक्रमण करते हैं परिणाम स्वरूप पौधा पीला पड़ कर मुड़ जाता है। साथ ही हल्के गडढें बन जाते हैं।

नियंत्रण : एफीलीनस मानी इनका भक्षण करता है। डाइमेथाल, क्यूनाल्फास या फेनिट्रोथियान का 0.5% का मासिक अंतराल पर छिड़काव प्रभावी है।

स्पाइडर माइट : कीट के निम्फ एवं वयस्क पत्तियों का रस चूसते हैं परिणाम स्वरूप पत्तियों पर सिल्वरफीश सफेद धारी एवं काले धब्बे पड़ जाते हैं परिणाम स्वरूप पत्तियाँ सूख जाती हैं।

नियंत्रण : डाइमेथोएट का 0.5% का छिड़काव।

कन्दों की खुदाई : तैयार फसल की बाजार की मांग के अनुरूप 5 से 7 माह के बीच खुदाई कर लेते हैं, खुदाई के एक सप्ताह पूर्व पौधों में गाँठ लगाने से उपज में बढ़ोत्तरी पाई गई है।

उपज

प्रजातियों के अनुरूप 30 से 50 टन प्रति हेक्टेयर तक उपज प्राप्त की जा सकती है।

30. कसावा

वानस्पतिक नाम : *मैनिहाट इस्कुलेन्टा*

कुल : इयूफोर्बिएसी

गुणवत्ता संख्या : 2 एन = 2x = 36

भारत वर्ष में कसावा की खेती सर्वप्रथम केरल राज्य में की गई। वहाँ से यह तमिलनाडु में लाई गई और अब आन्ध्रप्रेश के काफी बड़े हिस्से में इसकी खेती की जा रही है। यह लगभग सभी प्रकार की जलवायु एवं भूमि में सफलतापूर्वक उगाया जा सकता है और यह सूखा एवं क्षारियता को कुछ हद तक सहने की क्षमता रखता है। इसका आलू के पूरक के रूप में भी उपयोग किया जा सकता है। घर के आसपास, कृषि वानिकी में खेत के चारों तरफ वायुरोधी के रूप में इसे लगाया जा सकता है साथ ही प्रतिदिन की आवश्यकता के अनुरूप एक पौधे को निकालकर उसकी जड़ों को उपयोग किया जा सकता हैं। इससे सब्जी के अतिरिक्त चिप्स, साबूदाना इत्यादि का निर्माण कर कुटीर उद्योग को बढ़ावा देकर किसानों के अर्थिक स्थिति को मजबूत किया जा सकता है।

उन्नतशील किस्में

एच–97 : सी.टी.सी.आर. आई., त्रिवेन्द्रम द्वारा विकसित, 260 से 300 दिनों में तैयार होने वाली, 25 टन प्रति हेक्टेयर औसत उत्पादन के साथ ही कसावा मोजेक रोधी, शुष्क स्थिति में अच्छा उत्पादन देने वाली प्रजाति है। इसमें 27–31% तक स्टार्च पाया जाता है।

एच–165 : सी.टी.सी.आर.आई त्रिवेन्द्रम द्वारा विकसित 200–240 दिनों में तैयार होने वाली, 33 टन प्रति हेक्टेयर औसत उत्पादकता के साथ ही अच्छी गुणवत्ता वाले स्टार्च, बुआई में आसान तीव्रगति से वृद्धि करने वाले प्रजाति है।

एच–226 : त्रिवेन्द्रम द्वारा विकसित 260 से 300 दिनों में तैयार होने वाली, 30 टन प्रति हेक्टेयर औसत उत्पादकता के साथ ही पकने में आसान प्रजाति है।

सी.ओ.–1 : तमिलनाडु कृषि विश्वविद्यालय, कोयमबटूर द्वारा विकसित 260–275 दिनों में तैयार होने वाली 330 दिनों में तैयार होने वाली, 30 टन प्रति हेक्टेयर औसत उत्पादकता के साथ ही पकने में आसान प्रजाति है।

श्री सहया : सी.टी.सी.आर.आई द्वारा विकसित 300 से 320 दिन में तैयार होने वाले, 35 टन औसत उत्पादकता के साथ ही अत्यधिक सूखा सहने की क्षमता वाली प्रजाति है। स्टार्च 29–31% तक पाया जाता है।

श्री विसाखम : त्रिवेन्द्रम द्वारा विकसित 270–300 दिनों में तैयार होने वाली, 35 टन प्रति हेक्टेयर औसत उत्पादकता वाली अधिक कैरोटीन युक्त प्रजाति है। 25–27% स्टार्च पाया जाता है।

श्री प्रकाश : त्रिवेन्द्रम द्वारा विकसित 210 से 240 दिनों में तैयार होने वाली, 30 टन प्रति हेक्टेयर औसत उत्पादकता वाली निचली भूमि में खेती योग्य प्रजाति है।

सी.ओ.–2 : तमिलनाडु कृषि विश्वविद्यालय, कोयमबटूर द्वारा विकसित, 260 से 275 दिनों में तैयार होने वाली, 35 टन प्रति हेक्टेयर औसत उत्पादकता वाली पकाने में आसान तथा खाने में स्वादिष्ट प्रजाति है।

सी.ओ.–9 : तमिलनाडु कृषि विश्वविद्यालय द्वारा विकसित, 240 से 270 दिनों में तैयार होने वाली, 36 टन प्रति हेक्टेयर औसत उत्पादकता वाली सफेद गूदे एवं पकने में आसान प्रजाति है। सटार्च 35.6% तक पाया जाता हैं।

एच.–119 : तमिलनाडु द्वारा विकसित, 210 से 225 दिनों में तैयार होने वाली 30 टन प्रति हेक्टेयर औसत उत्पादकता वाली, पकने में अच्छी एवं कम समय में तैयार होने वाली प्रजाति है।

जलवायु

कसावा मूलतः गर्म जलवायु का पौधा है परन्तु इसे हर प्रकार की जलवायु एवं मृदा में उगाया जा सकता है। यह पाले के प्रति सहिष्णु एवं सूखा सहने की क्षमता रखता हैं।

भूमि एवं भूमि की तैयारी

चौरस खेत की तीन–चार जुताई करके पाटा लगा कर समतल कर लेते हैं भूमि के प्रकार के आधार पर भारी भूमि में जहाँ जल निकास की अच्छी सुविधा नहीं उपलब्ध है, में माउण्ड बनाकर इसे लगाते हैं। ढलुवा जमीन में ढाल के विपरीत मेंड़ बनाकर इसे लगाया जाता है। समतल एवं अच्छी जमीन में इसे हल्के गडढें में लगा कर कालान्तर में इस पर मिट्टी चढ़ा कर माउण्ड बना लिया जाता है। इस विधि से सर्वाधिक उपज प्राप्त होती है। सिंचित दशा में नाली एवं मेड़ विधि उत्तम है।

फसल की बुआई

कसावा का प्रसारण वानस्पतिक विधि द्वारा किया जाता है। इसके लिए 8–12 माह पुराने तने को उपयोग में लाते हैं जिसकी मोटाई 2–3 सेंमी. हो। शाखा की सम्पूर्ण लम्बाई ऊपर से 1/3 भाग एवं नीचे से 5 सेंमी. के भाग को काट कर निकाल देना चाहिए। शेष बचे तने को तेज धार वाले हथियार से 20–25 सेंमी. लम्बे टुकड़े काट कर रोपण के कार्य में लाते हैं।

रोपाई का समय

असिंचित दशा में इसका रोपण जून माह में करना उत्तम होता है, जबकि सिंचित दशा में फरवरी मार्च में इसे लगाना चाहिए।

रोपाई का तरीका

पहले से तैयार किये गये तने के टुकड़ों को जमीन में 5 से 7.5 सेंमी. की गहराई में लगाया जाता है। लगाते समय विशेष ध्यान देने योग्य बात यह है कि इसे सीधे लगाया जाय और कलिकाओं वाला भाग ऊपर की ओर होना चाहिए।

पौधों की संख्या एवं दूरी

मध्यम उर्वरक वाली भूमि में शाखाओं वाली प्रजातियों को 90 x 90 सेंमी. की दूरी पर लगाते हैं जिससे एक हेक्टेयर भूमि में 12350 पौधे लग जाते हैं। जबकि बिना शाखाओं वाली प्रजातियों को 75 x 75 सेंमी. की दूरी पर लगा कर कुल 16680 पौधे प्रति हेक्टेयर में लायए जाते है। एक गडढें में सिर्फ एक ही कटींग लगाई जाती है।

प्रति पौध तने की संख्या

कलम लगाने के 15–20 दिन पश्चात प्रत्येक पौधे में दो के अतिरिक्त जो भी जमाव होता है, नष्ट कर देते हैं। दोनों तने आपस में विपरीत दिशा में होने चाहिए।

रिक्त स्थान का भराव

सभी कलमें एक नहीं लगती है अतः उन के भराव की आवश्यकता पड़ती है इसके लिये रोपाई के समय ही दो स्क्वायर मीटर की क्यारी बनाकर कुल संख्या का 10% कटिंग को 4.5 x 4.5 सेंमी. की दूरी पर लगा देते हैं एवं सिंचाई करते रहते हैं। 20–25 दिन पुरानी होने पर रिक्त स्थान के भराव के कार्य में लाते है।

खाद एवं उर्वरक

भूमि कि तैयारी के समय 10 टन गोबर की सड़ी खाद को आखिरी जुताई के समय खेत में मिला देते हैं। उर्वरक में 100 कि.ग्रा. नत्रजन, 50 कि.ग्रा. फासफोरस एवं 100 कि.ग्रा. पोटाश की मात्रा उच्च उत्पादकता वाली प्रजातियों के लिये संस्तुति की गई हैं।

सिंचाई

असिंचित दशा में विशेष सिंचाई नहीं की जाती है परन्तु सिंचित दशा में गर्मियों में 12–15 दिन के अन्तराल पर हल्की सिंचाई करनी चाहिए।

अन्तःसस्य क्रियायें

प्रथम निराई गुड़ाई एवं मिट्टी चढ़ाने का कार्य रोपाई के 45–60 दिनों पश्चात एवं दूसरी इसके एक माह के पश्चात करते हैं। अंतःशस्य के रूप में दालीय फसलें जैसे मूंग इत्यादि, सब्जी के रूप में लोबिया, भिन्डी एवं कद्दू वर्गीय फसलों को शुरूआती दौर में लिया जा सकता है कसावा के दो कतारों के बीच की जगह में हल्दी भी भली–भांति लगाई जा सकती है।

पौध सुरक्षा

कसावा मौजैक से बचाव हेतु लगातार मौजेक ग्रासित पौधों को निकालते रहना चाहिए एवं रोग विहिन पौध सामग्री को उपयोग में लाना चाहिए।

खुदाई

कसावा के पौध 7–9 माह में खुदाई के लिए तैयार हो जाते है। फसल तैयार होने के समय पौधों की पत्तियाँ, पीली पड़ जाती हैं और जमीन में हल्की दरारें फट जाती हैं। वही खुदाई का उचित समय है। खुदाई कुदाल या फावड़ें से करनी चाहिए जिससे कन्द नष्ट न हों।

उपज

कसावा की किस्मों के आधार पर इसकी उपज 260 से 350 कुन्तल प्रति हेक्टेयर होती है।

31. रतालू

वानस्पतिक नाम : *डाइओस्कोरिया* स्पोसिज्

कुल : डाइओस्कोरेसी

क्रोमोजोम संख्या : 2 एन = 30–80

रतालू उष्ण कटिबंधीय जलवायु की फसल हैं जो लम्बी आर्द्र अवधि में उगायी जाती है। भारत में यह दक्षिणी तथा उत्तर पूर्वी भागों में उगायी जाती है। देश में उगायी जाने वाली रतालू की तीन जातियाँ हैं। बड़ा रतालू (ग्रेटर याम), छोटा रतालू (लेशर याम), सफेद रतालू (व्हाइट याम) प्रमुख हैं।

इस प्रकार बड़ा तथा छोटा रतालू प्रचीन काल से बहुत प्रसिद्ध है। सफेद रतालू अफ्रीका से आया हुआ नवागमित पौधा है। रतालू का प्रयोग विभिन्न प्रकार से किया जाता है जैसे : फूफु रतालू का आटा सामान्यतः उपयोग किया जाता है। सामान्यतः इसे उबालकर तथा तलकर प्रयोग करते हैं। इसका कन्द छीलकर तथा पकाकर सब्जी के रूप में प्रयोग किया जाता है। इसकी जंगली प्रजातियों में 'सैपोजिनिन' होता हैं जिसका अच्छा प्रयोग गला सम्बन्धी बीमारियों में होता है। रतालू में कार्बोहाइड्रेट 18–20% तक पाया जाता है। रतालू में एल्कोलॉइड, रैनिन तथा स्टेरॉइड पाये जाने से इसका औद्योगिक मूल्य बढ़ जाता है। दवाइयों के निर्माण में इसका सर्वाधिक उपयोग है।

उन्नतशील किस्में

अ. ग्रेटर याम

1. *श्री किर्थी :* यह प्रजाति 8–9 माह में तैयार हो जाती है तथा इसकी औसत उपज 250–300 कुन्तल प्रति हेक्टेयर है। इसके कन्द शंक्वाकार, भूरे रंग के एवं सफेद गूदा युक्त होते हैं जिसमें 20–22% स्टार्च पाया जाता है। यह पकने में आसान एवं खाने में स्वादिष्ट होता है। इस पर रोग एवं कीटों का काफी कम प्रकोप होता है।

2. *श्री रूपा :* यह 9–10 माह में तैयार होनेवाली किस्म 250–300 कुन्तल प्रति हेक्टेयर औसत उपज वाली, अंगुलियों के आकार की काले रंग की पीली आन्तरिक सतह वाली रतालू की प्रजाति है जिसका गूदा सफेद, पकने में आसान तथा खाने में स्वादिष्ट है। इसमें 1–2% प्रोटीन तथा स्टार्च पाया जाता है।

3. *श्री शिल्पा :* यह 8 मास में तैयार होने वाली रतालू की अमेती किस्म है जिसकी औसत उपज 280 कुन्तल प्रति हेक्टयेर तक है। इसके कन्द चिकने फुलाव युक्त अंडाकार एवं देखने में काले आन्तरिक सतह पीली गूदा सफेद होता है। खाने में स्वादिष्ट एवं 17–19% तक स्टार्च पाया जाता है।

ब. लेसर याम

1. *श्री लथा :* रतालू की यह प्रजाति 8–9 माह में तैयार होने वाली, 200–250 कुन्तल प्रति हेक्टेयर उपज देने वाली है। जिसके कन्द लम्बाई लिये हुए बीच में मोटे आकार के धूसर–भुरे रंग के एवं पतले रोमयुक्त होते है। जिसका गूदा मक्खन की तरह सफेद होता है। यह पकने में आसान एवं सुगन्ध युक्त होता है। जिसमें 18.4% स्टार्च पाया जाता है। यह किस्म रोग एवं कीट के प्रति ग्रहणशील है।
2. *श्री कला :* यह 8–9 माह में तैयार होने वाली, 200–250 कुन्तल प्रति हेक्टेयर की उपज देने वाली रतालू की प्रजाति है जिसके कन्द चिकने, गोलाकार होते है। यह पकने में आसान, खाने में मीठा एवं रेशा रहित प्रजाति है।

स. सफेद याम

1. *श्री शुभ्रा :* यह 8–9 माह में तैयार होने वाली 350–400 कुन्तल प्रति हेक्टेयर उपज देने वाली रतालू की यह प्रजाति आकार में बेलनाकार देखने में भूरा एवं हल्के रोगयुक्त होती है। जिसका गूदा सफेद रंग का होता है। पकने में आसान, खाने में स्वादिष्ट एवं 21–23 प्रति स्टार्च युक्त होता है। रोग एवं कीटों को प्रकोप कम पाया जाता है।
2. *श्री प्रिया :* यह 8–9 माह में तैयार होने वाली, 350–400 कुन्तल प्रति हेक्टेयर उपज देने वाली रतालू की यह प्रजाति है, जिसके कन्द चिकने लम्बे एवं हल्के भूरे होते है। प्रति पौधे से औसतन 1–2 कन्द प्राप्त होते है। पकने में आसान एवं खाने में स्वादिश्ट है। इसमें 2–3% प्रोटीन एवं 20–21% स्टार्च पाया जाता है।
3. *श्री धन्या :* यह 9 माह में तैयार होने वाली 1.5–2 कि.ग्रा. प्रति पौधा उपज देने वाली रतालू की बौनी प्रजाति है जो देखने में झाड़ीनुमा एवं 30 सेंमी. ऊँचा एवं 50–60 सेंमी. फैलावयुक्त होता है। इसमें 23.3% तक स्टार्च पाया जाता है।

जलवायु

रतालू एक गर्म एवं तटीय जलवायु में उगने वाला पौधा है, जिसके लिये 30^0 सेन्टीग्रेड तापमान एवं 1300–1800 मि.मी. औसत वार्षिक वर्षा वाले क्षेत्र उपयुक्त पाये गये हैं। रतालू की फसल में पाला सहन करने की क्षमता नहीं होती है।

भूमि एवं भूमि की तैयारी

रतालू की खेती के लिये अच्छे जल–निकास वाली एवं अच्छी उर्वरता युक्त बलुई–दोमट भूमि सर्वोत्तम पायी गई है। भली भांति जुटे हुए खेत में 45x45x45 सेंमी. आकार के गडढों की खुदाई 90x90 सेंमी. की दूरी पर कर ली जाती है। जिसे गोबर की सड़ी खाद एवं मृदा की ऊपर सतह एवं उर्वरक की समुचित माया के साथ मिलाकर भर कर ढुहे के रूप में बना देते हैं। छोटा रतालू के लिए खेत की तैयारी करते समय सम्पूर्ण खेत में गोबर की सड़ी खाद एवं अनुमन्य उर्वरकों की मात्रा का छिड़काव कर 75x75 सेंमी. की दूरी पर ढुहा तैयार करते हैं।

फसल की रोपाई

रतालू का प्रर्वधन वानस्पतिक विधि द्वारा किया जाता है जिसके लिये रतालू की विभिन्न किस्मों जैसे ग्रेटर एवं लेसरयाम के कन्दों को 250–300 ग्रा. वजन तक के टुकड़ों को काटकर प्रर्वधन हेतु प्रयोग में लाया जाता है। उपरोक्त आकार के कन्दों को बीज के रूप में प्रयोग करने पर अत्यधिक बीज कन्दों की आवश्यकता होती है। अतः इसे कम करने के लिए मिनी सेट्स (छोटे टुकड़ों) के माध्यम से नसरी तैयार कर अगले वर्ष के लिए बीज तैयार करते हैं। जिसमें लगभग 30 ग्रा. वजन का टुकड़ा प्रयोग में लाया जाता है। लेशर याम हेतु 100–150 ग्रा. के मध्यम आकार के टुकड़ें प्रर्वधन हेतु उपयुक्त पाये गये है।

बुआई का समय

रतालू की बुआई का उपयुक्त समय सिंचित दशा में मार्च–अप्रैल तक एवं असिंचित दशा में जून के द्वितीय पखवारे में करना उचित पाया गया हैं।

खाद एवं उर्वरक

10 टन गोबर की सड़ी खाद 80 कि.ग्रा. नत्रजन, 50 कि.ग्रा. फासफोरस एवं 80 कि.ग्रा. पोटाश को दो बार में प्रयोग में लाते हैं। इसमें 87 कि.ग्रा. यूरिया, 300 कि.ग्रा. राक, फास्फेट एवं पोटाश की आधी मात्रा 67 कि.ग्रा. म्यूरेट आफ पोटाश

के रूप में देते हैं। शेष बची नत्रजन एवं पोटाश की मात्रा को पुनः दो बार में प्रथम एवं द्वितीय निराई, गुड़ाई एवं मिट्टी चढ़ाने के समय देते हैं।

सिंचाई

बुआई के तुरन्त बाद इसकी प्रथम सिंचाई कर देनी चाहिए जिससे समान रूप से जमाव होने में आसानी रहती है। आवश्यकतानुसार सिंचाई करनी चाहिए। वैसे तो यह सूखा रोधी है फिर भी खेत में जल निकास की उचित व्यवस्था सुनिश्चित कर देनी चाहिए।

अंतःसस्य क्रियायें

रतालू में प्रथम अंतःसस्य क्रिया निराई एवं गुड़ाई के साथ मिट्टी चढ़ाने का कार्य जमाव के प्रथम सप्ताह के बाद एवं द्वितीय निराई गुड़ाई प्रथम के एक माह पश्चात् करना चाहिए।

मल्चिंग : बुआई के पश्चात् भूमि में नमी को बनायें रखने एवं बीज की मात्रा कम करने हेतु पुआल से मल्चिंग कर देनी चाहिए जो फसल के उत्पादन को बढ़ाने में सहायक है।

पौधों को सहारा देना : रतालू से अच्छी पैदावार प्राप्त करने हेतु पौधों को सहारा देना अति प्रचलित है। जिसके लिए बड़े एवं छोटे रतालू को 3–4 मीटर की ऊँचाई के खम्भों पर अथवा रस्सी पर चढ़ाते हैं।

खुदाई

रतालू के पौधे 7–9 माह में खुदाई हेतु तैयार हो जाते हैं। कन्दवर्गीय फसलों में रतालू की भण्डारण क्षमता सबसे अधिक है फिर भी खुदाई के पश्चात् इसके कन्दों को 4–5 दिन तक छाया में सुखाने के पश्चात् हवादार स्थान पर बाँस के एक मीटर ऊँचे मचान पर इसे भण्डारित करते हैं। भण्डारण के दौरान इसमें जमाव की समस्या आती है जिसकी रोकथाम के लिए 0.1% मैलिक हाईड्राजाइड के घोल में 10 घंटा तक डुबाकर फिर भण्डारित करने से उपरोक्त समस्या का समाधान हो जाता है।

उपज

प्रजातियों एवं बीज कन्दों के आधार पर इसकी उपज 200 से लेकर 400 कुन्तल प्रति हेक्टेयर तक प्राप्त हो जाती है।

❑❑❑

6

पुष्प विज्ञान

पुष्प विज्ञान, उद्यान विज्ञान की वह शाखा है जिसके अन्तर्गत विभिन्न प्रकार के फूल दार एवं शोभाकारी पौधों का अध्ययन किया जाता है। फूल विज्ञान के अन्तर्गत एक वर्षीय, द्विवर्षीय व बहुवर्षीय पौधों की विभिन्न प्रजातियों एवं किस्मों की उपयोगिता उनके उत्पादन, एवं विपणन के तरीकों का विस्तृत अध्ययन का किया जाता है।

फूल, मानव सभ्यता के साथ प्रारम्भ से ही जुड़े हुए हैं। ऐसा माना जाता है कि मनुष्य फूल के साथ पैदा होता है, फूल के साथ जीवन पर्यन्त जुड़ा रहता है और अन्त में फूल के साथ मृत्यु को भी प्राप्त होता है। हमारे जीवन में फूल दिन प्रतिदिन काम आते हैं। पूजा–पाठ, धार्मिक व सामाजिक कार्य, आन्तरिक सजावट व स्त्रियों के संजने–संवरने का काम फूलों के बिना अधूरा रहता है। फूल हमारे भावनाओं को प्रकट करने के लिए शसक्त माध्यम का कार्य भी करते हैं। जैसेः गुलाब प्रेम का परिचायक है, पैंजी विचारों का प्रतीक है, सफेद कारनेशन औरतों के प्रेम का प्रतीक है, तो फ्रेंच गेंदा ईर्ष्या या दुःख का द्योतक है। डेफोडेल सम्मान का सूचक है तो लिली घमण्ड का द्योतक माना गया है। इसी प्रकार कई–कई फूलों को अनेकानेक भावनाओं का शसक्त माध्यम माना गया है।

सुन्दरता एवं खुशहाली के साथ–साथ फूलों का अर्थिक दृष्टि से भी बहुत महत्व है। फूलों के व्यापार से धन अर्जित होता है तथा इसके प्रयोग से अनेक उपयोगी पदार्थ जैसे तेल, गुलकन्द, इत्यादि बनाये जा सकते हैं। हमारे देश में लगभग 2 लाख हेक्टेयर क्षेत्रफल में फूलों की खेती हो रही है जिससे भारी मात्रा में खिले फूल व गुलदस्ते वाले फूल पैदा किये जा रहे हैं। इनके व्यापार एवं बिक्री से भारी मात्रा में देशी व विदेशी मुद्रायें अर्जित की जा रही है। अन्तर्राष्ट्रीय स्तर पर नीदर लैण्ड फूल उत्पादन में प्रथम राष्ट्र है जबकि भारत वर्ष का दसवां स्थान है। फल एवं शोभाकारी पौधों के आयात करने वाले देशों में जर्मनी का विश्व में प्रथम स्थान है।

पुष्प उत्पादन से जुड़े व्यवसाय

फूल एवं शोभाकारी पौधों के उत्पादन एवं विपणन से निम्नलिखित व्यवसाय जुड़े हुए हैं।

1. शोभाकारी पौधों के बीज एवं पौधशाला व्यवसाय।
2. शोभाकारी पौधों के उत्पादन में प्रयुक्त होने वाले उपकरण का व्यवसाय।
3. पौधों को उगाने के लिए प्रयुक्त ग्रीन हाउस/ग्लास हाउस निर्माण का व्यवसाय।
4. फूलों एवं शोभाकारी पौधों की बिक्री तथा निर्यात का व्यवसाय।
5. इनसे उत्पादित पदार्थों के बिक्री का व्यवसाय।

अनेक उत्पादित पदार्थों जैसे : गुलकन्द, इत्र, व्यवसाय में हमारे देश का प्रमुख स्थान है। उदाहरण के लिए गंजाम (उड़ीसा) से केवड़े का इत्र एवं केवड़ा जल तथा कन्नौज व हाथ रस (उत्तर प्रदेश) से गुलाब का इत्र एवं गुलाब जल इत्यादि देश विदेश में मशहूर पदार्थ हैं।

1. पुष्प विज्ञान में शोध की पहल

भारत वर्ष में पुष्प विज्ञान पर शोध एवं विकास कार्य अभी प्रारम्भिक अवस्था में है। जो मुख्य रूप से कृषि विश्वविद्यालयों एवं शोध संस्थानों तक ही सीमित थे। पांचवी पंचवर्षीय योजना में सर्वप्रथम अखिल भारतीय समन्वित परियोजना का शुभारम्भ हुआ जिसमें पाँच प्रमुख फूल जैसे गुलाब, ग्लैडियोलस, कारनेशन, गुलदावदी, तथा आर्किड के किस्म विकास, उत्पादन तकनीक विकास, पौध संरक्षण

आदि पर कार्य प्रारम्भ किया गया। इसके पश्चात राष्ट्रीय आर्किड अनुसंधान केन्द्र, कलिंगपांग में स्थापित किया गया। वर्ष 2010 में पुष्प विज्ञान का परियोजना निदेशालय, नई दिल्ली में स्थापित किया गया जो पूरे देश में इस विषय पर शोध कार्य की अगुवाई करेगा।

पुष्प विज्ञान के विकास की सम्भावनाएँ

पुष्प एवं शोभाकारी पौधों के विकास की असीम सम्भावनाएं मौजूद हैं जिसके निम्नलिखित कारण हैं।

1. फूलों तथा शोभाकारी पौधों के मांग में निरंतर वृद्धि।
2. गुणवत्तापूर्ण बीज एवं पौध सामग्री की बढ़ती हुई मांग।
3. सुगन्धित पदार्थो के उत्पादन एवं विपणन की बढ़ती सम्भावनाएँ।
4. ग्रीन हाउस अथवा नियंत्रित वातावरण में पुष्पोत्पादन की बढ़ती सम्भावनाएं एवं बढ़ते हुए ज्ञान की सीमायें।
5. उच्च तकनीक से पुष्प एवं शोभाकारी पौधों के उत्पादन में बढ़ती परामर्श सेवा की सम्भावनाएं।
6. बोन्साई पौधों को विकसित करने का व्यवसाय।

शोभाकारी उद्यान

शोभाकारी उद्यान (Ornamental garden) मानव जीवन का अभिन्न अंग है। जब कोई फुरसत के छणों में या आमोद की अवस्था में होता है तो इसका महत्व और अधिक बढ़ जाता है। इसलिए हर शहर, कालोनी, कस्बों के योजना बनाने के समय कुछ स्थान शोभाकारी उद्यान या पार्क के लिए छोड़ दिया जाता है। ये उद्यान मन–विनोद तथा आमोद–प्रमोद के साथ–साथ वातावरण की दशा सुधारने, बच्चों के खेलने, बजुर्गो के टहलने, प्रातः काल सैर एवं प्राणायाम करने के प्रमुख स्थान के रूप में प्रयोग किये जाते हैं।

''शोभाकारी उद्यान का तात्पर्य किसी स्थान को पौधों तथा उद्यान की अन्य सामग्रियों से इस प्रकार सजाना होता है जो एक छोटे से स्थान में प्राकृतिक एवं मनमोहक दृश्य प्रस्तुत कर सके''। शोभाकारी उद्यान को विकसित करने के लिए योजनाबद्ध तरीके से कार्य करने की आवश्यकता होती है। योजना बनाने के लिए सर्वप्रथम उपलब्ध स्थान को माप करके एक कागज पर उसका प्रारूप तैयार किया जाता है। तत्पश्चात उद्यान के अनेक घटकों को रेखांकित किया जाता है। योजना

पर विस्तृत चर्चा एवं विचार–विमर्श के पश्चात् उसे अन्तिम रूप दिया जाता है और उसके बाद उसमें लगने वाले पौधे, स्थाई संरचनाओं, सिंचाई के साधनों, बिजली की व्यवस्था आदि का प्रबन्ध किया जाता है। सार्वजनिक उद्यान के कुछ अवयव निम्नवत् हैं।

1. सीमा दीवार या बाउन्ड्री वाल।
2. दीवार के सहारे घुमाव दार पगडण्डी।
3. अन्तिम कोने में कम्पोस्ट गड्ढा।
4. कम से कम दो किनारों पर छायादार पौधों की लाइनें।
5. उद्यान के बीचो–बीच फौब्वारा या मूर्ति जिसे फोकल प्वांइट (Foeul point) कहते हैं।
6. लान तथा टापियरी।
7. मौसमी फूलों की क्यारियां।
8. परगोला और आर्च।
9. बैठने का स्थान या स्थाई बेन्चें।
10. उद्यान का मुख्य द्वार एवं सुरक्षा व्यवस्था, आदि।

2. शोभाकारी उद्यान विकसित करने के सिद्धान्त

शोभाकारी उद्यान विकसित करने का कोई निश्चित सिद्धान्त नहीं होता क्योंकि यह स्थान की उपलब्धता, जलवायु की दशा, लोगों के सोचने के तरीके, आस–पास की प्राकृतिक छँटा एवं सांस्कृतिक समरस्ता पर निर्भर करता है। परन्तु कुछ मूल बिन्दुओं को ध्यान में रखकर ही शोभाकारी उद्यान बनाये जाते है। जो इस प्रकार है–

1. शोभाकारी उद्यान एक चित्र के समान होता है जो कोई भी व्यक्ति अपने विचार से विकसित करता है और अपने सोच को परिलक्षित करता है। अतः कोई जानकार व्यक्ति उन सभी चीजों को उसमें डालता है जो उस स्थान विशेष के लिए आवश्यक होता है।
2. पूरे क्षेत्र को कई भागों में विभक्त करके उद्यान के सभी अवयवों को पूर्ण प्रतिनिधित्व दिया जाना चाहिए।

3. अगर घर या इमारत के आसपास शोभाकारी उद्यान विकसित किया जाता है तो भवन को भी उद्यान के एक अवयव के रूप में बनाना चाहिए।
4. साधारण एवं खुले हुए उद्यान विकास पर ध्यान देना चाहिए।
5. पौधों को ज्यादा सघन नहीं लगाना चाहिए।

अतः यह जान लेना जरूरी होता है कि उद्यान में क्या–क्या चीजें होती है परन्तु किसी उद्यान में क्या–क्या चीजें होगी, यह उसके आर्कीटेक्ट पर निर्भर करता है क्योंकि उद्यान अनेक बातों जैसे लोगों की चाहत, स्थान की उपलब्धता, मिट्‌टी, जलवायु, ज्ञान कौशल, आदि पर निर्भर करता है।

□□□

7

उद्यान के प्रकार

पहले जमाने में प्रत्येक व्यक्ति की एक अन्दरूनी इच्छा होती थी कि उसका रहने का स्थान ऐसा हो, वैसा हो, सबसे अच्छा हो, स्वर्ग जैसा हो इत्यादि, और उसी हिसाब से मनुष्य के इस सोच को उद्यान के माध्यम से जमीन पर उतारा जाता था। इसीलिए उद्यान के प्रकार मनुष्य की सोच एवं कुछ वाह्य परिस्थितियों पर निर्भर करता था। आज के जमाने में कहें या समाज के विकास के साथ कहें, विचार थोड़ा बदल गया है परिणामतयः उद्यान में अनेक परिर्वतन होते चले गये या यूँ कहें कि जैसी आवश्यकता होती है उसी प्रकार के उद्यान बनाये जाते हैं। इसी समझ के साथ उद्यान के प्रकार एवं तरीकों (Type and style of garden) को तीन मुख्य भागों में बांटा गया है।

1. Formal style या Symetrical garden
2. Imformal style या Asymetrical garden
3. Free style या Mordern garden

1. तारतम्यपूर्ण तरीके के उद्यान (Formal garden)

इस उद्यान में प्रत्येक चीजें एक योजना के अनुसार तारतम्यपूर्ण तरीके से (Formal style) में स्थापित की जाती हैं। उदाहरण के लिए सड़क के एक तरफ

जो पौधा या क्यारी या घास लगेगी, उसी का हूबहू प्रतिरूप दूसरे तरफ भी लगाया जायेगा। इस उद्यान को बनाने के लिए पहले कागज पर पूरी योजना को तैयार करते हैं, फिर अनेक वस्तुएं जैसे जगह का चुनाव, पौधों का चुनाव तथा अन्य संरचनाओं आदि की व्यवस्था की जाती है। इस प्रकार के उद्यान में ज्यामितीय संरचनाएं जैसे वर्गाकार या आयताकार मैदान, 90 अंश पर विभिक्त सड़कें, समानान्तर क्यारियाँ, समरूप पौधे आदि देखने को मिलते हैं। पौधों को समान करने के लिए उनमें काट–छाँट आवश्यक हो जाता है। इस प्रकार के उद्यान की कुछ प्रमुख अवयव हैं– फौव्वारे, बहता हुआ पानी तथा जल प्रपात, तालाब, बारादरी, प्रकाश स्तम्भ, सीढ़ियाँ, ऊँची–ऊँची सुरक्षा दीवारें, प्रवेश द्वार, अन्तिम भवन, इत्यादि जो सुन्दरता बढ़ाने में मद्दगार होते हैं। इस प्रकार के उद्यान मुगलों या पारसियों के जमाने में विकसित किये गये थे अतः इन्हें मुगल या परसियन उद्यान भी कहते हैं। हमारे देश में इस तरीके के उद्यानों में निशात बाग उद्यान, शालीमार बाग उद्यान, पिंजौर उद्यान, ताज महल बाग उद्यान, आदि प्रमुख हैं। इन उद्यानों की प्रमुख विशेषताएं एवं अवयव (Features) निम्नलिखित हैं–

1. इन उद्यानों में कई ऊँचाई पर बगीचे बनाये जाते हैं और उनका प्रवेश द्वार सबसे नीचे और अन्तिम बिन्दु सबसे ऊपर होता है जिससे ऊपर से पूरे बाग का दृश्य दिखाई देता है।
2. ऊपर से नीचे की तरफ पानी की धारा बहती है जिसमें एक या दो स्थान पर झरने भी बनते हैं। पानी के दोनों तरफ बाग–बगीचे एवं पौधे तारतम्यपूर्ण तरीके से लगाये जाते हैं।
3. इन बगीचों की बाहरी दीवारें ऊँची और मजबूत होती हैं जो सुरक्षा भी प्रदान करती हैं।
4. प्रवेश द्वार सुन्दरता पूर्ण एवं भव्य होता है।
5. अन्तिम भवन शानदार एवं भव्य होता है जैसे ताज महल।
6. बारादरी एवं चबूतरा इस प्रकार के उद्यान में आवश्यक रूप से होते हैं।

मुगल गार्डेन में लगाये जाने वाले मुख्य पौधे

मुगल गार्डेन में लगाये जाने वाले पौधों का चुनाव जलवायु के अनुसार किया जाता है जैसे कश्मीर में चीड़ सेब, लोकाट, चेरी आदि फल जबकि मैदानी क्षेत्रों में आम, अंगूर, आँवला, चांलता, संतरा, आदि लगाया जाता है। फूलदार पौधों में सफेद

कचनार, पलाश, चम्पा, चन्दन, हरसिंगार, चमेली आदि प्रमुखता से लगाये जाते हैं। मौसमी फूलों में डेफोडेल, आयरिस, कारनेशन, हालीहाक, गेंदा, इत्यादि मुख्य रूप से लगाये जाते हैं।

2. बेतारतम्य वाले उद्यान (Informal Style)

इस प्रकार के उद्यान में आवश्यकता अनुसार पौधों, भवनों, रास्तों पानी के श्रोतों को व्यवस्थित किया जाता है। इस प्रकार के बगीचे पहले जापान में विकसित किये गये थे अतः इन्हें जापानी स्टाइल भी कहते हैं। इस प्रकार के उद्यान ढालू तथा समतल दोनों प्रकार की जमीन पर तैयार किये जा सकते हैं। जापानी बगीचे के मुख्य विशेषताएं निम्नलिखित हैं–

1. टेढ़े–मेढ़े रास्ते तथा घुमाव पर पौधों को व्यवस्थित करना।
2. रास्तों के साथ क्यारियों तथा छोटे पौधों के झुरमुट बनाना।
3. जगह–जगह पर प्रकाश स्तम्भ तथा बैठने के स्थान।
4. राक गार्डेन, टोपियरी, इत्यादि जपानी गार्डेन के मुख्य अवयव हैं।

बेतारतम्य वाले उद्यानों में पहाड़ी के उद्यान, चाय बागान, होटल तथा घरों के पास विकसित उद्यान प्रमुख हैं।

3. फ्री स्टाइल, आधुनिक या अंग्रेजी उद्यान (Mordern Garden)

आजकल के समय में जब आदमी अधिक से अधिक समय कार्य में व्यस्त रहता है तो उसको कुछ पल आराम करने के लिए उद्यान की जरूरत होती है इसीलिए जैसे भी जमीन हो अपने इच्छा अनुसार कुछ फूल–पत्तीदार पौधों को व्यवस्थित करके एक बगीचे की शक्ल दे दी जाती है। चूँकि यह कार्य हमारे देश में अंग्रेजों ने प्रारम्भ किया अतः इसे अंग्रेजी उद्यान (English garden) भी कहते हैं। अंग्रेज मूलतः फूलों से बहुत प्यार करते थे अतः आधुनिक उद्यान में फूलों को प्राथमिकता दी जाती है। इन बगीचों का मुख्य उद्देश्य है कि प्रकृति के नजदीक कैसे पँहुचा जा सके। इन बगीचों मे हर्बेशियस बार्डर, सर्वरी बार्डर, हेज, परगोला, फूलों की क्यारियों, आदि का विशेष स्थान है। क्यू का शाही उद्यान, चेलासिया उद्यान, लुधियाना का गुलाब बाग आदि आधुनिक उद्यान के उदाहरण हैं।

भूदृश्य के अन्य अवयव

1. पेड़ (Tree)

पेड़ एक लकड़ी वाला पौधा है जिनकी शाखाओं का विकास चारो तरफ फैलकर होता है। इनके मुख्य शाखा (स्तम्भ) का ब्यास 15 सेंमी. से अधिक होता है एवं एक निश्चित ऊँचाई प्राप्त करने के बाद शाखाओं का विकास होता है। तथा सामान्यतः 4 मीटर से अधिक ऊँचाई तक बढ़ता है।

मानव की सभ्यता के विकास के साथ–साथ जनसंख्या भी बढ़ती गयी है। जनसंख्या की वृद्धि व खाद्यान्न की बढ़ती मांग से जंगल कटते गये जिससे परिस्थिति का संतुलन बिगड़ गया और मौसम में परिवर्तन हो गया तथा भूमि की दशा खराब होती चली जा रही है। अतः आधुनिक काल में वृक्षों की महत्ता काफी अहम हो गयी है।

वृक्षों की उपयोगिता

वृक्ष हमें फल, छाया, ईधन, इमारती लकड़ी उपलब्ध कराते हैं तथा वृक्षों से कई आर्थिक उत्पाद जैसे गोंद व रबर प्राप्त होता है। यह औषधीय दृष्टि से काफी महत्वपूर्ण होता है। मृदा कटाव को रोकता है। इसके साथ–साथ वातावरण में आक्सीजन तथा कार्बन डाईआक्साइड का संतुलन बनाये रखने में महत्वपूर्ण योगदान देता है। वृक्षों में उत्सर्जन के फलस्वरूप इसके नीचे का वातावरण आर्द्र रहता है तथा तापक्रम कम रहता है। जिससे हमें प्राकृतिक वातानुकूलन का अहसास होता है, वर्षा को नियंत्रित करता है। मृदा को रोग ग्रस्त बनाने से रोकता है तथा इनकी पत्तियों के सड़ने–गलने से कार्बनिक तत्व प्राप्त होता है। जिससे मृदा उपजाऊ बनती है। पर्यावरण में विद्यमान धूल, गैस, धुंआ आदि को नियंत्रित करके प्रदूषण को दूर करता है।

वृक्षों को प्राचीन काल से सड़कों के किनारे लगाने की प्रथा चली आ रही है। और आज कल भी सड़कों के किनारे वृक्षों का रोपण वृहद पैमाने पर हो रहा है। सड़कों पर बढ़ते ट्रैफिक के चलते सड़कों के किनारे वृक्षारोपण अति आवश्यक हो गया है।

वृक्षों से उपरोक्त आर्थिक लाभ के अलावा प्राकृतिक सौंदर्य बढाने की दृष्टि से इसका कोई विकल्प नहीं है। वृक्षों की ऊँचाई, आकार, पत्तियों के बनावट, तथा इनके पुष्पों के रंगों में इतनी विभिन्नता हैं कि विभिन्न स्थानों पर अपनी पंसद के

अनुसार वृक्षों का चयन करना बहुत आसान हो जाता है। वृक्ष वातावरण की सौंदर्य में चार चाँद लगाते है, हमारे मन को मोह लेते हैं तथा सामाजिक उत्सवों को सम्पन्न कराने के लिए बहुत सस्ते विकल्प के रूप में आसानी से सुलभ होते हैं। उद्यान व पार्कों में वृक्षों को नमूनों के तौर पर, वृक्षवीथि (एवेन्यू), वायुरोधी तथा परदे के उद्देश्यों की पूर्ति के लिए प्रमुखता से रोपित किया जाता है।

उपरोक्त आर्थिक तथा सौंदर्य की दृष्टि से हमें लाभ प्राप्त होता है। इसके अलावा यह उद्यान तथा पार्क का आधार बनता है। यह काफी कठोर होता है तथा विपरीत परिस्थितियों को सहन करने की असीम क्षमता रखता है जिससे थोड़ी सी देख रेख से हम वृक्षों को संभाल सकते हैं।

वृक्षों का चुनाव

वृक्षों का रोपण करने के लिए किन वृक्षों का चयन करें यह विभिन्न कारकों (उद्देश्यों) पर निर्भर करता है जिनको निम्न प्रकार से व्यक्त कर सकते हैं:

1. उगाने के उद्देश्य के अनुसार

(क) *नमूनों के तौर पर :* कुछ वृक्ष ऐसे है कि जिनको विशेष गुणों. जैसे आकर्षक रूप, पत्तियों की सुन्दरता, पुष्पों की सुंदरता, तथा लटकती हुई टहनियाँ जो कि विनम्रता का संदेश देती है। जैसे : *एरोकेरिया कुकी, कैलिस्टेमन लेनसियोलेटस, कैसिका फिसटुला, मैग्नोलिया ग्रान्डीफ्लोरा, फाइकस इलास्टिका, कैसिया नोडोसा* आदि वृक्षों को नमूनों के लिए उगाते हैं।

(ख) *छाया हेतु :* कुछ वृक्ष ऐसे है जो कि काफी सघन होते हैं तथा चारों तरफ शाखाओं का फैलाव होता है जिससे उत्तम छाया प्रदान होती है। जैसे *अजेडिरेचटा इण्डिका* (नीम), *फाइकस रिलीजियोसा* (पीपल), *फाइकस इनफेक्टोरिया* (पाकड़), *फाइकस बेन्घालेनसिस* (बरगद), *माइमोसाप्स इलेन्गी* (मौलश्री), *मैंगीफेरा इंडिका* (आम), *पालीएलथिया लांगीफोलिया* (अशोक), आदि वृक्षों को छाये के लिए लगाते हैं।

(ग) *पुष्पण हेतु :* ये वृक्ष रंगीन पुष्पण करते हैं। इनको सुन्दर एवं आकर्षक फूल के लिए उगाया जाता है। *बहूनिया ब्लेकिया, बहूनिया वेरीगेटा, कैलिस्टेमान लेनसिटोलेटस, कैसिया नोडोसा, कैसिया फिसटूला, डेलोनिक्स रेजिया, प्ल्यूमेरिया अल्बा, स्पाथोडिया कैम्पानुलेटा, लेजरस्ट्रोमिया स्पेसियोसा, व्यूटिया मोनोस्परमा* आदि पौधों का इस उद्देश्य के लिए उगाना श्रेयकर रहता है।

(घ) *ऐवेन्यू (वृक्षवीथि) :* वे पौधे जो छाया तथा सुन्दर फूलों के लिए उगाया जाता है। इनमे *ग्रेवीलिया रोवस्टा, कैसिया फिस्टूला, हेटेरोफ्रेगमा एडिनोफाइलम, फाइकस इनफेक्टोरिया, किजेलिया पिन्नाटा, टेरसपेरोमम एसेरीफोलिपम* आदि पौधे प्रायः उगाये जाते हैं।

(ड.) *परदे हेतु :* लम्बे वृक्षों का सघन रोपण करते है जिससे ये परदे का कार्य करते हैं। जैसे : *पापुलर प्रजाति, पालीयलथिया लांगीफोलिया, यूकेलिप्टस* प्रजाति, *ग्रेवेलिया रोबस्टा* आदि ।

(च) *प्रदूषण रोकने हेतु :* प्रदूषण को नियंत्रित करने के लिए पर्णपातीय या मोटी चमकदार पत्तियों वाले वृक्षों का रोपण करते हैं जैसे : *पापुलर हाइब्रिडा, मोरस* प्रजाति, *फाइकस इनफेक्टोरिया, प्यूमेरिया एक्यूरिफोलिया* आदि ।

(छ) *सुगन्धित पुष्पों हेतु :* ऐसे वृक्ष जिनके पुष्प सुगन्धित होते हैं जैसे : *टेरसपरमम एसेरीफोलियम* (कनक चम्पा), *माइमोसाप्स इलेन्गी,* (मौलश्री), *प्लयूमेरिया* प्रजाति (पेगोडा), *मिलिंग्टोनिया हारटेनसिस* (आकाशनीम) आदि।

2. जलवायु के अनुसार

किसी विशेष क्षेत्र की जलवायु के अनुसार वृक्षों का चयन किया जाता है। जैसे उष्ण जलवायु वाले वृक्षों को समशीतोषण जलवायु में नहीं उगा सकते हैं। जहाँ उष्ण जलवायु में आम, जामुन, मौलश्री लगाते हैं, वहीं शीतोष्ण क्षेत्रों में देवदार, चीड़ इत्यादि लगाते हैं।

3. मृदा के अनुसार

सामान्य मृदा में सभी प्रकार के वृक्ष उगा सकते हैं। किन्तु उसरीली मृदा में लवण को सहन करने वाले वृक्ष जैसे– *कैजुरिना, इक्यूसटीफोलिया, कैसिया फिस्टूला, पारकिनसोनिया एक्यूलिपटा* आदि उगाये जाते हैं।

4. उपलब्धता व कीमत के अनुसार

सामन्यतः वृक्षों का चयन उनकी उपलब्धता तथा उनकी कीमत के अनुसार करते हैं। किन्तु नमूने (Specimen) के लिए मंहगे पौधे जैसे : *एरोकेरिया* प्रजाति, *फाइकस इलास्टिका* प्रजाति डेकोरा या ब्लैकप्रिंस आदि का रोपण करते हैं।

सड़कों के किनारे रोपण हेतु वृक्षों की योजना

वृक्षों का चयन सड़कों के प्रकार के अनुसार करते हैं चौड़ी सड़क के लिए लम्बे वृक्ष, मध्यम चौड़ाई के सड़क के लिए मध्यम ऊँचाई के वृक्ष तथा पतली सड़कों

के लिए छोटे वृक्षों का चयन करते हैं। नेशनल हाई वे के लिए छायादार वृक्ष जैसेः नीम, पाकड़, बरगद, पीपल, अशोक आदि का चयन करना उपयुक्त रहता है। शहरों के अंदर पतली सड़कों पर वृक्षों का चयन उनके सुन्दर व आकर्षक पुष्पों को ध्यान में रखकर किया जाता है। शहरों के अंदर निम्न योजना के अनुसार वृक्षों का चयन किया जा सकता है।

1. एक प्रकार के पुष्पण वाले वृक्ष सड़क के दोनों तरफ : इस प्रकार के योजना में ऐसे वृक्षों का चयन किया जाता है जिनमें एक साथ तथा एक ही रंग के पुष्प आते हैं। जिससे पुष्पण के समय एक सार सुन्दर दृश्य दिखायी देता है किन्तु शेष महीनों में वृक्ष फीका दिखाई पड़ता है। इस योजना के लिए *कैसिया फिसटूला* (अमलतास), *डेलोनिक्स रेजिया* (गुलमोहर), *कैसिया जवानिका, लेजरस्ट्रोमिया स्पेशिपोसा* (जरूल), *ग्रेवीलिया रोवस्टा* आदि वृक्षों का चयन कर सकते हैं।

2. दो प्रकार के पुष्पण वाले वृक्ष जिनमें एक ही समय पर पुष्पण होता है तथा इनको सड़कों के दोनों तरफ रोपित करते हैं। इस प्रकार के योजना में एक समय में दो रंग का पुष्पण होता है अतः इनको एकान्तरित करके रोपण करने से अधिक शोभायमान दिखाई देती है। विभिन्न वृक्षों का चयन निम्न योजनानुसार हो सकता है:–

   (क) *ग्रेवेलिया रोवस्टा (पीला) : जेकेरेन्डा एक्यूटीफोलिया,* (नीला) : *ग्रेवेलिया रोवस्टा* (पीला)

   (ख) *कैसिया फिसटूला (पीला) : डेलोनिक्स रेजिया* (लाल): *कैसिया फिसटूला* (पीला)

   (ग) *कैसिया फिसटूला (पीला) : कैसिया नोडोसा* (गुलाबी): *कैसिया फिसटूला* (पीला)

3. दो प्रकार के पुष्पण वाले वृक्ष जिनमें पुष्पण अलग–अलग समय पर होता है तथा इनको एकान्तरित करके सड़क के दोनों किनारों पर रोपित करते हैं। ऐसा नियोजन करने से अलग–अलग समय पर पुष्पण होने से वर्ष में अधिक समय पुष्पण रहता है। इस प्रकार के योजना के अनुसार विभिन्न वृक्षों का चयन इस प्रकार कर सकते हैं:–

   क. *कैसिया फिसटूला* (मई–जून में पीला रंग) – *जैकेरेन्डा एक्यूटीफोलिया* (मार्च–अप्रैल में नीला) – *कैसिया फिसटूला*

ख. *वहूनिया ट्राइएन्ड्रा* (नवम्बर में बैगनी रंग) – *स्पाथोडिया काम्पानुलाटा* (अप्रैल के अंत में लाल रंग) – *वहूनिया ट्राइएन्ड्रा*

4. *छायादार वृक्ष सड़क के दोनों तरफ :* इस प्रकार की योजना में सड़क के दोनों तरफ केवल छायादार वृक्ष का रोपण करते हैं जिससे गर्मी के दिनों में छाया व ठंडापन प्राप्त हो सके। इस प्रकार के योजना के लिए *फाइकस इनफेक्टोरिया माइमोसाप्स इलेन्गी, स्वीटेनिया महोगनी, फाइकस रेलीजियोसा, पालीएलथिया लांगीफोलिया* आदि पौधों का चयन कर सकते हैं।

2. लताएँ (Climbers)

लताएं पौधों का ऐसा समूह हैं जिनमें तने पर विशेष प्रकार के अंग विकसित होते हैं जो कि धूप तथा हवा की प्राप्ति के लिए सहारे पर चढ़ने में मदद करते हैं।

कुछ लताओं में सहारे पर चढ़ने के लिए इनमें ट्रेंड्रिल होता है जैसेः *एन्टीगोनन लेप्टोपस, विग्नोलिया ग्रेसलिस, क्लेमेटिस पेनीकुलाटा, पाइरसटेजिया बेनस्ता।* कुछ लताओं में चढ़ने के लिए इनमें उपस्थित कांटे सहायक होते हैं जैसे वोगेनविलिया प्रजाति तथा चढ़ने वाले गुलाब। कुछ ऐसी लताएं हैं जिनमें तनों पर विशेष प्रकार की जड़ें विकसित होती हैं जो कि अपने जड़ों से चिपकने वाला रस निकालती हैं जिससे पौधे दीवार के सहारे से चिपक कर चढ़ने में कामयाब होते है।

लताओं की उपयोगिता

अलंकृत लताएं उद्यान की सुदरता बढ़ाती हैं तथा सुगन्धित वातावरण प्रदान करती हैं। कृत्रिम निर्माण जैसे मेहराब, जाफरी (परगोला), टोपियरी आदि को प्राकृतिक सौन्दर्य प्रदान करने के लिए इन बनावटों पर लताओं का प्रयोग किया जाता है।

लताओं का चयन

उद्यानों, पार्को, बंगलों आदि में विभिन्न स्थानों या उद्देश्यों के लिए अनुकूल लताओं का प्रयोग किया जाता है विभिन्न स्थानों या स्थितयों के अनुसार निम्न लताओं का चयन किया जाता है।

1. *धूप वाले स्थानों पर : पिरोस्टेजिया वेनेस्टा, क्वेसक्वेलिस इण्डिका, एनटीगोनन लेप्टोपस, वोगेनविलिया प्रजाति, कैम्पासिस ग्रान्डीफ्लोरा, एडिनोकैलिम्मा एलियासियम।*

2. *अर्धछाया वाले स्थान पर : क्लेरोडेनड्रान स्पलेन्डेन्स, पेट्रीया वालूबिलिस, लोनीसेरा जेपोनिका* आदि।
3. *भारी लताएं :* कुछ लताएं बहुत ओजस्वी होती हैं और बहुत शीघ्रता से बड़े क्षेत्र पर फैल जाती है। जैसेः *एन्टीगोनन लेप्टोपस, बिनोनिया मैग्नीफिका, बिउमोनटिया ग्रान्डीफ्लोरा, हिपटेज बेन्घालेन्सिस, क्वेसक्वेलिस इण्डिका, क्लेरोडेन्ड्रान स्पलेन्डेन्स, विस्टेरिया साइनेन्सिस, वोगेनविलिया* आदि।
4. *हल्की लताएं :* इन लताओं में विरल वृद्धि होती है तथा ये कम फैलती है। जैसेः *लोनीसेरा जेपोनिका, क्लीटोरिया टरनाटिया, ट्रेक्लोस्परमम जासमिनोयड्स।*
5. *सुगन्धित लताएं : जासमीनम ग्रान्डीफ्लोरम, जासमीनम आफीसिनेल, हिपटेज बेन्घालेन्सिस, क्लेमेटिस पानीकुलाटा* आदि।
6. *बाड़ हेतु :* बोगेनविलिया, क्लेरोडेनड्रान इनर्मी।
7. *गमलों हेतु : वोघेनविलिया, क्लीटोरिया।*

3. हरियाली (Lawn)

हरियाली किसी भी अंलकृत उद्यान (भूदृश्य) का वह मुख्य भाग है, जिसे प्राकृतिक विस्तार की संज्ञा दी जा सकती है। बिना हरियाली के कोई अंलकृत उद्यान पूर्ण नहीं कहा जा सकता है। हरी–भरी हरियाली पर दिन भर का थका व्यक्ति आकर बैठता है तो काफी सकून का अहसास करता है।

हरियाली एक ऐसा स्थल है जिस पर विभिन्न सामाजिक उत्सवों, कार्यक्रमों या किसी अन्य उदेश्यों पर व्यक्तियों के समूह इकठ्ठे होते हैं। हरियाली से उद्यान या बंगले शोभायमान होते हैं।

हरियाली के लिए स्थल, भूमि, तथा घास का चुनाव निम्नानुसार करना चाहिएः–

स्थल का चुनाव

हरियाली के लिए ऐसा स्थल चयनित करना चाहिए जहां पर पूरे दिन की धूप आती हो यदि बंगले या कार्यालय अथवा वृक्षों के पास बनाना हो तो दक्षिण–पूर्व या दक्षिण–पश्चिम दिशा में बनाना चाहिए। घास का विकास वृक्षों के छाये में अच्छा नहीं होता।

भूमि का चुनाव

दूब घास किसी भी प्रकार की भूमि मे उगायी जा सकती है किन्तु आदर्श हरियाली के लिए जल धारण क्षमता तथा जीवांश युक्त दोमट भूमि अच्छी होती है जिसमें कि अतिरिक्त जल निकास की भी व्यवस्था हो। भूमि का पी.एच मान 5.5 से 7.0 के बीच का होना चाहिए।

घास का चुनाव

घास का चुनाव पसंद, क्षेत्र के आकार तथा पानी की उपलब्धता के आधार पर करना चाहिए। प्रायः निम्न दो प्रकार के घासों का प्रयोग किया जाता है।

1. *वरमूडा घास (Cynodon dactyllan)* : इसे दूब घास के नाम से जाना जाता है। इसी घास को मुख्य रूप से प्रयोग किया जाता है क्योंकि इस घास में वृद्धि तेज होती है, तथा मजबूत होने के साथ इस घास के लिए पानी की आवश्यकता अन्य घास के अपेक्षाकृत कम पड़ती है। यह घास खेल के मैदानों के लिए भी उपयुक्त है क्योंकि यह घास घिसने–पिटने व कटने के प्रति सहिष्णु है तथा पुनः शीघ्र स्वस्थ हो जाती है। इस घास की कटाई मशीन द्वारा सुविधा जनक होता है।

2. *कोरियन घास (Zoysia Japonic)*: यह जापान, कोरिया तथा फिलीपीन्स की देशज का घास है। कुछ दशकों पूर्व इसे भारत में लाया गया। यह घास मखमली (Velvety) होता है तथा कम तापक्रम व अधिक ठंड के प्रति सहिष्णु (Tolerant) होता है। यह ऐसी हरियाली होती है कि इस पर चलने या बैठने पर गद्दे जैसा अनुभव होता है। इस घास की वृद्धि धीमी होती है तथा इसकी कटाई मशीन द्वारा सुविधा जनक नहीं होती है। इसकी कटाई 1.5–2.5 सेंमी. ऊपर से की जाती है। इस घास को कम क्षेत्रफल के हरियाली में लगाया जाता है। खेल के मैदान के लिए यह घास उपयुक्त नहीं है।

घास उगाने की विधि

लान हेतु घास को उगाने की निम्न विधियां प्रयोग में लायी जाती है।

क. बीज की बुआई द्वारा

यह विधि प्रचलित नहीं है। किन्तु इस विधि का भी प्रयोग किया जा सकता है। इस विधि में 10–12 कि.ग्रा. बीज प्रति एकड़ की दर से मिट्टी के साथ मिलाकर बराबर छिटक देते हैं। इसके पश्चात फौव्वारे विधि द्वारा हल्की सिंचाई कर देते हैं।

ख. घास के रोपण द्वारा

1. *डिवलिंग विधि :* इस विधि में लान की भूमि की तैयारी करके खुरपी की सहायता से घास का रोपण करके सिंचाई कर देते हैं यह विधि ही अधिक प्रचलित है। घास के रोपण का कार्य सायं को करना अधिक उपयुक्त रहता है।
2. *टरफिंग :* इस विधि में घास के टुकड़ों को एक साथ तैयार भूमि पर फैला देते हैं। इसके बाद किसी मोटे डण्डे आदि से हल्का सा पीटकर दबा देते हैं या महीन मिट्टी को ऊपर से छिटक देते हैं। इसके पश्चात हल्की सिंचाई कर देते हैं। इस विधि में कम समय में घास लगायी जा सकती है।
3. *चिप्पी विधि (Bricking) :* इस विधि का प्रयोग वहां पर करते हैं जहां पर हरियाली पहले से लगी होती है किन्तु बीच–बीच में कुछ स्थानों पर हरियाली का स्थान रिक्त या खराब हो जाता है। इस विधि में ईट के टुकड़े जैसे घास को मिट्टी समेत निकाल लिया जाता है तथा जहां पर हरियाली का स्थान रिक्त होता है वहाँ–वहाँ पर इसका रोपण करके सिंचाई कर दिया जाता है।

भूमि की तैयारी

जिस भूमि में हरियाली लगानी हो उसमें फावड़े या कुदाल की सहायता से 30–45 सेंमी. की गहराई में अप्रैल से मई के महीनों में खुदाई कर लेनी चाहिए। खुदाई के पश्चात ढेलों को बिना महीन किये 15–20 दिनों के लिए खुला छोड़ देना चाहिए जिससे धूप के द्वारा खरपतवार हानिकारक कीट तथा रोगाणु नष्ट हो जाय इसके पश्चात सूखे हुए ढेलों को बांस या लकड़ी के डण्डे द्वारा तोड़ कर महीन कर लेना चाहिए। इसके पश्चात 3–4 बार सुविधानुसार जुताई या गुड़ाई करके भूमि को महीन तथा भुरभूरी कर लेना चाहिए। तथा भूमि से ईट या पत्थर के टुकड़ों आदि को निकाल लेना चाहिए।

यदि भूमि उर्वर हो तो गोबर की सड़ी खाद का प्रयोग नहीं करना चाहिए क्योंकि गोबर की सड़ी खाद में खरपतवारों के बीजों के भी होने की सम्भावना रहती है। यदि भूमि उपजाऊ न हो तो 100 कि.ग्रा. गोबर की सड़ी खाद प्रति वर्ग मीटर की दर से भूमि में मिला देना चाहिए।

भूमि को घास के रोपण के पूर्व अच्छी प्रकार समतल कर लेना चाहिए। तथा जल निकास हेतु जल निकास की दिशा में हल्का सा ढाल रखना चाहिए भूमि को समतल करने तथा ढाल को मापने हेतू समतल मापी संयत्र की सहायता लेनी चाहिए। रोपण के पूर्व भूमि की तैयारी के दौरान यदि मोथा या अन्य घास का जमाव हो तो कुदाल आदि की सहायता से खरपतवार को जड़ या गाँठ समेत पूरी तरह से निकाल देनी चाहिए।

मूविंग व रोलिंग

नये रोपित घास की कटाई जब तक पूरी तरह से स्थापित न हो जाये मशीन से कटाई नहीं की जाती है। प्रारम्भ में घास को हसियां की सहायता से काटनी चाहिए शुष्क जमीन पर हल्का सा रोलिंग करना चाहिए जिससे कि ऊपर की ओर बढ़ रही घास जमीन की सतह पर फैले। पूरी तरह व्यवस्थित हरियाली पर मूविंग का अंतराल मौसम पर निर्भर करता है। बरसात तथा जाड़े के मौसम में 7–10 दिन के अंतराल पर तथा वसंत ऋतु के मौसम के दौरान 15 दिन तथा ग्रीष्म ऋतु के दौरान 1 माह के अंतराल पर मूविंग (कटाई) करनी चाहिए। हरियाली की ऊँचाई निर्धारित करने के लिए घास कटाई मशीन में लगे कतरनी द्वारा निश्चित करनी चाहिए। घास को 5–6 सेंमी. से अधिक नहीं बढ़ने देना चाहिए हरियाली के आकार के अनुसार मानव या ट्रेक्टर चालित मशीन का प्रयोग करना चाहिए।

घास को जमीन के सम्पर्क में रखने या सतह पर विकसित करने के लिए रोलर का प्रयोग किया जाता है। रोलिंग का कार्य अधिक गीले जमीन पर नहीं करनी चाहिए। सामान्य रूप से एक सप्ताह के अंतराल पर रोलिंग करना चहिए।

सिंचाई

हरियाली में पानी के आवश्यकता मौसम, भूमि के प्रकार तथा घास की किस्म पर निर्भर करती है। घास अपनी नमी की आवश्यकता सतह से पूरी करती है। इसलिए आवश्यकतानुसार समय–समय पर सिंचाई आवश्यक है जाड़े के दिनों में 10–15 दिनों के अंतराल पर जब कि वसन्त एवं ग्रीष्म ऋतु में 6–7 दिनों के

अंतराल पर सिंचाई करनी चाहिए। सतही (पानी बहाकर) सिंचाई के बजाय बौछार सिंचाई अधिक उपयुक्त रहती है। दूब के घास के बजाय, कोरियन घास को अधिक पानी की आवश्यकता होती है।

खरपतवार नियंत्रण

हरियाली के बीच से खरपतवार नियंत्रण काफी कठिन होता है इसलिए हरियाली विकसित करने के दौरान प्रयास करना चाहिए कि किसी भी प्रकार से खरपतवार के बीज हरियाली में न आने पायें। यदि किसी कारण वश यदि सकरी पत्ती वाले खरपतवार हो तो उन्हें जड़ समेत निकालने का प्रयास करना चाहिए। तथा यदि चौड़ी पत्ती वाले खरपतवार की समस्या आये तो 2, 4–D का 0.2% के घोल का छिड़काव करके नियंत्रित किया जा सकता है।

हरियाली को खुरचना

जब हरियाली पुरानी हो जाती है तथा घास जमीन को सख्ती से पकड़ लेती है एवं घास की सुन्दरता व वृद्धि में कमी आने लगती है। तो हरियाली में नवीनी करण लाने के लिए खुरपे की सहायता से छील (खुरच) देनी चाहिए, तत्पश्चात बाग की मिट्टी, बालू तथा सूखी पत्ती की खाद के 1:2:1 के मिश्रण को 2–4 सेंमी. की मोटाई में छिटक देना चाहिए। इस मिश्रण में खरपतवार के बीज या गाँठ एवं कीट या रोगाणु नहीं होना चाहिए। हड्डी के चूरे की खाद 1 कि.ग्रा. प्रति 100 वर्ग मीटर की दर से बरसात प्रारम्भ होने पर सिंचाई के दौरान प्रयोग करना चाहिए। लान को खुरचने का कार्य जून माह मे करना चाहिए।

रोग एवं अन्य समस्यायें

घासो का काला होना : यह रोग फंफूदी जनित होता है इसमें घास सूखना प्रारम्भ कर देती है। इस रोग के नियंत्रण के लिए कापर युक्त फंफूद नाशक जैसे ब्लाइटाक्स–50 का 2.5–3 ग्रा. प्रति लीटर पानी की दर से घोल बनाकर 10 दिनों के अंतराल पर 2–3 छिड़काव कर देना चाहिए।

4. बाड़, किनारा व टोपियारी (Hedge, Edge and Topiary)

जब झाड़ी वाले पौधों को बार्डर के रूप में घेराव हेतु उगाते हैं, बाड़ कहलाता है। बाड़ सुन्दरता या सुरक्षा या दोनों उद्देश्यों की पूर्ति के लिए उगाया जाता है। औपचारिक उद्यान का यह एक महत्वपूर्ण भाग है जो कि किसी क्षेत्र के परदे के

लिए, बंगले के बाहर, टेनिस कोर्ट, सब्जी क्षेत्र या अवांक्षनीय स्थानों को छिपाने हेतु बनाया जाता है।

बाड़ बनाने के लिए ऐसे झाड़ का चुनाव करना चाहिए जिसमें निम्न गुण हो:–

(क) घना बनावट व तेज वृद्धि वाला हो।

(ख) छँटाई को सहन करने की क्षमता हो जिससे कोई आकार दिया जा सके।

(ग) सूखे को सहन करने की क्षमता हो।

(घ) यह रेंगने तथा अन्य पशुओं को आकर्षित करने वाला न हो।

बाड़ का वर्गीकरण

बाड़ मानव तथा पशुओं के अतिक्रमण (नुकसान) से बचने व सुन्दरता के लिए विभिन्न ऊँचाइयों में बनाया जाता है। इनकी ऊँचाई व उद्देश्य के अनुसार वर्गीकरण निम्नवत है:–

1. *लम्बे सुरक्षा बाड़ :* इस तरह के बाड़ में 1.3 मीटर से अधिक ऊँचाई रखी जाती है तथा इसकी वृद्धि सघन व कांटेदार होती है इस उद्देश्य के लिए *इन्गाडलसिस, अकेसिया फरनेसिपाना, कैरिसा कैरेण्डस, बोगेनविलिया* प्रजाति आदि पौधों का चयन किया जाता है।

2. *छोटा सुरक्षा बाड़ :* इस तरह के वाड़ की ऊँचाई 1 मीटर तक होती है तथा प्रयोग किये जाने वाले पौधे, सुरक्षा प्रदान करने वाले व कांटेदार होते हैं। *यूफोरबिया बोजेरी, ओपनटिया, अगोव* प्रजाति, *पेडिलेन्थस* प्रजाति आदि पौधों को इस तरह के वाड़ हेतु उगाते हैं।

3. *लम्बे अंलकृति बाड़ :* इस तरह के बाड़ में उगाये जाने वाली झाड़ की ऊँचाई 3–4 मीटर तथा इसकी पत्तियाँ शोभाकार होती हैं तथा इसमें रंगीन व सुन्दर पुष्प होता है। *ड्यूरेन्टा प्ल्यूमेराई, लवसोनिया अल्वा, हेमेलिया पेटेन्स, हिविसकस रोजासाइनेसिस, मुराया पेनीकुलाटा* आदि पौधा।

4. *छोटे अलंकृति बाड़ :* छोटे अलंकृति वाड़ की ऊँचाई 1 मीटर तथा यह सुन्दर व आकर्षित होती है। इस तरह के बाड़ में *एकेलिफा, क्लोरोडेनड्रान इनरमी, थनवरजिया इरेक्टा, डेडलकैन्थस नरवोसस* आदि पौधों का चुनाव करते हैं।

बाड़ का उगाना

भूमि की तैयारी : बाड़ किसी भी प्रकार की भूमि में उगायी जा सकती है किन्तु बाड़ की अच्छी वृद्धि के लिए गहरी, जल निकाश युक्त, उपजाऊ मिट्टी उपयुक्त होती है। अच्छा बाड़ बनाने के लिए 2–2.5 फिट गहरी तथा 1 से 2 फिट चौड़ी खाईं की खुदाई करके 15 दिन खुला रखे तत्पश्चात उर्वरता के अनुसार उपयुक्त भाग में गोबर की सड़ी खाद मिलाकर मिट्टी की भराई कर दें।

रोपने का समय : अगस्त का माह अधिक उपयुक्त है। सिंचाई की व्यवस्था आसानी से उपलब्ध होने पर फरवरी–मार्च में भी कर सकते हैं।

रोपने का ढंग : जड़ें युक्त कलमों या पौधों का रोपण करते हैं या बीज की बुआई करते है। लम्बे बाड़ के लिए 60–90 सेंमी. तथा छोटे बाड़ के लिए 20–30 सेंमी. की दूरी पर रोपण करते हैं। पौधों का रोपण सीधी रेखा में न करके त्रिकोणीय ढंग से करते हैं।

सिंचाई : पानी की आवश्यकता मिट्टी के प्रकार, जलवायु तथा प्रयोग किये गये पौधों पर निर्भर करती है। सामान्यतः जाड़े में 10–15 दिन व गर्मी में 7 दिन के अंतराल पर सिंचाई की आवश्यकता पड़ती है।

खरपतवार नियंत्रण : बाड़ लगाने के पश्चात प्रारम्भ में खरपतवार की समस्या रहती है इसलिए खरपतवार निकलते ही इसको निकालते रहना चाहिए।

छंटाई : बाड़ हेतू लगाये गये पौधे जब 15 सेंमी. की ऊँचाई के हो जाएँ, इनको ऊपर से 10 सेंमी. तक कैंची से छाँट देनी चाहिए जिनमें कि जमीन की सतह के पास कई शाखाओं का विकास हो सके तथा बाड़ सघन रूप ले सके। इस कार्य को वांक्षित ऊँचाई प्राप्त करने तक कई बार की जाती है। वांक्षित ऊँचाई प्राप्त करने के पश्चात विभिन्न आकार प्रदान करने के लिए छँटाई की जाती है। वाड़ का शीर्ष सीधा, लहरदार, या निश्चित अंतराल पर वर्गाकार खण्डों में या पसंद के अनुसार कोई अन्य रूप प्रदान करते हैं। छँटाई के अंतराल पौधों के बढ़ने की प्रकृति व मौसम पर निर्भर करता है। बरसात के मौसम में ग्रीष्म तथा जाड़े की अपेक्षा कम अंतराल पर छँटाई की आवश्यकता पड़ती है।

किनारा (Edges)

जब खण्ड या क्यारी को घेरने अथवा विभक्त करने के लिए कम ऊँचाई में बढ़ने वाले बहुवर्षीय पौधों को उगाते हैं, एजिंग प्लाण्ट या एजिंग कहलाता है।

एजिंग वाले पौधे अधिकतम 20–30 सेंमी. की ऊँचाई तक बढ़ते हैं। एजिंग प्लांट में छँटाई को सहन करने की क्षमता होती है। तथा शीघ्रता से नई टहनियों का विकास होता है जिससे एजिंग सघन रूप धारण करती है। एजिंग वाले पौधों का प्रसारण बरसात में शीर्ष कलम द्वारा की जाती हैं। *यूपेटोरियम केनावियम, इरेसिन लिनडेनी, जस्टीशिया* प्रजाति, *आल्टरनेन्थरा,* अमोना व *आल्टरनेन्थ्रा वरसीकोलर* आदि सीमित पौधे हैं। जिनको एजिंग के लिए उगाया जाता है।

5. टोपियरी (Topiary)

यह पौधों को ट्रेनिंग करने की ऐसी कला है जिसमें पौधों की सहायता से कोई भी आकार दिया जा सकता है। यह बहुत पुरानी कला है और आज कल प्रायः उद्यानों या शहरी पार्कों में दर्शकों खासकर बच्चों के मनोरंजन के लिए बनाया जाता है। एक आदर्श टोपियरी के लिए कुछ ही ऐसे पौधे हैं जिनकी अच्छी टोपियरी बनायी जा सकती है। जिसमें *क्लोरोडेनड्रान इनर्मी* का मुख्यतः प्रयोग किया जाता है, इसके अलावा *ड्यूरेन्टा प्ल्यूमिराई, इंगा डलशिस, अकेशिया मोडेस्टा* आदि को भी प्रयोग में लाते हैं।

टोपियरी बनाने के लिए फ्रेम का प्रयोग किया जाता है मुलायम इस्पात वाले राड या जंगरोधी लोहे को फ्रेम के लिए प्रयोग में लाया जाता है। इस फ्रेम से कलात्मक ढंग से किसी पक्षी, पशु, मानव, छाता आदि का रूप दिया जाता है।

टोपियरी हेतु चयनित पौधे को चयनित स्थान पर रोपित कर देते हैं। तथा सघन वृद्धि के लिए शाखाओं की छांटाई कर देते है। तथा फ्रेम को स्थिर कर देते हैं। तथा फ्रेम के आकार के अनुसार आवश्यक संख्या में पौधों का रोपण करते हैं बड़े पशुओं के लिए 4 पौधे रोपित किये जाते है। तथा वृद्धि अनुसार समय–समय पर ट्रेनिग व छंटाई करते रहते हैं जिससे वांक्षित टोपियरी के अनुरूप पौधों में उपयुक्त आकार में वृद्धि हो सके।

टोपियरी (पौधे) की सिंचाई का प्रबंधन करते है तथा उर्वरक आदि का आवश्यकतानुसार समय–समय पर प्रयोग करते रहते हैं। जिससे सघन वृद्धि तथा पुष्पण हो सके।

6. झाड़िया (Shrubs)

''काष्ठीय, अर्ध काष्ठीय तथा बहुवर्षीय शाकीय पौधे, जो 50 सेंमी. से 4 मी. की ऊँचाई तक बढ़ते हैं, झाड़ियां कहलाते है''।

झाड़ियां किसी भी उद्यान की बहुत महत्वपूर्ण अंग होती हैं जो अपने सुन्दर पुष्पों तथा सुगंध से मन मोह लेती हैं। झाड़ियां अपने पुष्पों के रंग, पत्तियों की बनावट एवं आकार की धनी होती हैं। झाड़ियों में कुछ ऐसे भी पौधे हैं जिनकी पत्तियां दो या दो से अधिक रंग की होती है जिससे इसकी सुन्दरता में चार–चांद लग जाते हैं। यदि झाड़ियों का सही चुनाव एवं कलात्मक ढंग से रोपण किया जाय तो यह अलंकृत उद्यान का आधार बन जाती हैं। उद्यान विद् किसी भी उद्यान में झाड़ियों को उद्यान का अभिन्न हिस्सा मानते हैं क्योंकि इसमें विभिन्न रंग के पुष्प व सुगंध होने के साथ इसका आसानी से प्रसारण कर सकते हैं तथा इनमें विभिन्न प्रकार के जलवायु व मिट्टी में पनपने की क्षमता होती है।

उद्यान में झाड़ियों को सम्मिलित करने के मुख्य उद्देश्य निम्न हैं:–

1. ये अपने आस–पास के वातावरण की सुन्दरता बढ़ाते हैं।
2. ये उद्यान में चहर दीवारी का स्थान लेते हैं तथा उद्यान को सजीवता प्रदान करते हैं।
3. उद्यान में ऐसे स्थल जैसे खाद के गढ्ढे, कूड़ों के ढेर आदि को छिपाने के लिए झाड़ियों का प्रयोग किया जाता है।
4. ये उद्यान के अंदर महिलाओं या बच्चे के लिए बनाये गये विशेष स्थल को बांटने के लिए लगाये जाते हैं।

झाड़ियों का वर्गीकरण : इनका वर्गीकरण निम्न प्रकार से कर सकते हैं:–

1. **पुष्पीय झाड़ियां** : ये ऐसी झाड़िया है जिनमें आकर्षक तथा विशेष प्रकार के पुष्प आते है। जैसे: Hibiscus rosa sinensis (गुड़हल), Hibiscus mutabilis, *Caesalpinia pulcherrima*, Bougainvillea, *Ervatamia divaricata, Achania malavaviscus, Nerium indicum, Thunbergia errecta, Ixora parviflora, Callicandra, Stachyterfeta indica* आदि।
2. **शोभायमान पत्तियों वाले** : ऐसी झाड़ियां जो अपने विशेष रंगों तथा सुन्दरता वाली पत्तियों के कारण उगायी जाती है। जैसे: *Acalypha tricolour, Nandian domestica, Manihot variegata, Odium variegata.*
3. **पुष्पीय एवं शोभाकार पत्तियों वाले** : ऐसी झाड़ियाँ जो सुन्दर पुष्पो तथा आकर्षक पत्तियों के लिए उगाये जाते हैं। जैसे: *Bougainvillea* (Thimma, Dr. Rao), *Buddeliamadagascariensis, Buddelia asatica, Hamelia patens.*

4. **सुगन्धित पुष्पों वाले** : ऐसी झाड़िया जिनके पुष्प सुगन्धित होते हैं। जैसेः *Jasminum anriculatum* (चमेली), *Jasminum sambac* (बेला), *Cestrum diurnum* (दिन का राजा), *C. nocturnum* (रात रानी), *Nectauthus arbotristis* (हरश्रृंगार) आदि।

झाड़ियों के रूप : झाड़ियों को निम्न रूप में प्रदर्शित करने के लिए रोपित किया जाता है।

1. *बानगी के रूप में (Specimen shrubs)* : हरियाली के बीच में क्यारी में अकेले या समूह के रूप में इन झाड़ियों को लगाते हैं। ये झाड़ियां उत्कृष्ट (शानदार) पत्तियों के साथ सुन्दर पुष्प उत्पादित करती हैं। बानगी के रूप में लगाने के लिए इन झाड़ियों का चयन कर सकते हैं जैसेः *Bougainvillea, Hamelia patens, Thevetia peruviana, Hibiscus rosasinensis* आदि।
2. *आदर्श झाड़ियाँ (Standard shrubs)* : किसी भी झाड़ी वाले पौधे को आदर्श झाड़ी के रूप में चयनित कर सकते हैं। पूर्ण मानक के रूप में मुख्य तने को 100 सेंमी. की ऊँचाई तक साफ रखते हैं जब कि अर्धमानक झाड़ियों को 50 सेंमी. की ऊँचाई तक छाँट करके साफ रखते हैं।
3. *झाड़ियो का बार्डर के रूप में (Shrubbery border)* : अलंकृत उद्यान में झाड़ियों को अलग से बार्डर के रूप में प्रस्तुत करने के लिए लगाते हैं। उद्यान में अपनी निजता (Privecy) को संरक्षित करने तथा स्थान को बांटने के लिए बाड़ का प्रयोग किया जाता है किन्तु बाड़ का रख रखाव व बराबर छँटाई आदि करना महंगा पड़ता है। इसलिए झाड़वन (Shrubbery) के रूप में झाड़ियों को लगाते हैं जो कि उद्यान की शोभा में वृद्धि करते हैं। झाड़वन (Shrubbery) के रूप में पौधों का रोपण करने के पूर्व उनकी पत्तियों की सुन्दरता तथा पुष्पों के रंग व आकर्षण आदि को ध्यान में रख लेना चाहिए। इसके लिए निम्न बिन्दुओं पर विचार करना चहिए।
   1. पेड़ के सामने में झाड़वन (सर्वरी) को इस प्रकार लगायें कि खुशनुमा प्रभाव दे सकें।
   2. पेड़ की छाया से बचाने का हर सम्भव प्रायस करें।
   3. उद्यान में पूर्व या दक्षिण दिशा में लगायें।

4. अधिक ऊँचाई तक बढ़ाने के लिए झाड़वन की चौड़ाई बढ़ा देनी चाहिए किन्तु मकान के पास होने पर कम ऊँचाई की झाड़वन आवश्यकता होती है।
5. बड़े उद्यान की दशा में सीमांकन हेतु झाड़ीवन के रूप में प्रयोग किया जाता है।

झाड़वन (Shrubbery border) का नियोजन : सर्वरी बार्डर बनाने के पूर्व में दिये गये सामान्य सिद्धांत को ध्यान में रख लेना चाहिए। बार्डर के रूप में स्थल पर झाड़ियों के रोपण के पूर्व पेपर पर किस पंक्ति में कौन से पौधे लगायें, इसका नियोजन कर लेना चाहिए।

झाड़ियों का व्यवस्थापन

1. ऊँचाई के अनुसार : झाड़ियों को उनकी ऊँचाई के अनुसार तीन समूहों में बाँटा गया है जैसे लम्बे मध्यम तथा बौने। लम्बे झाड़ियों को क्यारी के किनारे से 30–45 सेंमी. दूर लगाना चाहिए। लम्बे क्षेत्रफल में लगाने के लिए दो या दो से अधिक झाड़ियों को समूह में लगाते हैं। मध्यम झाड़ियों को 3–4 पौधों के समूह में क्यारी के अन्दर के किनारे से 30 सेंमी. की दूरी पर लगाते हैं। जब कि वौनी झाड़ियों को 4–6 के पौधों के समूह में लगाते हैं।

दोहरा सर्वरी बार्डर : दोनों तरफ से बार्डर को सुन्दर दिखने के लिए दो तरफा सर्वरी बार्डर बनाते हैं। इस प्रकार के सर्वरी बार्डर में केन्द्र में लम्बे झाड़ियों को इसके बाद में मध्यम, फिर बौने झाड़ियों को दोनों तरफ से लगाते हैं।

रंग के अनुसार : सर्वरी बार्डर बनाते समय पुष्प के रंग का भी ध्यान देना चाहिए। रोपण के पूर्व उद्यानी को अपनी पंसद के अनुसार नियोजन कर लेना चाहिए कि सर्वरी बार्डर को विपरीत पुष्पों के रंग (कन्ट्रास्ट) अनुसार बनाना है या मिलते जुलते (Harmonius) पुष्पों के रंग के अनुसार बनाना है।

झाड़ियों को उगाना

भूमि : झाड़ियों को लगभग सभी प्रकार की भूमि में उगाया जा सकता है। झाड़ी पौधे की ऊँचाई तथा वृद्धि दर भूमि की किस्म पर निर्भर करती है। यदि भूमि अधिक खराब हो तो 30–45 सेंमी. की गहराई तक मिट्टी बदल देनी चाहिए यदि भूमि अम्लीय या छारीय हो तो भूमि सुधारक द्वरा भूमि का सुधार कर लेना चाहिए। यदि भूमि हल्का छारीय हो तो छारीय भूमि के प्रति सहिष्णुता वाले पोधों जैसे:

वोगेन विलिया, रसेलिया, जनशिया, नेरियम इण्डिकम, थिबेटिया पेरूवियना आदि पौधों को रोपित करना चाहिए।

भूमि की तैयारी : पौध रोपण के 10–15 दिन पूर्व भूमि की तैयारी कर लेनी चाहिए। 45–50 सेंमी. गहरे गढ्ढे की खुदाई कर ले तथा 2 सप्ताह के लिए खुला रखें 2 टोकरी गोबर की सड़ी खाद मिट्टी में मिलाकर गढ्ढे की भराई 10–15 सेंमी. की ऊँचाई में कर दें। जिससे सिंचाई के बाद मिट्टी बैठ कर सतह से नीचे न जाये। गढ्ढों से बची शेष जमीनों की 30 सेंमी. की गहराई में खुदाई करके खरपतवार रहित कर लें।

झाड़ियों का प्रसारण : झाड़ियों का प्रसारण बीज, कलम तथा गूटी के द्वारा की जाती है। जिनका संक्षिप्त वर्णन निम्नानुसार हैः–

बीज द्वारा : पूरी तरह से पके हुए बीज इकट्ठा करके उनको सुखाकर वायु रोधी बोतल में भर कर शुष्क स्थान पर रख देते हैं तथा बरसात के दिनों में तैयार पौधशाला में बुआई कर देते हैं। उचित आकार में पौध आने के बाद इनकी रोपाई तैयार भूमि पर कर दी जाती है। बीज द्वारा प्रसारित पौधों में *Stenolobium stans*, *Caesalpinia pulcherrima*, *Thevetia perumivan*, *Callindra* sp आदि मुख्य हैं।

कलमों द्वारा : अधिकांश झाड़ियों का प्रसारण कलमों द्वारा किया जाता है। कलमें लगाने का कार्य बरसात के दिनों में करते हैं। पानी की प्रर्याप्त व्यवस्था होने पर फरवरी–मार्च में भी कलम लगा सकते हैं। पेन्सिल की मोटाई में 15–20 सेंमी. लम्बी कलमें बनाकर गमलों या क्यारी में लगा देते हैं। क्यारी या गमलों में बालू अच्छी मात्रा में डाल देना चाहिए। तैयार पौधों को अगले वर्ष मुख्य स्थान पर लगा सकते हैं। कलमों द्वारा तैयार किये जाने वाले पौधों में *Bougainvillea* की कुछ किस्में *Cestrum diurnum, Hamelia patens, Jasminum sambac Cestrum nocturnum* आदि प्रमुख हैं।

गूटी द्वारा : बीज तथा कलमों द्वारा तैयार न किये जा सकने वाले पौधों का प्रसारण गूटी द्वारा किया जाता है। बरसात के दिनों में 3 माह पुरानी टहनियों पर 2.5–3 सेंमी. लम्बाई में छाल काटकर मिट्टी तथा बालू के मिश्रण या नम स्फेगनम घास रखकर सफेद पालीथीन से बांध देते हैं। जड़ें आ जाने पर गूटी को काटकर क्यारी में पौध तैयार करने के लिए रोपित कर देते हैं जब यह स्थापित होकर पौध का रूप धारण कर लेती है तो इसे मुख्य स्थान पर रोपण कर देते हैं।

झाड़ियों का रोपण : झाड़ियों के रोपण का मुख्य समय बरसात का मौसम होता है। गर्मी में सिंचाई की प्रर्याप्त व्यवस्था होने पर फरवरी–मार्च में भी रोपण कर सकते हैं। लम्बे, मध्यम तथा बौने झाड़ियों का रोपण दूरी अलग–अलग होती है। लम्बे झाड़ियों को 150–180 सेंमी. की दूरी पर लगाते हैं तथा इनको अकेले या 3–4 पौधों के समूह में लगाते हैं। मध्यम झाड़ियों को लम्बे तथा बौने झाड़ियों के बीच मे एक या दो पंक्ति में लगाते हैं। तथा इनकी आपस की दूरी 90–120 सेंमी. रखते हैं। बौनी झाड़ियों को 45–90 की दूरी पर लगाते हैं तथा अच्छे प्रभाव के लिए इनको 4–6 की संख्या में समूह में लगाते हैं।

सिंचाई : रोपण के पश्चात पौधों को स्थापित होने तक कम अंतराल पर आवश्यकतानुसार सिंचाई करते रहना चाहिए। पौधों के स्थापित होने के बाद मौसम तथा मिट्टी की किस्म के अनुसार आवश्यकतानुसार उचित अंतराल पर सिंचाई करते रहें।

रिक्त स्थानों की भराई : नये रोपित पौधों में मरने वाले पौधों के स्थान पर नये पौधों की रोपाई कर देनी चाहिए।

खरपतवार नियंत्रण : रोपित झाड़ियों के बीच में निकाई–गुड़ाई करके खरपतवारों को निकाल देना चहिए।

स्थापित झाड़ियों की छंटाई : जाड़े में पुष्पण करने वाले पौधों जैसे *Poinsettia pulcherrima, Doembeya* की छँटाई गर्मी के आखिरी दिनों में कर देनी चाहिए तथा अन्य की बरसात के पश्चात कर देनी चाहिए। छँटाई की मात्रा पौधों की उम्र तथा आकृति पर निर्भर करती है।

कुछ प्रमुख झाड़ियों का वर्णन

Acalypha (Euphorbiaceae) **:** यह मध्यम ऊँचाई (1.2–1.5 मी.) में बढ़ने वाली झाड़ी है इसमें तांबे के रंग का फूल आता है तथा पत्तियां अंलकृत (भिन्न रंग की) होती हैं। पुष्पण पूरे वर्ष होता है किन्तु फरवरी से जुलाई तक प्रचुर मात्रा में फूल आते हैं। इनका प्रसारण कलम (कर्तन) द्वारा किया जाता है।

Adenuum obesum (Apocynaceae) : यह 2.5 मी. लम्बाई में बढ़ने वाली झाड़ी है। इस पर गुलाबी रंग के बड़े, सुन्दर पुष्प जून से सितम्बर तक आते हैं। पहाड़ी उद्यान के लिए बहुत उपयुक्त झाड़ी है। बीज तथा गूटी द्वरा इसका प्रसारण किया जाता है।

Achania malvaviscus (Malvaceae): यह मध्यम ऊँचाई (1.2–1.5 मी.) में बढ़ने वाली झाड़ी है। चमकीले लाल या गुलाबी रंग के पुष्प वर्ष भर आते हैं। अर्ध कण्ठीय या कण्ठीय कलमों द्वारा प्रसारित किया जाता है।

Barleria cristata (Acanthaceae): इस झाड़ी की उत्पत्ति भारत में ही हुई है। यह बौने किस्म की झाड़ी है। पुष्पण वाले तने जमीन के स्तर के निकलते हैं। बैगनी नीले रंग के पुष्प मार्च–अप्रैल माह में आते हैं। इसका प्रसारण कलम (कर्तन) द्वारा किया जाता है। इसकी अन्य जातियों में गुलाबी, सफेद, नारंगी तथा लाल रंग के पुष्प आते हैं।

Buddleia asiatica (Leguminorae): इसकी उत्पत्ति दक्षिण पूर्व एशिया तथा इण्डोनेशिया में हुई। इस आकर्षक झाड़ी की ऊँचाई 1.5–2.4 मी. तक जाती है। सफेद, सुगन्धित पुष्प फरवरी–अप्रैल माह में प्रचुर मात्रा में आते हैं। कलम द्वारा आसानी से प्रसारण कर सकते हैं।

Buddleia madagascarensis (Leguminosae) **:** इसकी उत्तपत्ति मेडागास्कर में हुई यह बहुत प्रभाव शाली झाड़ी है इसे उद्यान के किनारों पर भी लगाया जा सकता है। पत्तियाँ अपेक्षाकृत लम्बी, गहरे हरे रंग की तथा नीचे की तरफ सफेदी लिये होती है। सफेद–पीले सुगन्धित पुष्प फरवरी–मार्च माह में आते हैं। कलम द्वारा प्रसारण किया जा सकता है।

Ceasalpinia puleherriama (Leguminosae) : इसकी उत्पत्ति उत्तरी अमेरिका में हुई है। चमकीले लाल रंग के पुष्प मई–अगस्त के महीनों में आते हैं। इसका प्रसारण बीज द्वारा किया जाता है।

Cestrum nocturnum (solanaceae) : यह रात रानी के नाम से बहुत विख्यात है यह उद्यान तथा घरों के पास आमतौर से उगाया जाता है। इसका विकास 1.5–1.8 मीटर की ऊँचाई तक होता है। गोधूलि के बाद बहुत सुगंधित पुष्प गुच्छों में आते हैं। पुष्पों का रंग हल्का (फीके) आता है। कलम द्वारा आसानी से प्रसारण किया जा सकता है।

Cestrum diurnum (Solanaceae) : इसे दिन का राजा के नाम से जाना जाता है। इस पौधे की ऊँचाई 1.5–1.8 मी. तक जाती है। पुष्प गुच्छों में, सफेद रंग में आते हैं, तथा दिन में खिलते हैं। पुष्पण लगभग पूरे वर्ष होता है। कलम द्वारा आसानी से प्रसारण किया जा सकता है।

Clerodendron inerme (Verbenaceal) : यह बहुत घनी झाड़ी वाला पौधा है। इस पर गहरे रंग की पत्तियों वर्ष भर आती हैं। इस झाड़ी पर पत्ती विहीन

डण्ढ़ल नहीं रहता जिससे टोपियरी बनाने में इस झाड़ी का प्रयोग किया जाता है। पुष्प बरसात में आते हैं। कलम विधि द्वारा इसके पौधे तैयार किये जाते हैं। बाड़ के लिए भी काफी उपयोगी पौधा है।

Daedal canthus nervosus (Acanthaceae): इसकी उत्पत्ति पूर्वी भारत में हुई। यह मजबूत एवं बौनी झाड़ी है जो कि 60–90 सेंमी. की ऊँचाई में बढ़ती है। मार्च माह में पुष्पण होता है। इसका प्रसारण कलम द्वारा करते हैं। नीले रंग के पुष्प आते हैं।

Ervatamia divaricata (Apocynaceae): इस झाड़ी को चांदनी तथा मालती के नाम से जाना जाता है। इस पर सफेद रंग के पुष्प वर्ष भर आते हैं। पूजा के लिए इसके पुष्पों का बहुतायत में प्रयोग किया जाता है। इस सदाबहार झाड़ी की ऊँचाई 1.8–2.4 मीटर तक जाती है।

Eranthemum (Acanthaceae): इरेन्थिमम छाये दार तथा अर्ध छाये दार स्थानों पर उगाने के लिए काफी उपयुक्त है। इसकी पत्तियां शोभायमान होती है।

Hameliya patens (Rubiaceae): इसकी उत्पत्ति का स्थान अमेरिका का उत्तरी क्षेत्र है उद्यान में प्रायः यह पौधा उगाया जाता है। चमकीले लाल रंग के पुष्प वर्ष भर आते हैं। इसके पौधे 2.5–3.00 मी. की ऊँचाई तक बढ़ते हैं। कटाई–छँटाई करके इस झाड़ी को कोई आकार दिया जा सकता है। इसका प्रसारण गूटी द्वारा किया जाता है।

Hibisucs rosa-sinensis (Melvaceae): हिन्दी में यह गुड़हल के नाम से विख्यात है। इसका उत्पत्ति स्थान चीन है। 1.7–2.5 मी. की ऊँचाई तक इस पौधे का विकास होता है। इसके पुष्प बड़े तथा गुलाबी लाल रंग के आते हैं। इसकी कई किस्में होती हैं तथा किस्मों के अनुसार विभिन्न रंग के पुष्प आते हैं। कलम द्वारा इसका प्रसारण किया जाता है। इसकी संकर किस्में डफोडिल, आस्ट्रेलियन रोज, स्वीटहट आदि हैं।

Ixora sp. (Rubiaceae): हिन्दी में इसे रूकमिनी के नाम से जाना जाता है। इसकी उत्तपत्ति का स्थान उत्तरी अमेरिका है। 1.5–2.5 मी. की ऊँचाई तक इसके पौधे बढ़ते हैं। सफेद, गुलाबी, गहरे लाल, नारंगी, पीले आदि रंग के पुष्प अलग–अलग किस्मों में आते हैं। पुष्प गर्मी तथा बरसात में प्रचुर मात्रा में आते हैं। गूटी द्वारा इसका प्रसारण किया जाता है। इसकी अन्य जातियों में *इक्जोरा परवीफ्लोरा,* (सफेद पुष्प) *इक्जोरा कोक्सीनिया* (चमकीले लाल पुष्प) *इक्जोरा लूटिया* (पीले पुष्प) आदि हैं।

Jasminum sambac (Oleacae): इसकी उत्पत्ति भारत में हुई बेला तथा मोगरा के नाम से यह विख्यात है। सुगन्धित पुष्पों के कारण यह उद्यानों में प्रायः मिलता है। यह बौनी झाड़ियों में आता है। इसकी ऊँचाई 90–100 सेंमी. तक होती है। मई–सितम्बर माह तक इसमें पुष्पण होता है। पुष्प का रंग सफेद होता है। कलम के द्वारा आसानी से प्रसारण किया जा सकता है।

Murraya paniculata (Rutaceae): इसकी उत्पत्ति दक्षिण एशिया में हुई। यह कामिनी के नाम से जाना जाता है। यह लम्बी झाड़ी का पौधा है। यह 2.5–3.0 की ऊँचाई तक विकास करती है। गुच्छों में सफेद रंग के पुष्प बरसात के ऋतु में आते हैं। कटाई–छँटाई करके इसे किसी आकार में व्यवस्थित किया जा सकता है। कलम द्वारा इसका प्रसारण किया जाता है। इसकी अन्य उप जातियों *मुराया इक्जोटिका, मुराया इलान्गाटा* आदि है।

Nerium indicum (Apoegnaceae): लाल कनेर के नाम से यह जाना जाता है। इसकी उत्पत्ति उत्तरी तथा उ. एशिया में हुई। यह लम्बी झाड़ी है। जो कि 2. 4–3.0 मी. की ऊँचाई तक बढती है। पूरे वर्ष लाल रंग के पुष्प गुच्दों में आते हैं। कलम द्वारा इसका प्रसारण किया जाता है। किस्मों के अनुसार इसमें सफेद, गुलाबी, लाल, गहरे लाल आदि रंग के पुष्प आते हैं।

Nyctanthes arbortrisits (Oleaceae): यह हरसिंगार के नाम से विख्यात है इसकी उत्पत्ति भारत में हुई। रात में इसमें पुष्पण होता है तथा दिन में पुष्प गिर जाता हैं। इसके सफेद नारंगी लिए हुए पुष्प काफी सुगन्धित होते हैं। पुष्पण मुख्य रूप से अगस्त से दिसम्बर माह में होता है। बीज द्वारा इसका प्रसारण किया जाता हैं।

Poinsettiya pulcherrima (Euphorbiaceae): यह बहुत सुन्दर एवं आकर्षक झाड़ी होती है। 2.4–3 मी. की ऊँचाई तक विकास करती है। सफेद गुलाबी तथा गहरे लाल रंग के पुष्प आते हैं। पुष्पण जाड़े में होता है। कलम द्वारा इसका प्रसारण किया जा सकता है।

Punica granatum (Lythraceae): यह अनार के नाम से जाना जाता है। यह सख्त झाड़ी होती है तथा 1.7–2.0 मी. की ऊँचाई तक विकास करती है। गहरे हरे रंग की पत्तियां के शीर्ष पर चमकीले लाल रंग के पुष्प आते हैं। पुष्पण बरसात में होता है। कलम द्वारा इसका प्रसारण किया जा सकता है।

Thevetia peruviana (Apoegnaceae): इसकी उत्पत्ति पेरू में हुई तथा पीला कनेर के नाम से जाना जाता है। इसके पुष्पों को पूजा के लिए प्रयोग किया

जाता है। 2.5–4.0 मी. की ऊँचाई तक इसके पौधे विकास करते हैं। किस्मों के अनुसार सफेद, नारंगी रंग के भी पुष्प आते हैं।

Thunbergia erecta (Acanthaceae): इसकी उत्पत्ति उत्तरी अफ्रीका में हुई। यह मध्यम ऊँचाई (1–1.5 मीटर) का पौधा है। शोभाकारी बाड़ तथा झाड़ी के लिए विख्यात है।

रंग के अनुसार विभिन्न ऊँचाई के झाड़ी वाले पौधों की सूची

क्रमांक	झाड़ी का नाम	पुष्प का रंग
1.	*Buddliea asiatica*	सफेद
2	*B. Medagascariensis*	सफेद पीला
3	*Cassia ilauca* sp.	पीला
4	*Caesalpinia pulcherima*	पीला लाल
5	*Ervatamia divaicata*	सफेद
6	*Hemelia patens*	लाल
7	*Hibiscus rosa-sinensis*	लाल
8	*Legers troemia indica*	लाल, सफेद, बैगनी
9	*Nurium indicum*	सफेद, लाल, गुलाबी
10	*Poinsettiya pulcherrima*	पीला, लाल
11	*Thevetia perviana*	पीला
मध्यम झाड़ी		
1	*Acalypha* sp.	रंजीन पंक्तियां
2	*Cestrum nocturnum*	लाल
3	*C. diurnum*	सफेद
4	*Jasminum multifloram*	सफेद
5	*Mussandra luteola*	पीला
6	*Thunbergia eracta*	वैगनी
बौनी झाड़िया		
1	*Barleria cristata*	बैगनी, नीला
2	*Daedalacanthus nervosus*	नीला
3	*Jasminum sambac*	सफेद
4	*Russelia juncea*	लाल

□□□

8

प्रमुख फूलों की वैज्ञानिक खेती

1. गुलाब

वानस्पतिक नाम : *रोजा हाइब्रिडा*

कुल : रोजेसी

गुलाब को फूलों का राजा कहा जाता है। यह पुष्प सुन्दरता तथा सुगन्ध की पहचान है तथा प्यार के सन्देश को व्यक्त करने के लिए प्रयोग किया जाता है। गुलाब का पुष्पों में इतना महत्व है कि विश्व में कई स्थानों पर विशेष रूप से गुलाब का ही उद्यान स्थापित किया गया है। गुलाब में पुष्पों के रंग, आकार, सुगन्ध तथा पौधों के विकास में काफी विभिन्ता एवं पुष्पों के धीरे–धीरे खिलने व अधिक भंडारण क्षमता के कारण इसका महत्व काफी बढ़ जाता है। इस महत्वों के कारण गुलाब की व्यवसायिक खेती बड़े पैमाने पर हो रही है।

गुलाब का प्राचीन काल से ही काफी महत्व है। बाइबिल ग्रन्थ में इसका वर्णन मिलता है। पुरातत्व विदों के अनुसार, गुलाब की खेती, काइस्ट के जन्म के पूर्व

पेस्टिनियस द्वारा की जाती थी। यह भारत में मुगल कालीन सम्राट अकबर द्वारा लाया गया। गुलाब इग्लैण्ड का राष्ट्रीय पुष्प माना जाता है और कुछ अमेरिकन राज्यों ने भी अपने राज्य चिन्ह के रूप में इसे अपनाया है।

गुलाब का उपयोग एवं पोषकमान

गुलाब अपनी उपयोगिताओं के कारण सभी पुष्पों में महत्वपूर्ण स्थान रखता है। इसका विभिन्न उपयोग एवं उत्पाद निम्नलिखित हैः–

उद्यानों में : यह कठोर, वृद्धि में विभिन्नता, आकार और कई प्रकार के रंगों में पाये जाने के कारण उद्यान में सबसे ज्यादा उपयुक्त पौधा माना जाता है। इसे झाडी के रूप में स्टैण्डर्ड, लताओं, किनारों पर तथा राक गार्डेन में उगाया जाता है।

गमलों में : गुलाब को व्यवसायिक रुप में उपयुक्त थालों या कयारियों में उगाया जाता है परन्तु घरों व कार्यालयों के अन्दर तथा बाहर शोभा बढ़ाने के लिए इसे गमलों में भी उगाया जाता है।

गुलाब जल : गुलाब के पंखुड़ियों से गुलाब जल बनाया जाता है। गुलाब जल को दवाइयों तथा कन्फैक्शनरी पदार्थ बनाने में प्रयोग किया जाता है।

इत्र : यह मुख्य व्यवसायिक उत्पाद है जो कि गुलाब की पंखुड़ियों से बनाया जाता है। सुगंध के अलावा इसमें औषधीय गुण भी विद्यमान होते हैं।

गुलकन्द : गुलाब की पंखुड़ियों तथा चीनी की उपयुक्त मात्रा के साथ गुलकन्द बनाते हैं जो स्वास्थय वर्धक होता है तथा दस्तावर के रूप में प्रयुक्त होता है।

गुल रोगन : यह केशतेल होता है जो कि गुलाब की पंखुड़ियों व तिल के तेल के साथ बनाया जाता है।

विटामिन : गुलाब के फूल में एस्कारबिक अम्ल की अच्छी मात्रा होती है। इसके 100 ग्रा. फूल के रस में 150 मि.ली. ग्रा. एस्कार्बिक अम्ल पाया जाता है जो कि 50 मि.ग्रा. संतरे के रस में, 20 मि.ग्रा. टमाटर के रस से अधिक होता है।

अन्य उपयोग : इसके अतिरिक्त गुलाब का प्रयोग संरक्षित पदार्थ, रोज वाइन, जैम, जैली आदि में किया जाता है।

वानस्पतिक विवरण

इसका तना कांटेदार तथा पत्तियां बारी–बारी से घेरे में होती हैं पत्तियों के किनारे दांतेदार होते हैं। फल मांसल बेरी की तरह होता है जिसे हिप कहते हैं हिप बीजण्डाशय में बहुत सारे बीज होते है। गुलाब का पुष्प वृन्त कोरिम्बोस, पेनीकुलेट या सोलिटरी प्रकार का होता है।

जलवायु

गुलाब को ऐसे स्थान पर उगाना चाहिए जहां वर्ष भर प्रकाश मिलता रहे। गुलाब का गुणवत्ता युक्त तथा अधिक उपज प्राप्त करने के लिए दिन का तापमान 20^0–25^0 सेंटीग्रेड उपयुक्त रहता है। अधिक तापमान से इसके फूल मुरझा जाते हैं तथा फूल का रंग फीका पड़ जाता है। वायुमंडल में अधिक आर्द्रता होने से फफूंदी रोग (मिल्ड्यू) की सम्भावना बढ़ जाती है।

भूमि एवं इसकी तैयारी

गुलाब के लिए उर्वरता युक्त दोमट तथा चिकनी भूमि उपयुक्त होती है। भूमि गहरी होनी चाहिए जिसमें जल धारण क्षमता अच्छी हो तथा जल निकास की समुचित व्यवस्था होनी चाहिए। भूमि का पी.एच. मान 6–7.5 के मध्य होना चाहिए।

भूमि की तैयारी के समय गोबर की सड़ी खाद या कम्पोस्ट खाद का प्रयोग करना चाहिए, खेत की तैयारी के लिए भूमि की गहरी खुदाई (लगभग 2–3 फिट) कर लेनी चाहिए। खुदाई के पश्चात कुछ दिन के लिए खुला छोड़ा देना चाहिए। इसके पश्चात जुताई एवं पाटा आदि चलाकर खेत को भुरभुरा कर लेना चाहिए।

किस्में

गुलाब में आने वाले फूलों के आधार पर उसे कई वर्गो में बाँटा गया है।

1. हाइब्रिड टी

यह गुलाब का सबसे बड़ा वर्ग है। इस समूह को हाइब्रिड टी कहने का कारण यह है कि हाइब्रिड परपेचुवल तथा चाइना के टी गुलाब से संकरित किया गया। चाइना के ही गुलाब में चाय जैसी सुगन्ध आती थी इसलिए इसे टी गुलाब के नाम से जाना जाता था। फ्रांस के गिलट इसके जन्मदाता हैं जिन्होने सर्वप्रथम (1867) में संकरित करके ''ला फ्रांस'' किस्म विकसित किया इसमें दोनों पैत्रिक गुण विद्यमान थे यह टी गुलाब से अपेक्षाकृति कठोर हुआ तथा हाइब्रिड परपेचुवल से अपेक्षाकृत फूल खिलने की अवधि लम्बी हुई। हाइब्रिड टी गुलाब का मुख्य निम्न गुण है।

- इसके पुष्प लम्बे डण्ठल पर आते हैं।
- कलिका लम्बी होती हैं।
- पुष्प धीरे–धीरे खुलते हैं।
- पुष्प की भण्डारण क्षमता अच्छी होती है।

इस वर्ग के गुलाब की मुख्य किस्में, उगाने के उद्देश्य तथा पुष्प के रंग के अनुसार निम्न हैः–

(अ) **विभिन्न रंगों वाली** : फास्ट रेड, मि. लिंकन, ब्लेक लेडी, हैप्पीनेस, क्रिमसन, ग्लोरी, एवन, ओक्लाहामा, आदि।

पीला : गोल्ड मेडल, गोल्डेन स्टार, गोल्डेन जाइण्ट, पूसा सोनिया, यलो सक्सेस, गोल्डेन टाइम, फ्रेगरेन्ट गोल्ड, आल्समीर गोल्ड।

नांरगी : समर हालीडे, प्रेसीडेन्ट, सुपर स्टार, मान्टेजूमा, फ्रेगरेन्ट क्लाउड।

गुलाबी : कांफ्रीडेन्स, माइकल मीलैण्ड, फास्ट प्राइज,।

सफेदः तुशर, जून व्राइट, पस्कली।

द्विरंगी : सुप्रिया, फलेमिंग सनसेट, बजाजो, अभिसारिका, टाटा एमबियन्स।

मिश्रित रंग वाली : केयरलेस लव, डबल डिलाइट, किश आफ फायर, ताहिती अमेरिकन हेरिटेज।

रंगीन छोटे वाली : सिदार्थ, केयरलेस लव, मदहोश।

(ब) **खुशबू वाली किस्में** : एवन, पापा मिलाण्ड, डबल डिलाइट, सुगन्धा, दी डाक्टर, क्रिमसन ग्लोरी।

(स) **प्रदर्शिनी हेतु** : बड़े आकार के फूल तथा आकर्षक आकार वाले पुष्प निम्न हैंः–

अनविल स्पार्क, एवन, किश्चयन डायर, फस्ट प्राइज, गार्डेन पार्टी, गोल्डेन जायन्ट, सुपर स्टार, स्टार्लिग सिल्वर, पूसा सोनिया, मन्टीजूमा, मिसचीफ, आदि।

(द) **व्यवसायिक किस्में** : इन किस्मों को व्यवसायिक खेती के लिए उगाया जाता है इसके पुष्प को कर्तित (कट फ्लावर्स) के रूप में उपयोग में लाया जाता है।

सुपर स्टार, हैप्पीनेस, इलोना, सोनिया, मन्टीजूमा, मर्सडीस, पेसादेना, ग्लेडियेटर।

नोटः ग्लेडियेटर किस्म नासिक तथा पूना में गुलाब के पुष्प उत्पादको के बीच बहुत प्रचलित है।

2. फ्लोरिवन्डा

इस वर्ग के गुलाब के पौधों पर फूल गुच्छों में आते हैं परन्तु फूल खिलने के कुछ घण्टों के बाद बिखर जाते है। इस वर्ग के फूलों का आकार हाइब्रिड टी से छोटा किन्तु पालीयन्थ से बड़ा होता है। इस वर्ग के पौधों का प्रयोग सजावट के लिए, क्यारियों में लगाने के लिए अधिक प्रयोग किया जाता है। इस वर्ग में उगायी जाने वाली किस्में निम्न हैं।

पीलाः आल गोल्ड, सन फ्लेयर, गोल्उ बनी, डाक्टर फाउस, सी पर्ल, आर्थर बेल, पूसा पीताम्बर।

सफेदः आइस वर्ग, समर स्नो, चित चोर, चन्द्रमा, मार्गरिट मेरिल, हिमांनी।

गुलाबीः प्रेमा, सदाबहार, क्वीन, इलिजाबेथ, ब्राइडल पूसा बारहमासी।

बैगनीः नीलाम्बरी, एन्जल फेस, अफ्रीकन स्टार।

नारंगी : सूर्य किरण, जोरिना, जैम्ब्रा, शोला, इन्डेपेन्डेन्स।

हिरंगी : करिश्मा, पेन्टा बाक्स, नवसदाबहार, रेड गोल्ड, कोर्ट जेस्टर, डान्स।

मिश्रित/कई रंग वालेः बनजारन, मधुरा, चारलेसटन बाइसेन्टीनियल।

3. पालीयन्था

इस वर्ग के पौधे छोटे तथा फूल गुच्छों में आते हैं। अंजनी, रश्मि, नर्तकी, प्रीति, स्वाति, इस वर्ग की मुख्य किस्में हैं।

4. मिनिएचर

इस वर्ग के पौधे आकार में छोटे तथा इसकी टहनियां, पत्तियां आदि भी छोटी होती हैं। इस वर्ग के किस्मों को एजिंग, गमलों, राकरीज तथा विन्डोगार्डेन में लगाते हैं। इनकी मुख्य किस्मों का विवरण निम्न हैः

लालः ब्यूटीसीक्रेट, डार्क ब्यूटी, फ्रास्ट फायर, फ्लश, लिटिल रेड डेविल।

सफेदः ग्रीन आइस, जेड ट्रेल, ऐनी, मिस्टी डान।

नारंगीः पेटाइट फोली।

गुलाबी: रोज मेरिन, विन्डी सिटी, स्वीट फेयरी, डैजलर।

पीला: यलोडाल, समर बटर, केल गोल्ड।

दो रंगी: स्टार इन स्ट्रिप, जैनी विलियम।

5. लता गुलाब

इस वर्ग के पौधों की शाखाएं मुलायम होती हैं तथा बेल की तरह सहारे पर फैलती हैं फूल किनारे वाली शाखाओं के शीर्ष पर, छोटे–छोटे गुच्छों में आते हैं। इनका प्रयोग मेहराब, मंडपो, व दीवारों पर चढ़ाने के लिए किया जाता है। इस वर्ग की मुख्य किस्में निम्न हैं:

लाल : सिम्पैथिक, क्रिमसनग्लोरी, ब्लेज, काकटेल, ब्लैक बांय।

सफेद : देहली ह्वाइट पर्ल, अमेरिकन पिलर।

गुलाबी : क्लाइविंग शो गर्ल, लेडी वाटर लू, क्लाइविंग आफ सिल्क, साफ्ट सिल्क, पिंक मेराडान।

लेमन: आलगोल्ड, हाईमून, गोल्डेन शावर।

6. रैम्वलर

यह एक अन्य वर्ग है जो कि लता गुलाब से भिन्न है किन्तु सहारे पर चढ़ने वाली होती है। यह हाइब्रिड परपेचुअल का रोजा मल्टीफ्लोरा एवं रोजा विचरियाना के साथ संकरण करके विकसित की गई है। इस वर्ग के किस्मों में वर्ष में एक बार अच्छी तरह पुष्पण होता है किन्तु कई सप्ताह तक पुष्प पौधों पर लगा होता है। इस वर्ग की किस्मों में अमेरिकन पिलर (पीले केन्द्र के साथ लाल), सेन्डर्स व्हाइट (सफेद) रोरोथी परकिन्स (गुलाबी), अल्बर टाइन (गुलाबी) आदि प्रमुख हैं।

झाड़ी गुलाब : इस वर्ग के गुलाब झाड़ी नुमा होते हैं। जिसमें वर्ष भर फूल आते है। इनके अनौपचारिक उद्यान में विशेष रूप से (नमूना में) बाड़ हेतु या सर्वरी बार्डर में प्रयोग किया जा सकता है। डेलही व्हाईट पर्ल (सफेद), वटरविंग्स सफेद, केयर फ्री ब्यूटी (गुलाबी), पर्ल डिफ्ट (गुलाबी), काकटैल तथा फाउनटैन (लाल), लूसिया (पीला) आदि इस वर्ग की किस्में है।

कटे फूल के रूप में स्थानीय बाजार एवं विश्व बाजार में मुख्य रूप से लाल, गुलाबी एवं नारंगी रंग के गुलाबों की अधिक मांग है इसलिए कटे फूल के लिए

ग्लेडियेटर, बुल्स रेड, फस्ट रेड, हैप्पीनेस, ग्रानडमाला, कनफेटी, क्वीन एलिजाबेथ आदि किस्मों को उगाना चाहिए तथा गुलाब जल, इत्र एवं गुलाब का तेल निकालने के लिए नूरजहां, रानी साहिबा, ज्वाला, हिमरोज, ग्रस–इन–टैप्लिट्ज आदि किस्मों को उगाना चाहिए।

गुलाब की पौध तैयार करना : गुलाब की पौध तैयार करने के लिए बडिंग (कलिकायन) किया जाता है बडिंग के लिए 15 दिसम्बर से 15 फरवरी तक का समय सबसे अच्छा रहता है। इसके लिए देशी गुलाब (*रोजा इण्डिका* वेराइटी *आडोराटा*) की कटिंग सितम्बर–अक्टूबर माह (छँटाई के दौरान) में जमीन में लगा दी जाती है। जब इस कटिंग से निकले कल्ले बढ़कर पेंसिल की मोटाई के हो जाते हैं, तब यह कलिकायन के लिए तैयार हो जाते हैं भारतीय बागवानी अनुसंधान संस्थान, बंग्लौर द्वारा एक बिना कांटे वाली गुलाब की किस्म विकसित की गई है, जिस पर बडिंग करना काफी आसान होता है।

पौध तैयार करने की एक नई विधि है जिसमें कटिंग पर तुरंत बडिंग कर दी जाती है तथा बडिंग किये गये कटिंग को बालू या चावल के जले हुए छिलके में लगा दिया जाता है तथा पालीथीन से ढक दिया जाता है। यह कार्य दिसम्बर से जनवरी माह तक किया जाता है। इस विधि द्वारा तैयार करने से 3–4 सप्ताह में कटिंग से जड़ एवं कल्ले निकल जाते हैं और अधिक सफलता प्राप्त करने के लिए कटिंग तथा कलिका को 1000 पीपीएम के इण्डोल ब्यूटायरिक अम्ल (आई.बी.ए.) के घोल से उपचारित कर देना चाहिए। इस विधि से पौधे एक वर्ष में पौध रोपण के लिए तैयार हो जाते हैं। मिनिएचर, पालीयन्था, झाड़ी व लताओं वाले गुलाब को कटिंग विधि द्वारा तैयार किया जाता है। इसके लिए 7.5–12 सेंमी. की कटिग लगाई जाती है। प्रत्येक टहनी को गांठ के ठीक नीचे काटना चाहिए तथा नम बालू में छाये में पौध तैयार करना चहिए।

पौध की रोपाई

रोपाई करने के लिए चयनित स्थान में 90–100 सेंमी. गहरा गढ्ढा बनाकर कुछ दिन खुला रखना चाहिए। इस कार्य को टैक्टर द्वारा डिगिंग मशीन से आसानी से किया जा सकता है। गढ़ढे को 10–15 दिन खुला रखने के बाद 15–20 कि.ग्रा. गोबर की सड़ी खाद तथा बाग की उर्वर मिट्टी को भराई करके सिंचाई कर देनी चाहिए। जिससे मिट्टी बैठ जाय। पौधों के रोपण की दूरी हाइब्रिड टी के लिए 75 सेंमी. तथा फ्लोरीवन्डा के लिए 60 सेंमी. रखते हैं।

पौध रोपण का सबसे अच्छा समय सितम्बर है। रोपण के लिए पिण्डी के आकार के अनुसार रोपण वाले स्थान से मिट्टी निकाल कर पौधे का रोपण कर देते हैं फिर मिट्टी को पुनः डालकर अच्छी तरह दबा देते हैं रोपाई करते समय इस बात का अवश्य ध्यान देना चाहिए कि नर्सरी में जितना पौधा जमीन के अंदर था, रोपाई के बाद उतना ही अंदर रहे। रोपण के पश्चात सिंचाई कर दें। इसके बाद आवश्यकतानुसार उचित अन्तराल पर सिंचाई, तथा मूलवृन्त से निकल रहे कल्लों को हटाते रहें।

पोषण

गुलाब की खेती के लिए अधिक पोषक तत्वों की आवश्यकता होती है जिसमें नत्रजन 10 ग्रा., फास्फोरस 20 ग्रा., पोटाश 20 ग्रा. प्रति वर्ग मीटर की दर से संस्तुति की जाती है। नत्रजन की आधी मात्रा तथा फास्फोरस व पोटाश की पूरी मात्रा को गुलाब की छँटाई के समय तथा शेष नत्रजन की मात्रा को एक महीन बाद डालनी चाहिए।

गुलाब से अच्छे परिणाम के लिए पर्णीय छिड़काव काफी लाभदायक है। इसके लिए 2 भाग यूरिया, 1 भाग डाई अमोनियम फास्फेट, 1 भाग पौटेशियम सल्फेट के 30 ग्रा. मिश्रण को 10 लीटर पानी में मिलाकर साप्ताहिक या 15 दिन के अंतराल पर पर्णीय छिड़काव किया जा सकता है। इसके स्थान पर 19:19:19 के अनुपात में नत्रजन, फास्फोरस व पोटाश घुलनशील अवस्था में बाजार में उपलब्ध हैं। इसकी 34 ग्रा. मात्रा प्रति लीटर पानी में घोल कर भी छिड़काव किया जा सकता है। इससे गुणवत्ता युक्त फूल तथा पौधों में बढ़त प्राप्त की जा सकती है। आवश्यकतानुसार कीट नाशक दवा के साथ 3 ग्रा. यूरिया प्रति लीटर पानी के घोल का भी साप्ताहिक छिड़काव किया जा सकता है।

सिंचाई

गुलाब के खेत में उचित नमी बनाये रखना चाहिए। इसके लिए सिंचाई की बारम्बारता तथा मात्रा भूमि के किस्म पर निर्भर करती है। आमतौर पर जाड़े में 10–15 दिन तथा गर्मी में 5–6 दिन के अंतराल पर सिंचाई की आवश्यकता पड़ती है।

खरपतवार नियंत्रण

खरपतवार नियंत्रण के लिए आवश्यकतानुसार समय–समय पर निकाई–गुड़ाई करते रहना चाहिए क्योंकि खरपतवार पोषक तत्वों को खींचकर गुलाब के वृद्धि

तथा पुष्पोत्पादन पर प्रभाव डालते हैं तथा रोग एवं कीट को फैलाने का भी कारण बनते हैं।

छँटाई

गुलाब के पौधों से गुणवत्ता युक्त एवं भरपूर उत्पादन प्राप्त करने के लिए उपयुक्त ढंग से कटाई–छँटाई आवश्यक है। प्रत्येक वर्ष पौधों से कुछ कमजोर टहनियां निकलती हैं जो कि झाड़ी का रूप ले लेती हैं। इसकी कटाई–छँटाई करनी चाहिए। कटाई छँटाई करने से मजबूत टहनी का विकास होता है जिसपर गुणवत्ता युक्त पुष्प आते हैं। कटाई–छँटाई का कार्य उत्तर भारत में वर्ष में एक बार मानसून की समाप्ति पर सितम्बर के आखिरी सप्ताह से अक्टूबर माह तक करनी चाहिए जब कि दक्षिण भारत में वर्ष में 2 बार कटाई–छँटाई की जाती है। कटाई–छँटाई के दौरान सभी रोगी, कमजोर, एक दूसरे शाखाओं से सटने वाली तथा केन्द्र के शाखाओं को काट देनी चाहिए। कटाई–छँटाई के दौरान ऊपर की ओर तने पर आँख के ठीक ऊपर काटना चाहिए तथा कटे स्थान पर उल्टा सूखा (डाईबैक) रोग से बचने के लिए फंफूदनाशी पेंट लगा देना चाहिए। फ्लोरीवन्डा, पालीयन्था, तथा मिनिएचर गुलाब में सभी रोगी, कमजोर तथा दूसरे टहनियों से सटने वाली टहनियों को छाँट देनी चाहिए तथा मजबूत व स्वस्थ टहनी को शीर्ष से छांट देना चाहिए।

लता गुलाब में रोगी व कमजोर तथा एक दूसरे से सटने वाली शाखाओं को छांट देनी चाहिए।

पुष्पों की कटाई

सामान्यतः कलिका की सख्त अवस्था में जब एक या दो पंखुरियां खिलना शुरू हो जाये उस समय सिकेटियर से डंडी समेत काट लेना चाहिए। फूलों की कटाई का सबसे उपयुक्त समय सुबह 6 बजे या शाम को 4–6 बजे तक का होता है। सामान्यतः पुष्प डन्डी को जहां से डण्डी निकल रही हो उसके पहले पत्ती के ऊपर से काटना चाहिए। फूलों को काटने के पश्चात तुरंत ही पानी से भरी बाल्टी में रख देना चाहिए तथा बाद में पानी के अंदर ही नीचे से 2–3 सेंमी. तना और काट देना चाहिए जिससे पूर्व में तने के अंदर जो हवा चली गयी थी, उसका स्थान पानी ले ले। फूलों को पैक करके यदि एक या दो घंटे ठण्डे कमरे में जिसका तापमान 5–7^0 सेन्टीग्रेड हो, रखा जाय तो तुड़ाई उपरांत फूलों को सुरक्षित रखने का समय बढ़ जाता है।

फूलों की ग्रेडिंग

फूलों के रंग व कली का आकार (व्यास), तने की लम्बाई के हिसाब से छंटाई कर लिया जाता है। फूलों की ग्रेडिंग करते समय उनमें निम्नलिखित गुण होना चाहिए।

- फूलों की डण्डी मजबूत होनी चाहिए।
- फूलों की पत्तियां तथा फूल स्वस्थ होना चाहिए।
- फूल, डण्डी व पत्तियां रोग व कीट से मुक्त होना चाहिए तथा उनके ऊपर किसी प्रकार का निशान या धब्बा नहीं होना चाहिए।

यदि उपरोक्त गुण है तो निम्नानुसार ग्रेड में बांट देना चाहिए।

ग्रेड	डन्डी की लम्बाई
प्रथम	80 सेंमी. से अधिक
द्वितीय	60–80 सेंमी.
तृतीय	40–60 सेंमी.
चतुर्थ	30–40 सेंमी.

उपरोक्त विशेषता के आधार पर आवश्यकतानुसार फूलों का बण्डल बना लेना चाहिए। एक बंडल में 12–14 या आवश्यकतानुसार फूल रखते हैं। बंडल बनाकर पैकिंग के लिए विशेष प्रकार के कागज में पैक कर रबर बैण्ड लगा दिये जाते हैं। हर बंडल को गत्ते में रख दिया जाता है। जिससे फूल रास्ते में हिलने–डुलने से खराब नहीं होते। ऐसा करने के बाद फूलों को कोल्ड स्टोर में रख देते हैं। डिब्बों का आकार आमतौर पर 100 सेंमी. x 40 सेंमी. x 40 सेंमी. का होता है। फूलों को डिब्बों में पैक करने के बाद डिब्बों में सुराख खोलकर कोल्ड स्टोर में रखा जाता है। जिससे डिब्बे के अंदर और बाहर एक जैसा तापक्रम रहे। डिब्बे को बाहर निकालते समय सुराख को बंद कर देना चाहिए।

उपज

कर्तित (कट फलावर्स) फूलों की उपज पौध घनत्व (प्रति वर्ग मीटर), फूलों की गुणवत्ता, पुष्प उत्पादन की अवधि, उर्वरक, कटाई–छँटाई तथा समय–समय पर की जाने वाली सस्य क्रियाओं पर निर्भर करती है। पौध घनत्व का गुणवत्ता युक्त फूलों के प्रति वर्ग मीटर पैदावार पर अधिक प्रभाव पड़ता है। (एक के मध्य एक हैक्टेयर

से 1,20,000 निर्यात योग्य कार्तित फूल प्लास्टिक घर में सघन रोपाई करके नवम्बर–फरवरी प्राप्त किया जा सकता है।

विपणन एवं वितरण

गुलाब के फूलों को फुटकर विक्रेता या फूलों की दुकान वालों को बेच दिया जाता है। गुलाब के फूलों को बाजार में प्रशीतक ट्रकों या जहाजों से भेजा जाता है। बड़े शहरों में पुष्प की मण्डी लगती है। आमतौर पर फुटकर विक्रेता इन मण्डियों से पुष्प खरीदते हैं।

गुलाब के प्रमुख रोग, कीट एवं प्रबंधन

डाई बैक या उल्टा सूखा रोग : यह रोग *प्लोडिया रोजियम* नामक कवक के द्वारा होता है। पौधों की कटाई–छँटाई करने के पश्चात इस रोग की समस्या की सम्भावना रहती है। इस रोग में टहनियां ऊपर से नीचे की ओर सूखना प्रारंभ कर देती है। तथा पौधे का तना काला पड़कर मर जाता है। टहनियों में सूखे व स्वस्थ्य भाग के मिलने के स्थान पर भूरे रंग की धारियां बनती है। एवं काली विन्दुनुमा रचनाएं इस स्थान पर दिखाई पड़ती है। इस रोग के लिए निम्न परिस्थितयाँ अनुकूल होती है:

1. तना छेदक कीट का प्रकोप।
2. माइट्स का लगातार प्रकोप।
3. जल निकास की उचित व्यवस्था न होना।
4. अधिक मात्रा में खाद एवं उर्वरक का प्रयोग।
5. सूर्य के प्रकाश का अभाव।

प्रबंधन : उचित मात्रा में खाद एवं उर्वरक का प्रयोग करें तथा उचित जल निकास की भी व्यवस्था रखें। प्रभावित भाग को काट कर जला दें तथा कटे भाग पर चौबटिया पेस्ट (4 भाग कापर कारबोनेट + 4 भाग रेडलेट + 5 भाग अलसी का तेल) या बोर्डो पेस्ट का लेप कर दें।

काला धब्बा : इस रोग का प्रकोप डिप्लोकारपन रोजी नामक कवक से होता है। इस रोग के फैलने का मुख्य समय नवम्बर से मार्च का माह होता है। इस रोग में पत्तियों की ऊपरी सतह पर काले धब्बे पड़ जाते हैं, जो धीरे–धीरे बड़ा रूप ले लेते है। फलस्वरूप पत्तियां मुरझाकर गिर जाती है। फूलों पर संक्रमण होने पर फूल या तो गिर जाते है या फूलते नहीं हैं।

प्रबंधन : इसके प्रबंधन के लिए कटाई–छँटाई के बाद पत्तियां आने पर कारवेन्डाजिम 0.1% तथा कैपटान का 0.25% का एक–एक छिड़काव 15 दिन के अंतर पर कर देना चहिए।

पाउडरी मिल्डयू (खर्रा रोग) : इस रोग का प्रकोप स्फेटोथीका पेनोसा वेराइटी रोजी नामक फंफूद के द्वारा होता है। इस रोग के लिए गर्म एवं आर्द्र तथा ढण्ड वातावरण अनुकूल होता है। इस रोग में पत्तियों, तनों तथा कलियों पर सफेद चूर्ण जैसा दिखाई देता है। इस रोग के प्रकोप से फूल का खिलना बंद हो जाता है।

प्रबंधन : इस रोग के प्रबंधन के लिए घुलनशील गंधक 80% का 2% या केराथेन का 0.1% के घोल का छिड़काव करें।

कीट

रेड स्केल या रेड स्पाइडर माइटः यह बहुत हानिकारक कीट है इसका प्रकोप अगस्त–सितम्बर माह में मुख्य रूप से होता है यह सफेद–भूरे रंग का जाल नुमा दिखाई देता है। यह कीट तना, पत्ती व पूरा पौधा को ढक लेता है तथा पौधे का रस चूसने लगता है। जिससे पौधा सूख जाता है।

प्रबंधन : इस कीट के प्रबंधन के लिए मैलाथियान या पैराथियान 0.2% या सेविन (कार्बरिल) 0.3% का एक छिड़काव अप्रैल में तथा दूसरा छिड़काव अक्टूबर माह में कर देना चाहिए।

2. गेंदा

वानास्पतिक नाम : *टैजेटस* स्पीसीज

कुल : कम्पोजिटी

उत्पत्ति एवं इतिहास

गेंदे का मूल स्थान मैक्सिको है। गेंदे के पुष्प का वैज्ञानिक नाम 'टैजेटस' एक गंधर्व टैजस के नाम पर पड़ा जो अपने सौंदर्य के लिए प्रसिद्ध था। 16 वीं शताब्दी में गेदें का प्रवेश भारत में हुआ। भारत में गेदें के लिए अनुकूल जलवायु के कारण व्यापक पैमाने पर खेती एवं उपयोग प्रारम्भ हो गया।

उपयोग

गेदें के पुष्प का उपयोग सजावट, पूजा, माला आदि के लिए किया जाता है। गेंदे को क्यारी हेतु, शाकीय किनारों में लगाया जाता है। गेदे को सौंदर्यीकरण तथा

भूदृश्यावली हेतु उपयोग किया जाता है। इसका प्रयोग खाद्य पदार्थ को रंगने तथा औषधीय उपयोग के लिए भी किया जाता है।

औषधीय रूप में गेंदें की पत्तियों का पेस्ट फोड़े के उपचार के लिए किया जाता है। कान के दर्द में इसके पत्तियों का अर्क प्रयोग में लाया जाता है। पुष्प के अर्क को रक्त को शुद्ध करने हेतु, ववासीर अल्सर तथा नेत्र सम्बन्धी रोगों के उपचार के लिए प्रयोग में लाया जाता है।

क्षेत्रफल एवं वितरण

भारत में लगभग 20,000 हैक्टेयर क्षेत्रफल में इसकी खेती की जाती है। इसकी खेती करने वाले मुख्य राज्यों में पश्चिम बंगाल, महाराष्ट्र, कर्नाटक, तमिलनाडु, हिमाचल प्रदेश, उत्तर प्रदेश आदि हैं।

वानास्पतिक विवरण

टैजेटस इरेक्टा (अफ्रीकन गेंदा) : यह पौधा कठोर, वार्षिक 1–1.5 मी. तक ऊँचा, सीधा ता शाखित होता है। पत्तियाँ पंख के समान तथा पूर्णक भालाकार तथा दांतेदार होती हैं। पुष्प एकल से पूर्ण दोहरे तथा गुम्दाकार होते है। पुष्पक दिओष्ठी होते हैं। पुष्प नारंगी, सुनहरे पीले व पीले रंग के होते हैं।

टैजेटस पेटुला (फ्रेंच गेंदा): यह कठोर एक वर्षीय झाड़ीनुमा पौधा है जिसकी ऊँचाई 50 सेंमी. तक होती है। पत्तियाँ गहरे हरे रंग की तथा तना लालिमा लिये होता है। पत्तियाँ द्विशाखित तथा पर्णक भालाकार होते हैं। पुष्प छोटे तथा एकल व दोहरे होते हैं। इनके पुष्प वृन्त लम्बे होते हैं। पुष्प का रंग पीले से लाल रंग के होते हैं।

जलवायु

गेंदे को मृदु (Mild) जलवायु की आवश्यकता होती है। पौधों के विकास एवं पुष्पोत्पादन के लिए 14.5–20.5^0 सेन्टीग्रेड का तापमान अनुकूल रहता है। बहुत अधिक तापमान पर पुष्प खिलना बंद हो जाते है तथा इनका गुणवत्ता भी प्रभावित होती है। भीषण ठण्डी व पाला पड़ने पर फूला काले हो जाते हैं।

भूमि एवं इसकी तैयारी

गेंदा लगभग सभी प्रकार की भूमि में उगाया जा सकता है। किन्तु अच्छी वृद्धि एवं पुष्पोत्पादन के लिए गहरी, उपजाऊ, जलधारण क्षमतायुक्त तथा जल निकास

वाली भूमि जिसका पी.एच 7–7.5 हो उत्तम मानी जाती है। भूमि की 2–3 बार अच्छी प्रकार से जुताई करके मिट्टी भुरभूरी बना लेनी चाहिए। रोपण हेतु उचित आकार की क्यारियां बना लें।

किस्में

***टैजेटस इरेक्टा* (अफ्रीकन गेंदा)** : पूसा बसन्ती, पूसा नांरगी गेंदा, स्पन गोल्ड, क्लाइमैक्स, क्राउन ऑफ गोल्ड, जायंट डवल, अफ्रीकन औरंज, जायंट डवल अफ्रीकन यलो, गोल्डेन एज।

टैजेटस पेटुला (फ्रेंन्च गेंदा) : रेड, ब्रोकाडे, रस्टीरेड सुसैना, वटर स्काच, वैलेन्सिया आदि।

टैजेटस ट्यूनिफोलिया : लूलू, पुमिला, उर्सुला, गोल्डेन जेम आदि। सामान्तया नांरगी रंग के पुष्प बाजार में अधिक पंसद किये जाते हैं।

बीज की मात्रा

गेंदे की एक हैक्टेयर में रोपाई के लिए 1.5 कि.ग्रा. बीज की आवश्यकता पड़ती है। गेंदे को कलम द्वारा भी लगाया जा सकता है किन्तु व्यवसायिक दृष्टि से कलम विधि उपयुक्त नहीं है क्योंकि कलम वाले पौधे छोटे होते है एवं पुष्प उत्पादन कम मिलता है।

बुआई का समय

गेंदे को वर्ष भर उगाया जा सकता है गेंदे की बीज की बुबाई, एवं रोपाई का समय तथा उनमें फूल आने का समय निम्नवत हैः

बुआई का समय	रोपाई का समय	फूल आने का समय
मध्य जून	मध्य जुलाई	वर्षा ऋतु के अंत में
मध्य सितम्बर	मध्य अक्टूबर	शीत ऋतु
जनवरी–फरवरी	फरवरी–मार्च	ग्रीष्म ऋतु

पौध तैयार करना

एक हैक्टेयर में रोपाई के लिए 3x1 मीटर की 8–10 क्यारियां पौध तैयार करने के लिए बनाना चाहिए इसमें 10 कि.ग्रा. गोबर की सड़ी खाद प्रति वर्ग मीटर के हिसाब से मिला दें, क्यारियां 10 सेंमी. ऊँची बनायें। लाइन में या छिटकवा बीज

की बुआई करें। बुआई के पश्चात् गोबर की सड़ी खाद व बालू के मिश्रण से हल्का सा ढक दें बीज एक साथ पूरे क्यारी में गिरे इसके लिए बीज के साथ थोड़ी मिट्टी या बालू मिला लें। बीज को चीटियों द्वारा नुकसान से बचाने के लिए क्यारियों के चारों तरफ मैलाथियान पाउडर का भुरकाव का छिड़काव कर दें। हजारे से आवश्यकतानुसार सिंचाई करें। लगभग 1 माह में पौध रोपाई के लिए तैयार हो जाता है। पौध तैयार के दौरान सघन होने पर थिनिंग कर देना चाहिए।

कलम द्वारा पौध तैयार करना: किस्मों की शुद्धता को बनाये रखने तथा सुन्दरता के लिए क्यारियों या गमलों में पौध का रोपण करने के लिए कलम द्वारा पौध तैयार किया जाता है। 10 सेंमी. लम्बी कटिंग तैयार करके सेरेडेक्स न. 1 द्वारा उपचारित करके बालू में लगाने से बहुत आसानी से पौध तैयार किये जा सकते है।

पौधों का रोपण

नर्सरी (पौध) को शाम के समय तैयार क्यारियों में रोपित करना चाहिए। अफ्रीकन गेदे की 40x30 तथा फ्रेंच गेंदे को 20x20 सेंमी. की दूरी पर रोपित करना चाहिए रोपण के पश्चात हल्की सिंचाई कर दें।

खाद एवं उर्वरक

खेत की तैयारी के दौरान 20–25 टन गोबर की सड़ी खाद का प्रयोग करें। रोपाई के पूर्व 100 कि.ग्रा. नत्रजन 100 कि.ग्रा. फास्फोरस तथा 60 कि.ग्रा. पोटाश प्रति हेक्टेयर की दर से बेसल ड्रेसिंग के रूप में प्रयोग करें। 100 कि.ग्रा. नत्रजन टाप ड्रेसिंग के रूप में पौध रोपण के एक माह बाद 15–20 दिन के अंतराल पर दो–तीन बार में प्रयोग करें।

सिंचाई

सिंचाई की मात्रा व अवधि भूमि के किस्म पर निर्भर करती है। सामान्यतः जाड़े में 10–15 दिन तथा गर्मी (अप्रैल–जून) में 4–5 दिन के अंतराल पर सिंचाई की आवश्यकता पड़ती है।

खरपतवार प्रबंधन

आवश्यकतानुसार 3–4 बार निराई गुड़ाई करके खरपतवार मुक्त रखना चाहिए।

फुनगी तोड़ना (Pinching)

गेंदे के पौधे अधिकतम ऊँचाई तक सीधे बढ़ते रहते हैं तथा शीर्षस्थ पुष्प कलिकाओं के रूप में विकसित होते है। शीर्ष पुष्प कलिकाओं के बनने के पार्श्वकलिकाएं शीघ्रता से विकसित नहीं हो पाती। यदि शीर्षस्थ भाग प्रारम्भ में ही हटा दिया जाए तो पार्श्वशाखाएं शीघ्र उगनी प्रारम्भ हो जाती हैं तथा अच्छी गुणवत्ता तथा एक समान आकार के बहुत सारे पुष्प उत्पादित होते हैं अतः रोपण के 40 दिन बाद पौध के शीर्षस्थ भाग (फुनगी) को तोड़ देना चाहिए। इस कार्य को पिन्चिंग या फुनगी तोड़ना कहते हैं।

पुष्पों की तोड़ाई व विपणन

जब पुष्प पूर्ण आकार लेले तो उनकी तोड़ाई सुबह या शाम के समय कर लेनी चाहिए। पुष्प की तोड़ाई के पूर्व सिंचाई कर देने से पुष्प अधिक समय तक मुरझाते नहीं है। पुष्पों की नियमित तोड़ाई करने से उपज अधिक मिलती है।

पुष्पों की तोड़ाई के पश्चात क्रेटस या बांस के टोकरियो में रखकर बाजार में बिक्री के लिए भेज दी जाती है। क्रेट्स या टोकरियों में रखने के बाद गीले कपड़े से ढक देना चाहिए।

बीज उत्पादन

गेंदा में पर परागण होता है इसलिए एक से 1.5 कि.मी. की पृथक्करण दूरी रखनी चाहिए। जाड़े की फसल से बीज उत्पादन उपयुक्त होता है। पूर्ण रूप से पके फूल को तोड़कर छाये में पक्के फर्श पर फैलाकर सुखा लिया जाता है फिर डण्डे से पीट कर बीज को अलग कर लिया जाता है। अच्छी तरह साफ किये बीज की छँटाई करके, नमी की जांच करने के पश्चात प्लास्टिक के थैले या कपड़े के थैले में ढण्डें व सूखे स्थान पर रख दिया जाता है। अफ्रीकन गेंदों से 300–375 कि.ग्रा. तथा फ्रेच गेंदा से 1000–1250 कि.ग्रा. बीज प्राप्त हो जाता है।

गेंदे के मुख्य रोग, कीट एवं प्रबंधन

आर्द्रपतन : यह रोग *राइजोक्टोनिया सोलनी* के द्वारा होता है। इस रोग में बीज या तो जमता नहीं और यदि जमता है तो जमाव के बाद जमीन की सतह से लगा हुआ तना पतला होकर गिर जाता है।

प्रबंधन : बीज का उपचार 2.5 ग्रा. कैप्टान प्रति किलो बीज की दर से करें। नर्सरी क्यारी को कैप्टान (0.3%) के घोल से बुआई पूर्व उपचारित कर लें।

पुष्प कलिका सड़न : यह रोग *आल्टरनेरिया डाइऐन्थी* नामक कवक के द्वारा होता है। इस रोग में नई कलियां सड़ जाती हैं। पुरानी कलिकाएं खुलने में असमर्थ होती हैं तथा सिकुड़ जाती है और अंत में सूख जाती हैं।

प्रबंधन : मैन्कोजेब 45 का 0.25% घोल का छिड़काव करें।

पाउडरी मिल्ड्यु : यह रोग *ओडियम* प्रजाति के फफूंद द्वारा होता है। इस रोग में पत्तियों तथा तनों पर सफेद धूल जैसे कण जमा हो जाते हैं।

प्रबधंन : कैराथेन 40 ई.सी. का 0.2% या सल्फर 0.25% के घोल का छिड़काव करें।

लाल मकड़ी कीट : यह कीट पुष्पन के समय आक्रमण करता है इसके आक्रमण होने पर पौधे पर धूल जैसी नजर आती है।

प्रबंधन : रोगर 1.5 मि.ली. प्रति लीटर पानी के घोल का छिड़काव करें।

रोयेदार सूंड़ी : यह कीट पत्तियों को खा जाती है।

प्रबंधन : क्वीनालफास 20 ई0 सी का 2 मि.ली. प्रति लीटर पानी के घोल का छिड़काव करें।

3. कारनेशन

वानस्पतिक नाम : *डायन्थस कैरियोफाइलस*
कुल : कैरियोफाइलेसी

कारनेशन अपनी उत्तम भण्डारण क्षमता, विभिन्न रंगों व आकार में उपलब्धता के कारण प्रमुखता से जाना जाता है।

उत्पत्ति और इतिहास

भूमध्य सागरीय क्षेत्र में इसकी उत्पत्ति हुई।

क्षेत्रफल एवं वितरण

कारनेशन की व्यवसायिक खेती शिमला, सोलन, मण्डी, कुल्लू, चंडीगढ़, लुधियाना, गुड़गांव, दिल्ली, पुणे, बंग्लौर, कलिम्पोंग आदि स्थानों पर की जाती है।

जलवायु

अच्छी गुणवत्ता युक्त पुष्प उत्पादन के लिए खुले क्षेत्रों में जहां पूरे दिन धूप आती हो तथा दिन का तापक्रम 25 सेन्टीग्रेड तथा रात्रि का तापमान 10 सेन्टीग्रेड के आसपास रहता हो। उपयुक्त रहता है। ग्रीन हाउस में उगाने पर आपेक्षिक आर्द्रता 50–60% रखी जाती है। उत्तर भारत के मैदानी भागों में नेट हाउस के नीच उगाने के लिए 25–50% छाये का नेट होना चाहिए।

भूमि एवं भूमि की तैयारी

कारनेशन की व्यवसायिक खेती के लिए उपजाऊ बलुई दोमट भूमि जिसमें जल निकास की उत्तम व्यवस्था हो तथा पी एच मान 6–7 के बीच हो उत्तम रहता है। खेत की जुताई करके मिट्टी भुरभुरी बना लेते हैं। कारनेशन की रोपाई ऊँची क्यारियों में या गमलों में की जाती है। रोपाई के पूर्व क्यारियों को फारमेल्डिहाइड द्वारा उपचारित कर लेना चाहिए। क्यारियों में सड़ी गोबर की खाद (4 कि.ग्रा.), कैल्सियम अमोनियम नाइट्रेट (5 ग्रा.), म्यूरेट आफ पोटाश (5 पोटाश), मैग्नीशियम सल्फेट (5 ग्रा.) व डाई अमोनियम फास्फेट (5 ग्रा.) को प्रति वर्गमीटर की दर से रोपाई के पहले अच्छी तरह से मिला देना चाहिए।

किस्में

व्यवसायिक रूप से स्टैण्डर्ड व स्प्रे टाइप के कारनेशन उगाये जाते हैं। *स्टैण्डर्ड :* इसमें प्रत्येक डण्डी पर एक बड़े आकार का फूल लिया जाता है। इस वर्ग की मुख्य किस्में पुष्प के रंग के अनुसार निम्न हैं:

पुष्प का रंग	किस्में
लाल	इम्पाला, नेलशन, डाकर, मास्टर, टांगा, डेल्फी
गुलाबी	वोलोग्ना, पेट्रा, ग्रैण्डस्लेम, कैंण्डी
पीला	पिंटो, कोबरा, ताहिती, एस्टी
सफेद	रोमा, व्हाइट जायण्ट, वोगोटा, बाल्टिको
नारंगी	ओरेन्ज प्रिस्टिज, कैलविन, एम्सटेल
वैरीगेटेड	ओलिप्स, ट्रोपी, टैम्पो

स्प्रे : इस वर्ग की किस्मों में मुख्य तने के शीर्ष को तोड़ देते हैं तथा किनारों से निकलने वाली सहायक शाखाओं पर पुष्प लेते हैं जिससे एक डन्डी पर बहुत पुष्प होते हैं। इस वर्ग की प्रमुख किस्में निम्नवत् हैं।

रंग	किस्में
लाल	डार्लिंग, एलीस्टर, रोनी ऐरोनी, रेड सरो, कर्मा, चैलेन्जर
गुलाबी	हैप्पीनेस, रोशनी, करीना, पीला कोरिनो, कैस्टिलो, वेस्टमून
सफेद	आइसलैण्ड, व्हाइट, रोपलेट, विरगो, क्लोजअप
नांरगी	टारगेट, निकी, सेन्टोनिपा
वेरीगेटेड	सफोरा, रेगिस, पिकारो, सिनटोनिया

पौधा तैयार करना

कारनेशन को मुख्य रूप से शाकीय कलम विधि द्वारा प्रसारित किया जाता है। कटिंग (कलम) बनाने के लिए शीर्ष कटिंग 10–15 सेंमी. की लम्बाई में लेते हैं। तथा निचली 1–2 पत्तियां निकाल देते हैं। कलम पर कम से कम तीन गांठे होनी चाहिए। कटिंग को वाविस्टिन (0.1%) + मैंकोजेब 45 (0.25%) के घोल में 5–6 मिनट तक उपचारित करके हल्का सा झटका दे देते हैं जिससे अतिरिक्त घोल कटिंग से निकल जाय तत्पश्चात नेफ्थलीन एसीटिक एसिड के 500 पीपीएम के घोल में कलमों को 10–12 सेकेण्ड तक उपचारित करके ट्रे या उपचारित क्यारी में लगा देते हैं। क्यारी या ट्रे में जड़े जल्दी विकसित होने के लिए बालू का माध्यम रखते हैं। 25–30 दिन में कटिंग पर जड़े विकसित हो जाती हैं।

जड़ें विकसित होने के बाद कटिंग को बालू, गोबर की सड़ी खाद तथा धान के छिलके एवं राख के 1:1:1:1: के मिश्रण युक्त माध्यम में रोपित करने के बाद लो टनेल पाली हाउस में लगा देते हैं। पाली हाउस में 50% छाया का नेट तथा पारदर्शी पालीथीन लगा होना चाहिए। सिंचाई थोड़े अन्तराल पर मिस्ट (हल्के फौब्बारे द्वारा) द्वारा देना चाहिए। 4–6 सप्ताह मे कटिंग मुख्य खेत में रोपण या बिक्री के लिए तैयार हो जाता है।

चांबोर (परपेचुवल) कारनेशन का प्रवर्धन कलम द्वारा किया जाता है जबकि संकरण कराने के लिए बीज से पौध तैयार किया जाता है। संवर्धन द्वारा तैयार पौध रोग रहित होता है।

पौध रोपण का समय

संरक्षित खेती (ग्रीन हाउस) में वर्ष भर पौध का रोपण कर सकते है। किन्तु खुले में उत्तर भारत में सितम्बर–नवम्बर माह में पौध रोपण करते हैं जिससे फरवरी–अप्रैल में पुष्प प्राप्त होता है।

रोपाई

स्टैण्डर्ड टाइप कारनेशन में पंक्ति से पंक्ति व पौध से पौध की दूरी 15 सेंमी. जबकि स्प्रे टाइप कारनेशन में पंक्ति व पौध से पौध की दूरी 20 सेंमी. रखते है। पौधों (कलमो) को 4–5 सेंमी. की गहराई पर लगाया जाता है।

खाद व उर्वरक

स्टैण्र्ड टाइप के कारनेशन के लिए 30 ग्रा. नत्रजन, 20 ग्रा. फास्फोरस व 10 ग्रा. पोटाश तथा स्प्रे टाइप के कारनेशन के लिए 40 ग्रा. नत्रजन, 20 ग्रा. फास्फोरस व 10 ग्रा. पोटाश एवं दोनो प्रकार के कारनेशन के 5–10 कि.ग्रा. गोबर की सड़ी खाद की आवश्यकता प्रति 10 वर्गमीटर के लिए पड़ती है इसके अलावा आवश्यकतानुसार सूक्ष्म तत्वों जैसे बोरान, लोहा, ताँबा, मैंगनीशियम, मैंग्नीज, मालीब्डेनम आदि का प्रयोग करना चाहिए।

सिंचाई

आवश्यकतानुसार बौछार अथवा टपक विधि द्वारा सिंचाई करना चाहिए।

अंतःसस्य क्रियायें

सहारा देना : कारशेन का पौधा कमजोर होता है इसलिए क्यारियों के चारो तरफ डण्डे गाड़कर प्लास्टिक नेट द्वारा सहारा देना चाहिए। सहारे के लिए बांस की डण्डियों का भी उपयोग किया जा सकता है।

पिंचिग : जब पौधों की ऊँचाई 12–15 सेंमी. तथा पत्तियों 6–7 जोड़े हो जाये तब 3–4 गाठें छोड़कर शीर्षस्थ कलिका को सावधानी पूर्वक हटा देना चाहिए।

डिसबडिंगः स्टैण्डर्ड किस्मों में शीर्षस्थ कलिका को बढ़ने देते है तथा सभी तटस्थ कलिकाओं को तोड़ देते है जिससे एक बड़ा व गुणवत्ता युक्त पुष्प प्राप्त हो सके।

डी–सकरिंग : पौधों की उचित वृद्धि एवं विकास के लिए पौधों के जड़ के पास निकलने वाली अन्य तनों (सकर्स) को समय–समय पर निकाल दिया जाता है। डी–सकरिंग के अभाव में मुख्य पौधा कमजोर हो जाता है।

फूलो की कटाई

स्टैण्डर्ड किस्मों में जब पुष्प की बाहय पंखुड़िया खुलकर तने के साथ समकोण बना लें तब कटाई करें, यदि दूरस्थ बजार में भेजना हो तो जब फूल पेन्टिग ब्रश की तरह हो जाये तब कटाई करें।

स्प्रे किस्मों के लिए जब दो फूल खिल जायें व शेष फूल रंग दिखाने लगे तब कटाई करें। कटाई के पश्चात पुष्प डण्डियों को पानी में रखकर ठंडे स्थान पर रख दें।

उपज

खुले स्थान में उगाने पर 200 स्टैण्डर्ड तथा 250–300 स्प्रे कारनेशन पुण्य प्रति वर्ग मीटर प्राप्त हो जाता है ग्रीन हाउस में उगाने पर 300–400 पुष्प प्रति वर्गमीटर प्राप्त हो जाता है।

ग्रेडिग

सामान्यतः इस प्रकार ग्रेड उपयोग में आता है। 40 (40–50 सेंमी.), 50 (50–60 सेंमी.) तथा 60 (60–70 सेंमी.)। ग्रेडिग के पश्चात स्टैण्डर्ड कारनेशन को 20 या 10–10 के गुच्छों में बांधा जाता है जब कि स्प्रे टाईप कारनेशन को 5 या 10 फूल प्रति गुच्छे बाँधा जाता है।

पैकिग

कारनेशन के पुष्पों को बनाये गये बंडलों के छिद्रदार गत्ते के डिब्बों में पैक करते है। डिब्बों का आकार 122x50x30 सेंमी. स्टैण्डर्ड कारनेशन के लिए सामान्यतः प्रयोग करते है।

भण्डारण

पुष्पों को यातायात के दौरान अधिक समय तक ताजा बनाये रखने के लिए 10% सुक्रोज + 1 मि.ली. मोल सोडियम थायो सल्फेट के घोल में 10–12 घंटे के लिए रख दिया जाता है।

कारनेशन के प्रमुख रोग एवं कीट तथा उनका प्रबंधन

फ्यूजेरियम विल्ट : इस रोग का कारक *फ्यूजोरियम आक्सी स्पोरम* व *फ्यूजेरियम डायन्थी* है। इस रोग में पत्तियां पीली पड़कर मुरझा जाती है। तने का संवाहन क्षेत्र भूरा हो जाता है।

प्रबंधनः इस रोग से बचने के लिए मृदा का रोपाई के पूर्व वेनलेट से उचार कर लें तथा कलम उपचारित करके लगायें।

किट्ट रोग : इस रोग के लिए *यूरोमायसिस डायन्थी* कवक उत्तरदायी है। इस रोग में प्रारम्भ में पौधे पर पीले हरे रंग के सूजन पौधों के विभिन्न भागों में दिखाई पड़ते हैं जो बाद में लाल भूरे रंग के चूर्ण के रूप में दिखाई पड़ते है। गर्म व नम दशा इस रोग में सहायक होती है।

प्रबंधनः मृदा में उचित जल निकाश का प्रवंधन करें। तथा मैकोजेब 45 का 25% घोल का छिड़काव करें।

तना सड़न रोग : इस रोग के लिए *पिथियम* जाति, *फाइटोफ्थोरा* जाति, *राइजोक्टोनिया सोलेनाई, स्कलेरोशीनिया स्कलेरोशियेरम* आदि कवक उत्तरदायी होते हैं। इस रोग में जमीन के पास से तना सड़ने लगता है। धीरे–धीरे पूरा पौधा सूख जाता है।

प्रबंधन : भूमि का वेनलेट से शोधन करें तथा जल निकाश की उचित व्यवस्था करें।

रेड स्पाइड माइट : ये कीट पत्तियों की निचली सतह से रस चूसते हैं जिसके कारण पत्तियां पीली पड़ जाती है। धीरे–धीरे इस कीट का प्रकोप कलियों तथा फूलों तक हो जाता है।

प्रबंधन : इसके आक्रमण होने पर डायकोफाल 0.2% के घोल का 10 दिन के अंतराल पर दो छिड़काव करें।

माहू : ये पत्तियों, कलियों आदि से रस चूसते हैं।

प्रबंधन : रोगर 0.2% का घोल बनाकर छिड़काव करें।

4. जैसमीन (चमेली)

वानस्पतिक नाम : जैस्मीन स्पीसीज

कुल : ओलियेसी

उत्पत्ति व इतिहास

चमेली की मुख्य तीन प्रजातिया हैं। जैस्मीनम की उत्पत्ति भारत माना जाता है। जैसमीन ऑफसिनेलिस की उत्पत्ति स्थान पर्शिया माना जाता है इसको *जैस्मीनम ग्रान्डीफ्लोरम* का प्रयाय माना जाता है।

उपयोग

पुष्प तथा पुष्प कलियों की माला, बुके, वेनी, गजरा तथा पूजा सामग्री हेतु प्रयोग किया जाता है। इसके पुष्प में काफी सुगन्ध होने के कारण सुगन्धित तेल तथा इत्र निर्माण के लिए उपयोग में लिया जाता है। विश्व प्रसिद्ध चमेली का तेल स्पेनिश जैस्मीन (*जैसमीन ग्रान्डीफलोरम*) से प्राप्त होता है। चमेली के तेल का उपयोग साबुन निर्माण तथा सौदंर्य प्रसाधनों के निर्माण में किया जाता है।

वितरण

चमेली की कई प्रजातियां भारत, चीन, मलेशिया, में पायी जाती है। भारत में बिहार, उड़ीसा, छोटा नागपुर, महाराष्ट्र, उत्तर प्रदेश आदि राज्यों में उगाया जाता है।

वानस्पतिक विवरण

यह लता रूपी, उर्ध्वाशीर्षी तथा झाड़ीनुमा पौधे होते है। चमेली सदाबहार तथा पर्णपाती दोनो प्रकार की होती है। इसकी पत्तियां एकान्तरित सरल त्रिपत्र की अथवा पिच्छ की होती है। पुष्प श्वेत, पीले अथवा लाल रंग के होते हैं। पुष्प क्रम एकल कक्षीय किन्तु प्रायः तीन से अनेक गुच्छों से ससीमाझी होते हैं। दलपुंज 4 से नौ पत्तियों में नलाकार होते हैं।

जलवायु

चमेली के लिए ग्रीष्म ऋतु तथा मध्य शीत ऋतु उपयुक्त होता है। *जैस्मीनम ग्रान्डीफ्लोरम* तथा *जैस्मीनम सिमबैक* पाले के प्रति संवेदनशील होती है।

भूमि तथा उसकी तैयारी

चमेली के लिए अच्छी जल धारण क्षमता वाली दोमट तथा चिकनी दोमट भूमि उपयुक्त होती है जिसमें जल निकास की प्रर्याप्त व्यवस्था हो। चमेली की खेती खुले वातावरण में की जाती है।

रोपण से 1 माह पूर्व 45 सेंमी. लम्बे, चौड़े व गहरे गढ्ढे बना लें, रोपण से 15 दिन पूर्व गोबर की सड़ी खाद 2 कि.ग्रा. बालू एक भाग मिट्टी के 1 भाग से गढ्ढों को थोड़ा ऊँचाई में भरकर मिट्टी बैठने हेतु सिंचाई करें।

किस्में

जैस्मीनम सिम्बैक (बेला)

गुन्डुमलई : पुष्प गोल आकार में, सुगंध युक्त होता है पुष्प उत्पाउन 7–8 टन प्रति हैक्टेयर होता है।

खोपा : इस किस्म में सुगंध कम होता है।

जैस्मीनम ग्रान्डीफ्लोरम (चमेली)

कोयम्बटूरा : इस किस्म के पुष्प के पंखुड़ियों के बाहरी सतह पर गुलाबी धारियां पायी जाती है। यह किस्म तेल निकालने के लिए उपयोगी है। पुष्प उत्पादन 10 टन प्रति हेक्टेयर है। तथा कान्क्रीट 0.29% होता है। यह किस्म तेल नि कालने के लिए उपयोगी है।

जैसमीनम ऑरिकुलेटम (जुहि या मोगरा)

कोयम्बटूर 1 : पुष्पों में नालाकार दलपुंज होते हैं पुष्प उत्पादन 8–9 टन प्रति हैक्टेयर है।

कोयम्बटूर 2 : इस किस्म के दलपुंज नलाकार तथा लम्बे होते हैं कलियां आकार में बड़ी होती हैं। यह फाइलोर्ड के प्रति सहनशील है पुष्प उप्तादन 11 टन प्रति हैक्टेयर होता है।

पेरीमुलई : इसकी कली मध्यम तथा गोल होती है जो गोलमाइट के प्रति अवरोधी है। वर्ष में 9 माह पुष्पण होता है। पुष्प उत्पादन 8 टन प्रति हेक्टेयर होता है।

प्रसारण

जैस्मीन के पौधों को सकर, कलम, लेयरिंग, तथा ऊतक प्रवर्धन विधि द्वारा तैयार किये जाते है। सामान्यतः कलम विधि प्रयोग में लायी जाती है। कलमों को छाये में बालू में लगा दिया जाता है।

पौध रोपण का समय

रोपण के लिए उपयुक्त समय बरसात ऋतु है।

पौध रोपण की दूरी

जैस्मीनम स्पेसीज के अनुसार निम्न दूरी पर रोपण करना चाहिए।

जैस्मीनम ग्रान्डीफ्लोरम : 2.0 मी. x 1.5 मी.
जैस्मीनम सम्बैक : 1.2 मी. x 1.2 मी.
जैस्मीनम आरीकुलेटम : 1.8 मी. x 1.8 मी.

खाद एवं उर्वरक

5–10 किग्रा गोबर की सड़ी खाद तथा नत्रजन, फास्फोरस व पोटाश क्रमशः 100:150:100 ग्रा. प्रति पौधा प्रति वर्ष 3 बार में डालने से पुष्प उत्पादन अच्छा होता है। सूक्ष्म तत्वों जैसे जिंक, मैग्नीशियम तथा बोरान का प्रयोग करने पर उत्पादन पर अच्छा प्रभाव पड़ता है।

सिंचाई

सामान्य तौर पर एक सप्ताह पर सिंचाई की आवश्यकता पड़ती है। पुष्पण के दौरान सिंचाई की अति आवश्यकता पड़ती है। पुष्पण समाप्त होने के पश्चात अगले पुष्पण हेतु कलियों के बनने तक सिंचाई रोक देनी चाहिए।

खरपतवार नियंत्रण

आवश्यकतानुसार समय–समय पर निकाई गुड़ाई करके खरपतवार निकाल देना चाहिए। रासायनिक खरपतवार नाशक दवाएं जैसे ग्रैमेक्सोन या ग्लाईफोसेट का सावधानी पूर्वक खरपतवार पर छिड़क कर खरपतवार नियंत्रण कर सकते हैं। रसायन चमेली के पौधे पर नहीं पड़ना चाहिए।

कटाई–छँटाई

चमेली में पुष्पण शीर्ष भाग पर आता है इसलिए नई टहनियों के विकास के लिए कटाई–छँटाई आवश्यक हैं। *जैस्मीनम सम्बैक* में नवम्बर या फरवरी में तथा *जैस्मीनम आरीकुलेटम* में जनवरी के आखिरी सप्ताह में एवं *जैस्मीन ग्रान्डीफ्लोरम* में मध्य दिसम्बर के समय छँटाई के लिए उत्तम होता है।

पुष्पों की तोड़ाई

ताजे पुष्प के लिए बिना खुले पुष्पों को प्रातः काल तोड़ना चाहिए। तेल निष्कर्षण के लिए पूर्ण रूप से खिले पुष्पों को सुबह 6–8 के बीच तोड़ना उपुयक्त रहता है।

ग्रेडिंग : पुष्पों को दलपुंज नलिका, कली के आकार व ताजेपन के आधार पर अलग–अलग कर लेते हैं।

पुष्पों का भण्डारण

जैस्मीन सैम्बैक खोया किस्म के पुष्पों को तोड़ने के पश्चात यदि एल्युमिनियम सल्फेट 0.1% या सुक्रोज 1% या बोरिक अम्ल 0.5% के घोल में उपचारित करके रखा जाता है तो इनका जीवन 3 दिनों तक बढ़ जाता है।

पैकिंग

तोड़ाई के पश्चात उपचारित करके पुष्पों को लहरदार गत्ते से बने डिब्बों में रखना चाहिए। स्थानीय बाजार के लिए बांस की टोकरियों का प्रयोग करना चहिए। बांस की टोकरियों को भीगे तौलिये या जूट से ढक देना चाहिए।

तेल निष्कर्षण तथा गुणवत्ता नियंत्रण

जैस्मीन से किस्मों के अनुसार निम्न मात्रा में कंक्रीट प्राप्त किया जा सकता है।

प्रजाति	कंक्रीट %
जैस्मीनम सिम्बैक	0.14–0.19 (11.0–15.44 कि.ग्रा./हेक्टेयर)
जैस्मीनम ओरोकुलेटम	0.28–0.36 (13.44–28.44 कि.ग्रा./हेक्टेयर)
जैस्मीनम ग्रान्डीफ्लोरम	0.25–0.32 (13.85–29.42 कि.ग्रा./हेक्टेयर)

पुष्प उपज

3–4 वर्षो के पश्चात व्यवसायिक उपज प्राप्त होने लगती है। *जैस्मीनम सिम्बैक, जैस्मीनम आरीकुलेटम* व *जैस्मीनम ग्रान्डीफ्लोरम* से क्रमशः 2000–8000, 4700–9000 व 4200–10000 कि.ग्रा. उपज प्राप्त हो जाती है।

चमेली के प्रमुख रोग एवं कीट तथा उनका प्रबंधन

पर्ण ब्लाइट : यह रोग *सरकोस्पोरा जैस्मीकोला,* तथा *आल्टरनेरया जैस्मीनी* नामक कवक द्वारा होता है। इस रोग में पत्तियों की ऊपरी सतह पर लाल–भूरे धब्बे पड़ने लगते हैं। इस रोग से नियंत्रण के लिए कारवेन्डाजिम 1.5% तथा कापर आक्सीक्लोराइड 0.25% के घोल का छिड़काव करना चाहिए।

लाल मकड़ी : लाल मकड़ियां पत्तियों की निचली सतह को खाकर नुकसान पहुँचाती हैं जिससे पत्तियां पीली होकर टूटकर गिरने लगती हैं। थीमेट या डाइकोफाल 2 ग्रा. प्रति लीटर पानी के घोल का छिड़काव करना चहिए।

कलिका कृमि : कलिका कृमि का लारवा हरे तथा सिर काले रंग का होता है। यह कलिकाओं तथा पुष्प को खाकर नष्ट कर देता है। इसके प्रबंधन के लिए क्वीनालफास 20 ई.सी. का 0.2% घोल का छिड़काव करना चाहिए।

5. जरबेरा

वानस्पष्कि नाम : *जरबेरा जस्मेसोनी*

कुल : कम्पोजिटी / एस्टैरसी

उत्पत्ति

इसकी उत्पत्ति एशिया, दक्षिण अफ्रीका व तसमानिया माना जाता है। इस पुष्प के शब्द की उत्पति जर्मन वैज्ञानिक टी. जरबर के नाम पर हुई।

उपयोग

जरवेरा कर्तित पुष्पें के लिए व्यवसायिक रूप से उगाया जाता है। जरवेरा के रंगो का आकार में विभिन्नता के नाते शोभा के लिए उद्यानों एवं पार्को में भी उगाया जाता है। राष्ट्रीय तथा अन्तर्राष्ट्रीय बाजारों में इसके काले रंग के केन्द्र वाले फूलों की काफी मांग है। कर्तित फूल के लिए अर्द्ध डबल तथा डबल तरह के फूलों को उगाया जाता है।

वनस्पतिक विवरण

इसका पौधा तना रहित शाकीय तथा बहुवर्षीय होता है। पत्तियां किनारों पर घुमावदार होती है। पुष्प की डण्डी लम्बी, पतली तथा पत्ती रहित होती है। पुष्प शीर्ष के आधार पर इनको एकल, अर्द्धडबल तथा डबल प्रजातियों में विभक्त किया जाता है। इनके पुष्प विभिन्न आकार, आकृति एवं रंग के होते हैं।

क्षेत्रफल एवं वितरण

जरबेरा की व्यवसायिक खेती जम्मू–कश्मीर, पंजाब, दिल्ली, उत्तराखण्ड, पश्चिम बंगाल, तमिलनाडु, महाराष्ट्र, कर्नाटक, उत्तर प्रदेश में की जाती हैं।

जलवायु

जरबेरा से अच्छे फूल प्राप्त करने के लिए 50% प्रकाश की आवश्यकता होती है। किन्तु गर्मी के महीनें में आंशिक प्रकाश के महीनों में आंशिक प्रकाश (छायादार

जाल) में भी उगाया जाता है। जरवेरा के लिए दिन का तापमान 22–25^0 सेन्टीग्रेड तथा रात का 10–16^0 सेन्टीग्रेड उपयुक्त होता है। सदियों के समय जब प्रकाश की कमी होती है तो फूलों के उत्पादन पर बुरा प्रभाव पड़ता है।

भूमि एवं भूमि की तैयारी

जरबेरा की खेती के लिए उर्वर, जल निकाश युक्त बलुई दोमट या दोमट भूमि उपयुक्त होती है। भूमि का पी.एच. मान 6.5–7.5 होना चाहिए।

प्रमुख किस्में

जरवेरा की मुख्य किस्मों में मिक्स, पैराडे, रेजिना, अल्समीरा, रोजेटा, तारा, गोल्डस्पाट, सनसेट, लियोनेला, पैराडे, इबिजा, नीरो, ओरनेला, ग्लोरिया, मोनिक आदि किस्में हैं।

भूमि उपचार

प्लास्टिक घरों में जरबेरा उगाने के पूर्व भूमि को शोधित कर लेना चाहिए इसके लिए 2% फार्मेल्डिहाइड के घोल से भूमि को गीला करके प्लास्टिक की चादर से 2–3 दिन के लिए ढक दिया जाता है। उसके बाद प्लास्टिक के चादर को हटा दिया जाता है। तथा मिट्टी की हल्की गुड़ाई कर दी जाती है। तथा प्लास्टिक घरों के खिड़की दरवाजों को खोल दिया जाता है। जिससे फार्मेल्हिाइड की गैस बाहर निकल जाय।

संरक्षित खेती : जरबेरा की खेती के लिए प्लास्टिक घरों का प्रयोग लाभदायक होता है। जरवेरा को आंधी, तेज हवा, ओले, ओस, तेज धूप से बचाना होता है। तथा उचित आर्द्रता व तापमान की आवश्यकता होती है। इस प्रकार प्रतिकूल मौसम में बचाव तथा उचित तापक्रम आर्द्रता बनाये रखने के लिए प्लास्टिक घरों का प्रयोग उपयुक्त एवं लाभप्रद है।

पौध प्रसारण

जरबेरा का प्रवर्धन बीज, कर्तन तथा विभाजन द्वारा किया जाता है। बीज द्वारा उगाये गये पौध मातृ पौधों से भिन्न होते हैं। कर्तन द्वारा पौधे तैयार करने के लिए कर्तन को वृद्धि नियामक रसायन से उपचारित कर लेना चाहिए। जुलाई अगस्त महीनों में विभाजन द्वारा पौध तैयार करते हैं। जरवेरा के एक पौधे से लगभग 5–6 स्वस्थ पौध तैयार किये जा रहे हैं। ऊतक संवर्धन द्वारा भी इसके पौधे तैयार किये जाते हैं।

पौध रोपण

सामान्यतया जरबेरा का रोपण बरसात (जून–अगस्त) तथा वसंत ऋतु (जनवरी–मार्च) में किया जाता है। बरसात में पौधों का उचित विकास नहीं होता तथा बीमारियों के बढ़ने की सम्भावना रहती है। जरवेरा के पौधों का रोपण एक मीटर चौड़ी 15–20 सेंमी. ऊँची ऊठी क्यारियों में किया जाता है बड़े आकार के पुष्प के लिए 30–35 सेंमी. की दूरी पर रोपण करते हैं जरवेरा को पौध घर में चार पंक्ति पद्धति में 20–30 सेंमी. की दूरी पर रोपण करते हैं।

खाद एवं उर्वरक

जरबेरा की वानास्पतिक वृद्धि के दौरान नत्रजन, फास्फोरस व पोटाश की 10:15:20 ग्रा. मात्रा प्रति वर्ग मीटर की दर से तीन माह तक छिड़काव करनी चाहिए तथा जब फूल आना प्रारम्भ हो जाय उस समय नत्रजन, फास्फोरस व पोटाश क्रमशः 15:10:30 ग्रा. प्रति वर्ग मीटर प्रति माह की दर से छिड़काव करना चाहिए या सिंचाई जल के साथ देना चाहिए इसके अलावा सूक्ष्म तत्वों जैसे बोरान, मैग्नीशियम, कैल्शियम तथा कापर की 1.5 ग्रा. मात्रा प्रति लीटर के घोल का छिड़काव करना चाहिए। पौध घर में खुले संवातन एवं फैन पैड प्रणाली के होने पर 150 पीपीएम फास्फोरस तथा 150 पीपीएम पोटाश प्रति पौधे की दर से एक दिन के अंतराल पर देने से प्रति पौधा पुष्पों का उत्पादन अधिकतम होता है।

सिंचाई

रोपाई के पश्चात चार हफ्तों तक हल्की बौछार विधि से सिंचाई करना चाहिए उसके बाद टपक विधि द्वारा सिंचाई उपयुक्त रहती है। जरवेरा के पौधों को प्रति दिन 500–700 मि.ली. लीटर पानी (प्रति पौध) की आवश्यकता होती है।

खरपतवार नियंत्रण

भूमि की अच्छी प्रकार से निकाई गुड़ाई करके खरपतवारों को छोटी अवस्था में निकाल देना चाहिए। सामान्यतः 2–3 निकाई–गुड़ाई की आवश्यकता पड़ती है।

फूलों की तोड़ाई

जरवेरा में रोपण के 8–12 हफ्तों के पश्चात पुष्पण आना प्रारम्भ हो जाता है। सप्ताह में दो–तीन बार तोड़ाई की जा सकती है। जब फूल में पंखुडियों की दो–तीन कतारें विकसित हो जाये तो उस समय डण्डी समेत तोड़ना चाहिए।

फूलों का विपणन : जरबेरा की डंडी बहुत नाजुक होती है इसलिए तोड़ाई के पश्चात संभाल कर रखनी चाहिए जिससे डंडी मुड़े नहीं जरबेरा के फूलों की डंडी 40 सेंमी. से कम अच्छी नहीं मानी जाती है। जरबेरा के फूलों को डंडी समेत प्रशीतक (4–5 सेन्टीग्रेड) वाहनों के द्वारा या वायुयान के द्वारा दूर के बजारों में या विदेशों में भेजा जाता है।

उपज

प्लास्टिक घरों में जरबेरा की खेती करने पर प्रति वर्ग मीटर लगभग 200–250 कर्तित फूल प्राप्त होते हैं। जिनमें 85% फूल उच्च श्रेणी के होते हैं। जब कि बाहर खुले में खेती करने पर प्रति वर्ग मीटर 180–225 कर्तित फूल प्राप्त होते है किन्तु उच्च गुणवत्ता के केवल 15–20% फूल ही प्राप्त हो पाते हैं।

जरबेरा के प्रमुख रोग, कीट एवं उनका प्रबंधन

पाउडरीमिल्ड्यू : यह कवक जनित रोग है इसमें पत्तियों पर सफेद पाउडर की परत बन जाती है। धीरे–धीरे पत्तियों एवं पौधे पीले पड़ कर सूख जाते हैं।

प्रबंधन : पौधों को टपक विधि द्वारा पानी देना चाहिए। जिससे अधिक आर्द्रता न हो। डायनोकेब 0.3% या सल्फेक्स 80% का 0.25% का घोल बनाकर छिड़काव करना चहिए।

जड़ सड़न : यह रोग कई प्रकार के कवकों जैसे *पीथियम, स्कलेरोशियम, रोलफिसी* तथा *राइजोक्टोनिया सोलेनी* द्वारा फैलता है। जिससे जड़ तत्र में सड़न प्रारम्भ हो जाती है।

प्रबंधन : बाविस्टिन का 0.1% का घोल बनाकर जड़ों के पास ड्रेंचिग करें।

कलर बंट (कालर राट) : यह रोग फाइटोप्थोरा प्रजाति के कवक द्वारा होता है। इस रोग में जमीन से सटे तनो पर सड़न प्रारम्भ हो जाती है।

प्रबंधन : इस रोग के प्रबंधन के लिए टाटा मास्टर पा रिडोमिल (मैंकोजेब + मेटालैक्सिल) के 0.15% के घोल का ड्रेंचिग प्रभावित भागों पर करना चाहिए।

माइटस : यह छोटे भूरे रंग का अति महीन कीट होता है। जिसे नंगी आंखों से नहीं देखा जा सकता है। यह पत्तियों के निचली सतह से रस चूसता है। अधिक प्रकोप होने पर पत्तियों पर जाला सा दिखाई पड़ता है।

प्रबंधन : डाइकोफाल 2 मि.ली. प्रति लीटर पानी के घोल का छिड़काव करें।

माहू : यह हरे एवं धूसर रंग के छोटे–छोटे कीट होते हैं जो कि समूह में कोमल भागों से रस चूसते हैं।

प्रबंधन : क्वीनालुास का 0.2% पा इमिडाक्लोप्रिड का 0.05% घोल का छिड़काव करें।

थ्रिप्स : यह भूरे रंग का अतिसूक्षम कीट है जो पौधों के कोमल भागों जैसे मुलायम शाखाओं पत्तियों तथा कली से रस चूसता है जिससे मटमैले भूरे रंग के धब्बे पड़ जाते हैं।

प्रबंधन : इसका प्रबंधन माहू की तरह करें।

लीफ माइनर : यह पत्तियों के हरित भागों को चाटकर टेढ़ी मेढ़ी सुरंग जैसा बना देती है।

प्रबंधन : इमिडाक्लोप्रिड का 0.05% घोल बनाकर छिड़काव करें।

6. गुलदाउदी

वानस्पतिक नाम : *डेनड्रानथीम ग्रेन्डीफ्लोरा*

कुल : कम्पोजिटी / एस्टरेसी

उत्पत्ति एवं इतिहास

गुलदाउदी की उत्पत्ति चीन में हुई। प्रसिद्ध चीनी दार्शनिक कनफ्पूसियस ने गुलदाउदी को 500 ईसा पूर्व में विश्व का सबसे महत्वपूर्ण विकसित फूल बतलाया। गुलदाउदी का अर्थ है दाउद का फूल, इससे संकेत मिलता है कि भारत में मुगलों के शासन में लाया एवं उगाया गया होगा।

उपयोग

इसे क्यारियों तथा गमलों में सुन्दरता के लिए उगाया जाता है इसके फूलों को माला बनाने तथा कर्तित फूलों को पुष्प सज्जा बनाने में किया जाता है। गुलदाउदी प्रदशर्नी के लिए भी बहुत अच्छा पुष्प है क्योंकि विभिन्न आकार एवं रंग का यह धनी पुष्प है। इसके छोटे आकार वाले फूलों को पूजा, माला, गजरा, वेनी आदि के लिए उगाया जाता है।

वानस्पतिक विवरण

इसका पौधा शाकीय, बहुवर्षीय, 50–150 सेंमी. ऊँचाई वाला होता है। इसकी जड़े रेशेदार, पतियाँ देखने में भद्‌दी, किनारों पर गहरी मुड़ी हुई होती है। फूल का डण्ढ़ल बड़ा होता है। इसके फूल सफेद पीले, गुलाबी आदि कई रंगो के होते हैं।

भूमि एवं भूमि की तैयारी

इसकी खेती के लिए कार्बनिक तत्वों से युक्त, बलुई दोमट भूमि उपयुक्त होती है खेत में उचित जल निकाश होना चाहिए तथा मृदा का पी.एच मान 6.5 के आसपास उपयुक्त होता है।

पौधों के रोपण के पूर्व क्यारी की गहरी गुड़ाई या जुताई करके भूमि को भुरभूरी बना लेनी चाहिए। खर पतवार इत्यादि निकाल देना चाहिए। प्रति वर्ग मी. 5 किग्रा गोबर की सड़ी खाद खेत की तैयारी के दौरान मिला देना चाहिए।

किस्में

गुलदाउदी की बहुत किस्मेां का विकास हो चुका है जिनमें से कुछ महत्वपूर्ण किस्में निम्न हैं।

बीरबल साहनी : इस किस्म में अक्टूबर–नवम्बर में पुष्पण होता है। इसके फूल पोमपोन वर्ग में आते हैं। पुष्प का रंग बर्फ जैसा सफेद तथा आकार छोटा होता है।

कीर्ति : यह ऐन्जिला x जीपी 1 की एक संकर प्रजाति है। इसमें 88 दिन पर फूल आ जाता है। यह अत्यधिक पुष्पोत्पादन देने वाली किस्म है। पुष्प सज्जा के लिए इसका पुष्प उपयोगी होता है।

शांति : यह छोटे फूल वाली, सफेद रंग की सजावट वाली किस्म है कर्तित तथा माला बनाने के लिए भी उपयोगी किस्म है। पुष्प का रंग सफेद होता है।

सद्‌भावना : यह छोटे फूलों वाली लाल, पीली, डबल कोरियन वाली किस्म है इसके पौधों की ऊँचाई 29 सेंमी. तथा प्रति पौधा 303 फूल तक प्राप्त होता है। पुष्प का रंग लाल बैगनी होता है।

अर्की स्वर्ण : यह नानको तथा सी.ओं–1 की संकर प्रजाती है। जो कि पोमपोन वर्ग में आती है। पुष्प का रंग पीला होता है कर्तित फूलों तथा सिथिल (लूज) फूलों के लिए उपयोगी है।

अर्का गंगा : यह फ्लैट तथा रेड गोल्ड की संकर प्रजाति है। इसके फूलों को खिलने के लिए 127 दिनों की आवश्यकता होती है।

वाई टू के : यह छोटे फूलों वाली एनीमोन वर्ग की प्रजाति है इसे पिंचिंग तथा सहारे की आवश्यकता नहीं पड़ती। पुष्प का रंग सफेद होता है। पौधे की ऊँचाई 34.6 सेंमी. होती है।

पंकज : इसके फूल आकर्षक गुलाबी रंग के होते हैं। इसके फूलों का व्यास 4.8 सेंमी. होता है। यह कर्तित फूलों के लिए उपयोगी है। खुले फूलों का उपयोग पुष्प सज्जा के लिए भी किया जाता है।

बिंदिया : यह डबल कोरियन वर्ग में आता है। इसके फूल छोटे 1.1 सेंमी. व्यास के होते हैं। उपरोक्त के अलावा बैगनी, बसन्ती, जयन्ती, मीरा, जपा, अप्सरा, कुन्दन, पूर्णिमा, आदि उन्नत किस्में उगायी जा रही हैं।

पौध प्रसारण

गुलदाउदी का प्रवर्धन वानास्पतिक रूप से जड़ सकर्स तथा शीर्ष कलम द्वारा किया जाता है। नयी किस्मों को विकसित करने के लिए तथा एक वर्षीय (मौसमी गुलदाउदी) को बीज द्वारा किया जाता है।

जड़ सकर्स : फूलों के खिलने के पश्चात तने को कुछ ऊँचाई पर काट दिया जाता है। तथा सिंचाई एवं उर्वरक का प्रयोग किया जाता है। जिससे मातृ पौधों के किनारे से सकर्स निकलते हैं जब ये 10–15 सेंमी. के हो जाते हैं इसको अलग करके फरवरी–मार्च माह में छोटे गमलों में या क्यारियों में लगा देते हैं। यदि गमलों में पौध तैयार करना होता है तो छोटे गमलों से बाद में बड़े गमलों में स्थानान्तरित कर दिया जाता है।

शीर्ष कलम : जून के द्वितीय सप्ताह से अंतिम सप्ताह तक शीर्ष कर्तन (5–7 सेंमी. लम्बाई) बनाकर छाये में बालू से भरे गमलों या क्यारियों में जड़ विकसित होने के लिए लगा दिया जाता है जड़े व शीर्ष विकसित होने के लिए सेरेडेक्स एक पाउडर या नेफ्थलीन एसीटिक एसिड के 25 पीपीएम घोल से उपचारित कर लिया जाता हैं। 2–3 सप्ताह में इस कलमों में जड़े विकसित हो जाती है। जिसके रोपित किये जाने वाले स्थान पर रोपित कर देते हैं।

रोपाई का समय

नर्सरी में तैयार पौधों को गमलों या क्यारियों में जुलाई माह के अंतिम सप्ताह सितम्बर के प्रारम्भ में रोपित किया जाता है।

रोपाई की दूरी

पौधों की रोपाई 30x30 सेंमी. की दूरी पर करनी चाहिए।

खाद एवं उर्वरक

40 कि.ग्रा. नत्रजन 160 कि.ग्रा. फास्फोरस तथा 80 कि.ग्रा. पोटाश प्रति हैक्टेयर की दर से भूमि में खेत की तैयारी के दौरान देनी चाहिए। तथा 80 कि. ग्रा. को नत्रजन को दो बार में पौध रोपण के 30 दिन एवं 55–60 दिन पर टाप ड्रेसिंग के रूप में प्रयोग करना चाहिए।

सिंचाई

मिट्टी की किस्म, मौसम की दशा को ध्यान में रखते हुए आवश्यकतानुसार उचित अंतराल पर सिंचाई करनी चाहिए। सिंचाई के द्वारा पौध की वृद्धि को भी नियंत्रित किया जा सकता है।

खरपतवार प्रबंधन

पौधों की अच्छी वृद्धि एंव विकास के लिए 2–3 निकाई गुड़ाई की आवश्यकता पड़ती है। फूलों की कटाई के पश्चात् भूमि की अच्छी प्रकार से निटाई–गुड़ाई करके खरपतवार को छोटी अवस्था में निकाल देना चाहिए।

फसल संवर्धन हेतु किये जाने वाले कार्य

पिंन्चिग : रोपण के पश्चात पौधों में ऊपर की ओर वृद्धि होती है। इस ऊपर की ओर की वृद्धि को एक निश्चित ऊँचाई में रोक कर किनारे की शाखाओं में वृद्धि के लिए प्रोत्साहित करने हेतु केन्द्रीय (मुख्य तने) तने को ऊपर से 1.5 से 3 सेंमी. की लम्बाई में तोड़ देते है इस प्रक्रिया को पिन्चिंग कहते हैं। पिंचिंग करने से किनारे की शाखाओं के बढ़ जाने से छोटे पुष्पों की पैदावार बढ़ जाती है।

डिसवडिंग : बड़े तथा आकर्षक फूलों के उत्पादन के लिए यह क्रिया की जाती है यह क्रिया दो प्रकार से होती है। स्प्रे प्रजातियों में बड़ी शीर्षस्थ कलिकाओं को तोड़कर अलग कर दिया जाता है। तथा तटस्थ (किनारे) कलिकाओं को पनपने दिया जाता हैं। जब कि स्टैण्डर्ड प्रजातियों में शीर्षस्थ कलिकाओं को पनपने देते है और तटस्थ कलिकाओं को तोड़ देते हैं। डिसवडिग बहुत सावधानी से अंगुली के नाखुन से इस प्रकार किया जाता है कि अंवाक्षित कलिकाए हीं टूटे, वांक्षित कलिकाएं प्रभावित न हों।

फूलों की कटाई एवं भंडारण : कर्तित फूलों हेतु तने को भूमि से 10 सेंमी. की ऊँचाई से काट देते है फूलों को काटने के पश्चात तने का एक तिहाई भाग पानी में डुबो देते है। जिससे फूलों की उम्र बढ़ जाये।

ग्रेडिग, पैकिंग व भण्डारण : फूलों की ग्रेडिंग तने की लम्बाई, फूल के रंग व फूल के व्यास पर निर्भर करता है फूलों को पालीथीन में लपेटकर 6–8 हफ्तों के लिए 0–5 सेन्टीग्रेड तापमान पर सूखे स्थान पर रख सकते हैं। सिथिल (लूज) फूलों को विपणन हेतु बांस से बनी टोकरियों या जूट के थैलों में रखकर पैक करना चाहिए।

उपज : गुलदाउदी से 20–25 टन सिथिल फूल (लूज) प्राप्त हो जाते हैं।

प्रमुख रोग एवं प्रबंधन

1. *लीफ स्पाट :* इस रोग का कारक सेप्टोरिया क्राइसेन्थीमेला नामक कवक है। इस रोग में पत्तियों पर भूरे धब्बे पड़ते हैं। जो बाद में पीले धब्बे में परिवर्तित हो जाते हैं। धीरे–धीरे पौधें की मृत्यु हो जाती है। प्रबंधन के लिए संक्रमित पत्तियों को जलाकर नष्ट कर दें। तथा कापर आक्सीक्लोराइड का 0.2% का घोल बनाकर छिड़काव करें।

2. *रस्ट :* इस रोग का कारक पक्सीनिया क्राइसेन्थीमी कवक है। इस रोग में पत्तियों एव तनों आदि पर भूरे रंग के बीजाणु संक्रमित कर देते हैं। जिससे पौधा कमजोर हो जाता है। प्रंधन के लिए प्रभावित पत्तियों को तोड़कर जला देना चाहिए पौधों पर मैंकोजेब 45 का 0.25% के घोल का छिड़काव चाहिए।

पाउडरी मिल्डयू : इस रोग से ग्रसित पत्तियों की सतह पर सफेद रंग के पाउडर जैसी परत दिखाई पड़ती है। यह रोग *ओडियम क्राइसेन्यिमम* नामक कवक के द्वारा होता है। इसके प्रबंधन के लिए सल्फर 80% का 0.25% के घोल या कैराथेन का 0.2% के घोल का छिड़काव करें।

पुष्प सड़न : यह रोग *वोट्राइटस सिनेरिया* नामक कवक के द्वारा होता है। इस रोग में भूरे जल सिक्त धब्बे पंखुडियों पर दिखाई पड़ते है। धीरे–धीरे पूरी तरह से पुष्प सड़ने लगता है। प्रबंधन के लिए मैंकोजेब 45 का 0.25% के घोल का छिड़काव करें।

कीट व प्रंबधन

माहू : काले रंग के माहू पुष्पण के दौरान कलियों, पुष्पों, तनों व पत्तियों से रस चूसता है। इसके नियंत्रण के लिए रोगोर 0.25% या इमिडाक्लोप्रिड 0.05% के घोल का छिड़काव करें।

लाल रोये दार सूंडी : पत्तियों की नसों को छोड़कर पूरी पत्तियां खा जाती है। नियंत्रण के लिए क्वीनालफास 20 ई0 सी का 0.25% का घोल का छिड़काव करें।

7. रजनीगंधा

वानस्पतिक नाम : *पालीएन्थिस ट्यूबरोसा*
कुल : अमरेलिडिएसी

उत्पत्ति एवं इतिहास

रजनीगंधा का उत्पत्ति स्थान मैक्सिको या दक्षिण अफ्रीका माना जाता है। यहीं से विश्व के विभिन्न भागों में 16 वीं शताब्दी में पंहुचा। ऐसा माना जाता है कि भारत में रजनीगंधा 16 वीं शताब्दी में यूरोप होते हुए लाया गया।

उपयोग

रजनीगंधा के पुष्प का उपयोग सुन्दर मालाएँ, बुके, फ्लावर वॉस तथा क्राउन इत्यादि बनाने के लिए किया जाता है। मेज पर सजावट के लिए इसकी पुष्प डण्डियों का प्रयोग किया जाता है। इससे सुगन्धित तेल निकालते हैं जिसको उच्च स्तर के सुगन्धित इत्र एवं प्रसाधन सामग्री बनाने में उपयोग में लाते हैं। इसके कन्दों में लाइकोरिन नामक एल्कलाइड होता है जिसके प्रयोग करने से उल्टी हो जाती है। कील मुहासों को दूर करने के लिए इसके कंद को हल्दी तथा मक्खन के साथ पीसकर पेस्ट तैयार करके लगाते हैं।

क्षेत्रफल एवं वितरण

रजनीगंधा की खेती मुख्यतः दक्षिण अफ्रीका, संयुक्त राष्ट्र अमेरिका, फ्रांस आदि शीतोषण एवं समशीतोषण क्षेत्रों में की जाती है। भारत में व्यवसायिक रूप से मैसूर, देवनहल्ली तालुक (कर्नाटक), गून्टूर, चित्तूर, कृष्णा (आंध्रप्रदेश), कोयम्बटूर एवं मदुरई (तमिलनाडु), थाणे, पूना, सांगली (महाराष्ट्र), वागनेन, मिदानापुर, कोलाघाट, पंचकुरा, रानीघाट, कृष्णा नगर, ठाकुर नगर (पश्चिम बंगाल) में की

जाती है। उत्तरी मैदानी राज्यों के भी कुछ स्थानों पर इसकी खेती की जाती है। इस समय देश में लगभग 3000 हैक्टेयर क्षेत्र में इसकी खेती हो रही है।

वानस्पतिक विवरण

रजनीगंधा अर्धकठोर, बहुवर्षीय कन्दीय पौधा है। इसका कन्द बहुत सारे शल्कपत्रों से बना होता है। पुष्प कीप के आकार का सफेद रंग लिये हुए लगभग 25 सेंमी. लम्बा होता है। इसका पुष्प सुगन्धि होता है।

जलवायु

भारतवर्ष में गर्म एवं नम जलवायु में रजनीगंधा की खेती की जाती है। इसके लिए 16–30^0 सेन्टीग्रेड तापमान उपयुक्त होता है। 40^0 सेन्टीग्रेट से अधिक तापमान पर पुष्प की लम्बाई तथा पुष्प की गुणवत्ता घट जाती है। बहुत कम तापमान व पाला से पौधे व पुष्प नष्ट हो जाते हैं। इसकी खेती छापादार स्थान पर करने से फूलो की उपज घट जाती है।

भूमि एवं भूमि की तैयारी

उचित जल निकास युक्त बलुई दोमट भूमि, जिसका पी.एच.मान. 6.5 से 7.5 हो रजनीगंधा के लिए उपयुक्त रहता है। 30–40 सेंमी. गहरी जुताई करके फिर आवश्यकतानुसार 2–3 जुताई करके खेत को अच्छी तरह तैयार करके मिट्टी को भुरभुरा कर लेना चाहिए। खेत में 50 टन प्रति हैक्टेयर की दर से गोबर की सड़ी खाद मिला दें। खेत की तैयारी के बाद उचित आकार की क्यारी बना लें।

किस्में

पुष्प के प्रकार के अनुसार रजनीगंधा की किस्मों को निम्न वर्ग में बांटा गया है।

सिंगल : इसमें पंखुड़ियाँ एक पंक्ति में होती हैं। तथा बहुत सुंगधित होती है। जिसका प्रयोग ज्यादातर इत्र निर्माण में किया जाता है। रजत रेखा, हैदराबाद सिंगल, कलकत्ता सिंगल, श्रृंगार प्रज्जवल, कल्याणी सिंगल आदि मुख्य किस्में हैं।

डबल : इस वर्ग के पुष्प पंखुड़ियों की तीन से ज्यादा पंक्ति होती है इसका प्रयोग कटे हुए फूल तथा बुके बनाने के लिए प्रयोग किया जाता है। हैदराबाद डबल, कलकत्ता डबल, वैभव, सुवासिनी डबल, कल्याणी डबल, स्वर्ण रेखा आदि मुख्य किस्में हैं।

बैरीगेटेड : इन प्रजातियों में पत्तियों पर सफेद रंग की धारी होती है। राष्ट्रीय वनस्पति अनुसंधान संस्थान, लखनऊ द्वारा इसकी दो किस्में स्वर्ण रेखा तथा रजत रेखा गामा किरणों के प्रयोग से विकसित की गई हैं।

बुआई

रजनीगंधा की बुआई बल्वों (कंदो) से की जाती है। 1.5–2.5 सेंमी. व्यास के कन्दों की बुआई करनी चाहिए। बुआई के पूर्व बल्बों को कारवेन्डाजिम फंफूदनाशक दवा के 0.20% के घोल में डुबोकर छाये में सुखा लिया जाता है। उत्तर भारत में रजनीगंधा की बुवाई के लिए मार्च से अप्रैल का महीना अधिक उपयुक्त है। रजनीगंधा के कंदों को 30X20 सेंमी. या 20X20 सेंमी. की दूरी पर बोते हैं। कंदों की बुबाई 4–5 सेंमी. की गहराई पर करनी चाहिए।

बीज की मात्रा

रजनीगंधा के लिए प्रति हैक्टेयर लगभग 1 लाख से 1.25 लाख कंदों की आवश्यकता पड़ती है।

खाद एवं उर्वरक

सिंगल सुपर फास्फेट व म्यूरेट आफ पोटाश दोनों की 80 ग्रा. मात्रा प्रति वर्ग मीटर के हिसाब से रोपाई के पूर्व खेत में मिला दें। यूरिया की 30 ग्रा. मात्रा 3 बार में पहली एक तिहाई रोपाई के पहले, दूसरी एक तिहाई मात्रा रोपाई के 60 दिन बाद, तीसरी एक तिहाई मात्रा फूल निकलना प्रारम्भ होने के समय दें।

सिंचाई

कंदों की बुआई के समय खेत में पर्याप्त नमी आवश्यक होती है। इसलिए बुआई के पूर्व हल्की सिंचाई कर लें। बुआई के पश्चात जमाव होने तक सिंचाई नहीं करनी चाहिए। इसके पश्चात गर्मी के दिनों में 6–7 दिनों पर तथा जाड़े के दिनों में 10–12 दिनों के अंतराल पर सिंचाई करते रहें।

खरपतवार नियंत्रण

वायुसंचार तथा खरपतवार नियंत्रण के लिए प्रति माह निराई–गुड़ाई करते रहें। रासायनिक विधि से खरपतवार नियंत्रण के लिए 1–1.5 कि.ग्रा. एट्राजीन 100 लीटर पानी मे घोल कर प्रति हैक्टेयर के हिसाब से बुआई के तुरंत बाद छिड़काव कर दें।

फूलों की कटाई

पुष्प डण्डियों की कटाई उस अवस्था में करें जब नीचे से एक या दो पुष्प खिलने वाले हों। पुष्प इण्डियों को प्रातः सापंकाल में काटना चाहिए।

ग्रेडिंग पैकिंग व भंडारण

पुष्प डण्डियों की लम्बाई, फूलों की संख्या तथा पुष्प डण्डी के उपर लगे फूलों वाले क्षेत्र की लम्बाई के अनुसार छाँट कर आवश्यकतानुसार संख्या में बंडल बना कर पैक कर देते हैं इसके तने वाले भाग को गीले कागज से लपेट दिया जाता है। इसके पश्चात बांस के डिब्बों या टोकरियों या गत्ते के डिब्बों में पैक कर दिया जाता है। पैक करने के लिए छिद्रदार गत्ते के डिब्बे अधिक उपयुक्त रहते हैं।

उपज

खुले अथवा पुष्प डण्डियों की उपज उनकी प्रजातियों, रोपाई की दूरी और जलवायु पर निर्भर करती है। एक हैक्टेयर से 1.25–1.45 लाख पुष्प डण्डियों या 30–50 कुन्तल खुले पुष्प प्रति वर्ष प्राप्त किये जा सकते हैं। शल्क कन्दों की उपज 18–30 टन प्रति हैक्टेयर होती है।

शल्ककंद का प्रबंधन : खुदाई के बादशल्क कंदो की मृदा हटाकर उन्हें साफ करके विभिन्न श्रेणियों में रखते है शल्क, जिनका व्यास 1.5 सेन्टीग्रेडमी. से अधिक होती है, उन्हें अपरिपक्व शल्क कंदों की श्रेणी में रखकर अलग कर देते है। शल्क कंदो को सुखाने के लिए ट्रे में 27–35^0 सेन्टीग्रेड तापमान पर रखा जाता है इसके पश्चात शल्क कन्दों को हायादार स्थान पर रखते हैं जहां पर अच्छी तरह से वायुसंचार रहता हो। भण्डारण का तापमान भी उपज को प्रभावित करता है शल्क कंदो को 18–30^0 सेन्टीग्रेड तापमान पर 4–6 सप्ताह तक रखने पर उपज बढ़ जाती है। यदि इन्हें 30^0 सेन्टीग्रेड तापमान पर 6 सप्ताह से अधि समय तक रख दिया जाता है, तो पुष्पन शीघ्र होता है परन्तु पुष्प वृन्तों (पुष्प इण्डियों) की गुणवत्ता में कमी आ जाती है और शल्क कंदो का उत्पादन कम हो जाता है।

पेड़ी की फसल लेना : रजनी गंधा की रोपी गई फसल से पुनः अगले वर्ष फसल प्राप्त की जा सकती है जिससे पेड़ी की फसल कहते हैं। पेड़ी की फसल में स्पाइक (पुष्प डण्डिया) की संख्या व उनके वजन में कमी आ जाती है। अतः पेड़ी की फसल को केवल खुले फूलों या तेल निकालने के लिए प्रयोग करना चाहिए। रंजनी गंधा की पेड़ी फसल के लिए, पुष्पण के बंद होते ही तथा पत्तियों

के पीले पड़ते ही पौधों को जमीन से मरोड़ देते हैं जिससे कंद जल्दी परिपक्व हो जाता है। उर्वरक को मुख्य फसल की मात्रा के अनुसार दो भागों में बांटकर आधी मात्रा जनवरी–फरवरी में तथा शेष मात्रा अप्रैल में देनी चाहिए। शेष सस्य क्रियायें मुख्य फसल की भांति करते हैं। पेड़ी की फसल में मुख्य फसल की अपेक्षा जल्दी पुष्पण प्रारम्भ हो जाता है।

रजनीगंधा में प्रमुख रोग व कीट तथा प्रबंधन

तना विगलन : इस रोग में पत्तियों तथा प्रभावित भाग पर गोल धब्बे जाते है। स्कैलेरोसियम रालफसी नामक कवक द्वारा यह रोग फैलता है। प्रबंधन के लिए मृदा की नमी को कम कर देनी चाहिए। तथा फफूंदनाशी दवा जैसे बाविस्टिन 0.1% या जिनेब 0.3% का छिड़काव करना चाहिए।

पुष्प कलिका का सड़न रोग : यह बीमारी इरवीनिया स्पेशीज (जीवाणु) द्वारा होती है। इस बीमारी में पुष्प कली पर काले भूरे रंग के धब्बे पड़ते है जिससे पुष्प कलियां सूख जाती है। पबंधन के लिए प्रभावित रोग ग्रस्त पौधों को उखाड़कर नष्ट कर देना चाहिए। तथा स्ट्रप्टोसाइक्लीन 0.01% का घोल बनाकर छिड़काव करना चाहिए।

माहू तथा थ्रिप्स कीट : रजनीगंधा में माहू तथा थ्रिप्स का प्रकोप होता है। रोकथाम के लिए रोगार 2 मि.ली. प्रति लीटर या इमिडाक्लोप्रिड 0.5 मि.ली. प्रति लीटर पानी के घोल का छिड़काव करना चाहिए।

8. ग्लैडियोलस

वानस्पतिक नाम : *ग्लेडियोलस ग्रान्डीफ्लोरस*

कुल : ईरोडियेसी

ग्लैडियोलस के कर्तित पुष्प (कटफ्लावर्स) के लिए विश्व विख्यात है। इसके स्पाइक पर सुन्दर व आकर्षक तथा उत्तम पुष्प खिलने के कारण बहुत पंसद किया जाता है। इसके पुष्प एक–एक करके धीरे–धीरे खिलते रहते है। जिससे भण्डारण क्षमता लम्बी रहती है। ग्लेडियोलस के पुष्प विभिन्न रंगों में उपलब्ध होने तथा भण्डारण क्षमता अच्छी होने के कारण इसकी मांग काफी अधिक है। पहले इसको भारत में पहाड़ी क्षेत्रों में उगाया जाता था। किन्तु बाद में मैदानी भागों में भी उगाने के लिए उपयुक्त पाया गया और अब बृहद पैमाने पर इसकी व्यवसायिक खेती मैदानी भागों में की जाती है।

उत्पत्ति एवं इतिहास

ग्लैडियोलस की खेती का इतिहास 2000 वर्ष पुराना है उस समय इसको कार्म लिली के नाम से जाना जाता था। एशिया माइनर के भागों में इसे उगाया जाता था। मि. चार्ल्स ग्र. वो. पहले व्यक्ति थे जिनको सर्वप्रथम ग्लैडियोलस की खेती को भारत में लाने का श्रेय मिला। ग्लैडियोलस का नाम लैटिन शब्द ग्लैडियस से लिया गया है जिसका अर्थ है 'तलवार' क्योंकि इसकी प्रत्तियां तलवार जैसी होती हैं।

उपयोग

ग्लैडियोलस का प्रयोग किनारों, क्यारियों गमलों व कर्तित पुष्प के रूप में किया जाता है। इसकी पुष्प इण्डियों का प्रयोग पुष्प सज्जा व गुलदस्ते, ग्लैडियोलस एक्लोनी, ग्लैडियोलस पैपिलियो, ग्लैडियोलस क्रसटस, प्रजातियों के करने में पुष्पों और कन्दों को अनेक रूपों में प्रयोग किया जाता है। ग्लैडियोलस क्रेमिफोलियस प्रजाति का उपयोग सिर दर्द को दूर किया जाता है। ग्लैडियोलस एक्लोनी प्रजाति के पौध तथा वल्व को पीस कर इसका काढ़ा बनाकर पीने से कई प्रकार के दर्द से आराम मिलता है।

क्षेत्रफल एवं वितरण

भारत में ग्लैडियोलस की खेती लगभग 1500 हैक्टेयर से भी अधिक क्षेत्रफल में की जाती है। इसकी खेती मुख्य रूप से पश्चिम बंगाल (कलिमपोंग) नई दिल्ली, जम्मू कश्मीर (श्रीनगर), उत्तराखंड (देहरादून, नैनीताल, अल्मोडा, उधम सिंह नगर आदि जनपदों) में की जाती है। इसके अलावा महाराष्ट्र, तमिलनाडु, कर्नाटक आदि प्रदेशों के कुछ भागों में की जाती है। दिल्ली के बाजारों में आपूर्ति के लिए पंजाब, उत्तर प्रदेश, हरियाणा, हिमाचल प्रदेश, राजस्थान के आस–पास के क्षेत्रों में की जाती है।

वानस्पतिक विवरण

ग्लैडियोलस इरीडियेसी कुल का पौधा है तथा इसकी गुणसूत्र संख्या 15 है यह एक वर्षीय, मुलायम शाकीय पौधा है। जिसको बीज तथा कार्म के द्वारा उगाया जाता है। इसका कार्म 4–6 शल्कों से ढका रहता है। और बुआई करने पर 10–15 दिनों में अंकुरित (कल्ले) हो जाता है। इसकी पत्तियां तलवार के आकर की होती है, जो कि तने से गुच्छे के रूप में निकलती है। इसका पुष्प बड़ा तथा कीप (फनल) के आकार का होता है। तथा प्रत्येक फूल दो हरे रंग के सहपत्र से ढके रहते हैं।

तथा तीन भागों–पेट्ल (दल एवं वाहपदल का जुड़ा हुआ भाग), पुंकेसर तथा स्त्री केसर में विभक्त रहता है। इसके पेटल्स कई रंगों के होते हें। तथा इसकी संख्या 6 होती है। और ये चक्र में व्यवस्थित रहते हैं। जिसमें ऊपर के तीन लम्बे तथा नीचे के तीन छोटे होते हैं। जो कि सामान्य रूप से होते हैं। पुंकसरो की संख्या 3 होती है तथा जायांग तीन कोष्ठों की होती हे। इसके फल को बीजकोष कहा जाता है। जिसमें लगभग 30–50 बीज होते है।

जलवायु

ग्लैडियोलस को विभिन्न प्रकार के जलवायु में उगाया जा सकता है। इसकी वानास्पतिक वृद्धि, पुष्पण तथा कार्म एवं कार्मलेट के उत्पादन के लिए अनुकूलता के हिसाब से इसकी खेती के लिए बुआई के समय का निर्धारण किया जाता है। इसकी खेती के लिए न्यूनतम तापक्रम 16^0 सेन्टीग्रेड तथा अधिकतम $25–30^0$ सेन्टीग्रेड ताप अनुकूल है। ग्लैडियोलस के पुष्पण के समय बरसात नुकसान दायक है। इसकी खेती के लिए समतापमान तथा खुली धूपवाली जलवायु उपयुक्त होती है।

भूमि एवं भूमि की तैयारी

ग्लैडियोलस की सफल खेती के लिए उचित जल निकास युक्त, दोमट या बलुई दोमट भूमि जिसका पी.एच. मान 5.5 से 6.5 के बीच हो, उपयुक्त रहती है। अधिक पी.एच. मान वाली भूमि में कार्बनिक पदार्थ तथा जिप्सम मिलाकर सुधार करके, उगाया जा सकता है।

खेत की तैयारी के लिए गर्मी में गहरी जुताई करें। जुलाई में हरी खाद के लिए ढैंचा, सनई उगाकर उचित समय पर पलट कर हरी खाद बना लें या 20 टन प्रति एकड़ की दर से गोबर की सड़ी खाद को खेत की तैयारी के दौरान बुआई के एक माह पूर्व खेत मे मिला दें। बुआई के पूर्व खेत की जुताई तथा पाटा आदि करके खेत को भूरभूरा बना लें तथा खरपतवार रहित कर लें।

प्रमुख किस्में

पुष्पों के रंग के अनुसार मुख्य किस्में है।

सफेद : सिम्पलीसिटी, स्नोड्राप, स्नोडस्ट, व्हाइट प्रासपर्टी, व्हाइट फ्रेन्डशिप, व्हाइट वण्डर, सुपर स्टार।

क्रीम : क्रीम टापर, लैण्डमार्क, पेलमून, लैण्डमार्क आदि।

पीली : नोवालक्स, गोल्डेन हार्वेस्ट, लेमन रफल्स, जेस्टर आदि।

गुलाबी : पिंक परफेक्शन, फ्रेन्डशिप, पूसा अर्चना, स्पिक एण्ड स्पान आदि।

नांरगी : आटमग्लो, जिप्सी डोसर, सेंटिग सन, ओरेन्ज ब्यूटी फीएस्टा, रतना वटरफ्लाई आदि।

लाल : आस्कर, रेड ब्यूटी, ब्लैक प्रिंस, डेलिशियस, विक्टोरिया एडवांस, यूरोविजन आदि।

बैगनी : मयूर पूसा सारंग, पूसा श्रश्गांरिका, फैडुलियों आदि।

प्रवर्धन : ग्लैडियोलस का प्रवर्धन कन्दों, कार्मल्स, बीज एवं ऊतक संवर्धन विधि से किया जाता है। किन्तु व्यसायिक दृष्टि से कन्दों (कार्म्स) से की जाती है।

बीज का बुआई

बीज की बुआई के समय खेत में पर्याप्त नमी होनी चाहिए। क्यारियों में 5–7 सेंमी. की गहराई पर कन्दों को बोना चाहिए। कन्दों के आकार का फूलों की गुणवत्ता और उत्पादन पर सीधा प्रभाव पड़ता है। इसलिए बुआई के लिए 5 सेंमी. व्यास या इससे अधिक व्यास वाले कन्दों का प्रयोग करना चाहिए।

बीज की मात्रा और दूरी

कन्दों की बुआई 30x20 सेंमी. की दूरी पर की जाती है। यदि इस दूरी पर बुआई की जाय तो प्रति एकड़ 60,000 कन्दों की आवश्यकता पड़ेगी। यदि और सघन बुआई की जाये 80,000 से 1,00,000 कंद की भी आवश्यकता प्रति एकड़ पड़ेगी।

कन्दों की बुआई का समय

पहाड़ो पर मार्च–अप्रैल तथा मैदानी भागों में सितम्बर–अक्टूबर में बुआई करते हैं। जिन भागों में वर्ष भर एक समान मौसम होता है। वहां वर्ष भर बुआई कर सकते हैं।

बीज का उपचार

कन्दों की रोपाई के पूर्व अच्छी तरह साफ करके 2 ग्रा. कावेरन्डाजिम प्रति लीटर पानी का घोल बनाकर उसमें आधा घंटे तक डुबोकर उपचारित कर लेना चाहिए। उपचारित कन्दों को छायादार जगह पर सुखाकर बुआई करनी चाहिए।

पोषण

सामान्यतः 30 ग्रा. नत्रजन, 20 ग्रा. फास्फोरस एवं 20 ग्रा. पोटाश प्रति वर्ग मीटर की दर से देने पर अच्छे गुणवत्ता युक्त स्पाइक मिलते हैं तथा कन्द का उत्पादन अच्छा होता है। नाइट्रोजन को दो बार में प्रथम 3 पत्तियों की अवस्था पर तथा द्वितीय 6 पत्तियों की अवस्था पर टाप ड्रेसिंग के रूप में देना चाहिए। फास्फोरस तथा पोटाश बुआई के 15 दिन पूर्व खेत की तैयारी के दौरान देना चाहिए।

सिंचाई

कंदो की बुआई के तुरंत बाद एक हल्की सिंचाई कर दें। परन्तु यदि नमी की कमी न हो तो तुरन्त पानी लगाने की आवश्यकता नहीं होती इसके बाद सिंचाई अंतराल जलवायु, मिट्टी तथा वर्षा पर निर्भर करती है। सामान्यतः बलुई दोमट में 7–10 दिन के अंतराल पर सिंचाई की आवश्यकता पड़ती है। पत्ती आने की अवस्था में तथा स्पाइक बनने के समय सिंचाई की विशेष आवश्यकता होती है।

खरपतवार नियंत्रण

ग्लैडियोलस की सफल व्यवसायिक खेती के लिए खेत को खरपतवारों से मुक्त रखना चाहिए। खरपतवारों का नियंत्रण यांत्रिकी एवं रासायनिक दोनो विधियों से कर सकते हैं। कंदो की बुआई के पश्चात सामान्यतः पूरे फसल अवधि में 4–5 बार निकाई–गुड़ाई की आवश्यकता पड़ती है।

बासालिन 2.5 कि.ग्रा. का प्रति हैक्टेयर बुआई के पूर्व छिड़काव करने पर लगभग 70 दिनों तक खेत खरपतवार रहित रहते है तथा इसका कोई बुरा प्रभाव कंद पर नहीं पड़ता है।

मिट्टी चढ़ना

ग्लैडियोलस की खेती मे यह एक महत्वपूर्ण क्रिया है यह पौधों को गिरने से बचाने के लिए सहारा का कार्य करता है। यह कार्य पौधों में जब 3–5 पत्तियाँ आ जायं तब करना चाहिए। जिन स्थानों पर ज्यादा हवायें चलती हो वहां पर पौधों में सात पत्तियों के आने पर (जब स्पाइक निकलने की अवस्था हो) पौधों पर दुबारा मिट्टी चढ़ाना लाभदायक सिद्ध होता है।

स्टेकिंग : ग्लैडियोलस की लम्बी डण्डियों (स्पाइक) वाली प्रजातियों की खेती खुले मैदानों पर करने पर अधिक वजन के कारण गिरने की समस्या आती है। अतः

उनमें सहारा देने की आवश्यकता पड़ती है। पौधों को सहारा देने के लिए प्रत्येक पौधे के साथ–साथ लकड़ी की पतली डण्डी या बांस आदि की डंडी लगा दी जाती है। तथा पौधों को सुतली या धागे के द्वारा ढीला बांध दिया जाता है। जिससे पौधो (स्पाइक) की बढ़वार ठीक प्रकार से हो।

पुष्प डण्डियों को काटना : कन्द के बुआई के 60–90 दिन बाद पुष्प डण्डी (स्पाइक) काटने योग्य हो जाती है। पुष्प दण्डी को सुबह या शाम को ही काटना चाहिए। पुष्प डण्डियों को काटने की सही अवस्था दूरस्थ व स्थानीय बाजार में आपूर्ति पर निर्भर करती है। यदि दूरस्थ बाजार में भेजना हो तो जब पुष्प डण्डियों पर नीचे के 1–2 पुष्पक (फ्लोरेट्स) में रंग दिखने लगे तब काटना चाहिए और यदि स्थानीय बाजार में भेजना हो तो जब नीचे के 1 या 2 पुष्पक थोड़ा या पूर्ण रूप से खिल जायं तब काटना चाहिए और काटने के तुरंत बाद पानी से भरी बाल्टी में रखना चाहिए।

फूलों की तुड़ाई उपरांत प्रबंधन

ग्रेडिंग (श्रेणीकरण) : पुष्प डण्डियों को काटने के पश्चात डण्डियों की लम्बाई के अनुसार निम्न वर्ग में छांट कर अलग कर देना चाहिए।

ग्रेड	पुष्प डण्डी की लम्बाई (सेंमी.)	फूलों की संख्या/ पुष्प डण्डी
फैन्सी	107 से अधिक	16
स्पेशल	97–107	15
स्टैण्डर्ड	81–96	12
यूटिलिटी	81 से कम	10

पैकिंग : ग्रेडिंग के पश्चात 10–12 पुष्प डण्डी का गुच्छा बना कर उन्हें रबर बैण्ड की सहायता से बांध देना चाहिए। 20–24 गुच्छों को क्राफ्ट पेपर, पॉलीथीन या बटर पेपर या वैक्स पेपर द्वारा लपेटना चाहिए ताकि तापमान के उतार–चढ़ाव, झटकों तथा नमी की हानि से बचाया जा सके। इसके बाद इन गुच्छों को 30–35 सेंमी. चौड़े व 110–130 सेंमी. लम्बे आकार के कार्ड बोर्ड के छिद्रदार डिब्बों में पैंक करना चाहिए।

भण्डारण

कटी हुई पुष्प डण्डियों को 1–2^0 सेन्टीग्रेड तापमान पर 2 सप्ताह तक भंण्डारित किया जा सकता है। फूलों की आयु बढ़ाने के लिए 300 पीपीएम एल्यूमीनियम सल्फेट + 20% चीनी के घोल में 24 घण्टे के लिए 20–25^0 सेन्टीग्रेड तापमान पर रखना चाहिए।

भण्डारण के समय पुष्प डण्डी को हमेशा ऊपर की तरफ खड़ा करके ही रखना चाहिए। क्योंकि उन्हें समान्तर स्थित में रखने पर उनमें निशेधक गुरूत्वाकर्षण होने लगता है जिसेसे उनके ऊपर का भाग एक तरफ को झुक जाता है जिससे विपणन मूल्य कम मिलता है।

उपज

साधारणतया एक कन्द से एक पौधा तैयार होता है। और एक पौधे पर एक पुष्प डण्डी आती है। लगभग 10–15% कन्दों में दो पौधे बनते हैं। इसलिए यदि प्रति एकड़ 60,000 कंद की रोपाई की गई है तो 70,000–75000 पुष्प डण्डियां प्रति एकड़ प्राप्त होगी।

कन्द (कार्म्स) का उत्पादन एवं कटाई : कार्म्स तथा कर्मेल्स पुष्पदडियां के कटाई के 6–8 सप्ताह बाद खुदाई के लिए तैयार हो जाती हैं। कार्म्स की खुदाई के 2–3 सप्ताह पूर्व सिंचाई बंद कर देनी चाहिए। कार्म्स की परिपक्वता की जांच पौधों की पत्तियों के पीले पड़ने से करते हैं। कंदों की खुदाई के पश्चात पत्तियों समेत 1 हफ्ते के लिए सूखने के लिए छाये दार स्थान पर रख देना चाहिए। फिर पत्तियों को हटा दें तथा कार्म्स एवं कारमेल्स को साफ कर लें तथा इनको 0.2% वाभिस्टीन के घोल में 30 मिनट के लिए डुबो दें। फिर निकालने के पश्चात 2–3 सप्ताह तक छाये में सुखा लें। सूखने के पश्चात उथले लकड़ी के बक्सो या जूट के बोरों मे रखकर अगले वर्ष में रोपण के लिए कोल्ड स्टोरेज में रख दें।

ग्लैडियोलस के प्रमुख रोग, कीट एवं प्रबंधन

फ्यूजेरियम राट : यह रोग फ्यूजेरियम आक्सीस्पोरम स्पेशीज ग्लैडियोली नामक कवक द्वारा फैलता है। इस रोग में पत्तियां एवं तने पीले पड़ कर सूखने लगते हैं। कन्दों पर भूरे रंग के धब्बे पड़ जाते हैं।

प्रबंधन : बुआई के लिए हमेशा स्वस्थ कंदों का प्रयोग करें।, उन कंदो के बुआई के लिए प्रयोग करे जो घन कंद से तैयार किये गये हों।, कंद का भण्डारण

के पूर्व 0.2% वाविस्टन के घोल से उपचारित करें।, 2 या 3 साल से अधिक ग्लैडियोलस की खेती एक ही स्थान पर न करें।, रोग का लक्षण प्रकट हो जाने के बाद उपचार बहुत मुश्किल होता है। इसलिए उपरोक्त ढंग से बचाव करने का प्रयास करें। इस रोग का प्रभाव कम करने के लिए कैप्टान 0.3% घोल का ड्रेंचिग पौधों की जड़ो पर करें।

कन्द सड़न : फ्यूजेरियम आक्सीस्पोरम, आल्टरनेरिया, पेनीसिलियम तथा एसपरजिलस आदि कवकों द्वारा कंदो का सड़न होता है। भण्डारण के दौरान कंदो पर काले धब्बे पड़ जाते हैं।

प्रबंधन : भण्डारण के दौरान कंदो को पतली परत में रखें।, भण्डारण तथा बुआई के पूर्व कारवेन्डजिम 0.2% या कैप्टान 0.3% के घोल से उचार करें।

वोट्राइटिस व्लाइट : यह रोग मैदानी भागों में फरवरी मार्च में देखा जाता है। प्रारम्भ में कंदों पर गहरे भूरे धब्बे पड़ते है जो बाद में स्पंजी सड़न का रूप ले लेते हैं। खेत में रोग का प्रकोप होने पर पत्तियों की ऊपरी सतह पर विभिन्न आकार के स्लेटी भूरे धब्बे पड़ते हैं।

प्रबंधन : कंदो को मैंकोजेव 0.3% पाउडर से शुष्क उपचार करें।, खेत में रोग का प्रकोप होने पर इण्डोफिल एम. 45 का 0.3% या बेनलेट 50 डब्लू पी. का 01% का सप्ताह में दो बार छिड़काव करें।

माहू : इनके शिशु एवं प्रौढ़ पोधों की कोशिकाओं से रस चूसते हैं।

प्रबंधन : खड़ी फसल पर रोगार का 0.15% घोल का छिड़काव करें।

थ्रिप्स : ये पौधों के ऊतकों को खरोंच देते हैं जिससे कोशिकाओं में घाव बन जाता है। फिर घावों से निकले रस को चूसते हैं। जिससे पत्तियों तथा फूलों पर भूरे रंग के चकत्ते पड़ जाते हैं।

प्रबंधन : रोगार 30 ई.सी. का 0.2% घोल का छिड़काव करें।

9. मौसमी फूलों की खेती

एक वर्षीय पुष्प वे शाकीय पौधे हैं जिनका प्रवर्धन बीज से होता है। तथा वे एक वर्ष या एक मौसम में अपना पूरा जीवन चक्र पूरा कर लेते हैं।

एक वर्षीय पौधों में वानस्पतिक वृद्धि, पुष्पों का रंग, आकार आदि में काफी विभिन्नता होने के कारण काफी महत्वपूर्ण होते हें। एक वर्षीय पुष्पीय पौधों को विभन्न लोकेशन तथा उद्देश्य जैसे गमलों, क्यारियों, लटकते टोकरियां, एजिंग, तथा राक गार्डेन आदि में उगा सकते हैं। तथा इनका उपयोग हरबेशियस बोर्डर में भी कर सकते हैं। इनका उगाये जाने वाले समय के अनुसार निम्न प्रकार वर्गीकरण कर सकते हैं।

1. शरद कालीन मौसमी पौधे

जाड़े वाले मौसमीय पौधे कम तापमान के प्रति सहिष्णु होते हैं। इसलिए इसको जाड़े के मौसम में पुष्पण करने हेतु उगाया जाता है। जाड़े वाले मौसमीय पौधों का बहुत बड़ा समूह है इन पौधों को उगाने के लिए उत्तर भारत में बीज की बुआई सितम्बर में की जाती है। तथा अक्टूबर माह में रोपण किया जाता है।

मुख्य शरद कालीन मौसमीय पौधेां की सूची निम्नवत हैं

1. एक्रोक्लाइनम
2. अजरेस्टेमा
3. एमरेन्थस
4. एक वर्षीय कारनेशन
5. एक वर्षीय गुलदाबदी
6. एनटिरहिनम
7. आरकोटिस
8. ब्रेचीकोम
9. कैल्सियोलेरिया
11. कैलेण्डुला
12. कैम्पानुला
13. कैण्डीटफ्ट
14. सेलोसिया
15. चाइना एस्टर
16. सिनरेरिया
17. क्लारिकिया
18. कार्नफ्लावर
19. डेजी
20. हेलीक्राइसम
21. हालीहाक
22. जिप्सोफिला
23. लिमोनियम
24. लाइनेरिया
25. लाइनम
26. लूपिन
27. मेरीगोल्ड
28. मेट्रीकेरिया
29. मिग्नोनेट
30. मिमुलस
31. मोपोसोटिस
32. नस्टरशियम
33. नेमेसिया
34. निकोटियाना
35. नेमोफिला

36. निजेलिया
37. पैन्जी
38. पिटूनिया
39. फ्लाक्स
40. पिम्पीनेला
41. पापी
42. एडवेकिया
43. सालविया
44. सेपोनेरिया
45. स्टाक
46. स्वीट एलाइसम
47. स्वीट पी
48. स्वीट सुल्तान
49. स्वीट विलियम
50. वरवीना
51. वेनीडियम
52. वाल फ्लावर
53. वापोला

2. ग्रीष्म कालीन मौसमी पौधे

इस वर्ग के पौधे उत्तर भारत में अधिक तापक्रम के प्रति सहिष्णु होते हैं इसके बीजों की बुआई फरवरी माह के आखिरी सप्ताह से 15 मार्च तक करते है। इस वर्ग में कोरिप्पसिस, कासमस, गैलारडिपा, कोचिया, गमफ्रीना, सनफ्लावर, जीनिया आदि हैं।

3. वर्षा कालीन मौसमी पौधे

इस वर्ग के पौधे बरसात के दौरान अधिक वर्षा तथा वातावरण में अधिक आर्द्रता के प्रति सहनशील होते हैं। इनके बीजों की बुआई जून में की जाती है। बालसम, अमरेन्थस, काक्सकाम्ब, गैलार्डिया आदि पौधे इस वर्ग में आते हैं।

मौसमी पौधों की उनके उपयोगिता के अनुसार वर्गीकरण

1. *क्यारी में रोपण हेतु :* बालसम, डहेलिया, कानेशन, गेंदा, फ्लाक्स, वरवीना, पिटूनिया, स्वीट सुल्तान, कैण्डीफ्ट, स्वीट विलियम, जीनिया, पिटूनिया आदि।
2. *लटकते टोकरी हेतु :* डैजी, नस्टरशियम, वरवीना, फ्लाक्स, पोरचुलाका, स्वीट एलाइसम।
3. *हाते में लगाने हेतु :* सालविया, सिनरेरिया।
4. *राक गार्डेन में लगाने हेतु :* नस्टरशियम, वरवीना, फ्लाक्स।
5. *गमलों में लगाने हेतु :* एस्टर, कारनेशन, पिटूनिया।

6. *सिथिल पुष्पों हेतु (लूज फ्लावर):* गेंदा, एक वर्षीय गुलदाउदी, एस्टर, जीनिया।
7. *कर्तित फूलों हेतु :* कारनेशन, एनटिरहिनम, हेलीक्राइसम लार्कस्पर, लूपिन, स्वीट सुल्वान, आदि।
8. *सुगन्धित पुष्पों हेतु :* कारनेशन, स्वीट, पी, स्वीट, सुल्तान, स्वीट विलियम, स्वीट एलाइसम।
9. *परदे हेतु :* हालीहाक, स्वीट पी।
10. *विशेष आकृति हेतु :* क्लायन्थस।
11. *शुष्क पुष्पों हेतु :* हेलीक्राइसम, एक्रोक्लाइनम, स्टेटिस।

मौसमी पौधों का उगाना एवं प्रबंधन

पौध तैयार करना : मौसमी पौधों के बीज बहुत ही छोटे हैं। तकनीकी ढंग से इसकी बुआई सीमित क्षेत्र में की जाती है। बीज की बुआई गमलों, बक्सों या 10–15 सेंमी. ऊँची बनायी गई क्यारियों में की जाती है। क्यारियों की चौड़ाई 1 मी तथा लम्बाई 2–3 मीटर रखते हैं। क्यारी की तैयारी के दौरान 10–15 कि.ग्रा. प्रति वर्ग मीटर गोबर की सड़ी खाद मिला देनी चाहिए। मृदा जनित फंफूदों से बचाव हेतु कैप्टान 0.25% के घोल से क्यारी को बुआई के पूर्व उपचारित कर लेना चाहिए। बीज को 5 सेंमी. की दूरी पर लाईन में 0.5 सेंमी. की गहराई पर बोना चाहिए। बीज बुआई के पश्चात महीन किये हुए गोबर की सड़ी खाद तथा बालू या मिट्टी के मिश्रण से बीज को ढक देना चाहिए। इसके पश्चात फौव्वारे से सिंचाई आवश्यकतानुसार सुबह शाम को करते रहना चाहिए। बीज का जमाव प्रारम्भ होते ही बीज को ढकने वाले पदार्थ जैसे पुआल, या हलके कपड़े आदि को हटा देना चाहिए। तथा आवश्यकतानुसार रोग या कीट का प्रबन्धन करते रहें एवं सिंचाई हजारे से करते रहें लगभग 1 माह में पौध रोपाई योग्य (3–4 पत्ती की अवस्था) तैयार हो जाते हैं।

मुख्य खेत की तैयारी तथा रोपण : खेत की जुताई या गुड़ाई आदि करके खेत को तैयार कर लें तथा खेत की तैयारी के दौरान ही 5 कि.ग्रा. गोबर की सड़ी खाद तथा 10 ग्रा. नत्रजन, फास्फोरस पोटाश प्रत्येक को प्रति वर्गमीटर की दर से प्रयोग कर लें। नमी रोपाई के पूर्व बना लें। रोपाई सायं के समय करें। लम्बे, मध्यम व बौने पौधों को क्रमशः 30–40^0 सेन्टीग्रेड मी., 15–20^0 सेन्टीग्रेड मी., 10–12 सेन्टीग्रेड मी. की दूरी पर पौध रोपण करें। रोपण के तुरंत बाद हल्की सिंचाई कर लें।

मौसमी पौधों का प्रबंधन : मौसमी पौधे काफी कोमल होते है। इसलिए सावधानी पूर्वक क्यारी से खरपतवार इत्यादि निकाले। आवश्यकतानुसार उचित अंतराल पर हल्की सिंचाई करते रहें। पौध रोपण के एक माह पश्चात 10 ग्रा. नत्रजन प्रति वर्गमीटर की दर से टापड्रेसिंग कर दें।

बीज उत्पादन व भण्डारण

मौसमी पौधों का बीज उत्पादन काफी महत्पवपूर्ण कार्य है इस कार्य के लिए तकनीकी ज्ञान तथा रख रखाव व भण्डारण के लिए विशेष देखरेख की आवश्यकता होती है। बीज की शुद्धता बनाये रखने के लिए पौधों में परागण की प्रकृति का ज्ञान आवश्यक है। मौसमी पौधों में तीन प्रकार का परागण होता है। स्वतः परागण, स्वतः से आंशिक परपरागण तथा पर परागण। स्वतः परागण वाले पौधों को पृथक्करण दूरी की आवश्यकता नहीं होती है। इस तरह का परागण लूपिन, स्वीट पी, सालविया में होता है। मौसमी पौधे जिनमें स्वतः से आंशिक परपरागण होता है इसमें 50–100 मीटर पृथक्करण दूरी की आवश्यकता होती है। इस तरह के परागण वाले पौधों में एन्टरहिनम, लार्कस्पर, लाइनेरिया, फलाक्स, तथा पैन्जी आदि आते हैं। अधिकाशं को मौसमी पृथक्करण दूरी की आवश्यकता होती है। इस तरह का परागण जीनिया, बालसम, डहेलिया, कासमस, वरवीना, नस्टरशियम, गेंदा, गुलदाउदी, स्वीट सुल्तान, कार्न फ्लावर, पोरचुलाका, सूर्यमुखी, कैलेंडुला, कैण्डीटफ्ट, हेली क्राइसम, काक्सकाम्ब, गम्फ्रीना आदि पौधे आते है। एक प्रकार के मौसमी पुष्पों के कई प्रजातियों के बीज उत्पादन के लिए बड़े क्षेत्र की आवश्यकता होती है। कुछ बीज उत्पादक कृत्रिम रूप से या ग्रीन हाउस के अंदर बीज उत्पादन करते है। सीमित मात्रा में बीज उत्पादन के लिए पौधों में पुष्पों के खिलने के पूर्व थैले लगा दिये जाते हैं। पृथ्थकरण के साथ आफ टाइप (अन्य किस्म) के पौधों को पुष्पण के पूर्व वानस्पतिक अवस्था में निकाल देते हैं। इस तरह अवांक्षनीय पौधों को निकालना (रोगिंग) कहते हैं। यह कार्य भी करना आवश्यक होता है। संकर बीज उत्पादन के लिए पौधों को उगाकर संकरण कराया जाता है। इसके लिए नर पौधों के पुरूषत्व हरण, पराग इक्टठा करना, तथा यांत्रिक परागण (मैनुअली) करना आदि कार्य तकनीकी ढंग से करने पड़ते हैं। बीज परिपक्वता के पश्चात कटाई, मड़ाई, सफाई, व छनाई आदि करके उचित नमी तक सुखा कर रोग व कीट नाशक पाउडर से शोधित करके टिन या शीसे के जार में सिलिका जेल के साथ भण्डारित कर देते हैं।

कुछ महत्वपूर्ण पौधों का विवरण एक दृष्टि में।

क्र.सं.	वानास्पतिक नाम	सामान्य नाम	ऊँचाई सेंमी.	पुष्प का रंग	टिप्पणी
1	एक्रोक्लानम रोजियम	पेपर फ्लावर	60–70	सफेद, गुलाबी	शुष्क पुष्प, गमलों व क्यारी में लगाने हेतु
2	एलथीया रोजिया	हाली हाक	120–180	सफेद, गहरा लाल, गुलाबी, पीला, लाल	परदे हेतु तथा हरवेशियस वार्डर के पीछे लगाने हेतु ।
3	एलाइसम मेरिटिमम	स्वीट एलाइसम	10–30	सफेद, बैगनी	क्यारी तथा गमलों में लगाने हेतु ।
4	एनटिरिहिनम	स्नेप ड्रेगन	15–20	सफेद, पीला, गुलाबी, रोजी, चमकदार, बैगनी	क्यारी तथा गमले में लगाने हेतु तथा कर्तित फूलों हेतु।
5	कैलेण्डुला आफीसिनेलिस	पाट मेरीगोल्ड (कैलेण्डुला)	40–50	पीला, नारंगी	क्यारी तथा गमला हेतु तथा कर्तित फूलों हेतु।
6	कैलिस्टेफस चाइनेनसिजा	एस्टर	40–50	सफेद नीला, गुलाबी	क्यारी तथा गमले में उगाने तथा कर्तित फूलों हेतु।
7	सेन्च्यूरिया स्पानस	कार्न फ्लावर	90–100	सफेद, गुलाबी, नीला	क्यारी में उगाने हेतु।
8	सेन्चयूरिया मासचाटा	स्वीट सुल्तान	90–100	चमकदार बैगनी सफेद, पीला, सफेद पीला	क्यारी एवं गमले में उगाने हेतु तथा सुगन्धित एवं कर्तित पुष्पों हेतु।
9	क्राइसोन्थिमम कोरोने रिपम	मौसमी गुलदावदी	90–100	सफेद, पीला	क्यारी में उगाने तथा सिथिल (लूज) फूलों हेतु
10	क्लारकिया	–	70–100	सफेद, रोजी, गुलाबी, बैगनी	क्यारी में उगाने हेतु।
11	डहेलिया बेरिबिलस	डहलिया	90–150	पीला, लाल, सफेद, गहरा लाल, चमक दार बैगनी	क्यारी एवं गमलो में उगाने हेतु।
12	डलफिनम एजासिस	लार्कस्पर	45–150	सफेद, गुलाबी, गहरा लाल, पीला, चमकदार बैगनी,	क्यारी तथा गमलों में उगाने हेतु।

13	डायन्थस वरवेटस	स्वीटविलियम	30–40	सफेद, गहरा, लाल, गुलाबी, पीला बैगनी, लाल	क्यारी तथा गमलों में उगाने हेतु , कर्तित फूलों हेतु तथा सुगन्धित पुष्पों हेतु।
14	डाइमोर फोथका औरियनटीयाका	अफ्रीकन डैजी	50–60	सफेद	क्यारी तथा गमलों में उगाने हेतु।
15	हेली क्राइसम वेक्टीटम	स्ट्राफ्लावर	70–90	पीला	क्यारी में उगाने तथा कर्तित फूलों हेतु।
16	आइवेरिस अमारा	कैण्डीटफ्ट	30–40	सफेद, गुलाबी	गमलों में उगाने तथा हरवेसियस वार्डर के किनारे हेतु।
17	लिथिरस आडोरेटस	स्वीट पी	90–150	सफेद, गुलाबी नांरगी नीला, गहरा लाल, नीला	बैक ग्राउण्ड या पार्श्व के रूप में लगाते है। तथा परदे के लिए इस पुष्प का रोपण किया जाता है। सीधे बीज द्वारा मुख्य स्थान पर भी बुआई कर सकते हैं।
18	लाइनेरिया बाइपरटिला	लाइनरिया	30–40	पीला, गुलाबी, सफेद, नीला, लाल, बैगनी	अर्द्धछाया में उगाने क्यारी तथा गमलों में उगाने हेतु।
19	मैथियोला झकाना	स्टाक	70–100	पीला,लाल, सफेद	कर्तित फूलों हेतु।
20	निगेला डेमासेना	लव इन मिस्ट	45–60	नीला, सफेद, बैगनी	क्यारी तथा गमलों में उगाने हेतु।
21	पिटूनिया हाइब्रिडा	पिटूनिया	50–75	नीला, सफेद, लाल, बैगनी, गुलाबी	क्यारी तथा गमलों में उगाने हेतु।
22	फलाक्स ड्रेमोर्न्ड	–	35–50	सफेद, लाल, नीला, गुलाबी, बैगनी	हरवेसिपयस वार्डर मे नाटे पौधों हेतु तथा गमलों एवं टोकरियों में उगाने हेतु ।
23	टेजेटस इरेक्टा	अफ्रकीन गेंदा	60–120	पीला, नारंगी	क्यारी में उगाने तथा सिथिल पुष्पों हेतु ।

24	टेजेटस पेटुला	फ्रेंच गेंदा	30–40	लाल, पीला, नांरगी	क्यारी तथा गमलों में उगाने हेतु।
25	ट्रोपिपेलम मेजस	नस्टराशियम	30–45	पीला, लाल नारंगी	राकरी तथा चढ़ाने हेतु।
26	वापोला ट्राईकोलर	पैंजी	25–30	लाल, पीला, नीला,	क्यारी तथा गमलों में उगाने हेतु।

गर्मी तथा बरसात वाले मौसमी पौधे

27	अमरेन्थस काउडेटस	–	60–75	गुलदावदी सफेद	गमलों में उगाने तथा इंडोर गार्डेन हेतु।
28	गैलारडिया पल चेला	ब्लेनेकट फ्लावर	45–60	पीला, नारंगी, गहरा लाल भूरा	सूखा के सहने की क्षमता, कर्तित फूलों हेतु तथा बहु वर्षीय के रूप में भी उगा सकते हैं।
29	पोरचुलाका ग्रान्डी फ्लोरा	–	20–30	नारंगी, पीला, लाल, सफेद	कलम द्वारा प्रवर्धन आसान, गमलों एवं लटकते टोकरी में उगाने हेतु।
30	कोचिया स्कोपेरिया	–	60–75	–	पत्तियों द्वारा शोभायमान
31	जीनिया इलीमेन्स	–	75–90	सफेद, नारंगी, लाल क्रीमी, गुलाब, पीला,	बहुत कठोर, तथा लम्बी अवधि तक उगाने हेतु।
32	इंपेटिपेन्स वाल्सा	गुलमेहदी (वालसम)	60–75	सफेद, नारंगी, लाल गुलाबी, बैगनी	पुष्प कम अवधि वाला, शीघ्र पुष्पण होता है।
33	सेलोसिया क्रिसटाटा	काक्सकाम्ब	45–75	गुलाबी, पीला, नारंगी	बहुत कठोर, तथा लम्बी पुष्पण अवधि।
34	विन्का रोजिया	सदाबहार	60–75	बैगनी, सफेद	वर्ष भर उगा सकते हैं।
35	होलीयन्थस एनुस	सूर्यमुखी	60–150	पीला, नारंगी	बीज द्वारा सीधे क्यारी में उगा सकते हैं तथा इसे वर्ष भर उगा सकते हैं।

10. हरवेसियस वार्डर

किसी खण्ड (प्लाट) में मौसमी पौधों को वार्डर के रूप में व्यवस्थित ढंग से उगाने को हरवेसियस बार्डर कहते हैं। जाड़े के मौसमी पौधों की लम्बी श्रंखला होने के कारण इनको वार्डर के रूप में उगाने से उद्यान की शोभा व सुन्दरता बढ़ जाती है। हरवेसियस वार्डर दो प्रकार का होता है।

1. **सिंगिल फेस** : सिंगिल फेस हरवेसियस वार्डर उन स्थानों पर बनाते हैं। जहाँ पर वार्डर के पीछे दीवाल, सब्ररी बार्डर आदि होता है इसकी सुन्दरता एक दिशा से दिखाई पड़ती है। इसलिए इसे किसी खण्ड के किनारे बनाते हैं। इस प्रकार के वार्डर में लम्बे पौधे पीछे, मध्यम ऊँचाई के पौधे बीच में तथा नाटे पौधे सामने उगाते हैं।

2. **डवल फेस** : डबल फेस हरवेसियस वार्डर उन स्थानों पर बनाते हैं जब किसी पेड़, बड़े खंड को विभक्त करना होता है। तथा दोनो दिशाओं से सुन्दरता बढ़ानी होती है। इसके ठीक पीछे सब्ररी वार्डर, दीवाल, या वृक्ष नहीं होते हैं। इस प्रकार के वार्डर में लम्बे पौधे बीच में उसके पश्चात क्रमश मध्यम व नाटे पौधे दोनो तरफ से उगाते हैं।

हरवेसियस वार्डर हेतु स्थान का चुनाव

हरवेसियस वार्डर के लिए उपयुक्त स्थान का चुनाव काफी महत्वपूर्ण होता है। हरवेसियस वार्डर वाला स्थान खुला तथा पूरे दिन धूप आनेवाला होना चाहिए इसलिए प्राथमिकता के आधार पर दक्षिण दिशा में बनायें यदि दक्षिण दिशा में उपलब्ध न हों तब पूर्व दिशा में बनाये एंव अंतिम विकल्प के रूप में पश्चिम दिशा में बनायें।

हरवेसियस वार्डर यदि सिंगिल फेस का बना रहे हैं तो पीछे का भाग भी सब्ररी वार्डर या कम ऊँचाई के पुष्पीय वृक्ष का हो या यदि दीवाल हो तो उस पर पुष्पीय लताएँ चढ़ायें या स्वीट पी चढ़ायें तथा हरवेसियस वार्डर के सामने का भाग हरियाली का हो जहां पर सुन्दरता का आनन्द लेते हुए विश्राम किया जा सके। हरवेसियस वार्डर के सामने लिलि तालाब, सनडापल या मूर्ति इत्यादि नहीं होना चाहिए। यदि डबल फेस का हरवेसियास वार्डर बनाना हो तब भी इस बात का ध्यान रखे कि हरवेसियस बार्डर के दोनो तरफ पर्याप्त स्थान हो तथा हरियाली (लान) बनाई गयी हो। जिससे सुन्दरता का अहसास करते हुए विश्राम किया जा सके।

हरवेसियस वार्डर का आकार

हरवेसिपस वार्डर की लम्बाई आवश्यकतानुसार कोई भी रखे किन्तु चौड़ाई 1–1.5 मी. या सामने की जमीन की उपलब्धता के अनुसार थोड़ा बढ़ा सकते हैं।

हरवेसियस वार्डर की रंग योजना

पौधों का चुनाव करने के लिए किस प्रकार का रंग नियोजन बनाया जाय यह उद्यानविद् की पंसद एवं अनुभव पर निर्भर करता है किस प्रकार के रंग को प्रधानता दी जाय ये विचारणीय है। इसलिए पौधों का चुनाव व क्रमबद्ध व्यवस्थापन सावधानी पूर्वक करना चाहिए। उद्यान में पेड़–पौधों की पत्तियों का हरा रंग वर्ष भर प्रभावी रहता है। इसलिए कुछ नयापन व बदलाव के लिए जाड़े में गर्म रंग जैसे लाल तथा वंसत ऋतु में पीला रंग अच्छा अहसास प्रदान करता है। निम्न तीन प्रकार के रंग योजना का प्रयोग करते हुए पौधों का व्यवस्थापन कर सकते हैं।

1. एक रंगी योजना (Monocromatic scheme)

एक रंगी रंग योजना में केवल एक ही रंग या उससे थोड़े से सही ही अन्तर के रंगों वाले पौधों का चुनाव करना चाहिए। जो कि एक ही पौधों का हो सकता है। या विभिन्न पौधों का, उदाहरणार्थ यदि नीले रंग का योजना बनाना है तो नीले रंग के कार्न फ्लावर के बाद नीले लाकस्पिर, अजरेटम, एनचूसा आदि। पीले रंग के योजना के लिए पीले डहेलिया के बाद, पीला एन्टरहिनम, पीला कैलेण्डुला, पीला नस्टरशियम, पीला गेंदा, पीला एक वर्षीय गुलदाउदी, पीला कोरियोप्सिस आदि इस रंग योजना के लिए शुद्ध बीज का पौधा होना चाहिए जिससे किस्म के अनुसार पुष्पों में रंग प्राप्त हो।

2. एक जैसी या मिलाप रंग योजना (Analogous or Harmonious colour scheme)

एक जैसी अथवा मिलाप रंग योजना में मौसमी पौधों का व्यवस्थापन इस प्रकार से करते है कि एक पौधे के बाद दूसरे पौधे का रंग में थोड़ा सा परिवर्तन हो इसलिए इसे मिलाप रंग योजना (harmonious scheme) कहते हैं। इस प्रकार के रंग योजना का उदाहरण के लिए यदि सफेद, क्रीमी, पीला, हल्का पीला, फिर अंत में गहरा पीला और फिर इसी तरह से हल्के होते रंग में पौधों का व्यवस्थापन करते हैं। यदि लाल रंग का मिलाप कराते रंग का योजना बनाना है तो हल्का गुलाबी, गहरा गुलाबी, हल्का लाल, लाल फिर गहरा लाल और फिर इसी प्रकार हल्के होते (उतरते हुए) रंग के पौधे का चुनाव करेंगें।

3. विषम रंग योजना (Contrast colour scheme)

विषम रंग योजना में एक दम विपरीत ढंग के पौधों का चुनाव करते हैं उदाहरणर्थ हरे पार्श्व (बैकग्राउंड) के विरूद्ध लाल डहेलिया के बाद नीला कार्नफ्लावर एक अच्छा विषम रंग योजना हैं इसी तरह पीले रंग के पश्चात बैगनी, नीला व लाल सफेद एलाइसम का रोपण एक उत्तम विषम रंग योजना होगा। वार्डर की चौड़ाई अनुमानतः (Roughly) 5:3:2 या 6:3:1 के अनुपात में लम्बा मध्यम व नाटा पौधा का रखते हैं वार्डर के सामने की पंक्ति में पौधो को पूरी तरह से सीधा न रखते हुए हल्का मोड़ लेते हुए रोपित करते है इसी प्रकार यदि गमलों में लगे पौधों को व्यवस्थित करना है तो एक सीधी पंक्ति या नियत दूरी पर न रखते हुए बल्कि थोड़ा सा अंतर रखते हुए प्राकृतिक सुन्दरता को प्रस्तुत करने का प्रयास करते हैं।

❑❑❑

परिशिष्ट

1. सब्जी विकास में भारतीय कृषि अनुसंधान परिषद् का योगदान

सब्जी विकास एवं अनुसंधान की दिशा में भारतीय कृषि अनुसंधान परिषद् का महत्वपूर्ण कदम था चौथी पंचवर्षीय योजना के दौरान वर्ष 1970–71 में अखिल भारतीय समन्वित सब्जी विकास परियोजना को आरम्भ करना। इस योजना का मूल उद्देश्य देश के विभिन्न कृषि जलवायु क्षेत्रों के लिए सब्जियों की किस्मों का परिक्षण करना तथा क्षेत्र विशेष की परिस्थितियों के अनुसार सब्जी उत्पादन की सस्य और पौध संरक्षण सम्बन्धी तकनीकों को विकसित करना है। इस योजना के अन्तर्गत पूरे देश में सब्जियों की किस्मों को परीक्षण करने तथा उपयुक्त सस्य एवं पौध संरक्षण विधियों को विकसित करने के लिए 8 कृषि जलवायु क्षेत्रों में बांटा गया है। इस योजना के अन्तर्गत प्रारम्भ में 7 मुख्य केन्द्र तथा 10 उपकेन्द्र खोले गये। वर्तमान में इस योजना के अन्तर्गत 7 मुख्य केन्द्र, 18 उपकेन्द्र तथा 31 स्वायत केन्द्र कार्य कर रहे हैं। इस योजना के अन्तर्गत आने वाले विभिन्न कृषि जलवायु क्षेत्रों के बारे में संक्षिप्त विवरण तथा क्षेत्र विशेष के लिए विकसित किस्मों को नीचे दिया गया है।

1. पश्चिमी हिमालयन् आर्द्र–क्षेत्र

इस क्षेत्र के अन्तर्गत देश के ठंडे–पर्वतीय राज्यों जैसे जम्मू–कश्मीर, हिमाचल प्रदेश और उत्तर प्रदेश के पर्वतीय अंचल को रखा गया है। जम्मू कश्मीर के मैदानी क्षेत्र की जलोढ़ मृदा मध्यम से निम्न उर्वरा शक्ति वाली हैं, जब कि पहाड़ी क्षेत्र की मृदा भूरी है। यहाँ के तापमान में काफी विभिन्नता है। मैदानी क्षेत्र में अधिकतम तापमान 20–250^0 सेन्टीग्रेड तक जाता है जब कि ऊँचे पर्वतीय क्षेत्र का न्यूनतम तापक्रम –4 से 100^0 सेन्टीग्रेड तक पाया जाता है। इस राज्य में अखिल भारतीय समन्वित सब्जी विकास परियोजना का उपकेन्द्र श्रीनगर, शेरे कश्मीर कृषि एवं प्रौद्योगिक, विश्व विद्यालय, श्रीनगर के अन्तर्गत है।

क्षेत्र 1 के अन्तर्गत दूसरा पर्वतीय राज्य हिमाचल प्रदेश है। यह प्रदेश समुद्र से 350–6975 मीटर ऊँचाई तक फैला है। इस प्रदेश की जलवायु में काफी विभिन्नता है। निचले पर्वतीय क्षेत्र में ग्रीष्म ऋतु में तापक्रम 37–380^0 सेन्टीग्रेड तक पहुँच जाता है, जबकि ऊँचाई वाले क्षेत्रों में जैसे– शिमला, लाहौल स्फिती एवं चम्बा का जाड़े में तापक्रम –4.9^0 सेन्टीग्रेड तक पहुँच जाता है। इस प्रदेश के वाह्य हिमालय क्षेत्र में वर्षा का औसत 150–175 सेंमी. है। लाहौल स्फिति और किन्नौर स्थानों में वर्षा–छाया प्रभाव के कारण वर्षा का औसत कम हो जाता है तथा शुष्क शीत क्षेत्र बन जाता है। इस प्रदेश में अखिल भारतीय समान्वित सब्जी विकास परियोजना का मुख्य केन्द्र कुल्लू घाटी में स्थिति है जो भारतीय कृषि अनुसंधान का क्षेत्रीय केन्द्र कटराई है तथा उपकेन्द्र सोलन है जो यशवंत सिंह परमार कृषि एवं वानिकी विश्व विद्यालय, सोलन के अन्तर्गत है।

इस क्षेत्र के अन्तर्गत उत्तर प्रदेश के पहाड़ी क्षेत्र को भी रखा गया है क्योंकि यहाँ की भूतल संरचना एवं जलवायु प्रदेश के शेष भाग से भिन्न है। यहाँ जाड़े में न्यूनतम तापक्रम 30^0 सेन्टीग्रेड तक पहुँच जाता है जबकि ऊँची पहाड़ियाँ बर्फ से ढ़क जाती हैं। इस क्षेत्र में वर्षा का औसत 67–250^0 सेंमी. है। इस क्षेत्र में सब्जियों पर अनुसंधान कार्य के लिए अ.भा.स.स. वि. परियोजना के दो स्वायत केन्द्र रानी चौरी (गोविन्द वल्लभ पंत कृषि एवं प्रौद्योगिक विश्वविद्यालय पंतनगर के अन्तर्गत) तथा विवेकानन्द पर्वतीय कृषि अनुसंधानशाला अल्मोड़ा है। क्षेत्र 1 के लिए सब्जियों की विभिन्न किस्में जिन्हें अ.भा.स.स. वि. परियोजना के अन्तर्गत विकसित कर इस क्षेत्र में उगाने की संस्तुति की गयी है।

सारिणी : कृषि जलवायु क्षेत्र–1 के लिए विकसित सब्जियों की किस्में

सब्जी	किस्में	अनुमोदित वर्ष	स्रोत
टमाटर			
(अ) सीमित बढ़वार वाले			
1.	एच.एस.–101	1975	हिसार
2.	एस.–12	1975	लुधियाना
3.	स्वीट–72	1975	ग्वालियर
4.	पूसा अर्ली ड्वार्फ	1977	एन.बी.पी.जी.आर., नई दिल्ली
5.	पंजाब छुहारा	1979	लुधियाना
6.	पूसा गौरव	1979	नई दिल्ली
7.	के.एस.–2	1985	कल्याणपुर
8.	को–3	1989	कोयम्बटूर
9.	पंजाब केशरी	1987	लुधियाना
10.	ले बोनिता	1987	एन.बी.पी.जी.आर., नई दिल्ली
11.	हिसार अरुण	1990	हिसार
12.	सेलेक्शन 16–4	1995	लुधियाना
13.	एल ई 79–5	1983	वेल्लानीकारा
(ब) असीमित बढ़वार वाले			
1.	सेलेक्शन–120	1975	नई दिल्ली
2.	टी–1	1975	पंतनगर
3.	पंत बिहार	1985	पंतनगर
4.	अर्का विकास	1987	बंगलौर
5.	अर्का सौरभ	1987	बंगलौर
6.	पंत टी–3	1987	पंतनगर
9.	बी.टी.–12	1996	भुवनेश्वर
बैंगन			
(अ) लम्बा			
1.	आजाद क्रान्ति	1983	कल्याणपुर
2.	ए.आर.यू. 1 सी	1985	अल्मोड़ा
3.	ए.आर.यू. 2 सी	1987	अल्मोड़ा
4.	जे.वी. 15	1998	जबलपुर

मिर्च

1.	आंध्र ज्योति	1975	लाम
2.	भाग्य लक्ष्मी	1975	लाम
3.	के–2	1975	कोविल पट्टी
4.	जे–218	1987	जबलपुर

फ्रेन्च बीन

1.	वी.एल. बोनी	1985	अल्मोड़ा
2.	अर्का कोमल	1987	बंगलौर
3.	आई.आई.एच.आर.	1987	बंगलौर
4.	आई.आई.एच.आर.	1997	बंगलौर
5.	सी.एच. 819	1999	राची (चेस)

फूल गोभी

1.	पूसा शुभ्रा	1985	नई दिल्ली
2.	पूसा स्नोबाल के–1	1979	कटराईं
3.	के.टी. 25	1999	कटराईं

पत्ता गोभी

1.	पूसा मुक्ता	1985	कटराईं

प्याज (लाल रंग)

1.	लाईन–1.2	1987	नई दिल्ली
2.	वी.उल.–3	1990	अल्मोड़ा

मटर

(अ) अगेती

1.	पी.एम.2	1987	पंतनगर
2.	अगेती–6	1993	लुधियाना

(ब) मध्य

1.	जवाहर मटर 1	1975	ग्वालियर
2.	पी. 88	1985	लुधियाना
3.	वी.एल. 3	1985	अल्मोड़ा
4.	लिंकन	1987	कटराईं
5.	वी.एल. 6	1996	अल्मोड़ा
6.	एफ.सी. 1	1993	बंगलौर

7.	वी.एल. 8	1998	अल्मोड़ा
8.	वी.आर.पी. 3	1999	सब्जी अनुसंधान संस्थान वाराणसी

कद्दू

1.	सी.एम. 14	1987	वेल्लानीकारा
2.	अर्का सुर्यमुखी	1987	बंगलौर
3.	पूसा विश्वास	1987	नई दिल्ली

गाजर

1.	पूसा यमदग्नी	1981	कटराईं

लहसुन

1.	वी.एल.जी. 7	1999	अल्मोड़ा

2. बंगाल–असम का तटवर्ती आर्द्र क्षेत्र

इस क्षेत्र के अन्तर्गत पश्चिमी बंगाल व असम को रखा गया है। पश्चिमी बंगाल का दो तिहाई भाग जलोढ़ मृदा वाला समतल क्षेत्र है जबकि उत्तरी भाग जो हिमालय क्षेत्र से जुड़ता है, पहाड़ी क्षेत्र है। पूरे प्रदेश को गंगा नदी उत्तर से दक्षिण में विभाजित करती है। इस प्रदेश में 6 प्रकार की मृदाएं पाई जाती हैं, भूरी पर्वतीय मृदायें, तराई मृदाएं, लाल मृदायें, लेटे राइट मृदायें, जलोढ़ मृदायें, तटीय क्षारीय मृदायें। प्रदेश में वर्षा का औसत 175 सेंमी. है तथा यहाँ की जलवायु आर्द्र प्रकृति की है। मैदानी क्षेत्र का औसत तापक्रम 16–40^{0} सेन्टीग्रेड जबकि पर्वतीय क्षेत्रों का तापक्रम 7–200^{0} सेन्टीग्रेड होता है। इस प्रदेश में सब्जियों पर अनुसंधान कार्य विधान चन्द्र कृषि विश्व विद्यालय, कल्याणी में किया जाता है जो अखिल भारतीय समन्वित सब्जी विकास परियोजना का उपकेन्द्र है।

इस क्षेत्र के अन्तर्गत दूसरा प्रमुख राज्य असम है। असम राज्य को मैदानी तथा पहाड़ी दो क्षेत्रों में बाँटा जाता है। इस क्षेत्र की ब्रह्मपुत्र एवं बैरक घाटी कृषि की दृष्टि से काफी महत्वपूर्ण है। पहाड़ी क्षेत्रों में बरैल एवं मेघालय से लगा भाग आता है। प्रदेश की मृदा काफी वर्षा होने के कारण अम्लीय प्रकृति की है। प्रदेश की मृदाओं को दो वर्गों में वर्गीकृत किया गया है– जलोढ़ एवं लाल मृदायें। यहाँ वर्षा का औसत न्यूनतम 146.9 सेंमी. और अधिकतम 348.1 सेंमी. तक पाया गया है। इस प्रदेश के तापक्रम का औसत 5–38^{0} सेन्टीग्रेड तक है। इस प्रदेश में सब्जियों पर शोध कार्य अखिल भारतीय समन्वित सब्जी विकास परियोजना के

उपकेन्द्र जोरहट में किया जाता है जो असम कृषि विश्वविद्यालय, जोरहट के अन्तर्गत आता है।

सारिणी : कृषि जलवायु क्षेत्र–2 के लिए विकसित सब्जियों की किस्में

सब्जी	किस्में	अनुमोदित वर्ष	स्रोत
टमाटर			
(अ) सीमित बढ़वार			
1.	एच.एस.–101	1975	हिसार
2.	एस.–12	1975	लुधियाना
3.	पंजाब छुहारा	1979	लुधियाना
4.	पूसा गौरव	1983	नई दिल्ली
5.	के.एस.–2	1985	कल्याणपुर
6.	सेलेक्शन 32	1996	हिसार
(ब) असीमित बढ़वार			
1.	पूसा रूबी	1975	नई दिल्ली
2.	टी–1	1975	पंतनगर
3.	शू	1977	नई दिल्ली
4.	पंत बहार	1985	पंतनगर
5.	पंत टी–3	1987	पंतनगर
बैंगन			
(अ) लम्बा			
1.	एन.डी.बी.–25	1990	फैजाबाद
(ब) गोल			
1.	हिसार श्यामल	1990	हिसार
2.	बी.बी.–7	1990	भुवनेश्वर
फूल गोभी			
1.	पंत शुभ्रा	1981	पंतनगर
2.	पूसा शुभ्रा	1985	नई दिल्ली
लोबिया			
1.	पूसा कोमल	1983	नई दिल्ली
करेला			
1.	प्रिया	1992	वेल्लानीकारा

3. पूर्वी हिमालयन आर्द्र क्षेत्र एवं खाड़ी द्वीप

इस क्षेत्र के अन्तर्गत उत्तर पूर्वीय पर्वतीय क्षेत्र के प्रदेश सिक्किम, मेघालय, मणिपुर, नागालैण्ड, मिजोरम, त्रिपुरा एवं अरूणांचल प्रदेश आते हैं। इस क्षेत्र के अन्तर्गत ही अण्डमान निकोबार द्वीप समूह को भी रखा गया है। इस पूरे क्षेत्र का धरातल ऊँचा–नीचा है तथा इस क्षेत्र में वर्षा का औसत सर्वाधिक है यहाँ तक कि विश्व का सबसे अधिक वर्षा वाला क्षेत्र मासिनराम जहाँ 350 सेंमी. से भी अधिक वर्षा होती है इसी क्षेत्र के अन्तर्गत आता है। पूरे क्षेत्र की मृद्रा अधिक वर्षा के कारण अम्लीय प्रकृति की है। इस क्षेत्र में तापक्रम का औसत 5–35 डिग्री सेन्टीग्रेड तक पाया जाता है। इस क्षेत्र में सब्जियों पर अनुसंधान कार्य भारतीय कृषि अनुसंधान परिषद के उत्तर पूर्वीय पर्वतीय केन्द्र बारापानी के साथ–साथ सभी उत्तर पूर्वी प्रदेशों में उपकेन्द्रों के रूप में किया जाता है। बारापानी अखिल भारतीय समन्वित सब्जी विकास परियोजना का स्वायत्त केन्द्र है। अण्डमान निकोबार द्वीप समूह में सब्जियों के ऊपर शोध का कार्य केन्द्रीय कृषि अनुसंधान संस्थान पोर्ट ब्लेयर में किया जाता है।

सारिणी : कृषि जलवायु क्षेत्र–3 के लिए विकसित सब्जियों की किस्में

सब्जी	किस्में	अनुमोदित वर्ष	स्रोत
बगैंन (गोल)			
1.	ए.बी. 1	1996	आनन्द
फ्रेन्चबीन			
1.	सी.एच. 812	1999	राची (चेस)

4. सतलज–गंगा का जलोढ़ मैदानी उपार्द्र क्षेत्र

इस क्षेत्र के अन्तर्गत पंजाब, उत्तर प्रदेश का मैदानी व तराई क्षेत्र और बिहार को रखा गया है। पंजाब की मृदायें जलोढ़ प्रकार की है जो सतलज एवं ब्यास नदियों की लायी गयी मिट्टी से बनी हैं। पंजाब राज्य की जलवायु में काफी विभिन्नता पाई जाती है। यहाँ जाड़े में तापमान काफी नीचे चला जाता है। जबकि गर्मियों में तापमान 400^0 सेन्टीग्रेड को पार कर जाता है। पंजाब राज्य में सब्जियों की नई किस्मों को विकसित करने तथा अन्य अनुसंधान सम्बन्धी कार्य पंजाब कृषि विश्व विद्यालय लुधियाना में किया जाता है। और यह अ.भा.स. सब्जी विकास परियोजना का मुख्य केन्द्र है।

इस क्षेत्र के अन्तर्गत आने वाला दूसरा राज्य उत्तर प्रदेश का मैदानी व तराई भाग है। इसकी 60% से अधिक मृदा जलोढ़ है और अन्य प्रकार की मृदायें – भावर, तराई, विन्धयन, बुन्देल खण्ड एवं अरावली मृदायें है। इस प्रदेश के भावन एवं तराई मृदा वाले क्षेत्र, हिमालय पर्वत से लगे हुए भाग है। यहाँ वर्षा का औसत 140 सेंमी. है और काफी आर्द्रता पाई जाती है। प्रदेश के पश्चिमी मैदानी क्षेत्र में पूर्व में गंगा एवं पश्चिम से यमुना स्पर्श करती है। यह काफी उपजाऊ क्षेत्र है। इस क्षेत्र में वर्षा का औसत 80–120 सेंमी. है। इसकी मृदा जलोढ़ प्रकृति की है। प्रदेश के मध्य मैदानी क्षेत्र को गंगा एवं यमुना का दोआब कहते हैं, इसकी जलवायु उपोष्ण है। उत्तर प्रदेश एक बड़ा राज्य है जिसे पुनः निम्न क्षेत्रों में बाँटा जा सकता है– भावर एवं तराई क्षेत्र, पश्चिमी मैदानी क्षेत्र, मध्य मैदानी क्षेत्र, दक्षिणी पश्चिमी अर्द्ध शुष्क क्षेत्र, केन्द्रीय मैदानी क्षेत्र, बुन्देल खण्ड क्षेत्र, उत्तर पूर्वी मैदानी क्षेत्र, पूर्वी मैदानी क्षेत्र। इस प्रदेश में सब्जी पर गहन अनुसंधान कार्य के लिए अखिल भारतीय समन्वित सब्जी विकास परियोजना का मुख्यालय, वाराणसी में है। इसके अतिरिक्त प्रदेश में स्थित 3 कृषि विश्वविद्यालय गोविंद बल्लभ पंत कृषि विश्वविद्यालय पंतनगर, चन्द्रशेखर आजाद कृषि एवं प्रौद्योगिक विश्वविद्यालय कानपुर तथा नरेन्द्र देव कृषि एवं प्रौद्योगिक विश्वविद्यालय फैजाबाद इस योजना के अन्तर्गत उपकेन्द्र के रूप में कार्य कर रहे हैं।

इस क्षेत्र के अन्तर्गत आने वाला चौथा प्रमुख राज्य बिहार है। पूरे बिहार राज्य को गंगा पश्चिम से पूर्व की ओर बढ़ती हुई इस प्रदेश को उत्तरी एवं दक्षिणी भागों में बाटती है। उत्तरी बिहार का मैदानी क्षेत्र जो नेपाल के तराई वाले क्षेत्र से लगता है, वहाँ की मृदा प्रायः जलोढ़ प्रकृति की है। दक्षिणी बिहार राज्य की मृदा जलोढ़ तथा अम्लीय एवं क्षारीय प्रकृति की है। इस प्रदेश के छोटा नागपुर तथा संथाल परगना पठारी क्षेत्र के अन्तर्गत आते हैं। पठारी क्षेत्र की मृदा काफी रंध्रावकाश वाली होती है जिसमें जल धारण क्षमता कम होती है तथा प्रकृति में अमलीय होती है। इस प्रदेश में वर्षा का औसत 127 सेंमी. है। इस प्रदेश में सब्जियों पर शोध कार्य अ.भा.स.स. विकास परियोजना के अन्तर्गत राजेन्द्रा कृषि विश्व विद्यालय साबोर में किया जाता है जो मुख्य केन्द्र है। तथा केन्द्रीय बागवानी परिक्षण केन्द्र राँची में किया जाता है। जो अखिल भारतीय समन्वित सब्जी विकास परियोजना का स्वायत केन्द्र है।

सारिणी : कृषि जलवायु क्षेत्र–4 के लिए विकसित सब्जियों की किस्में

सब्जी	किस्में	अनुमोदित वर्ष	स्रोत
टमाटर (सीमित)			
1.	एच.एस.–101	1975	हिसार
2.	सेलेक्शन–12	1975	लुधियाना
3.	स्वीट–72	1975	ग्वालियर
4.	पूसा अर्ली ड्वार्फ	1977	एन.बी.पी.जी.आर.ए नई दिल्ली
5.	पंजाब छुहारा	1979	लुधियाना
6.	पूसा गौरव (सेलेक्शन–152)	1975	नई दिल्ली
7.	के.एस.–2		
8.	को–3	1987	कोयम्बटूर
9.	पंजाब केशरी	1987	लुधियाना
10.	ले बोनिता	1987	एन.बी.पी.जी.आर., नई दिल्ली
11.	सेलेक्शन–7	1990	हिसार
12.	एन.डी.टी. 3	1999	फैजाबाद
13.	के.एस. 118	1999	कल्यानपुर
14.	बी.टी. 116.3.2	1999	भुवनेश्वर
टमाटर (असीमित)			
1.	पूसा रूबी	1975	नई दिल्ली
2.	सेलेक्शन–120	1975	नई दिल्ली
3.	टाइप–1	1975	पंतनगर
4.	शू	1977	नई दिल्ली
5.	पंत बहार (ए.सी.–238)	1985	पंतनगर
6.	अर्का सौरभ	1987	बंगलौर
7.	पंत टी–3 (ए.सी.–234)	1987	पंतनगर
8.	डी.टी.–10	1996	नई दिल्ली
9.	बी.टी.–12	1996	भुवनेश्वर
10.	बी.टी. 20.2.1	1999	भुवनेश्वर
11.	एन.डी.टी. 9	1999	फैजाबाद
बैंगन (लम्बा)			
1.	पूसा पर्पल लाँग	1975	नई दिल्ली
2.	पूसा पर्पल क्लस्टर	1975	नई दिल्ली
3.	पी.उच. 4	1975	लुधियाना
4.	पूसा क्रांति	1975	नई दिल्ली

5.	पंत सम्राट	1981	पंतनगर
6.	ए.आर.यू. 1 सी	1985	अल्मोड़ा
7.	ए.आर.यू. 2 सी	1987	अल्मोड़ा
8.	एच. 7	1990	हिसार
9.	एन.डी.बी. 25	1990	फैजाबाद
10.	पंजाब बरसाती	1993	लुधियाना
11.	पंजाब सदाबहार	1999	लुधियाना
12.	एन.डी.वी. 28.2	1999	फैजाबाद

बैंगन (गोल)

1.	टाइप 3	1975	कल्याणपुर
2.	पंत ऋतुराज	1985	पंतनगर
3.	के.एस. 224	1995	कन्याणपुर
4.	के.एस. 224	1995	कल्याणपुर

बैंगन (छोटा गोल)

1.	पी.एल.आर. 1	1996	कोयम्बटूर

बैंगन (हरा)

1.	अर्का कुसुमाकर	1981	बंगलौर

मिर्च

1.	आंध्र ज्योति (जी–5)	1975	लाम
2.	भाग्य लक्ष्मी (जी–4)	1975	लाम
3.	जे.–218	1975	लाम
4.	भाष्कर	1987	जबलपुर
5.	मुसलवादी	1987	राहुरी
6.	जे.सी.ए. 283	1996	जबलपुर

फूल गोभी

ग्रूप–1

1.	अर्ली कुवारी	1975	लुधियाना

ग्रूप–2

1.	पूसा दीपाली	1975	नई दिल्ली
2.	पंत शुभ्रा	1981	पंतनगर
3.	235 एस.	1990	पंतनगर

ग्रूप–3

1.	इम्प्रूव्ड जापानीज	1975	नई दिल्ली

ग्रूप–4

1.	पूसा स्नोबाल (सेले–1)	1975	कटराईं
2.	पूसा स्नोबाल–2 (सेले–2)	1975	कटराईं
3.	स्नोबाल–16 (ईसी–12013)	1975	कटराईं

पत्ता गोभी

1.	पूसा मुक्ता	1985	कटराईं

लोबिया

1.	पूसा कोमल (एल.–1552)	1983	नई दिल्ली
2.	सेलेक्शन–263	1992	लुधियाना
3.	सेलेक्शन–2–1	1993	फैजाबाद

फ्रेन्च बीन

1.	यू.पी.एफ.–191	1987	पंतनगर
2.	सी.एच. 812	1999	राची (चेस)

मटर (अगेती)

1.	अकेंल	1975	नई दिल्ली
2.	जवाहर मटर–4 (जी.सी. 195)	1975	ग्वालियर
3.	अर्ली दिसम्बर (जवाहर मटर–3)	1977	ग्वालियर
4.	पी.एम. 2	1987	पंतनगर
5.	वी.एल. 7	1992	अल्मोड़ा
6.	अगेता–6	1993	लुधियाना
7.	एन.डी.वी.पी. 12	1999	फैजाबाद

मटर (मध्य)

1.	बोनविले	1975	नई दिल्ली
2.	ज्वाहर मटर–1	1975	ग्वालियर
3.	पंत उपहार (आई.पी. 3)	1985	पंतनगर
4.	पी. 38	1985	लुधियाना
5.	वी.एल. 3	1985	अल्मोड़ा
6.	लिंकन	1987	कटराईं
7.	एन.डी.वी.पी. 8	1997	फैजाबाद
8.	जे.पी. 4	1990	जबलपुर

9.	पी.आर.एस. 4	1990	कल्याणपुर
10.	एन.डी.वी.पी. 4	1995	फैजाबाद

गाजर

1.	पूसा यमदग्नी	1981	कटराईं
2.	पूसा मेघाली	1992	नई दिल्ली

प्याज (लाल)

1.	पंजाब सेलेक्शन	1975	लुधियाना
2.	पूसा रत्नार	1975	नई दिल्ली
3.	पूसा रेड	1975	नई दिल्ली
4.	एन. 2–4–1	1985	राहुरी
5.	अर्का कल्याण	1987	बंगलौर
6.	लाईन–102	1987	नई दिल्ली
7.	एग्रीडाउण्ड डार्क रेड	1987	नासिक
8.	एग्रीफाउण्ड लाइट रेड	1993	नासिक
9.	पंजाब रेड राउण्ड	1993	लुधियाना

प्याज (सफेद)

1.	पूसा व्हाइट राउण्ड	1975	नई दिल्ली
2.	पूसा व्हाइट फ्लैट	1975	नई दिल्ली
3.	एस. 48	1975	लुधियाना

लहसुन

1.	जी. 41	1988	नासिक
2.	जी. 1	1990	नासिक
3.	जी. 50	1993	नासिक
4.	वी.एल.जी. 7	1999	अल्मोड़ा

खरबूज

1.	हरा मधु	1975	लुधियाना
2.	पूसा शरबती	1975	नई दिल्ली
3.	पूसा मधुरस	1985	नई दिल्ली
4.	दुर्गापुर मधु	1975	दुर्गापुरा

तरबूज

1.	दुर्गापुर मीठा	1975	दुर्गापुरा
2.	अर्का मानिक	1987	बंगलौर

घीया तोरी

1.	सेलेक्शन–90	1995	नई दिल्ली

आरातोरी (रीजगोर्ड)

1.	सी.एच.आर.जी. 1	1999	राची (चेस)

लौकी

1.	पी.बी.ओ.जी. 61	1999	पंतनगर
2.	बी.जी.एल.सी. 2.1	1999	लुधियाना

खीरा

1.	सी.एच.सी. 2	1999	राची (चेस)

कद्दू

1.	सी.एम. 14	1987	वेल्लानीकारा
2.	पूसा विश्वास	1987	नई दिल्ली
3.	एन.डी.पी.के. 24	1999	फैजाबाद

भिण्डी

1.	सेलेक्शन 2	1995	एन.बी.पी.जी.आर., नई दिल्ली
2.	पी. 7	1990	लुधियाना
3.	परभनी क्रान्ति	1990	परभनी
4.	अर्का अनामिका	1990	बंगलौर
5.	वर्षा उपहार	1996	हिसार

5. पूर्वोत्तर का उप आर्द्र क्षेत्र तथा दक्षिण पूर्वी ऊपरी भाग

इस क्षेत्र के अन्तर्गत मध्य प्रदेश के पूर्वी भाग उड़ीसा और आन्ध्र प्रदेश को रखा गया है। मध्य प्रदेश के पूर्वोत्तर भाग के अन्तर्गत छत्तीसगढ़ क्षेत्र, बस्तर का पठारी क्षेत्र आता है। छत्तीसगढ़ क्षेत्र में वर्षा का औसत 130–160 सेंमी. है। बस्तर क्षेत्र का वर्षा का औसत 120–160 सेंमी. है। बस्तर क्षेत्र की मृदायें बलुई दोमट है। मध्य प्रदेश के इस भाग में सब्जियों पर अनुसंधान कार्य इंदिरा गांधी कृषि एवं प्राद्योगिक विश्वविद्यालय, रायपुर में किया जाता है जो अखिल भारतीय समन्वित सब्जी विकास परियोजना का उपकेन्द्र है।

इस क्षेत्र के अन्तर्गत दूसरा प्रमुख राज्य उड़ीसा है। इस राज्य में वर्षा का औसत 149.7 सेंमी. है। इस प्रदेश की मृदाओं को मुख्य रूप से 8 वर्गों में बाँटा

जाता है – लाल बलुई और लाल दोमट मृदायें, लैटेरिटिक मृदायें, पीली लाल मृदायें, तटीय जलोढ़ मृदायें, डेल्टा की जलोढ़ मृदायें, काली मृदायें, मिश्रित लाल और काली मृदायें, वनों की भूरी मृदायें। यहाँ की कृषि मुख्य रूप से मानसून के उपर निर्भर करती है। इस प्रदेश में सब्जियों पर अनुसंधान कार्य उड़ीसा कृषि विश्वविद्यालय, भवनेश्वर में किया जाता है जो अ.भा.स.स. विकास योजना का उपकेन्द्र है।

इस क्षेत्र के अन्तर्गत तीसरा प्रमुख राज्य आन्ध्र प्रदेश है। इस प्रदेश की मृदाओं के मुख्य रूप से 6 वर्गो में बाँटा गया है– लाल मृदा, काली मृदा, जलोढ़ मृदा, तटवर्ती बलुई मृदा, लेटराइट मृदा, समस्याग्रस्त लवणीय एवं क्षारीय मृदायें। इस प्रदेश का अधिकतम तापमान 34.2–44.80 सेन्टीग्रेड के बीच रहता है जबकि न्यनतम 12.5–21.30 सेन्टीग्रेड के बीच जोता है। प्रदेश में वर्षा और अन्य जलवायु समबन्धी तथ्यों के आधार पर निम्न जलवायु क्षेत्रों में बांटते हैं कृष्णा गोदावरी क्षेत्र, उत्तरी तटवर्ती क्षेत्र, दक्षिणी क्षेत्र, उत्तरी तेलांगना क्षेत्र, दक्षिणी तेलांगाना क्षेत्र, रायल सीमा का शुष्क क्षेत्र, ऊँचाई वाले तथा आदिवासी क्षेत्र। इस प्रदेश में सब्जियों पर अनुसंधान कार्य आन्ध्र प्रदेश कृषि विश्वविद्यालय, हैदराबाद और इसके क्षेत्रीय अनुसंधान केन्द्र लाभ पर किया जाता है। यह दोनों केन्द्र अ.भा.स.स. विकास परियोजना के उपकेन्द्र हैं।

सारिणी : कृषि जलवायु क्षेत्र–5 के लिए विकसित सब्जियों की किस्में

सब्जी	किस्में	अनुमोदित वर्ष	स्रोत
टमाटर (सीमित)			
1.	सी.ओ. 3	1987	कोयम्बटूर
2.	पंजाब केशरी	1987	लुधियाना
3.	ला बोनिता	1987	एन.बी.पी.जी.आर., नई दिल्ली
4.	सेलेक्शन–7	1990	हिसार
5.	उच 24	1997	हिसार
6.	बी.टी. 116.3.2	1999	भुवनेश्वर
टमाटर (असीमित)			
1.	पंत बहार	1985	पंतनगर
2.	अर्का विकास	1987	बंगलौर
3.	अर्का सौरभ	1987	बंगलौर
4.	पंत टी. 3	1987	पंतनगर

बैंगन (लम्बा)

1.	पूसा पर्पल क्लस्टर	1975	नई दिल्ली
2.	पंत सम्राट	1981	पंतनगर
3.	बी.बी. 26	1983	भुवनेश्वर
4.	सेलेक्शन–4	1995	हैदराबाद

बैंगन (गोल)

1.	जामुनी गोल बैंगन (एस. 16)	1975	लुधियाना
2.	एच. 8	1990	हिसार
3.	बी.बी. 7	1990	भुवनेश्वर
4.	बी.बी. 44	1996	भुवनेश्वर

मिर्च

1.	आंध्र ज्योति (जी. 5)	1975	लाम
2.	भाग्य लक्ष्मी (जी. 4)	1975	लाम
3.	के. 2	1985	कोविल पट्टी
4.	जे. 218	1987	जबलपुर
5.	भास्कर	1987	लाम
6.	मुसलवादी	1987	राहुरी
7.	सेलेकशन–1	1990	बंगलौर
8.	जे.सी.ए. 206 बी	1990	लाम
9.	बी.सी. 14.2	1999	भुवनेश्वर

लोबिया

1.	पूसा कोमल (एल. 1552)	1983	करनाल

सेम

1.	दीपालीवाल	1987	अकोला

मटर (अगेती)

1.	जवाहर मटर–3 (अर्ली दिसम्बर)	1977	ग्वालियर

मटर (मध्य)

1.	पी. 88	1985	लुधियाना
2.	पी.आर.एस. 4	1990	कल्याणपुर

तरबूज

1.	शुगर बेबी	1975	नई दिल्ली

कद्दू

1.	सी.एम. 14	1987	वेल्लानीकारा
2.	पूसा विश्वास	1987	नई दिल्ली

भिन्डी

1.	सेलेक्शन 2	1995	एन.बी.पी.जी.आर., नई दिल्ली
2.	पी. 7	1990	लुधियाना
3.	परभनी क्रान्ति	1990	परभनी
4.	अर्का अनामिका	1990	बंगलौर

6. पश्चिमी शुष्क मैदानी क्षेत्र

इस क्षेत्र के अन्तर्गत राजस्थान, गुजरात, हरियाणा तथा दिल्ली राज्य को रखा गया है। दिल्ली की जलवायु में काफी विभिन्नता पायी जाती हे। यहाँ जाड़े में तापमान काफी नीचे चला जाता है। जबकि गर्मियों में तापमान 40^0 सेन्टीग्रेड को पार कर जाता है। दिल्ली राज्य में सब्जियों पर गहन अनुसंधान का कार्य भारतीय कृषि अनुसंधान संस्थान, नई दिल्ली में किया जाता है। यह संस्थान अखिल भारतीय समन्वित सब्जी विकास परियोजना का पहले मुख्यालय था, और अब इस योजना का एक मुख्य केन्द्र है।

राजस्थान की मृदा को मुख्य रूप से 5 वर्गो में बाँटा गया है। एरिडीसाल्स, अल्फी साल्स, इंटिसाल्स, इंसेपिटिसाल्स, वर्टीसाल्स। प्रदेश में वर्षा का औसत जो भाग पाकिस्तान की सीमा से लगता है जैसे– जैसलमेर का कम है। जैसे–जैसे हम राज्य में दक्षिणी और पूर्वी भाग की तरफ बढ़ते हैं, वर्षा का औसत बढ़ता जाता है और सबसे अधिक वर्षा भीलवाड़ा और बंसवारा क्षेत्र में होती है। इसी प्रकार यहाँ के तापक्रम में भी काफी विभिन्नता होती है। गर्मी के दिन में रेत का तापक्रम 450^0 सेन्टीग्रेड से अधिक बढ़ जाता है और जाड़े में काफी नीचे गिर जाता है। पूरे प्रदेश में तीव्र गति से हवायें चलती है और गर्मी के दिन में अंधड़ चलता है। इस प्रदेश में सब्जियों पर अनुसंधान कार्य अखिल भारतीय समन्वित सब्जी विकास परियोजना के उपकेन्द्र दुर्गापुर में होता है जो राजस्थान कृषि विश्वविद्यालय के अन्तर्गत है।

इस क्षेत्र के अन्तर्गत तीसरा प्रमुख राज्य गुजरात है। इस प्रदेश की मृदाओं को मुख्य रूप से 5 वर्गो में बाँटा गया है काली मृदायें, मिश्रित लाल एवं काली मृदा, अवशेषीय बलुई मृदायें, जलोढ़ मृदायें, लवणीय क्षारीय मृदाये, रेगिस्तानी मृदायें, लैटेरिटिक मृदायें, पहाड़ी मृदा, जंगली मृदा प्रदेश के उत्तरी भाग की जलवायु शुष्क

प्रकृति की है और दक्षिणी भाग की जलवायु उप आर्द्र प्रकार की है। शेष प्रदेश की जलवायु अर्द्ध शुष्क है। प्रदेश में वर्षा के अनुपात में काफी विभिन्नता है। पश्चिमी कच्छ क्षेत्र में कम बरसात (30 सेंमी.) होती है जबकि दक्षिणी क्षेत्र के बलसाद और डॉंग्स क्षेत्रों में बरसात का औसत 150 सेंमी. से अधिक है। प्रदेश के तापक्रम में काफी विभिन्नता पाई जाती है। इस राज्य में सब्जियों के ऊपर अनुसंधान कार्य अ. भा.स.स. विकास परियोजना के उपकेन्द्र जूनागढ़ में होता है जो गुजरात कृषि विश्वविद्यालय के अन्तर्गत है।

इस क्षेत्र के अन्तर्गत चौथा प्रमुख राज्य हरियाणा है। हरियाणा का पूरा भाग सिंधु–गंगा के मैदानी क्षेत्र के अन्तर्गत आता है। पूरे प्रदेश में 3 प्रकार की मृदायें एरिडी साल्स, अस्टिक मृदायें, यूडिक मृदायें, पायी जाती है। एरिडिक मृदा जो क्षेत्र राजस्थान की सीमा में लगता है वहाँ पाई जाती है। अस्टिक मृदा कुरू क्षेत्र, रोहतक, जिन्द, करनाल, गुड़गांव तथा हिसार जिलों में पाई जाती है। यूडिक जिले में पाई जाती है जहाँ वर्षा का औसत अधिक है। प्रदेश की जलवायु दक्षिणी पश्चिमी भाग में अर्द्ध शुष्क प्रकृति की है जबकि शेष प्रदेश की जलवायु में गंगा के मैदानी क्षेत्र की जलवायु पाई जाती है। ग्रीष्म ऋतु में यहाँ का तापक्रम काफी ऊँचा होता है यहाँ तक कि 45^0 सेन्टीग्रेड को पार कर जाता है। जाड़े में तापक्रम काफी नीचे -2 से -3^0 सेन्टीग्रेड तक गिर जाता है। इस प्रदेश का जो भाग राजस्थान से स्पर्श करता है वहाँ बरसात कम (30 सेंमी.) और जो भाग हिमाचल प्रदेश और पंजाब से लगता है वहाँ अधिक (120 सेंमी.) होती है। प्रदेश में सब्जी अनुसंधान का कार्य हरियाणा कृषि विश्वविद्यालय हिसार और भारतीय कृषि अनुसंधान संस्थान के क्षेत्रीय केन्द्र करनाल पर होता है। ये दोनो अ.भा. समन्वित सब्जी विकास परियोजना के उपकेन्द्र हैं।

सारिणी : कृषि जलवायु क्षेत्र–6 के लिए विकसित सब्जियों की किस्में

सब्जी	किस्में	अनुमोदित वर्ष	स्रोत
टमाटर (सीमित बढ़वार)			
1.	एच.एस. 101	1975	हिसार
2.	पंजाब छुहारा	1979	लुधियाना
3.	पूसा गौरव (सेले. 152)	1979	नई दिल्ली
4.	के.एस. 2	1985	कल्याणपुर
5.	को. 3	1987	कोयम्बटूर
6.	पंजाब केशरी	1987	लुधियाना

7.	सेलेक्शन–32	1996	हिसार
8.	बी.टी. 116.3.2	1999	भुवनेश्वर
9.	डी.वी.आर.टी. 2	1999	सब्जी अनुसंधान संस्थान वाराणसी

टमाटर (असीमित बढ़वार)

1.	पूसा रूबी	1975	नई दिल्ली
2.	सेलेक्शन 120	1975	नई दिल्ली
3.	शू	1977	नई दिल्ली
4.	अर्का सौरभ	1987	बंगलौर
5.	अर्का सौरभ	1987	बंगलौर
6.	पंत टी. 3 (ए.सी. 238)	1987	पंतनगर
7.	डी.टी. 10	1996	नई दिल्ली
8.	पंत बहार	1985	पंतनगर

बैंगन (लम्बा)

1.	पूसा पर्पल लॉंग	1975	नई दिल्ली
2.	पूसा पर्पल क्लस्टर	1975	नई दिल्ली
3.	पी.एच. 4	1975	लुधियाना
4.	पंत सम्राट	1981	पंतनगर
5.	आजाद क्रान्ति	1983	कल्याणपुर
6.	ए.आर.यू. 2 सी	1987	कल्मोड़ा
7.	एच. 7	1990	हिसार
8.	पंजाब सदाबहार	1999	लुधियाना

बैंगन (गोल)

1.	टी. 3	1975	कल्याणपुर
2.	जामुनी गोल बैंगन	1975	लुधियाना
3.	पंत ऋतुराज	1985	पंतनगर
4.	के. 202–9	1987	आनन्द
5.	एच. 8	1990	हिसार
6.	डी.बी.आर. 31	1995	नई दिल्ली
7.	डी.बी.आर. 8	1995	नई दिल्ली
8.	ए.बी. 1	1996	आनन्द
9.	डी. 2.88.6	1999	साबौर

बैंगन (छोटा गोल)

1.	डी.बी.एस.आर. 44	1995	नई दिल्ली
2.	पी.एल.आर. 1	1996	कोयम्बटूर

बैंगन (हरा)

1.	अर्का कुसुमाकर	1981	बंगलौर

मिर्च

1.	आन्ध्र ज्योति (जी. 5)	1975	लाम
2.	भाग्य लक्ष्मी (जी. 4)	1975	लाम
3.	के. 2	1985	कोविल पट्टी
4.	जे. 218	1987	जबलपुर
5.	एल.सी.ए. 206 बी	1990	लाम
6.	बी.सी. 14.2	1999	भुवनेश्वर

लोबिया

1.	पूसा कोमल	1983	करनाल

मटर (अगेती)

1.	अगेता 6	1993	लुधियाना
2.	वी.आर.पी. 2	1999	सब्जी अनुसंधान संस्थान वाराणसी

मटर (मध्य)

1.	बोनविले	1975	नई दिल्ली
2.	पी. 88	1985	लुधियाना
3.	लिंकन	1987	कटराईं
4.	वी.एल. 6	1993	अल्मोड़ा
5.	पी.आर.एस. 4	1990	कल्याणपुर
6.	एफ.सी. 1	1990	बंगलौर

मटर छिलका सहित खाने वाली

1.	आर्गन सुगर पाडेड	1999	लुधियाना

प्याज (लाल)

1.	पूसा रेड	1975	नई दिल्ली
2.	एन. 2.4.2	1985	राहुरी
3.	एन. 257.9.1	1985	राहुरी
4.	अर्का कल्याण	1987	बंगलौर
5.	लाइन 102	1987	नई दिल्ली
6.	पी.बी.आर. 5	1997	लुधियाना

प्याज (सफेद)

1.	पूसा व्हाइट राउण्ड	1995	नई दिल्ली
2.	पूसा व्हाइट फ्लैट	1975	नई दिल्ली

लहसुन

1.	जी–1	1990	नासिक

खरबूज

1.	पूसा मधुरस	1985	नई दिल्ली
2.	अर्का जीत	1975	बंगलौर
3.	दुर्गापुर मधु	1975	दुर्गापुरा

तरबूज

1.	दुर्गापुर मधु	1975	दुर्गापुरा

घीया तोरी

1.	सेलेक्शन–99	1995	नई दिल्ली

लौकी

1.	पी.बी.ओ.जी. 61	1999	पंतनगर

कद्दू

1.	एन.डी.पी.के. 24	1999	फैजाबाद

भिण्डी

1.	पी. 7	1990	लुधियाना
2.	परभनी क्रान्ति	1990	परभनी
3.	अर्का अनामिका	1990	बंगलौर
4.	एच.आर.बी. 55	1995	हिसार
5.	एच.आर.बी. 9–2	1996	हिसार

7. अर्द्ध शुष्क पठारी क्षेत्र और मध्य ऊँचाई वाले क्षेत्र

इस क्षेत्र के अन्तर्गत मध्य प्रदेश के निम्नलिखित क्षेत्र केमोर के पठारी तथा सत्पुड़ा के पहाड़ी क्षेत्र (जबलपुर), विन्ध्य के पठारी क्षेत्र (सिहोर), नर्मदा का मध्य घाटी क्षेत्र (पवार खेड़ा), गिर्द क्षेत्र (मोरीना), बुन्देलखण्ड क्षेत्र (टिकमगढ़), सतपुड़ा का पठारी क्षेत्र (छिंदवाड़ा) मालवा पठारी क्षेत्र (इंदौर) निमर घाटी क्षेत्र (खारगोन)

झाबुआ पठारी क्षेत्र (झाबुआ) तथा सम्पूर्ण महाराष्ट्र को रखा गया है। मध्य प्रदेश के विभिन्न क्षेत्रों की भूमियों में काफी विभिन्नता है। इसके केमोर के पठारी क्षेत्र की मृदायें लाल तथा मध्यम काली से गहरी काली है। यहाँ वर्षा का औसत 100–120 सेंमी. है। विन्ध्य के पठारी क्षेत्र की मृदायें काली है। नर्मदा घाटी क्षेत्र की मृदायें गहरी काली है जिसमें 40–60% क्ले पाया जाता है। गिर्द क्षेत्र की मृदायें जलोढ़ प्रकृति की है। बुन्देलखण्ड की मृदायें चिकनी, चिकनी दोमट तथा दोमट प्रकृति की है जिसमें क्ले अधिक होता है। निमर घाटी क्षेत्र की मृदायें कपास की खेती वाली मृदायें हैं। झावुआ के पठारी क्षेत्र की मृदायें काली मृदायें है तथा यहाँ धरातल ऊँची–नीची सतह वाला है। मध्य प्रदेश के इस भाग में सब्जियों के ऊपर शोध कार्य अ.भा.स.स. विकास परियोजना के उपकेन्द्र जबलपुर में होता है जो जवाहरलाल नेहरू कृषि विश्वविद्यालय जबलपुर के अन्तर्गत है।

इस क्षेत्र के अन्तर्गत आने वाला दूसरा प्रमुख राज्य महाराष्ट्र है। महाराष्ट्र के भू–भौगोलिक संरचना के आधार पर पूरे प्रदेश को 3 प्राकृतिक क्षेत्रों में बाँटा जा सकता है– कोंकन क्षेत्र (जिसके अन्तर्गत तटवर्ती क्षेत्र आते हैं। सहादरी पठारी क्षेत्र जिसे पश्चिमी घाट कहते हैं यह भाग कोकण और डकन के पठारी क्षेत्र के बीच की पट्टी है तथा डकन का पठारी क्षेत्र। पूरे प्रदेश की जलवायु उपोष्ण तथा अमानसुनी है। प्रदेश में वर्षा का औसत 100 सेंमी. है। इस प्रदेश के घाट एवं तटवर्ती क्षेत्र में बरसात काफी अधिक होती है, जबकि अन्य क्षेत्रों में वर्शा का औसत बहुत कम है। प्रदेश में निम्न 7 प्रकार की मृदायें पायी जाती हैं– काली मृदायें, लैटेराइट तथा लैटेरिटिक मृदायें, तटवर्ती जलोढ़ मृदायें, लवणीय मृदायें। महाराष्ट्र राज्य शुष्क बागवानी के लिए प्रसिद्ध है। यहाँ पर अ.भा.स. सब्जी विकास परियोजना के अन्तर्गत एक मुख्य केन्द्र राहुरी में स्थित है जो महात्मा फूले कृषि विद्यापीठ राहुरी के अन्तर्गत है और दूसरा उपकेन्द्र अम्बाजोगई है जो मराठवाड़ा कृषि विश्व विद्यालय के अन्तर्गत है।

सारिणी : कृषि जलवायु क्षेत्र–7 के लिए विकसित सब्जियों की किस्में

सब्जी	किस्में	अनुमोदित वर्ष	स्रोत
टमाटर (सीमित)			
1.	सेलेक्शन–12	1975	लुधियाना
2.	स्वीट–72	1975	ग्वालियर
3.	पंजाब छुहारा	1979	लुधियाना

4.	पूसा गौरव	1979	नई दिल्ली
5.	सी.ओ. 3	1987	कोयम्बटूर
6.	सेलेक्शन–7	1990	हिसार
7.	सेलेक्शन–32	1996	हिसार
8.	एन.डी.टी. 3	1999	फैजाबाद

टमाटर (असीमित)

1.	पूसा रूबी	1975	नई दिल्ली
2.	सेलेक्शन–120	1975	नई दिल्ली
3.	टी. 1	1975	पंतनगर
4.	शू	1977	नई दिल्ली
5.	अर्का विकास	1987	बंगलौर
6.	अर्का सौरभ	1987	बंगलौर
7.	पंत टी. 3	1987	पंतनगर
8.	बी.टी. 20.2.1	1999	भुवनेश्वर

बैंगन (लम्बा)

1.	पूसा पर्पल लाँग	1975	नई दिल्ली
2.	पूसा पर्पल राउण्ड	1975	नई दिल्ली
3.	एन.डी.बी. 25	1990	फैजाबाद
4.	बी.बी. 26	1995	भुवनेश्वर

बैंगन (गोल)

1.	पंत ऋतुराज	1985	पंतनगर
2.	ए.बी. 1	1996	आनन्द
3.	डी. 2.88.6	1999	साबौर

बैंगन (छोटा गोल)

1.	अरूणा	1988	अकोला
2.	पी.एल.आर. 1	1996	कोयम्बटूर

मिर्च

1.	आन्ध्र ज्योति (जी.–5)	1975	लाम
2.	भाग्य लक्ष्मी (जी–4)	1975	लाम
3.	जे.–218	1987	जलबपुर
4.	भास्कर	1987	लाम
5.	मुसलवादी	1987	राहुरी
6.	सेलेक्शन–1	1990	बंगलौर

7.	एल.सी.ए. 206 बी	1990	लाम
8.	फूले सी. 5	1996	राहुरी
9.	ए.के.सी. 86.39	1999	अकोला
10.	ए.एच.आर.सी.,क्लस्टर इरेक्ट	1999	राहुरी

लोबिया

1.	पूसा कोमल	1983	करनाल
2.	सेलेक्शन–61 बी	1992	बंगलौर

फ्रेंच बीन

1.	अर्का कोमल	1987	बंगलौर
2.	यू.पी.एफ. 191	1987	पंतनगर
3.	सी.एच. 812	1999	राची (चेस)

सेम

1.	दीपालीवाल	1987	अकोला

मटर (अगेती)

1.	अर्केल	1975	नई दिल्ली
2.	जवाहर मटर–4	1975	ग्वालियर
3.	अर्ली दिसम्बर (जवाहर मटर–3)	1977	ग्वालियर

मटर (मध्य)

1.	बोनविले	1975	नई दिल्ली
2.	जवाहर मटर–1	1975	ग्वालियर
3.	लिंकन	1987	कटराई
4.	पी.एच. 1	1993	हिसार

भिन्डी

1.	पी. 7	1990	लुधियाना
2.	अर्का अनामिका	1990	बंगलौर
3.	परभनी क्रान्ति	1990	परभनी

प्याज (लाल)

1.	पंजाब सेलेक्शन	1975	लुधियाना
2.	पूसा रत्नार	1975	नई दिल्ली
3.	पूसा रेड	1975	नई दिल्ली
4.	एनत्र 2.4.1	1985	राहुरी

5.	अर्का कल्याण	1987	बंगलौर
6.	लाइन–102	1987	नई दिल्ली
7.	अर्का निकेतन	1987	बंगलौर
8.	पंजाब रोड राउण्ड	1985	लुधियाना

प्याज (सफेद)

1.	पूसा व्हाइट राउण्ड	1975	नई दिल्ली

लहसुन

1.	जी. 41	1988	नासिक
2.	जी. 1	1990	नासिक

खरबूज

1.	हरा मधु	1975	लुधियाना
2.	पूसा मधुरस	1985	नई दिल्ली
3.	दुर्गापुरा मधु	1975	दुर्गापुरा

तरबूज

1.	दुर्गापुरा मीठा	1975	दुर्गापुरा
2.	शुगर बेबी	1975	नई दिल्ली
3.	अर्का मानिक	1987	बंगलौर

करेला

1.	प्रिया	1992	वेल्लानीकारा
2.	एम.सी. 84	1986	वेल्लानीकारा

लौकी

1.	पूसा नवीन	1992	नई दिल्ली

कद्दू

1.	सी.एम. 350	1999	वेल्लानीकारा

आरातोरी

1.	पी.आर.जी. 7	1999	पंतनगर

8. पश्चिमी घाट के उपार्द्र से आर्द्र क्षेत्र तथा कर्नाटक के पठारी क्षेत्र

इस क्षेत्र के अन्तर्गत दक्षिण भारत के तीन राज्यों कर्नाटक, तमिलनाडु और केरल को रखा गया है। कर्नाटक की जलवायु उपोष्ण प्रकृति की है तथा यहाँ

मानसूनी बरसात होती है। पूरे प्रदेश में तीन प्रकार की मृदायें पाई जाती है नदी घाटियों एवं तटवर्ती क्षेत्र की जलोढ़ मृदायें उत्तरी मैदानी क्षेत्र की काली मृदायें तथा पश्चिम पहाड़ी क्षेत्रों की लैटेराइट और लैटेरिटिक मृदा। इस प्रदेश में सब्जियों पर गहन शोध कार्य अ.भा.स.स. विकास परियोजना के मुख्य केन्द्र बंगलौर में होता है जो भारतीय बागवानी अनुसंधान संस्थान के अन्तर्गत है तथा एक उपकेन्द्र धारवाड़ है, जो कृषि विश्वविद्यालय धारवाड़ के अन्तर्गत आता है।

इस क्षेत्र के अन्तर्गत दूसरा राज्य केरल है। इस प्रान्त का पूरा क्षेत्र पालघाट क्षेत्र को छोड़कर आर्द्र जलवायु के अन्तर्गत आता है। यहाँ बरसात दक्षिणी मानसून के जरिये होती है। यहाँ की 65% से अधिम मृदायें लैटेराइट प्रकृति की है। इस प्रदेश का जो भाग कोयम्बटूर क्षेत्र से जुड़ता है वहाँ की मृदायें कपास की काली मृदायें है। यहाँ पर सब्जियों पर अनुसंधान कार्य अ.भा.स.स. विकास परियोजना के अन्तर्गत वेल्लानीकारा में किया जाता है जो केरल कृषि विश्वविद्यालय के अन्तर्गत आता है।

इस क्षेत्र के अन्तर्गत तीसरा राज्य तमिलनाडु है। इस राज्य की भू–भौगोलिक बनावट के आधार पर प्रदेश को 4 भागों में बाँटा जा सकता है तटवर्ती मैदानी क्षेत्र, पूर्वोत्तर घाट, मध्यवर्ती पठारी क्षेत्र, पश्चिमी घाट। इस प्रदेश की मृदाओं को भी 4 भागो में बाँटा जा सकता है काली मृदायें, लाल मृदायें, लैटेराइट मृदायें, जलोढ़ मृदायें। उपर्युक्त मृदाओं में सबसे अधिक प्रतिशत लाल मृदाओं का है। इसके बाद जलोढ़ मृदायें आती है। प्रदेश की जलवायु उपोष्ण प्रकृति की है तथा वर्षा का औसत 94 सेंमी. है। इस प्रदेश में सब्जियों पर अनुसंधान कार्य तमिलनाडु कृषि विश्वविद्यालय, कोयम्बटूर के अन्तर्गत किया जाता है जो अखिल भारतीय समन्वित सब्जी विकास परियोजना का मुख्य केन्द्र है।

सारिणी : कृषि जलवायु क्षेत्र–8 के लिए विकसित सब्जियों की किस्में

सब्जी	किस्में	अनुमोदित वर्ष	स्रोत
टमाटर (सीमित)			
1.	एच.एस. 101	1975	हिसार
2.	एस. 12	1975	लुधियाना
3.	पूसा अर्ली ड्वार्फ	1977	एन.बी.पी.जी.आर., नई दिल्ली
4.	पंजाब छुहारा	1979	लुधियाना
5.	पूसा गौरव	1979	नई दिल्ली

6.	ले बोनिता	1987	एन.बी.पी.जी.आर., नई दिल्ली
7.	सेलेक्शन–7	1990	हिसार

टमाटर (असीमित)

1.	पूसा रूबी	1975	नई दिल्ली
2.	सेलेक्शन–120	1975	नई दिल्ली
3.	टी–1	1975	पंतनगर
4.	अर्का विकास	1987	बंगलौर
5.	अर्का सौरभ	1987	बंगलौर
6.	पंत टी–3	1987	पंतनगर

बैंगन (लम्बा)

1.	पूसा पर्पल लॉग	1975	नई दिल्ली
2.	ए.आर.यू.–2 सी	1987	अल्मोड़ा
3.	के.टी.–2	1987	कटराईं
4.	बी.बी. 13	1997	भुवनेश्वर

बैंगन (गोल)

1.	टी.–3	1975	कल्याणपुर
2.	पंत ऋतुराज	1985	पंतनगर

बैंगन (हरा)

1.	अर्का कुसुमाकर	1981	बंगलौर

मिर्च

1.	आन्ध्र ज्योति (जी.–5)	1975	लाम
2.	भाग्य लक्ष्मी (जी.–4)	1975	लाम
3.	भास्कर	1987	लाम
4.	मुसलवादी	1987	राहुरी
5.	सेलेक्शन–1	1990	बंगलौर
6.	एल.सी.ए. 205 बी	1990	लाम
7.	जे.सी.ए. 283	1996	जबलपुर

फूल गोभी

ग्रुप–2

1.	पूसा दीपाली	1975	नई दिल्ली

लोबिया

1.	पूसा कोमल	1983	करनाल
2.	सेलेक्शन 61 बी	1992	बंगलौर

फ्रेन्च बीन

1.	अर्का कोमल	1987	बंगलौर

मटर

1.	जे.पी. 4	1990	जबलपुर
2.	एफ. सी. 1	1993	बंगलौर

प्याज (लाल)

1.	पंजाब सेलेक्शन	1975	लुधियाना
2.	पूसा रत्नार	1975	नई दिल्ली
3.	अर्का कल्याण	1987	बंगलौर
4.	पंजाब रेड राउण्ड	1995	लुधियाना

प्याज (सफेद)

1.	पूसा व्हाइट फ्लैट	1975	नई दिल्ली

खरबूज

1.	पूसा मधुरस	1985	नई दिल्ली
2.	अर्का राजहंस	1985	बंगलौर
3.	अर्का जीत	1975	बंगलौर
4.	दुर्गापुरा मधु	1975	दुर्गापुरा

तरबूज

1.	दुर्गापुरा मीठा	1975	दुर्गापुरा
2.	शुगर बेबी	1975	नई दिल्ली
3.	अर्का मानिक	1987	बंगलौर

आरोतारी

1.	आई.आई.एच.आर. 7	1999	आई.आई.एच.आर.

करेला

1.	प्रिया	1992	वेल्लानीकारा
2.	एम.सी. 84	1996	वेल्लानीकारा

कद्दू

1.	सी.एम. 14	1987	वेल्लानीकारा
2.	अर्का चन्दन	1987	बंगलौर
3.	अर्का सूर्यमुखी	1987	बंगलौर
4.	पूसा विश्वास	1987	नई दिल्ली
5.	सी.एम. 350	1999	वेल्लानीकारा

भिन्डी

1.	पी. 7	1990	लुधियाना
2.	परभनी क्रान्ति	1990	परभनी
3.	अर्का अनामिका	1990	बंगलौर

2. भारतीय सब्जी अनुसंधान संस्थान, वाराणसी के विषय में कुछ तथ्य

हमारे देश में सब्जियों की महत्ता को देखते हुए सातवीं पंचवर्षीय योजना में अखिल भारतीय समन्वित सब्जी विकास परियोजना का स्तर बढ़ाकर वर्ष 1985–86 में सब्जी अनुसंधान परियोजना निदेशालय का रूप दिया गया तथा इसके मुख्यालय को नई दिल्ली से स्थानान्तरित करके वाराणसी लाया गया। पुनः अप्रैल 1999 में इसके वृहद कार्य क्षेत्र को देखते हुए इसे राष्ट्रीय संस्थान के रूप में इसका नाम भारतीय सब्जी अनुसंधान संस्थान कर दिया गया। अब यह संस्थान अखिल भारतीय समन्वित विकास परियोजना के अन्तर्गत चलाये जा रहे अनुसंधान कार्यक्रमों के अतिरिक्त अपना शोध कार्य कर रहा है जिसके अन्तर्गत सब्जियों पर मूलभूत अनुसंधान, योजनाबद्ध अनुसंधान तथा व्यावहारिक अनुसंधान किये जा रहे हैं। इसके अतिरिक्त इस निदेशालय द्वारा पूरे देश में किये जा रहे सब्जी अनुसंधान के कार्यों को दिशा निर्देशन तथा नेतृत्व प्रदान करने का कार्य किया जा रहा है। यह संस्थान देश के विभिन्न कृषि जलवायु क्षेत्रों में सब्जियों की नवीन किस्में अनुमोदित करने तथा प्रजनक बीज के उत्पादन कार्य का भी देख–रेख करता है। इसके समन्वित केन्द्र भारतीय कृषि अनुसंधान परिषद के शोध संस्थानों तथा राज्य कृषि विश्वविद्यालयों के अतिरिक्त ऐच्छिक संस्थानों में स्थित हैं। इसके मुख्यालय के अन्तर्गत अब तक 7 मुख्य केन्द्र, 18 उपकेन्द्र तथा 35 ऐच्छिक केन्द्र हैं। इसके मुख्य केन्द्र तथा उपकेन्द्र निम्न प्रकार है–

मुख्य केन्द्र

1. तमिलनाडु कृषि विश्वविद्यालय, कोयम्बटूर
2. भारतीय कृषि अनुसंधान संस्थान, नई दिल्ली
3. भारतीय बागवानी अनुसंधान संस्थान, बंगलौर
4. भारतीय कृषि अनुसंधान संस्थान क्षेत्रीय केन्द्र, कटराईं (हि.प्र.)
5. पंजाब कृषि विश्वविद्यालय, लुधियाना
6. महात्मा फूले कृषि विश्वविद्यालय, राहुरी
7. राजेन्द्र कृषि विश्वविद्यालय, साबौर

उपकेन्द्र

1. मराठवाड़ा कृषि विश्वविद्यालय, अम्बाजोगई
2. उड़ीसा कृषि विश्वविद्यालय, भुवनेश्वर
3. राजस्थान कृषि विश्वविद्यालय, दुर्गापुरा, जयपुर
4. नरेन्द्र देव कृषि एवं प्रौद्योगिक विश्वविद्यालय, फैजाबाद
5. चौधरी चरण सिंह हरियाणा कृषि विश्वविद्यालय, हिसार
6. आन्ध्र प्रदेश कृषि विश्वविद्यालय, हैदराबाद
7. जवाहरलाल नेहरू कृषि विश्वविद्यालय, जबलपुर
8. असम कृषि विश्वविद्यालय, जोरहट
9. गुजरात कृषि विश्वविद्यालय, जुनागढ़
10. चन्द्रशेखर आजाद सिंह कृषि एवं प्रौद्योगिक विश्वविद्यालय, कानपुर
11. विधान चन्द्र कृषि विश्वविद्यालय, कल्यानी
12. आन्ध्र प्रदेश कृषि विश्वविद्यालय क्षेत्रीय शोध केन्द्र, लाम, गुंटूर
13. गोविन्द बल्लभ पंत कृषि एवं प्रौद्योगिक विश्वविद्यालय, पंतनगर
14. शेरे कश्मीर कृषि एवं प्रौद्योगिक विश्वविद्यालय, श्रीनगर
15. यशवंत सिंह परमार उद्यान एवं वानिकी विश्वविद्यालय, सोलन
16. इंदिरा गाँधी कृषि विश्वविद्यालय, रायपुर
17. केरल कृषि विश्वविद्यालय, वेल्लानीकारा
18. कृषि विश्वविद्यालय, धारवाड़

3. पुष्प विज्ञान के विकास में भारतीय कृषि अनुसंधान परिषद् का योगदान

भारत वर्ष में पुष्प एवं शेभाकारी पौधों के विकास के लिए भारतीय कृषि अनुसंधान परिषद् ने अखिल भारतीय समन्वित पुष्प विज्ञान परियोजना को प्रारम्भ किया जिसका मुख्यालय नई दिल्ली में रखा गया। इस परियोजना के अर्न्तगत देश के विभिन्न कृषि विश्वविद्यालयों तथा शोध संस्थानो में फूलों एवं शोभाकारी पौधों के किस्म विकास, बागवानी तकनीकों के विकास एवं फूलों के रखरखाव के बारे में योजनाबद्ध तरीके से शोध कार्य किया जा रहा है। फूलों की बढ़ती माँग एवं आमदनी के प्रमुख स्रोत को ध्यान में रखते हुए भारतीय कृषि अनुसंधान परिषद् ने ग्यारहवीं पंचवर्षीय योजना में वर्ष 2009 में फूलों पर शोध के लिए अनुसंधान निदेशालय (Project Directorate on Floriculture) की स्थापना नई दिल्ली में की जो अपने विभिन्न केन्द्रों के अनुसंधान को संचालित करने के साथ–साथ कुछ मूलभूत विषयों पर शोध कार्य कर रहा है।

□□□